AF496750

Um de Sulpicio Severo Notis inluſtrando nihil planè cogitarem, ſed nonnulla potiùs alia in publicum extrudere vellem, expoſuit mihi Bibliopola, Vir honeſtus, mihique amicus, in animo ſe habere,

)(2   bere,

bere, Sulpicium Severum typis rursus ex-
primendum curare : rogavitque, ut, si
quid haberem, quod ad inlustrandum Au-
Ctorem eum faceret, id secum communi-
carem, novaque Auctoris editioni adjici-
endum darem. Ego verò quamvis Sul-
picium Severum Notis inlustratum à plu-
ribus non ignorarem, adduci tamen me
passus sum, ut aliquid Notarum in Aucto-
rem istum scriberem. Cujus rei caussa
præcipua hæc fuit, quòd opera Sulpicii non
quædem omnia, sed tamen pleraque, ma-
nu exarata in Codice membranaceo cele-
berrimæ Bibliothecæ Electoralis, quæ hic
Coloniæ ad Spream est, offenderam, di-
versásque lectiones minimè sanè conte-
mnendas, ac his, quæ in codicibus vulgatis
reperiuntur, meliores, in iis observaram.
Altera deinde caussa fuit, quòd nonnulla
ad stylum Sulpicii, imò & ad historiam
antiquitatémqne pertinentia, ab his, qui
in eum Auctorem Notas scripserunt, præ-
termissa videbam, de quibus moneri le-
Ctores itidem non præter rem foret. At-
que ita istud, quod, Perinlustris Domine,
tibi

*tibi nunc exhibeo, corpuſculum Notarum
exiit. Quod quidem corpuſculum Notarum tuo judicio ſubmiſſum volo, quippe
quem non tantùm juridicis ac ad remp.
pertinentibus, ſed ipſis quoque hisce philo-
logicis ſtudiis duci ac delectari non ignoro.
Habebam adhuc alia quædam, quæ ad in-
luſtrandum Auctorem fortaſſe facerent:
verùm feſtinantibus operis typographicis
feſtinandum & mihi fuit, nonnullaque vel
omnino, vel ſine exactiore trutinâ, dimit-
tenda. Quorum unum tamen hic exhibere, & tuo itidem judicio ſubmittere placet. In capite XLI libri II Hiſtoriæ ſacræ Sulpicii legitur ita:* Ita miſſis per Illyricum, Italiam, Aphricam, Hiſpanias
Galliásque magiſtris officialibus acciti
numerative quadringenti & paullò ampliùs Occidentales Epiſcopi Ariminum
convenere. *Et de vocabulo* numerative
*quidem Carolus Sigonius monuit, legendum
pro eo* aut coacti; *verùm pro* magiſtris
officialibus *quoque aliter legendum eſſe,
nullus monuit. Imò quaſi lectio vulgata
rectisſimè ſe haberet, ſcripſit* magiſtros

)(3

offi-

officiales hic esse, qui & magistri officiorum
adpellentur.   Verùm enim verò satis adparet, de Magistris officiorum Sulpicium
hic nihil dictum velle.   Scribit enim, ipsos
illos, de quibus agit, per Illyricum, Italiam,
Africam, Hispanias Galliasque missos fuisse ad Episcopos Ariminum acciendos.
Quæ quidem res non est hujusmodi, ut ipsi
Magistro officiorum competere possit.   Notum quippe est, Magistrum officiorum majoris omnino dignationis fuisse, quàm ut ad
Episcopos acciendos mitteretur.   In Notitiâ quidem Imperii adpellatur ille Vir inlustris: in eademque memoria proditum
est, sub ejus dispositione fuisse Scholam scu-
tariorum primam & secundam, & varias
item alias Scholas: deinde quatuor scrinia, memoriæ puta, epistolarum, libellorum
ac dispositionum: denique verò & fabri-
cas numero quindecim.   Ceterùm inter
Scholas istas, quibus Magister officiorum
præfuit, fuit & Agentium in rebus Scho-
la, qui mandato Principis varia ob negotia in provincias mittebantur: de quibus
& peculiaris titulus in libro XII Codicis
Justi-

Justinianei, & numero quidem vigesimus,
agit. Atque ex ipso illo Agentium in rebus corpore pato fuisse eos, quos ad Episcopos acciendos Sulpicius missos ait. Sed
ita lectio illa vulgata, de qua dicebam,
Magistris officialibus, non quadrat. Agentes illi in rebus officiales, id est, ministri,
quidem dici potuere: at magistri dici potuisse non videntur. Siquidem Magistri
adpellatio illi, de quo dicebam, magno Viro, hujusque similibus, isto ævo propria fuisse videtur. Dico igitur, pro magistris
officialibus legendum esse magisterii
officialibus. Sanè in capite XI Dialogi
III Auctor hos, quos ad confimilia negotia
per agenda missos ait, vocat magisterii officiales. Qua quidem adpellatio Agentibus istis in rebus, de quibus dixi, optimè
& quadrat. Quippe officiales, id est ministri, omnino fuerunt. Deinde Magisterii, id est, Magistri officiorum, officiales
fuere. Vox magisterium ipsam quidem
Magistri officiorum dignitatem ac munus
significat; sed hic tamen pro ipso magistro officiorum est accipienda: quomodo

                    do-

minationes pro ipsis dominis, matrimonia
& conjugia pro ipsis uxoribus, servitia pro
ipsis servis, & id genus alia abstracta pro
concretis ab Auctoribus sæpe usurpantur.
Ceterùm & hoc addo, eos, quos magistros
officiales à Sulpicio dictos esse nego; magisterii autem officiales ab eodem dictos
esse contendo, dictos etiam fuisse magi-
strianos. Glossæ Philoxeni quidem habent sic : Agens in rebus Μαγιστριανός.
Suidas item: Μαγιστριανὸς ὁ καστρήνσιος.
Sic enim legendum esse; non autem, ut in
codicibus vulgatis est καστρήσιος, ex Glos-
sis Basilicorum adparet: quippe quæ itidem sic habent, Μαγιστριανὸς ὁ καστρήνσιος. Victor etiam in Chronico Magi-
stranum vocat. Pro quo tamen legendum
potiùs Magistrianum, Joannes Meursius
monuit. Atque hæc hactenus. Quod autem superest, Te Perinlustris Domine,
optimè valere, & magni Parentis gloriæ feliciter succrescere ex animo opto.

AU-

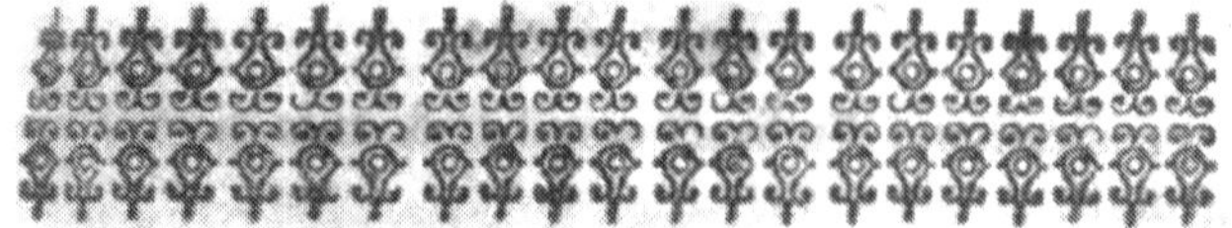

AUCTORUM QUORUMDAM
TUM VETERUM, TUM RECEN-
TIORUM,
DE
SULPICIO SEVERO,
TESTIMONIA ATQUE JUDICIA.

Hieronymus in Commentario in cap. XXXVI.
Ezech.

ET nuper Severus noster Dialogo, cui Gallo nomen impofuit.

Paullinus Epist. I ad Sulpicium Severum.

Tu, frater dilectiffime, ad Dominum miraculo
majore converfus es, quia ætate florentior, laudibus
abundantior, oneribus patrimonii levior, fubftantiâ
facultatum non egentior, & in ipfo adhuc mundi the-
atro, id eft, fori celebritate diverfans, & facundi nominis palmam tenens, repentino impetu difcuffifti
fervile peccati jugum, & lethalia carnis & fanguinis
vincula rupifti. Neque te divitiæ de matrimonio
familiæ confularis ad gefta: neque poft conjugium
peccandi licentia & cœlebs juventus ab angufto falutis introitu, & abduo itinere virtutis in mollem
illam & fpaciofam multorum viam revocare potuerunt.

Item.

Chriftum fecutus nec minoris domefticis opibus
ingenii facultatis laudem ab hominibus non accipi-
ens, & inanis gloriæ fublimiter negligens, pifcatorum
X 5

praprædicationes Tullianis omnibus & tuis litteris prætulisti.

Idem epiſt. V ad eumdem.

Neque ſat habeas occaſionibus cunctis reviſere, niſi & pueros tuos mittas: nec ſolùm de famulis, ſed & de filiis ſanctis, quorum benedictâ in Domino prole lætaris, eligas tabellarios, quorum oculis nos videas & ore contingas, ſpecioſi nobis pedes illorum tanquam evangelizantium bona. Nunciant enim nobis & adferunt ea, quæ ad pacem ſunt de te, cùm præferunt opera Domini, quæ aut operaris in verbo DEi, aut ſcribis in ſpiritu verbi.

Idem Epiſtolâ eadem.

Te verò victâ lege membrorum & exteriore corrupto puram conſperſionem parare & ſine fermento azymum Chriſto confici, eloquia tua tam facunda, quàm caſta teſtantur. Neque enim tibi donatum fuiſſet enarrare Martinum, niſi dignum os tuum ſacris laudibus mundo corde feciſſes. Benedictus igitur tu Domino, qui tanti ſacerdotis & manifeſtiſſimi confeſſoris hiſtoriam tam digno ſermone, quàm juſto adfectu percenſuiſti. Beatus & ille pro meritis qui dignum fide, & vitâ ſuâ meruit hiſtoricum, qui & ad divinam gloriam ſuis meritis, & ad humanam memoriam tuis litteris conſecratur.

Auguſtinus Epiſt. CCV.

Quod ut iterum clariùs veritatis lumen pateat, pluribus teſtibus, quàm uno, cenſui quid ſupra dictus noſter Severus, vir doctrinâ & ſapientiâ pollens, cum tribus aliis in ipſo die & horâ obitus Hieronymi in Turonenſi civitate viderit, meæ addere viſioni: de quo mihi quidem ſolummodo ipſemet pridie ad me veniens ſuit teſtis.

Gen-

Gennadius in Catalogo Virorum inlustrium.

Severus Presbyter, cognomento Sulpicius, Aquitanicæ Provinciæ, vir genere & litteris nobilis, & paupertatis atque humilitatis amore conspicuus; charus etiam sanctorum virorum, Martini Turonensis Episcopi, & Paullini Nolani, scripsit non contemnenda opuscula. Nam Epistolas ad amorem Dei & contemtum mundi exhortatorias scripsit Sorori suæ multas, quæ & notæ sunt. Scripsit & ad supra dictum Nolanum duas, & ad alios alias. Sed quia in aliquibus etiam familiaris necessitas inserta est, non digeruntur. Composuit & Chronica. Scripsit & ad multorum profectum vitam B. Martini Monachi & Episcopi, signis & prodigiis & virtutibus inlustris viri; & Conlationem Posthumiani & Galli, se mediante & judice, dé conversatione Monachorum Orientalium & ipsius Martini, habitam in specie dialogi, duabus incisionibus comprehendit: in quarum priore refert suo tempore apud Alexandrinam Synodum Episcoporum decretum, Origenem & cautiùs à Sapientibus pro bono legendum, & à minùs capacibus pro malo repudiandum. Hic in senectute suâ à Pelagianis deceptus, & agnoscens loquacitatis culpam, silentium usque ad mortem tenuit, ut peccatum, quod loquendo contraxerat, tacendo penitùs emendaret.

Guibertus Abbas Gemblacensis.

Sulpicius Severus, ut patet ex gestis, quæ in monasterio majori positus legi, recepto intra cœli secreta B. Martino, cellam patris per quinquennium, hereditate videlicet paternâ, obtinuit, quem, quamvis admodùm renitentem, Bituricensis clerus inde extrahens, Archiepiscopum sibi sublimavit. Quòd autem à Pelagianis seductus in aliquo à regulâ orthodoxæ fidei exorbitaverit, nusquam omnino nisi in solo Gennadio legi,

qui

qui nefcio utrum hoc alicubi & ipfe legerit, an ex folâ famâ, quæ facta infectáque loquitur, didicerit. Illud tamen fideliter credo, hunc ejus errorem gloriam
fanctitatis ejus non obfcuraffe; cùm auctor idem,qui refert, deceptum teftetur & correctum.

Gregorius Turonenfis lib. I Hift. cap. 7.

Hoc verò holocauftum in monte Calvariæ,quo Dominus crucifixus eft, oblatum fuiffe, Severus narrat in
Chronicâ.

Item lib. II cap. I.

Sic & Eufebius, Severus Hieronymúsque in Chronicis, atque Orofius & bella Regum & virtutes Martyrum
pariter texuerunt.

Victor Gifelinus in Vitâ Sulpicii Severi.

Quo opufculo [*Hiftoriam facram intelligit*] non
fanè magno, aliud an ullo unquam feculo Reipubl.
Chriftianæ utilius ac præftabilius editum fit, iis, quorum illud eft judicium, judicandum relinquo. De
elegantiâ verò præftare aufim & adfirmare me poffe
confido, nulli idem omnium fcriptorum Ecclefiafticorum quidquam concedere; alia verò omnia, quæ in e-
odem genere verfantur, tanto intervallo omnimodis
fuperare, ut ne fint quidem ad hoc comparanda. Magnum eft, quod dico, & fortaffe plurimis incredibile.
Sed ejusmodi tamen, quod non tam dicenti mihi,
quam teftificanti pro me veritati creditum iri confidam, fi quibus operæ pretium erit Orofium, Florum,
Eutropium aliósque epitomatum autores cum hoc noftro omnibus partibus contendere. Eam vero palmam, folâ, ut mihi videtur, C. Salluftii, rerum Roma-
narum auctoris florentiffimi, imitatione confecutus
eft. In quo cùm multa virtutis locum obtinere videtur, quæ tamen fub imitationem vix caderent,abruptum
dico

dico fermonis genus, quod audientem lectorem trans-
volat, nec, dum repetatur, exfpectat : five, ut loquitur
Seneca, amputat fententias, & verba ante exfpectatum
cadentia, eas virtutes, utpote Salluftio fuas, integras
reliquit: à verbis item antiquis ex Catonis, ut volebat
Auguftus, originibus excerptis, confulto fe abftinuit.
At concinnam illam brevitatem, lectiffimis ac fignifi-
cantibus verbis temperatam, fuo inftituto cumprimis
adcommodam, tantâ arte expreffit, ut propemodum
quis dicat, non imitatum eum, fed æmulatum. Neque enim fatis habuit eodem, quo ille, modo oratió-
nem ducere, fecare, circumfcribere, conligare, ac denique à re unâ ad aliam tranfire; nifi & principiis iisdem libros fuos ordiretur, ita tamen, ut quæ ille, tefte
Fabio, nihil voluit ad hiftoriam pertinere, hic paullô
propiùs ad rem adcommodarit. Quæ omnia in facrâ
faltem hiftoriâ præclare elucere, vel primo oculorum
injectu facilè quivis animadvertit. Confecta eft e-
nim, ut dixi, in primo ætatis flore, cùm flagrans eloquentiæ ftudium fevera Turonenfis contubernii difciplina nondum reftrinxiffet. Ejus operis femel tantùm meminit Paullinus Ep. IX, quâ rogatus, fi quas
de regnorum five annorum non congruente calculo
hiantis hiftoriæ cauffas obfervaffet, fe refpondet eadem
de re Rufinum confuluiffe, & fi quid opis adtulerit, facturum certiorem.

Sigonius Comment. in librum primum Hift. Sac.

B. Severus Sulpicius, Bituricenfis Epifcopus, homo
ut fanctus, fic difertus inprimis & eruditus.

Idem:

Hortor omnes, qui fe aut profanis ftudiis dederunt adolefcentes, ut Severum hunc eo animo legant,
ut *plurimum* fe non tam in prudentiæ, quàm in re-
ligio-

ligionis & innocentiæ studio profecturos esse confidant. Addo etiam Latinæ eloquentiæ, quam ille tantâ industriâ coluit, ut Sallustianam nobis magnâ ex parte expresserit.

Sulpicium Severum nemo hactenus Aquitanum fuisse dubitavit: sed patria ignoratur, cùm tamen ipse Nitiobrigem sese manifestò prodat, cùm Servationem Tungrorum , Phœbadium autem suum Episcopum fuisse scribit. Phœbadius autem erat Nitiobrigum Episcopus. Iste Sulpicius Ecclesiasticorum purissimus Scriptor, post transitum Martini, recepit sese Elusonem, quo tempore ad eum scribebat Paullinus.

Idem paullò pòst :

Mei Nitiobriges pro Sulpicio Supplicium dicunt, quomodo & Bituriges suum illum vocant, quem eumdem cum hoc faciunt perperam, cùm inter transitum Martini, cujus noster Sulpicius discipulus fuit, & ordinationem Sulpicii Episcopi Bituricensis · sub Guntchramno rege, intercedant plus minùs anni centum nonaginta.

Gerh. Ioh. Vossius lib. II de Historicis Lat. cap. XII.

Hieronymi ac Rufini æqualis fuit Severus Sulpicius Nitiobrix : ubi Sulpicius esse cognomen, clarè ait Gennadius, & id nomen postponit Gregorius Turonensis lib. 1 de Miraculis S. Martini cap. 1 & lib. X hist. Franc. cap. XXXI. Obstare interim videtur, quòd Sulpicium Severum se vocet in inscriptione Epistolæ ad Aurelium Diaconum, item ad Bassulam Socrum. Sed sæpe prænomen postponi, comprobat Franciscus Sylvius Progymnasmatum centuriâ II cap. XLI.

ILI. De patriâ cognofcimus partim ex Dialogo I.
cap. XX, ubi fe Aquitanum agnofcit, atque idem Gennadio proditum : partim ex lib. II Hiftor. Sacræ, ubi
Phœbadium fuum vocat Epifcopum : eum verò A-
gnni [quod in Nitiobrigibus] Epifcopum fuiffe, clarè ait Hieronymus in Scriptoribus Ecclefiafticis. Malè verò Carolus Sigonius, Petrus Galefinius & Victor
Gifelinus, Sulpicium hunc cum Sulpicio, Epifcopo
Bituricenfe, confundunt : ut rectè notatum Jofepho
Scaligero in Prolegom. lib. de Emendatione Temporum, item Baronio ad an. CCCCXXXI, & P. Fa-
bro in opufculis poftumis, Schediafmate de Diony-
fio Areopagita; ubi Severum hunc ait fuiffe Monachum Primuliacenfem.   Sanè nunc vixit Primuliaci,
nunc Elufone, ut cognofcere eft ex Paullini Ep. VI,
XI, XII. Sed & Tolofæ habitaffe, videmus ex epiftolâ ejus ad Socrum Baffulam.   Sed Monachum fuiffe non lego apud Veteres, verùm Presbyterum, de
quo nobis auctor Gennadius.   Qui Epifcopum fuiffe
ajunt, falli planè exiftimandi.   Vir fuit doctrinâ &
fapientiâ pollens, ut eum Auguftinus vocat Ep. CCV;
Vir genere & litteris nobilis dicitur à Gennadio, &
Honorio.. Vir fummus adpellatur ab Idacio, penè
initio Chronici.   Inter alia duos compofuit libros de
facrâ Hiftoria, quos à mundi initio exorfus, perduxit
ufque ad confulatum Stiliconis & Aureliani : hoc eft,
annum quadringentefimum.   Scripfit & vitam B.
Martini, quo familiariter ufus fuit : uti & B. Paullino;
qui quanti Severum fecerit, fatis laudes luculentæ in
ejus Epiftolis oftendunt.   Ad hæc tres ejus Epiftolæ
exftant : una eft adverfùs æmulos B. Martini : altera
agit de obitu & adparitione ejus : tertia refert, quomodo B. Martinus ex hac vitâ mortali tranfierit ad immor-
talem. Item exftant Dialogi tres, quorum primus
narrat virtutes & miracula Monachorum Orientalium;
duo

duo posteriores exponunt virtutes B. Martini, libro
primo præteritas.   Pro Sulpicii libellis de B. Martino.
Apologiam fcripfit Guibertus Martinus, Abbas Gem-
blacenfis, qui MS. exftat Gemblaci & Lovanii ad S. Martinum.   In Dialogis, quibus Poftumianus & Gallus loquuntur, fequitur Sulpicius errorem millenariorum : ut
& monet Hieronymus in Ezech. cap. XXXVI.   Unde
apud Gelafium quoque legas in Concil. Rom. LXX. E-
pifcop. Opufcula Poftumiani, & Galli, apocrypha.   Di-
ctione utitur tersâ, & eleganti, adeo ut Ecclefiafticorum
puriffimus fcriptor vocetur à Jofepho Scaligero opere
de Emendat. Temp. Salluftii imprimis æmulus eft.
Unde Chriftianum Salluftium vocat Barthius Adver-
far. lib. XLIX cap. I V. Et alia quædam de Severo fup-
peditabunt Gennadius, ac Honorius, in Scriptoribus
Ecclefiafticis, Ado in Chronicis, item Baronius Tom.
V. Annal. ad an. CCCCXXXI.   In eo tamen à Baronio
diffentio, quòd Gennadium parùm cautè vocat Severi
æqualem : cùm Gennadius poft Severum floruerit annis plus minus L X X.   Nam dicavit librum fuum de
fide, [ut ipfe ait] Gelafio Papæ, qui demum Epifcopus
Romanus factus eft anno CCCCXCII. Valde autem Sulpicii fanctimoniam commendat, quòd in
Romano Martyrologio ejus memoria celebretur ad
IV Kal. Februarias.

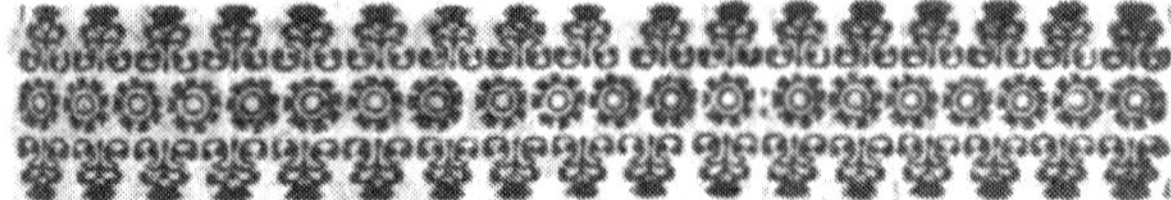

SVLPICII SEVERI
HISTORIAE SACRAE
LIBER PRIMVS.

1 REs à mundi exordio sacris littéris CAP. I.
reditas breviter conftringere, &
cum diftinctione temporum usque ad noftram memoriam car-
ptim dicere adgreffus fum: multis id à me
ftudiosè efflagitantibus, qui divina, compen-
diosâ lectione, cognofcere properabant.
2 Quorum ego voluntatem fecutus, non peperci labori meo, quin ea, quæ permultis vo-

NOTAE

1. *Vsque ad noftram memoriam*] Ad annum fere
quadringentefimum poft Chriftum natum. Nam infra in cap. IX libri II fcribit: *Omne tempus in Stiliconem confulem direxi.* Eft autem locutio elegans
ad noftram memoriam, pro *ad noftra tempora.* Cicero
Orat. pro Font. *noftrâ memoriâ:* & pro Corn. *Supe-
riori memoriâ:* & in Vat. *in omni memoriâ.* Nepos
Themift. *Hujus ad noftram memoriam monumenta
manferunt.* Sed & vocabula conjungunt. Cicero
Or. in Rull. *Perlongo intervallo propè memoria tem-
porúmque noftrorum.*

2. *Quorum ego voluntatem fecutus*] Optimè. Ita
dicunt, *confilium, fententiam, auctoritatem alicujus
fequi.*

Non peperci labori meo] Et hoc optimè. Terentius
Hec. II, 1 *Meo labori haud parcens præter æquum atque
ætatem meam.*

A   lumi-

luminibus perscripta continebantur, duobus
libellis concluderem: ita brevitati studens,
ut pænè nihil gestis subduxerim. Visum au-3
tem mihi est non absurdum, cùm usque ad
Christi crucem, Apostolorúmque actûs per
sacram historiam cucurrissem, etiam post-
gesta convertere: excidium Hierosolymæ,
vexationésque populi Christiani, & mox
pacis tempora, ac rursum ecclesiarum intesti-
nis periculis turbata omnia locuturus. Cete-4
rùm illud non pigebit fateri, me, sicubi ratio exegit, ad distinguenda tempora, conti-

---

Permultis voluminibus] *Volumen* pro libro. Nepos
præf. *Plura persequi magnitudo voluminis probibet.*
Idem Att. *Volumen, quo magistratûs ornavit.*

3. *Post-gesta convertere*] Manifestum hîc mendum
est: pro quo Giselinus legendum putat *connectere.*

—— *Vexationes populi Christiani*] Ita vocat, quod vulgò persecutiones dicunt; vocabulo satis apto ac
commodo. Nam, ut Asconius docet, *Vexare ingen-*
sis calamitatis usum significat. Et passim Auctores
id verbi jungunt talibus, quæ ingentem calamitatem utique significant, scribuntque *vexare & per-*
dere, diripere & vexare, populari & vexare, vexare
& spoliare.

4. *Historicis ethnicis*] Infra cap. XIV lib. II *histo-*
ricos mundiales vocat. Latinitas Auctoris non in-
elegans est, & ad Latinitatem antiquiorum proximè
accedit. Ceterùm dum res sacras, quæ Hebraicâ ac
Græcâ linguis perscriptæ sunt, tractavit, facere non
potuit, quin Hebraismos ac Græcismos orationi suæ
subinde immisceret. Iis quippe ecclesia tum temporis jam adsveverat. Quòd igitur historicos istos,
qui veri cultûs divini expertes fuerunt, *ethnicos* vo-

nuan-

nuandámque seriem, usum esse historicis ethnicis, atque ex his, quæ ad supplementum cognitionis deerant, usurpasse, ut & imperitos docerem, & litteratos convincerem.
5 Verumtamen ea, quæ de sacris voluminibus breviata digessimus, non ita legentibus auctor accesserim, ut prætermissis illis, unde hæc derivata sunt, adpetantur: nisi cùm illa quis familiariter noverit, hic recognoscat, 6 quæ ibi legerit. Etenim universa divina-

---

cat, id ad Hebraismos referendum est. Nimirum quia vox Hebræa בוים notione duplici usurpata fuit, ut tum gentes cuiuscunque generis, tum eas, quæ veri cultûs divini expertes essent, significaret, atque ita modò latiùs, modò strictiùs usurparetur, factum est, ut Græca quoque vox ἔθνη, cùm propriè cuiuscunque generis gentem significaret, primùm ab Interpretibus veteris, deinde ab Auctoribus novi Test. strictiùs usurparetur, significarétque eas gentes, quæ veri cultûs divini expertes essent. Quâ de re & in parte I nostri de Hebraismis N. T. Commentarii pag. 43 egimus. Sed non primitivum ἔθνη tantùm, sed & derivatum ἐθνικός duplici notione usurpatum est; ut non tantùm significaret id, quod ad gentem pertinet, sed & quod ad eam gentem pertinet, quæ veri cultûs divini est expers. Deinde civitate quoque Latinâ vox donata est, dictíque *histo-rici ethnici*, quos dixi. Ipsæ quoque voces Latinæ *gentes* & *gentiles* diversâ notione sunt usurpatæ. Quâ de re infra ad cap. XLIX, & alibi.

5. *Breviata digessimus*] Verbo *breviare* & Quinctilianus usus est. An & antiquiores usi sint, dubium est. Composito verbo *abbreviare* usus est Vegetius. Vtroque verò & interpres antiquus sacrarum litterarum.

6. *Ex ipsis fontibus hauriri*] *Fontes* vocat libros sa-

rum rerum mysteria non nisi ex ipsis fontibus hauriri queunt. Nunc initium narrandi faciam.

CAP. II.
Gen. 1.

Mundus à Domino constitutus est abhinc 1 annos jam penè sex millia, sicut processu voluminis istius digeremus: quanquam inter se parùm consentiant, qui rationem temporum investigatam ediderunt. Quod cùm 2 vel Dei nutu, vel vitio vetustatis eveniat, calumniâ carere debebit. Mundo autem condito, homo factus est: viro Adam, mu-

Gen. 2.
Adam &
Eva.

---

cros veteris Test. non linguis Hebræâ & Græcâ scriptos, sed in Latinam aut quamcunque aliam versos. Alibi *origines* adpellat. Vt infra cap. XI *Si quis studiosior erit, ad origines revertatur.*

1. *Abhinc annos jam penè sex millia*] Pro *abhinc annos jam penè sexies mille,* aut *abhinc annorum jam penè sex millia.* Sic Interpres antiquus Iud. VIII, 10 *Quindecim millia viri remanserunt.* Quod ad ipsùm numerum, quem collegit, attinet, secutus est interpretes Græcos, qui primos homines tùm, cùm genuerunt, multò plures annos natos fuisse prodiderunt, quàm ipsi codices Hebræi. Secundùm hos quidem anni modò quater mille trecenti & paullò amplius colligi possunt.

Processu voluminis] Ammianus initio operis *processu temporis.* Pro quo Plinius uterque *procedente tempore.*

2. *Constituti in paradiso*] Vocabulo *paradisus* Interpres quoque Latinus usus fuerat; & ante hunc ipsi Græci. Textus Hebr. habet [illegible], quæ vox significat hortum. Et hanc interpretes voce παράδεισος expresserunt. Quæ quidem vox origine Persica est, ut peculiari Diatribâ aliquando ostendimus.

lieri

lieri Eva nomen fuit.   Sed constituti in paradiso, cùm interdictam sibi arborem degu-
stassent, in nostram, velut exules, terram
3 ojecti sunt.   Deinde ex his Cain atque Abel
nascuntur.   Sed Cain impius fratrem interemit.   Filium Enoch habuit, à quo pri- Gen. 4.
mùm civitas condita est, auctoris nomine
4 vocitata.   Ex hoc Irad, atque ex eo Maüiaël
nascitur.   Hic Mathusalam filium habuit,
isque Lamech genuit, à quo juvenis quidam
occisus traditur, nec tamen nomen refertur
occisi: quod quidem futuro mysterio fuisse
5 praemissum à prudentibus aestimatur.   Igitur Adam, post necem filii minoris, Seth fi- Gen. 5.
lium procreavit, cùm jam tricesimum & ducentesimum annum aetatis implêsset.   Vixit

---

In nostram terram] Veterum quidam hortum, in
quo Adam & Eva primitùs constituti fuerunt, extra
nostrum orbem fuisse crediderunt.   Inter quos &
nostrum fuisse adparet.

3. *A quo primùm civitas condita*] Auctoris παρόρυ-
μα.   Non enim à filio, sed à patre Caino urbem
conditam, & nomine filii vocitatam, Moses prodidit.

4. *Hic Mathusalam filium habuit*] Mathusaël ei
nomen fuit.   Et dubito, an pro ipsius auctoris errore
habendum hoc sit.   Nam ipsa quoque versio Latina vetus habet *Mathusaël*.   Sit potius error librariorum, quibus Mathusala notior fuit, quàm Mathusaël.

5. *Tricesimum & ducentesimum annum*] Ita versio
Graeca LXX Interpretum, quam vocant.   At textus
authenticus, itémque versio vetus Latina, habet,

autem annos Iↄ cccc xxx. Seth verò Enos,
Enos Cainan, Cainan Malaleel, Malaleel Iared, Iared Enoch genuit: qui ob juſtitiam
translatus à Deo traditur. Hujus filius Ma- 6
thuſala dictus eſt, qui Lamech genuit, ex
quo Noë natus, juſtitiâ egregius, & præ ceteris mortalibus Domino carus acceptuſ-
que. Quâ tempeſtate cùm jam humanum 7

Enoch.

Noe.

Adamum tùm, cùm Sethum genuit, centum & triginta annos natum fuiſſe.

Enoch ob juſtitiam translatus] Mox *juſtitiâ egregius* dicitur Noa. In quibus vox *juſtitia* non id, quod
vulgò ſolet, id eſt, virtutem, quâ ad ſuum cuique tri-
buendum prompti ſumus, ſignificat; ſed omnem
pietatem. Eſtque hoc inter auctoris noſtri Hebrai-
ſmos habendum; quibus, ut jam dictum, ex verſioni-
bus ſacræ Scripturæ Eccleſia jam adſveverat. Hebræa quidem vox צֶדֶק tum illud, quod vox Latina *juſtitia* vulgò, tum quoque omne illud, quod ad
pietatem & ſanctam vitam pertinet, ſignificat: Porrò
voce *translatus* alludere videtur ad vocem Græcam μετετέθη, quâ Auctor epiſt. ad Hebr. cáp. XI
uſus eſt.

7. *Angeli, quibus cælum ſedes erat*] Vetus opinio
Judæorum: quam & plurimi veterum Chriſtianorum
& Doctorum Eccleſiæ amplexi fuerunt, Angelos è
cœlo delapſos rem habuiſſe cum fœminis. Sed &
Angelorum illorum quidam certis nominibus in-
ſigniuntur à Rabbinis. Textus Hebræus habet
בְּנֵי אֱלֹהִים Quod interpretes Græci verterunt
υἱοὶ τῶ θεῶ, & Latinus ſimiliter *filii Dei.* Sed
vertendum potius *filii magnatum*; & quod ſequitur
בְּנוֹת הָאָדָם id vertendum non, ut Græci &
Latinus interpretes habent, θυγατέρες τῶν ἀνθρώπων,

genus

genus abundaret, angeli, quibus coelum se-
des erat, speciosarum formâ virginum capti,
illicitas cupiditates adpetierunt: ac naturæ
suæ originisque degeneres, relictis superioribus, quorum incolæ erant, matrimoniis se
8 mortalibus miscuerunt.   Hi paullatim mores noxios conferentes, humanam corrupê-
re progeniem, ex quorum coitu Gigantes
editi esse dicuntur, cùm diversæ inter se naturæ permixtio monstra gigneret.

1   Quibus rebus offensus Deus, maximé-CAP. III.
que malitiâ hominum, quæ ultra modum
processerat, delere penitus humanum genus
decreverat.   Sed Noë, virum justum, vita Gen. 7.
innocens destinatæ exemit sententiæ. Idem·

---

filiæ hominum; sed, *filiæ plebejorum*.   Observare licet, vocem אדם, si voci איש opponatur, non
cujuscunque generis hominem aut homines, sed *ho-*
minem plebejum significare.   Exemplum Pf. XLIX,
גם בני אדם גם בני איש יחד. עשיר ואביון
Et filii plebejorum, & filii inlustrium seu magnatum:
simul dives & pauper.   Quia igitur constat, vocem
אלהים quoque significare *principes & magna-*
tes; eique opponitur vox אדם; quidni statuamus,
בני הארם hîc dici *filias plebejorum*, &
האלהים *filios magnatum?*

  8. *Gigantes*] Eâ voce Interpretes Græci vocem
Hebræam נפירים expresserant: eandémque
Latinus retinuerat.

  1. *Virum justum*] Vox *justus* aliâ notione hîc usurpata, quàm Latini solent.   Quemadmodum enim
paullò antè *justitia* pietatem & sanctimoniam, ita *ju-*
stus nunc pietate & sanctimoniâ præditum significat;

          admo-

Diluvium. admonitus à Domino, diluvium terris im- 2
minere arcam immenſæ magnitudinis ex
lignis contexuit : ac bitumine illitam im-
penetrabilem aquis reddidit, quâ ille cum
uxore, ac filiis tribus, & totidem nuribus eſt
claufus : volucrum etiam paria, itidémque
diverſi generis beſtiarum, eôdem clauſtro
recepta ; reliqua omnia diluvio abſumpta.
Igitur Noë, cùm jam imbrem deſtitiſſe, ac 3
quieto in ſalo arcam circumferri, intelligeret, ratus id quod erat, aquas decedere, cor-
uum primùm explorandæ rei gratiâ, eôque
non revertente [ut ego conjicio, cadaveri-
bus detento] emiſit columbam : quæ cùm
conſiſtendi locum non reperiſſet, reverſa eſt.
Rurſum remiſſa, folium olivæ retulit : ma- 4
nifeſtum indicium, nudari cacumina arborum. tertiò demum emiſſa, non rediit : unde

---

idque rurſus per Hebraismum, & exemplo vocabuli
Hebræi צדק, quod hononymum eſt, plurésque ſi-
gnificationes habet.

4. *Rurſum remiſſa*] Rectè Sigonius, Gifelinus ac
Druſius conjecerunt, legendum eſſe *rurſum emiſſa*.
Etſi enim, quod Hornius monet, Sulpicius dicat, *rurſus reverſus*, & id genus alia alii : hic tamen *remiſſa*
locum non habet. In aliis *rurſus* plane παρέλκει, &
vox ei addita tantumdem ſignificare ſola poteſt. Vt
quod Suetonius in Cæſ. dicit *rurſus repetita Bithynia*,
pro eo, voce *rurſus* planè omiſſâ, dici poſſet *repetita
Bithynia*: at pro *rurſum remiſſa* non poſſet dici *remiſſa*. neque enim *remiſſa*, poteſt idem eſſe, quod *rurſum emiſſa*. At *emittendi* notio hîc plane neceſſaria.

anim-

5 animadversum, aquas destitisse.   Ita Noë
arcam egressus est. id gestum à mundi exordio, post annos, ut ego comperio, II cc duos
& quadraginta.

1 Ac primùm Noë aram Domino statuit, CAP. IV.
hostiásque ex volucribus immolavit.   Mox Gen. 9.
à Domino cum filiis benedicitur: præce-

Nec tantùm verbum *emisit* antecesserat, sed & mox
sequitur, *Tertiò demum emissa.*
  5. *Post annos II CC duos & quadraginta*] Sequitur rursus Interpretes Græcos, qui his, qui ante diluvium universale genuerunt, multò plures annos tribuunt, quàm textus authenticus, & Interpres item
Latinus.   Cùm enim textus authenticus Adamum
tùm, cùm Sethum genuit, annos modò CXXX natum
fuisse dicat, versio Græca eidem CCXXX tribuit:
Parique modo in ceteris numerum multo maiorem
facit.   Ceterùm secundùm textum authenticum dicendum erat, gestum id fuisse à mundi exordio post
annos cIɔ Iɔc LVIII.
  1. *Hostias ex volucribus immolavit*] Non ex volucribus tantùm, sed & ex ceteris animantibus mundis, Gen. VIII, 20.
  Mox à Domino cum filiis benedicitur] Quoniam
verbo *benedico* Interpretes junxerunt accusativum,
fecerunt deinde & passivum, *benedicor*, hujusque
participium *benedictus*.   At analogia requirit, ut verbo huic jungatur dativus; quemodo fecit Cicero, cùm
in Orat. pro Sestio dixit, *Cui benedixit unquam bono?*
Valla lib. I c. 10 hoc de verbo ita: *Benedictus non in-
veni, quia nec Benedico invenitur: licet eo Priscianus
utatur, & hoc tempore utamur more Græcorum, quorum auctoritate dedimus huic verbo accusativum præter naturam suam, cùm postulet dativum, sicut Male-
dico: quod & ipsum nunc ad imitationem Græcorum
habet etiam aliquando accusativum.* Est rectè sanè ju-

A 5   ptùm-

ptimque accepit, ne sanguine vesceretur,
aut sanguinem hominis effunderet : quia
mundi primordia, mandati istius liber, Cain
maculaverat.   Igitur vacuo tùm seculo, ex 2
filiis Noë Sem fuit.   Tres enim habuit, Sem,

---

dicat, imitatione Græcorum verbo isti accusativum
jungi.   Græcum autem, ad quod alluditur, est εὐλο-
γῦν.   Cujus exemplo aliam quoque significationem,
laudandi puta, recepit.   Quâ de re Vossius in libro
de vitiis Lat. sermonis : *Benedicere pro laudare, in
Theologis ferendum.   Benedictus pro laudatus. Quippe est Hebraismus.   Sed classicos qui sequi scriptores
volet, eos hâc parte nequeat imitari.*

1. *Sanguinem hominis effunderet*] pro *interficeret aliquem*, Hebraismus.   Hebræi dicunt שפך
דם האדם *effundere sanguinem hominis :* quâ
de phrasi, & geminâ ei Græcâ, egimus in c. XXXVIII
Comment. de Hebraismis N. T.   Aliis Auctoribus
fundere, *effundere*, *profundere sanguinem* non est *interficere*, sed *interfici*.   Curtius lib. VIII *Militant
vobiscum : pro imperio vestro sanguinem fundunt.*
Et lib. X *Non de regno Asiæ, sed de rege ipsis sanguinem fundendum esse.*   Virgil. lib. VII Æn. *Quàm magis effuso crudescunt sanguine pugnæ.*   Cicero Or. pro
Cluent. *sanguinem pro patriâ profundere.*

Mandati istius liber] Ita quidem, ut de homine
non occidendo lex nondum esset promulgata.   Ceterùm lex homini insita fuit naturâ.   *Liber mandati,*
constructio rarior.   Vulgo dicunt *liber aliquâ re,* &
ab aliquâ re.   Plautus tamen in Amphit. habet *liber
barum rerum :* & Horatius l. de A. poët. *Laborum
liber.*

2. *Vacuo tùm seculo*] *Seculum* pro *mundo* rursus
per Hebraismum.   Quem tamen noster non primus
usurpavit ; sed ex versione Latinâ sacrarum litterarum, quomodo & alii, eum hausit. Hebræis עולם
& *tempus,* & *mundum,* significat.   Cùm ergo voces,

Cham,

Cham, Japhet.   Sed Cham, quòd sopitum
vino patrem riserat, maledictum à parte
3 meruit.   Hujus filius, Chus nomine, Nembrod gigantem genuit: à quo Babylon civitas constructa traditur.   Pleraque etiam
oppida, eâ tempestate condita, memorantur,

Graeca αἰὼν, & Latina *sæculum* priori significatione
cum Hebræâ congruerent, factum est, ut eædem &
posteriorem receperint: quâ de re agimus p. 39 &
seqq. partis I de Hebraismis N. T.

Maledictum à patre meruit] *Mereri* hic *accipiendi, consequendi* notione positum videtur: ut sæpe sit
apud Scriptores ejus ævi.   Ambrosius lib. de fide refert. *Etiam ipsa post usum vota fastidio sunt, & quæ
mereri optavimus, cùm meruerimus, abdicamus.* Sed
& antiquiores, Plautum, Terentium, Ciceronem sic
vocabulo usos, existimat Cl. Gronovius. Vide c. VII
Observationum ejus in Script. Eccl.

3. *Nembrod gigantem*] Adpellationis ejus origo ex
versione Græcâ, quæ de Nimrodo sic habet: οὗτος
ἤρξατο εἶναι γίγας ἐπὶ τῆς γῆς. Voce γίγας autem
verterunt illi Hebræam גִּבּוֹר, quæ *potentem* significat. Hesychius: Γίγας, δυνάστης, ἰσχυρός.

A quo Babylon civitas constructa] Gen. X, 10
Fuit principium regni ejus [Nimrodi] *Babel, Erech,
Accad & Calne.* Inde noster collegit, Babylonem
à Nimrodo & constructam esse. Ceterùm per pro-
lepsin scripta hæc sunt in Genesi. Nam in cap. XI
demum sequitur, quòd iidem, qui turrim, & urbem
ædificare voluerint: cùmque propter factam confu-
sionem linguæ urbem ædificare destitissent, nomen
huic inditum fuerit Babel. Turris instituti illorum
pars præcipua fuit.   A cujus ædificatione cùm de-
sistere necesse haberent, simul & ab urbe condendâ
destiterunt.   Fortassè igitur ipsius urbis quod cœptum fuit, id Nimrodus pertexuit.

quæ

quæ nominatim perſequi animus non fuit.
Sed cùm multiplicaretur humanum genus, di‑4
verſaque loca atque inſulas mortales habé-
rent, unâ tantùm omnes linguâ utebantur:
donec ſe in unum, diſpergenda per totum
orbem, multitudo contraxit. His more 5
humani ingenii conſilium fuit, inſigni ali-

---

4. *Diverſa loca mortales haberent*] Synecdoche
iſta, quod *mortales* idem eſt quod *homines*, uſitatiſ-
ſima eſt Salluſtio. Sed habent tamén & alii elegantiores. Ipſe Nepos Conone, *Accidit huic quod çete-
ris mortalibus.* Hebræi ſynecdoche planè contra-
riâ utuntur, cum hominem חי dicunt: quæ vox propriè vivum ſeu viventem ſignificat.

Vnâ tantùm omnes linguâ utebantur] Quæ non
alia eſſe poteſt quàm Hebræâ; ut peculiari diatribâ
aliquandò oſtendimus.

Diſpergenda per totum orbem] Participio in *Dus*
Auctor ſæpè de tempore futuro utitur: & multa hujus exempla infra obſervabuntur. At alii Auctores
Participio iſto, eâ quidem notione, rariùs utuntur.
Vnde Scioppius notat Stradam, quòd is ſcripſiſſet,
*Orangius cum Auguſto Saxone egit, non ducendam
à ſe Annam Mauritii filiam*, pro *non ductum iri à
ſe*: & in memoriam ei revocat, quòd monuerit Alva-
rus, *participio paſſivo in Dus non tempus futurum, ſed
debitum officium aut neceſſitatem ſignificari. Quod
enim apud Cæſarem eſt lib. 2 B. Civ. Miſericordia civium, quos interficiendos videbat, pro interfectum iri,
fore ut interficerentur, id verò ſingulare, adeò diligenter loquenti, aut cavendum, aut ſaltem parciùs imitandum eſſe, Viros elegantiæ Latinæ arbitros judicaſſe.*
Vide pag. 95 Infam. Fam.

5. *Hit more ingenii humani conſilium fuit*] Juſtinus
lib. VI *More ingenii humani, quò plura habent, eà*

quo.

quo opere famam quaerere, priusquam à se
6 invicem diducerentur. Ita turrim facere
adgreffi, quae coelo accederet, nutu Dei, ut
officia operantium praepedirentur, inadfveto Gen. 11.
fermonis genere, multa diverfo, neque ulli

---

ampliora cupientes. **Confilium** pro propofito frequens : & ipfa phrafis quoque *confilium mihi eft* pro
conftitui.

6. *Turrim facere adgreffi*] Non turrim tantùm,
fed & urbem ; ut paullò antè jam monuimus.

Sermonis genere multa diverfo] Pro *multùm diverfo,* accufativus plur. pro adverbio. Cicero l. VI ep.
7 ad fam. *Cum ignoverit omnibus, qui multa Deos ve-
nerati funt contra ejus falutem.* Nepos Epam. cap.
VI *In oratione fuâ multa invectus effet in Thebanos.*
Virgil. 5 Æn. *Multa gemens.* vide & Vechneri Hellenolex. p. 99, 100.

Neque ulli invicem intellecto linguarum ritu.] Putat ego, tot fuiffe linguas, quot fuere homines : quod
non eft verifimile ; neque ad praepediendum ejus
aetatis hominum inftitutum neceffarium fuit. Alii
veterum putarunt, feptuaginta aut amplius linguas
tunc exortas fuiffe, qui igitur linguarum tunc exor-
tarum numerum multò minorem fecerunt, quàm nofter. At nec feptuaginta exortas fuiffe, eft neceffe.
Ad praepediendum opus fatis fuit, fi una quaedam familia ufum linguae Hebraeae retineret, ceterisque
omnibus eius oblivio induceretur : Deinde cetera-
rum familiarum uni linguae Ægyptiacae, alii Graecae,
alii Slavonicae, & aliis aliarum ufus daretur. Nam fi
una quaedam familia linguam aliquam calleret, cete-
rarúmque linguas non intelligeret, cum ceteris ope-
ras jungere nec potuit ; fola autem coeptum opus
pertexere noluit. Quâ de re in Differtat. de ling.
omnium primâ, hujúsque confufione, pluribus egimus.

invi-

invicem intellecto linguarum ritu loquebantur: quò promtiùs dispersi sunt, cùm alter
alterum velut alienigenam facilè relinque-
bat. Sed filiis Noë ita divisus orbis fuit, 7
ut Sem intra Orientem, Japheth Occiden-
tem, Cham mediis contineretur. Ita usque
Abram ducta succeßio, nihil sanè insigne aut
memorabile in se habuit.

CAP. V.
Abraham.

Sem.

Abram autem patre Tharâ natus est, post 1
diluvium anno millesimo & septuagesimo.
Abram uxor Sara dicta est, primaque eis in
regione Chaldæorum habitatio fuit. Inde

---

7. *Vsque Abram ducta succeßio.*] Parif. edit. *Vsque
ad Abram.* Sed & *usque Abram* non malè. Ita enim
Justinus & alii voculam *ad* sæpè omittunt. Justinus I, 5, 8 *Vsque temporum Fancyri regis.* Et II,
7, 7 *Propè usque interitum armis dimicatum fuerat.*

1. *Anno millesimo & septuagesimo*] Rursus Interpretes Græcos sequitur, qui homines, qui proximè
post diluvium vixerunt, tùm, cùm generarent, plurium annorum fuisse tradunt, quàm textus Hebræus
habet. Cùm enim hîc dicat, Arphachsadum tùm,
cùm Selachum generaret, annorum triginta fuisse,
Interpretes habent, eum fuisse annorum CXXXV,
cùm generaret Cainanum; atque ita non tantùm annos multò plures Arphachsado tribuunt, sed & ge-
nealogiam uno homine ampliorem faciunt. Si autem textum authenticum sequi noster voluisset, aut
potuisset, scribendum ei fuisset, *Anno ducentesimo
nonagesimo secundo.*

In regione Chaldæorum] Secundum textum authenticum *in Vr Chaldæorum*; ut *Vr* sit nomen proprium. Atque ita ipsa quoque versio Latina vetus
habet. Sed Auctor secutus rursus est Interpretes

apud

apud Charras una cum patre diverfatus eft. Gen. 12.
Quâ tempeftate admonitus à Domino, do-
mum, patriam ac patrem relinquens, adfumto Lot fratris filio, in terram Chananæo- Lot.
rum profectus, in loco, cui Sichem nomen
3 eft, confedit. Mox annonæ inopiâ Ægyptum conceffit. ac rurfum reverfus Lot, præ
multitudine familiæ à patruo digreffus, ut
laxioribus vacuæ tum regionis fpatiis uterentur, in Sodomis confedit. Id oppidum in-

---

Grecos ; aut verfionem Latinam, quæ expreffa es-
fet ex Græcâ. Ifti Interpretes habent, ἐν τῇ χώρᾳ
τῶν Χαλδαίων Gen. XI, 28.

Apud Charras] Vrbs fcriptoribus quoque profanis non ignota. Apud hanc enim exercitum Rom.
à Parthis profligatum fuiffe, memoriæ proditum.
Plinius lib. V cap. 24 *Arabia habet Carras, clade
Craffi nobiles.* Quod Cl. Hornius ait, *eam urbem à
Charane non ftructam, fed dictam fuiffe,* intelligere
videtur Haranem filium Tarachi, fratrem Abrahami,
qui ante patrem deceffit. Verùm ab eo urbs ne
quidem dicta credi poteft. Quippe viro nomen הָרָן,
urbi vero חָרָן fuit.

3. *Rurfum reverfus*] Rurfum redundat. Sic Plautus, *Revertar rurfus :* Nepos, *Rurfus refacrare :* Florus, *Rurfus redire :* Suetonius, *Rurfum repetere.* Vide Indicem Freinsh. in Florum, & Ind. in Nepotem,
à nobis locupletatum, voce *rurfus.* Quòd Sigonius
putat, legendum effe *reverfis,* eius caufam non video.
Imò eft in fuperioribus, quod aliud fuadeat. Præcedunt enim mera verba fingularis numeri *confedit,
conceffit.* Ad verba *rurfum reverfus* fubaudito *unà
cum Abrahamo :* cum quo fcil. ex Mefopotamiâ venerat, & in Ægyptum profectus fuerat.

In Sodomis confedit] Nominibus urbium fæpè &
fame

fame incolis, viris in viros irruentibus, atque
ob id invisum Domino fuisse traditur.   Eâ 4
tempeſtate Reges vicinarum gentium in armis erant :   cùm anteà nullum inter mortales
certamen fuiſſet.   Sed adversùm hos, qui
bello viciha tentabant, reges Sodomorum,
Gomorrhæorum vicinarúmque regionum
in prælium erumpunt : primóque impetu

---

alii præpoſitionem præmittunt : quâ de re dedita
operâ in libro de Latinitate falsò ſuſpectâ, pag. 298
egimus.   Sodoma, orum dicitur, ut Græcè τὰ Σό-
δομα, ων, & τὰ Ἱεροσόλυμα.   Sed paullò poſt dicit
num. ſingulari, *Sodoma direpta*, *Sodoma conflagravit.*

Viris in viros irruentibus] Paulus Rom. I, 27 Ἄρ-
σενες ἐν ἄρσεσι τὴν ἀσχημοσύνην κατεργαζόμενοι, ma-
ſculi in maſculis turpitudinem operantes.   Quod flagitium à loco, ubi frequentatum fuit, Sodomiam
dicunt.

4. *Reges vicinarum gentium*] Amraphel, Kedorlaomor, Arioch & Thidal, Gen. XIV.   Ceterùm
gentes, quibus hi imperitarunt, non adeò vicinæ
Sodomis fuerunt.   Nam Amraphel rex Sinear, id eſt,
Babyloniæ, Kedorlaomor rex Elam, i. e. Perſarum
fuit.

Cùm anteà nullum inter mortales certamen fuiſſet]
Non eſt veriſimile.

Gomorrhæorum] Suſpectum hoc, quia præcedit
Sodomorum, ipſius urbis nomen.   Quid ſi legatur
Gomorrha; ut & ipſum ſit nomen urbis? Sanè In-
terpretes Græci habent βασιλεὺς Σοδόμων, βασιλεὺς
Γομόῤῥας.   Et Latinus vetus ſimiliter, *Rex Sodomo-
rum, rex Gomorrhæ.*

fusi, victoriam concessère.   Tùm à victoribus Sodoma direpta, prædæ hostibus fuit,
5 ductísque Lot in captivitatem.   Quod cùm
Abram comperisset, properè armatis servis
suis, numerô trecentis decem & octo, reges
victoriâ feroces, exutos prædâ armísque in
6 fugam compulit.   Tum à Melchisedec sacerdote benedictus est, eidémque decimas
prædæ dedit.   Reliqua his, quibus erepta
erant, reddidit.

1   Per idem tempus Abræ Dominus locu- CAP. VI.
tus est, multiplicandúmque semen ejus, sicut Gen. 15
arenas maris stellásque cœli, spopondit: per- & 17.
egrinúmque ejus semen prædictum futurum,
ac posteros in hostili solo per quadringentos

Victoriam concessère] Justinus lib. XV *Amissâ
classe, hostique concessâ victoriâ, in Ægyptum refugit.*   Noster item rursus infrà cap. XXXIV.

6. *A Melchisedec benedictus est*] De eâ Latinitate
quid sentiendum, supra ad cap. III dictum.

1. *Multiplicandum semen ejus spopondit*] Pro *mul-
tiplicatum iri spopondit.*   Ad hunc modum noster
sæpisfimè.   Quid autem sentiendum de eo, dictum
suprà ad cap. IV voce *Dispergenda.*   Porro *semen* pro
liberis & posteris Hebraismus est.   Cum enim vox
זֶרַע in Sacris non materiam tantùm, unde nascuntur liberi, sed & liberos ipsos significaret, factum
est, ut in versionibus quoque, vox Græca quidem
σπέρμα, Latina verò *semen*, eamdem duplicem significationem haberet.   Ex versionibus deinde in libros alios, & in ipsum hunc quoque, significatio est
derivata.

<table>
<tr><td>Gen. 17.</td><td>annos laturos servitium, postea libertati re-</td></tr>
<tr><td></td><td>stituendos.   Tum ei atque uxori ejus, ad- 2</td></tr>
</table>

annos laturos servitium, postea libertati restituendos.   Tum ei atque uxori ejus, ad- 2
jectione unius litteræ nomen immutatum :
ita nunc ex Abram Abraam, ex Sarai Sara
dicitur.   Cujus quidem rei non inane mysterium non est hujus operis exponere. Eo- 3
dem tempore Abraæ lex circumsionis im-
posita est.   Erat ei autem ex ancillâ filius
Ismaël.   Et cùm ipse esset annorum centum, uxor autem ejus nonaginta, futurum
eis filium Isaac, Dominus pollicetur, qui
cum duobus angelis ad eum venerat.   Inde 4
Sodomam missi angeli, Lot in portâ seden-
tem repererunt.   Quos cum ille, homines
existimans, hospitio receptos, cœnatósque

Circumci-
sio.

Gen. 18.

Gen. 19.

---

1. *Libertati restituendos*] Notione temporis futuri ; ut paullò antè *multiplicandum*, & cap. IV *dis-*
pergenda.

2. *Adjectione unius litteræ nomen immutatum*]
Quod quomodo factum, satis explicare Auctor non
valuit, utpote linguæ Hebrææ expers.   Est autem
ה littera, ex nomine הֲמוֹן, quod multitudinem significat, decerpta, & tùm nomini אַבְרָם, tùm nomini שָׂרַי adjecta, ut pro his deinceps אַבְרָהָם
& שָׂרָה diceretur.   Quod autem dicit Auctor,
ex Abram Abraam & ex Sarai Sara dici, ad versio-
nes adludere videtur ; & in nomine *Abraam* quidem
alterum A esse litteram illam, quæ nomini Abrami sit
adjecta.   Sed nondum adparet, quomodo adjectione
unius litteræ ex *Sarai* factum sit *Sara :* possítque hoc
detractione potiùs unius litteræ factum videri. Pu-

domi

domi haberet: juventus improba ex oppido, novos hospites ad stuprum flagitabant.
Lot pro hospitibus filias offerens, non ac-
quiescentibus, quibus illicita potius deside-
5 rio erant, ipse ad stuprum trahebatur. Quem
angeli properè ab injuriâ vindicantes, luminibus impudicorum cœcitatem offuderunt.
Tùm Lot, ab hospitibus edoctus, perdendum oppidum, properè cum uxore & filiabus est egressus: interdictum tamen eis est,
6 ne retrorsum conspicerent.   Sed mulier
parùm dicto audiens [humano malo, quo
ægriùs vetitis abstinetur] reflexit oculos,
statimque in molem conversa traditur.   At

---

ut igitur Drusius, adludere nostrum ad versionem
Græcam, in quâ primò Σάρα, deinde Σάββα scriptum
est. Verba Gen. XVII, 15 Σάρα ἡ γυνή σου, οὐ κλη-
θήσεται τὸ ὄνομα αὐτῆς Σάρα, Σάββα ἔσται τὸ ὄνομα
αὐτῆς.

5. *Luminibus impudicorum*] *Lumina* pro oculis: ut
cum dicunt *effossum lumen, eruere lumen, declinare
lumina in summum*. Porrò qui Venere masculâ
utuntur, passim ab Auctoribus impudici vocantur.

Edoctus perdendum oppidum] Pro *perditum iri
oppidum*. De quâ formâ loquendi jam aliquoties monitum.

6. *Parùm dicto audiens*] *Parùm* pro *non* eleganter, ut passim alii. Deinde *dicto audiens* pro *obtem-
perans*, & ipsum melioribus frequentatum: qui &
dativum personæ adjiciunt, dicúntque *dicto audiens
alicui*: quâ de phrasi pag. 134 & seqq. libri de Latinit.
falsò susp. egimus.

In molem conversa] In statuam salis Gen. XIX, 26.

Sodoma divinis ignibus conflagravit. Lot 7
autem filiæ exiſtimantes humanum genus
interiiſſe , concubitum inebriati patris ad-
petiverunt : unde Moab & Ammon nati
ſunt.

CAP. VII.   Per idem tempus ferè, cùm Abraam eſſet   1
Iſaac.   etiam centum annorum, Iſaac filius natus
Gen. 21.   eſt.   Tum ancillam, de quâ Abraam filium
               ſuſceperat, Sara expulit : quæ habitaſſe in de-
               ſerto unà cum filio, & præſidio Domini de-
Gen. 22.   fenſa traditur.   Non multùm pòſt, Domi- 2
               nus Abraæ fidem tentans , immolandum
               ſibi à patre filium Iſaac poſcit.   Quem ille
               non cunctatus offerre, cùm aræ puerum ſu-
               perpoſuiſſet , gladiúmque educeret , vox
               miſſa de cœlo eſt, puero ut parceret : victi-
               mæ aries præſtò fuit.   Conſummatóque ſa-
               crificio, Abraæ Dominus locutus eſt, pro-
Gen. 23.   mittens ea, quæ jam ſpoponderat. At Sara, 3
               cùm ſeptimum & viceſimum ſupra centeſi-
               mum annum ageret, deceſſit: corpus curâ

---

2. *Non multùm pòſt*] *Multùm* pro *multò.*   Talia &
apud alios obſervantur.   Livius lib. III *Qantùm ma-*
gis juniores patrum plebi ſe inſinuabant, eò acriùs
contrà Tribuni tendebant. Sic & lib. XLIV *Quantùm*
longiùs pro *quantò longiùs.*   Plinius & voculam *IN*
adjicit, dicitque *in multùm velocior* pro *multò velocior.*
Vt lib. X Nat. Hiſt. c. 36 *Solutus columbarum volatus*
eſt in multùm velocior. Vide Groſipp. Parad. lit. pag.
42 edit. Amſtel.

3. *Deceſſit*] Ita meliores paſſim. Cicero lib. I ep. 4
                                                 viri

viri sepultum in Hebron, Chananæorum oppido.   Etenìm illic Abraam commoraba-
4 tur.   Tùm Abraam Isaac filium juvenilis Gen. 24.
ætatis videns [siquidem tùm quadragesimum
annum ætatis agebat] servo suo imperavit,
uxorem ei quæreret: ex eâ tamen tribu atque terrâ, de quâ ipse oriundus videbatur;
modò ut inventam puellam in regionem
Chananæorum deduceret, nec putaret eum
caussâ conjugis in solum patrium rediturum.
Atque ut ea strenuè mandata exsequeretur,
contacto domini femine, sacramentum de-

---

ad Att. *Pater nobis decessit.* Nepos Arist. *Decessit
ferè post annum quartum, quàm Themistocles Atheniæ
erat expulsus.* Subaudiendum autem sine dubio aliquid. Valla lib. V c. 95 de eleg. *Eo modo dicitur* Decessit, *quo dicitur* Defunctus, *ut subintelligatur* vitâ.
At in Excedo *additur* vitâ, *non subintelligitur.*

4. *De quâ ipse oriundus videbatur*] Pro *oriundus
esset.* *Videri* pro *esse* non rarò ponitur. Justinus lib.
XXIX c. 2 *Sibi quoque non aliam ob caussam, quàm
quòd Italiæ finitimus videbatur, bellum inlatum.*
Cicero 1 Off. *Nunquam omninò periculi fuga com-
mittendum est, ut imbelles timidíque videamur,* h.
e. simus. Vide & Notas Castalionis ad c. IV ep. ad
Hebr.

In solum patrium] Abrahami, Carras nimirum:
quæ ei patria commorationis, non ortûs, fuêre.

Sacramentum dedit] Vt *jusjurandum dare.* Plautus Amphitr. III, 2 *Arbitratu tuo jusjurandum dabo.* Item: *Jusjurandum verum te adversum dedi.*
Est autem *dare* in talibus idem quod facere. Cujus
generis plurima congessimus pag. 124 & seqq. libri de
Latinitate f. susp.

B 3   dit.

dit. Ita fervus profectus in Mefopotamiam, 5
ad oppidum Nachor, Abraami fratris, de-
venit. fuccefsítque in domum Bathuelis Syri, Nachore patre geniti; hujus filiam Re-
beccam, fpeciofam virginem confpicatus,
popofcit, atque ad dominum adduxit. Poft 6
id, Abraam accepit uxorem Ceturam nomine, quæ in Paralipomenis concubina dicitur: fufcepítque ex eâ filios. Sed Ifaac Sarâ
edito, fubftantiam tradidit, his autem, quos
ex concubinis fufceperat, dona diftribuit.
atque ita ab Ifaac feparati funt. Abraam, 7
diem functus eft, impletis annis centum &
quinque & feptuaginta; corpus fepulcro Sa-
ræ uxoris adpofitum.

5. *Hujus filiam popofcit*] Scilicet *in matrimonium.*
Infrà cap. IX *Eam fibi in matrimonio à patre poftu-
lans*; ubi legendum fortaffe *in matrimonium.* Vide
Notas ad eum locum.

6. *Ifaac Sarâ edito*] Scil. *in lucem.* Tacitus, itidem
de fœminâ: *Vbi Agrippina noviffimo partu Iuliam
edidterat.* Nofter frequenter ita locutus deprehenditur.

Subftantiam tradidit] *Subftantia* pro bonis, facultatibus, exemplo vocis Græcæ οὐσία, quæ eâ notione
paffim ufurpatur. Latinam vocem eâ notione &
apud Quintilianum reperias. An apud antiquiores
quoque, non liquet.

7. *Diem functus eft*] Phrafi eâ nofter fæpe utitur.
Subaudiendum autem *fupremum*: quomodo &, cùm
obire diem dicunt, *fupremum* fubaudiendum eft;
quod Corn. Nepos diferte addit. dicítque obire diem
fupremum, in Miltiade, Alcib. & al. Ciceroni illud

At

1 At Rebecca diu sterilis, adsiduis mariti ad CAP. VIII.
Dominum precibus, à die matrimonii vice- Gen. 25.
simo ferè anno geminos edidit: qui in matris alvo exsultasse saepiùs traduntur. dictúmque responso Domini est, duos in his populos praenunciari, & majorem minori subdendum esse principio. Sed priùs editus asper
setis, Esau vocatus: minori Jacob nomen Jacob.
2 fuit. Eâ tempestate gravis annonae inopia
terras incesserat. Quâ necessitate Isaac in Gen. 26.

---

diem fungi non adeò frequentatum. Exstat tamen L.
Proponebatur D. de castr. pec. Constructio verò cum
casu quarto nec melioribus inusitata. Quippe non
Plautus tantùm, sed & Nepos in Datame dicit *munus
fungi.*

1. *In matris alvo exsultasse*] Adludit ad versionem
Gr. quae habet ἐσκίρτων τὰ παιδία ἐν αὐτῇ, vel certè
ad Latinam, quae ex Graecâ expressa esset, & verbum
exsultare haberet. Hodie in versione Lat. vetere legitur, *Conlidebantur in utero ejus parvuli.*

Majorem minori subdendum esse principio] Pro *sub-
ditum iri principatu.* Solenne nostro, participio
passivo de futuro tempore uti: ut jam suprà monuimus. *Principium* posuit pro principatu. Cùm enim
vox *princeps*, quae propriè primum & praecipuum significat, de dominio usurpari coepisset, derivato *principium* quoque significationem novam tribuerunt
posteriores. Lexicon vetus Drusii: Ἀρχὴ imperium, magistratus, magisterium, praesidiatus, principium. Deinde in versione Psal. CX, 3 *Tecum principium in die virtutis tuae.* Quod expressum ex Grae-
cis, Μετὰ σοῦ ἡ ἀρχὴ ἐν ἡμέρᾳ τῆς δυνάμεώς σου: in
quibus ἀρχὴ sine dubio *dominium, principatum* significat.

2. *Quâ necessitate*] *Necessitas* de urgente calami-

Ge-

Geraris ad regem Abimelech ceſſit, admonitus à Domino, ne in Ægyptum deſcenderet: eidémque univerſæ illius terræ poſſes-
ſio promittitur, ibíque benedicitur, multi-
plicatúsque pecore atque omni ſubſtantiâ,
agente invidiâ, ab incolis pellitur: pulſus
Gen. 27. apud Puteum juramenti conſedit.　Igitur 3

---

tate. Sic & alii. Nepos *Themiſt. Quâ neceſſitate
coactus Domino navis, quis ſit, aperit.* Noſter inf. c, 12
Quâ neceſſitate compulſus.

In Geraris ad regem Abimel. ceſſit] Sigonius legendum putat *in Gerara,* per accuſativum: quia motus ad locum ſignificatur.　Sanè Interpres vetus Geneſ. XXVI, 1. *Abiit Iſaac ad Abimelech in Gerara.*
Sed Druſius tamen *Geraris* retinendum putat: quia
veteres præpoſitione IN promiſcuè uſi ſint, & Interpres vetus quoque Gen. XX, 1 ſcripſerit, *Peregrina-
tus eſt Abraham in Geraris.*　Verùm veteris Interpretis illud nihil eum juvat.　Hic enim ſua expreſſit ex Græcis, παρῴκησεν ἐν Γεράροις, & denotare voluit motum in loco, ut Grammatici vocant: ut *per-
egrinari* nihil aliud hîc ſit, quàm *peregrinum, advenam eſſe.*　Sed & cætera, quæ ex Auctoribus citat, *ab-
jicere ſe in herbâ, abdere ſe in Menapiis, conlocare in
lecto,* diverſa ſunt ab illo, *in Geraris ad Regem Ab.
ceſſit.*　In quo legendum fortaſſe *conceſſit:* aut certè
ſimplex *ceſſit* pro *conceſſit* eſt poſitum.

In Ægyptum deſcenderet] Poſſit videri Hebrai-
ſmus; quoniam Hebræi dicunt וירד מצרימה
deſcendit in Ægyptum, Gen. XXVI, 2 & al. Sed locuti
tamen ſic meliores quoque. Nepos Ariſt. *Poſtquam
Xerxes in Græciam deſcendit.* Alcib. *His cùm obviam
univerſa civitas in Piræeum deſcendiſſet.*

Puteum juramenti] Vocem *juramentum* Scioppius
cenſet barbaram eſſe; & Lipſium atque Scaligerum,
quòd eo vocabulo uſi eſſent, reprehendit.　Et ſanè
annis

annis gravior, luminibus obductis, cùm
Efau filium benedicere pararet, confilio Rebeccæ matris, Jacob fe benedicendum pro
fratre obtulit.   Ita Jacob adorandus prin-
4 cipibus & gentibus, fratri præponitur. Queis
rebus Efau accenfus fratri necem moliebatur.   Quo metu Jacob hortante matre, in Gen. 28.
Mefopotamiam confugit: admonitus à pa-
tre, ut ex domo Laban, fratris Rebeccæ, uxorem acciperet.   Tanta illis cura fuit, cùm

---

ævi optimi vocabulum effe, ipfe vix crediderim. Videmus enim, Plautum, Terentium, Ciceronem aliósque antiquiores, quoties de jurejurando agunt, non
juramentum, fed *jusjurandum*, aut voce fimplici
jurandum, dicere.   In Foro Rom. citatur locus ex
lib. II Senecæ de Clem. in quo fit *juramentum faciant.*
Verùm meliores codices habent *jurent.*   Interim vox
juramentum, quâ nofter & ejus æquales ufi funt, ad
analogiam linguæ formata fanè eft.

3. *Annis gravior*] Horatius lib. I fat. 1 *Gravis annis miles.*   Dicunt & *natu gravis*, *ætate gravis.*
Terentius Heaut. IV, 1 *Quando tuus eft animus
natu gravior.*   Livius lib. X *Ingreffi milites, refra-
ctis foribus paucos graves ætate, aut invalidos inve-
niunt.*

Filium benedicere] De eâ conftructione dictum
fuprà ad cap. III.

Adorandus principibus] ex Gen. XXVII, 29. ubi
verfio Lat. vetus: *Serviant tibi populi, & adorent te
tribus.*   At verfio Græca, προσκυνησάτωσάν σοι ἄρ-
χοντες.   Ergo vocem *Principibus* hinc expreffit, aut
verfionem Latinam, quæ ex Græcâ facta effet, fecutus eft.

5. *Per foporem vidiffe*] Vt alii *per fomnum, per
quietem videre.*   Juftinus I, 9 *Per quietem vidit fra-*

in alienis terris confifterent, genus tamen intra familiam fuam ducere. Ita Jacob pro- 5
fectus in Mefopotamiam, per foporem Dominum vidiffe traditur: atque ob id locum
fomnii facratum habens, lapidem ex eo fumfit: vovitque, fi rebus profperis revertiffet,
titulum fibi domûs Domini futurum: decimásque omnium, quæ adquifita fibi forent, Domino daturum. Inde fe ad Laban 6
fratrem matris contulit; quem ille fororis filium agnitum, in hofpitium benignè recepit.

Gen. 29.

CAP. IX. Erant Laban duæ filiæ, Lia & Rachel. 1
Sed Lia oculis deformior, Rachel pulchra fuiffe traditur. Cujus fpecie Jacob captus,
amore virginis conflagrabat: eámque fibi

---

trem fuum *Mergim regnaturum.* Et illud *per foporem, per fomnum, per quietem videre* nihil aliud eft,
quam *in fopore, in fomno, in quiete videre.*

Titulum domûs Domini] Gen. XXVIII, 18 *Tulit
lapidem, quem fuppofuerat capiti fuo, & erexit in titulum.* Ita Interpres vetus. Eft autem verfum ex
Græco, ἔςησεν αὐτὸν ςήλην. Et *titulus* hîc nihil
aliud quàm ςήλη, columna, ftatua. Hinc & in verfione fequitur, *Et lapis ifte, quem erexi in titulum, vocabitur domus Dei.* Rurfus cap. XXXV, 14 *Erexit
titulum lapideum in loco, quo locutus fuerat ei Deus.*
Et verf. 20 *Erexit Jacob titulum fuper fepulcrum ejus.*
Nofter, quia voce *titulus* in eâdem hiftoriâ exprimendâ ufus eft, adparet, ipfam illam verfionem veterem
ab eo lectam fuiffe; aut certè vocem Græcam ςήλη
ab Interprete Latino & à noftro Auctore unâ eâdémque voce Latinâ expreffam effe.

in

in matrimonio à patre postulans, septem
2 annorum servitio se mancipavit.   Sed im- Vxores
pleto tempore, Lia ei supponitur: ac rursum Jacobi.
septem in servitio subditur, atque ei Rachel
traditur.   Sed hanc diù sterilem, Liam,
3 fœcundam fuisse, accepimus.   Filiorum, Filii Jacobi,
quos ex Liâ Jacob habuit, hæc sunt nomi- Gen. 29
na: Ruben, Simeon, Levi, Judas, Issachar, & 30.
Zabulon, Dina.   Ex ancillâ vero Liæ, Gad
& Aser.   Ex ancillâ Rachel, Dan & Nephtalim nati sunt.   At Rachel, desperato
4 jam partu, Joseph edidit.   Tum Jacob re- Gen. 31.

---

1. *Eam sibi in matrimonio à patre postulans*] Suprà cap. VII *Hujus filiam poposcit*, subaudito *in matrimonium*. Infrà cap. XI *In matrimonium adsumsit*. Et cap. XXXIV *In matrimonium accepit*. Item
cap. XXXV *In matrimonium dedit*. Quid si ergo
& hîc legeretur, *In matrimonium postulans?*

2. *Rursum septem in servitio subditur, atque ei Rachel traditur*] Videtur velle, non antè Jacobo traditam fuisse Rachelem, quàm septem alios annos ser-
viisset.   Verùm aliter habent fontes; videlicet cùm
unam hebdomadem vixisset cum Leâ, statim ei & Rachelem traditam fuisse; sed eâ tamen conditione,
ut Labano septem alios annos pro eâ serviret. Quod
vel ex versione Latinâ intelligere potuisset noster.
Habet enim sic: *Tandémque potitus optatis nuptiis*, (Rachelis) *amorem sequentis priori prætulit, serviens apud eum septem annis aliis*, Genes. XXIX, 30.

3. *Nephtalim*] In margine editionis Amstelodamensis positum *Nephthali*; quasi nostrum non scripsisse *Nephthalim*, & emendandum hîc aliquid esse,
sit verisimile.   Verùm sciendum, adludere eum ad
versionem Græcam, quæ omnino habet Νεφθαλὶμ,
dire

annos laturos servitium, postea libertati restituendos.   Tum ei atque uxori ejus, ad- 2
jectione unius litteræ nomen immutatum:
ita nunc ex Abram Abraam, ex Sarai Sara
dicitur.   Cujus quidem rei non inane mysterium non est hujus operis exponere. Eo- 3
dem tempore Abraæ lex circumsionis im-
posita est.   Erat ei autem ex ancillâ filius
Ismaël.   Et cùm ipse esset annorum centum, uxor autem ejus nonaginta, futurum
eis filium Isaac, Dominus pollicetur, qui
cum duobus angelis ad eum venerat.   Inde 4
Sodomam missi angeli, Lot in portâ seden-
tem repererunt.   Quos cum ille, homines
existimans, hospitio receptos, cœnatósque

---

1. *Libertati restituendos*] Notione temporis futuri; ut paullò antè *multiplicandum*, & cap. IV *dispergenda*.

2. *Adjectione unius litteræ nomen immutatum*]
Quod quomodo factum, satis explicare Auctor non
valuit, utpote linguæ Hebrææ expers.   Est autem
ה littera, ex nomine הָמוֹן, quod multitudinem significat, decerpta, & tùm nomini אַבְרָם, tùm nomini שָׂרַי adjecta, ut pro his deinceps אַבְרָהָם
& שָׂרָה diceretur.   Quod autem dicit Auctor,
ex Abram Abraam & ex Sarai Sara dici, ad versio-
nes adludere videtur; & in nomine *Abraam* quidem
alterum A esse litteram illam, quæ nomini Abrami sit
adjecta.   Sed nondum adparet, quomodo adjectione
unius litteræ ex *Sarai* factum sit *Sara*: possítque hoc
detractione potiùs unius litteræ factum videri.   Pu-

domi

domi haberet: juventus improba ex oppido, novos hospites ad stuprum flagitabant.
Lot pro hospitibus filias offerens, non ac-
quiescentibus, quibus illicita potius deside-
5 rio erant, ipse ad stuprum trahebatur. Quem
angeli properè ab injuriâ vindicantes, luminibus impudicorum cœcitatem offuderunt.
Tùm Lot, ab hospitibus edoctus, perdendum oppidum, properè cum uxore & filiabus est egressus: interdictum tamen eis est,
6 ne retrorsum conspicerent.   Sed mulier
parùm dicto audiens [humano malo, quo
ægriùs vetitis abstinetur] reflexit oculos,
statimque in molem conversa traditur.   At

---

tat igitur Drusius, adludere nostrum ad versionem
Græcam, in quâ primò Σάρα, deinde Σάββα scriptum
est. Verba Gen. XVII, 15 Σάρα ἡ γυνή σου, οὐ κλη-
θήσεται τὸ ὄνομα αὐτῆς Σάρα, Σάββα ἔσται τὸ ὄνομα
αὐτῆς.

5. *Luminibus impudicorum*] *Lumina* pro oculis: ut
cum dicunt *effossum lumen, eruere lumen, declinare
lumina in somnum.* Portò qui Venere masculâ
utuntur, passim ab Auctoribus impudici vocantur.

Edoctus perdendum oppidum] Pro *perditum iri
oppidum.* De quâ formâ loquendi jam aliquoties monitum.

6. *Parùm dicto audiens*] *Parùm* pro *non* eleganter, ut passim alii. Deinde *dicto audiens* pro *obtem-
perans*, & ipsum melioribus frequentatum: qui &
dativum personæ adjiciunt, dicúntque *dicto audiens
alicui:* quâ de phrasi pag. 134 & seqq. libri de Latinit.
falsò susp. egimus.

In molem conversâ] In statuam salis Gen. XIX, 26.

B 2   Sodoma

Sodoma divinis ignibus conflagravit. Lot 7
autem filiæ existimantes humanum genus
interiisse, concubitum inebriati patris ad-
petiverunt: unde Moab & Ammon nati
sunt.

CAP. VII.   Per idem tempus ferè, cùm Abraam esset 1
Isaac.   etiam centum annorum, Isaac filius natus
Gen. 21.   est. Tum ancillam, de quâ Abraam filium
suscperat, Sara expulit: quæ habitasse in deserto unà cum filio, & præsidio Domini de-
fensa traditur. Non multùm pòst, Domi- 2
Gen. 22.   nus Abraæ fidem tentans, immolandum
sibi à patre filium Isaac poscit. Quem ille
non cunctatus offerre, cùm aræ puerum su-
perposuisset, gladiúmque educeret, vox
missa de cœlo est, puero ut parceret: victi-
mæ aries præstò fuit. Consummatóque sacrificio, Abraæ Dominus locutus est, pro-
mittens ea, quæ jam spoponderat. At Sara, 3
Gen. 23.   cùm septimum & vicesimum supra centesimum annum ageret, decessit: corpus curâ

---

2. *Non multùm pòst*] *Multùm* pro *multò.* Talia &
apud alios observantur. Livius lib. III *Qantùm magis juniores patrum plebi se insinuabant, eò acriùs
contrà Tribuni tendebant.* Sic & lib. XLIV *Quantùm
longiùs* pro *quantò longiùs.* Plinius & voculam *IN*
adjicit, dicitque *in multùm velocior* pro *multò velocior.*
Vt lib. X Nat. Hist. c. 36 *Solutus columbarum volatus
est in multùm velocior.* Vide Grosipp. Parad. lit. pag.
42 edit. Amstel.

3. *Decessit*] Ita meliores passim. Cicero lib. I ep. 4
viri

viri ſepultum in Hebron, Chananæorum oppido.   Etenìm illic Abraam commoraba-
4 tur.   Tùm Abraam Iſaac filium jŭvenilis Gen. 24.
ætatis videns [ſiquidem tùm quadrageſimum
annum ætatis agebat] ſervo ſuo imperavit,
uxorem ei quæreret: ex eâ tamen tribu atque terrâ, de quâ ipſe oriundus videbatur:
modò ut inventam puellam in regionem.
Chananæorum deduceret, nec putaret eum
cauſsâ conjugis in ſolum patrium rediturum.
Atque ut ea ſtrenuè mandata exſequeretur,
contaſto domini femine, ſacramentum de-

---

ad Att. *Pater nobis deceſſit.* Nepos Ariſt. *Deceſſit
ferè poſt annum quartum, quàm Themiſtocles Athenis
erat expulſus.* Subaudiendum autem ſine dubio aliquid. Valla lib. V c. 95 de eleg. *Eo modo dicitur* Deceſſit, *quo dicitur* Defunctus, *ut ſubintelligatur* vitâ.
At in Excedo *additur* vitâ, *non ſubintelligitur.*

4. *De quâ ipſe oriundus videbatur*] Pro *oriundus
eſſet.* Videri pro *eſſe* non rarò ponitur. Juſtinus lib.
XXIX c. 2 *Sibi quoque non aliam ob cauſſam, quàm
quòd Italiæ finitimus videbatur, bellum inlatum.*
Cicero 1 Off. *Nunquam omninò periculi fuga com-
mittendum eſt, ut imbelles timidique videamur,* h.
e. ſimus. Vide & Notas Caſtalionis ad c. IV ep. ad
Hebr.

In ſolum patrium] Abrahami, Carras nimirum:
quæ ei patria commorationis, non ortûs, fuêre.

Sacramentum dedit] Vt *jusjurandum dare.* Plautus Amphitr. III, 2 *Arbitratu tuo jusjurandum dabo.* Item: *Jusjurandum verum te adverſum dedi.*
Eſt autem *dare* in talibus idem quod facere. Cujus
generis plurima congeſſimus pag. 124 & ſeqq. libri de
Latinitate f. ſuſp.

B 3

dit.

dit. Ita servus profectus in Mesopotamiam, 5
ad oppidum Nachor, Abraami fratris, de-
venit. successitque in domum Bathuelis Syri, Nachore patre geniti: hujus filiam Re-
beccam, speciosam virginem conspicatus,
poposcit, atque ad dominum adduxit. Post 6
id, Abraam accepit uxorem Ceturam nomine, quæ in Paralipomenis concubina dicitur: suscepitque ex eâ filios. Sed Isaac Sarâ
edito, substantiam tradidit, his autem, quos
ex concubinis susceperat, dona distribuit.
atque ita ab Isaac separati sunt. Abraam 7
diem functus est, impletis annis centum &
quinque & septuaginta: corpus sepulcro Sa-
ræ uxoris adpositum.

Rebecca.

Gen. 25.

1 Par. 2.

---

5. *Hujus filiam poposcit*] Scilicet *in matrimonium.*
Infrà cap. IX *Eam sibi in matrimonio à patre postu-*
lans; ubi legendum fortasse *in matrimonium.* Vide
Notas ad eum locum.

6. *Isaac Sarâ edito*] Scil. *in lucem.* Tacitus, itidem
de fœminâ: *Vbi Agrippina novissimo partu Juliam*
ediderat. Noster frequenter ita locutus deprehenditur.

Substantiam tradidit] *Substantia* pro bonis, facultatibus, exemplo vocis Græcæ οὐσία, quæ eâ notione
passim usurpatur. Latinam vocem eâ notione &
apud Quintilianum reperias. An apud antiquiores
quoque, non liquet.

7. *Diem functus est*] Phrasi eâ noster sæpe utitur.
Subaudiendum autem *supremum*: quomodo &, cùm
obire diem dicunt, *supremum* subaudiendum est;
quod Corn. Nepos disertè addit, dicítque *obire diem*
supremum, in Miltiade, Alcib. & al. Ceterùm illúd

At

1 At Rebecca diu sterilis, adsiduis mariti ad CAP. VIII.
Dominum precibus, à die matrimonii vice- Gen. 25.
simo ferè anno geminos edidit: qui in matris alvo exsultasse sæpiùs traduntur. dictúmque responso Domini est, duos in his populos prænunciari, & majorem minori subdendum esse principio.   Sed priùs editus asper
setis, Esau vocatus: minori Jacob nomen Jacob.
2 fuit.   Eâ tempestate gravis annonæ inopia
terras incesserat.   Quâ necessitate Isaac in Gen. 26.

---

diem fungi non adeò frequentatum.   Exstat tamen L.
Proponebatur D. de castr. pec. Constructio verò cum
casu quarto nec melioribus inusitata.   Quippe non
Plautus tantùm, sed & Nepos in Datame dicit *munus
fungi.*

    1. *In matris alvo exsultasse*] Adludit ad versionem
Gr. quæ habet *ἐσκίρτων τὰ παιδία ἐν αὐτῇ,* vel certè
ad Latinam, quæ ex Græcâ expressa esset, & verbum
exsultare haberet.   Hodie in versione Lat. vetere legitur, *Conlidebantur in utero ejus parvuli.*

    Majorem minori subdendum esse principio] Pro *sub-
ditum iri principatu.*   Solenne nostro, participio
passivo de futuro tempore uti: ut jam suprà monuimus.   *Principium* posuit pro principatu.   Cùm enim
vox *princeps,* quæ propriè primum & præcipuum significat, de dominio usurpari cœpisset, derivato *principium* quoque significationem novam tribuerunt
posteriores.   Lexicon vetus Drusii: Ἀρχὴ *imperium, magistratus, magisterium, præsidiatus, principium.*   Deinde in versione Psal. CX, 3 *Tecum principium in die virtutis tuæ.*   Quod expressum ex Græcis, Μετὰ σοῦ ἡ ἀρχὴ ἐν ἡμέρᾳ τῆς δυνάμεώς σου: in
quibus ἀρχὴ sine dubio *dominium, principatum* significat.

    2. *Quâ necessitate*] *Necessitas* de urgente calami-

Geraris ad regem Abimelech ceſſit, admonitus à Domino, ne in Ægyptum deſcenderet: eidémque univerſæ illius terræ poſſes-
ſio promittitur, ibíque benedicitur, multi-
plicatísque pecore atque omni ſubſtantiâ,
agente invidiâ, ab incolis pellitur: pulſus
apud Puteum juramenti conſedit.   Igitur 3

Gen. 27.

---

tate. Sic & alii. Nepos *Themiſt.* *Quâ neceſſitate*
coactus Domino navis, quis ſit, aperit. Noſter inf. c,12
Quâ neceſſitate compulſus.

In Geraris ad regem Abimel. ceſſit] Sigonius legendum putat *in Gerara,* per accuſativum: quia motus ad locum ſignificatur. Sanè Interpres vetus Geneſ. XXVI, 1. *Abiit Iſaac ad Abimelech in Gerara.*
Sed Druſius tamen *Geraris* retinendum putat: quia
veteres præpoſitione IN promiſcuè uſi ſint, & Interpres vetus quoque Gen. XX, 1 ſcripſerit, *Peregrina-*
tus eſt Abraham in Geraris. Verùm veteris Interpretis illud nihil eum juvat. Hic ſenim ſua expreſſit ex Græcis, παρῴκησεν ἐν Γεράροις, & denotare voluit motum in loco, ut Grammatici vocant: ut *per-*
egrinati nihil aliud hîc ſit, quàm *peregrinum, adve-*
nam eſſe. Sed & cætera, quæ ex Auctoribus citat, *ab-*
jicere ſe in herbâ, abdere ſe in Menapiis, conlocare in
lecto, diverſa ſunt ab illo, *in Geraris ad Regem Ab.*
ceſſit. In quo legendum fortaſſe *conceſſit :* aut certè
ſimplex *ceſſit* pro *conceſſit* eſt poſitum.

In Ægyptum deſcenderet] Poſſit videri Hebrai-
ſmus; quoniam Hebræi dicunt ירד מצרימה
deſcendit in Ægyptum, Gen. XXVI, 2 & al. Sed loċuti
tamen ſic meliores quoque. Nepos *Ariſt. Poſtquam*
Xerxes in Græciam deſcendit. Alcib. *His cùm obviam*
univerſa civitas in Piræcum deſcendiſſet.

Puteum juramenti] Vocem *juramentum* Scioppius
cenſet barbaram eſſe; & Lipſium atque Scaligerum,
quòd eo vocabulo uſi eſſent, reprehendit. Et ſanè
annis

annis gravior, luminibus obductis, cùm
Esau filium benedicere pararet, consilio Rebeccæ matris, Jacob se benedicendum pro
fratre obtulit.   Ita Jacob adorandus prin-
4 cipibus & gentibus, fratri præponitur. Queis
rebus Esau accensus fratri necem moliebatur.   Quo metu Jacob hortante matre, in Gen. 28.
Mesopotamiam confugit: admonitus à patre, ut ex domo Laban, fratris Rebeccæ, uxorem acciperet.   Tanta illis cura fuit, cùm

---

ævi optimi vocabulum esse, ipse vix crediderim. Videmus enim, Plautum, Terentium, Ciceronem aliósque antiquiores, quoties de jurejurando agunt, non
juramentum, sed *jusjurandum*, aut voce simplici
jurandum, dicere.   In Foro Rom. citatur locus ex
lib. II Senecæ de Clem. in quo sit *juramentum faciant*.
Verùm meliores codices habent *jurent*.   Interim vox
juramentum, quâ noster & ejus æquales usi sunt, ad
analogiam linguæ formata sanè est.

3. *Annis gravior*] Horatius lib. I sat. 1 *Gravis annis miles.*   Dicunt & *natu gravis*, *ætate gravis.*
Terentius Heaut. IV, 1 *Quando tuus est animus
natu gravior.*   Livius lib. X *Ingressi milites, refra-
ctis foribus paucos graves ætate, aut invalidos inve-
niunt.*

Filium benedicere] De eâ constructione dictum
suprà ad cap. III.

Adorandus principibus] ex Gen. XXVII, 29. ubi
versio Lat. vetus: *Serviant tibi populi, & adorent te
tribûs.*   At versio Græca, προσκυνησάτωσάν σοι ἄρ-
χοντες.   Ergo vocem *Principibus* hinc expressit, aut
versionem Latinam, quæ ex Græcâ facta esset, secutus est.

5. *Per soporem vidisse*] Vt alii *per somnum*, *per
quietem videre.* Justinus I, 9 *Per quietem vidit fra-*

in alienis terris confisterent, genus tamen
intra familiam suam ducere.   Ita Jacob pro- 5
fectus in Mesopotamiam, per soporem Dominum vidisse traditur: atque ob id locum
somnii sacratum habens, lapidem ex eo sum-
sit: vovitque, si rebus prosperis revertisset,
titulum sibi domûs Domini futurum: decimásque omnium, quæ adquisita sibi forent, Domino daturum.   Inde se ad Laban 6
Gen. 29. fratrem matris contulit; quem ille sororis
filium agnitum, in hospitium benigne recepit.

CAP. IX.   Erant Laban duæ filiæ, Lia & Rachel. 1
Sed Lia oculis deformior, Rachel pulchra
fuisse traditur. Cujus specie Jacob captus,
amore virginis conflagrabat: eámque sibi

---

trem suum *Mergim regnaturum*. Et illud *per sopo-*
rem, *per somnum*, *per quietem videre* nihil aliud est,
quam *in sopore, in somno, in quiete videre.*

Titulum domûs Domini] Gen. XXVIII, 18 *Tulit*
lapidem, quem supposuerat capiti suo, & erexit in ti-
tulum. Ita Interpres vetus. Est autem versum ex
Græco, ἔστησεν αὐτὸν στήλην. Et *titulus* hîc nihil
aliud quàm στήλη, columna, statua. Hinc & in versione sequitur, *Et lapis iste, quem erexi in titulum, vo-*
cabitur domus Dei. Rursus cap. XXXV, 14 *Erexit*
titulum lapideum in loco, quo locutus fuerat ei Deus.
Et vers. 20 *Erexit Jacob titulum super sepulcrum ejus.*
Noster, quia voce *titulus* in eâdem historiâ exprimendâ usus est, adparet, ipsam illam versionem veterem
ab eo lectam fuisse; aut certè vocem Græcam στήλη
ab Interprete Latino & à nostro Auctore unâ eâdémque voce Latinâ expressam esse.

in

in matrimonio à patre postulans, septem
2 annorum servitio se mancipavit. Sed im- Vxores
pleto tempore, Lia ei supponitur: ac rursum Jacobi.
septem in servitio subditur, atque ei Rachel
traditur. Sed hanc diù sterilem, Liam,
3 fœcundam fuisse, accepimus. Filiorum, Filii Jacobi.
quos ex Liâ Jacob habuit, hæc sunt nomi- Gen. 29
na: Ruben, Simeon, Levi, Judas, Issachar, & 30.
Zabulon, Dina. Ex ancillâ vero Liæ, Gad
& Aser. Ex ancillâ Rachel, Dan & Nephtalim nati sunt. At Rachel, desperato
4 jam partu, Joseph edidit. Tum Jacob re- Gen. 31.

---

1. *Eam sibi in matrimonio à patre postulans*] Suprà cap. VII *Hujus filiam poposcit*, subaudito *in matrimonium*. Infrà cap. XI *In matrimonium adsumsit*. Et cap. XXXIV *In matrimonium accepit*. Item
cap. XXXV *In matrimonium dedit*. Quid si ergo
& hîc legeretur, *In matrimonium postulans?*

2. *Rursum septem in servitio subditur, atque ei Rachel traditur*] Videtur velle, non antè Jacobo traditam fuisse Rachelem, quàm septem alios annos ser-
viisset. Verùm aliter habent fontes; videlicet cùm
unam hebdomadem vixisset cum Leâ, statim ei & Rachelem traditam fuisse; sed eâ tamen conditione,
ut Labano septem alios annos pro eâ serviret. Quod
vel ex versione Latinâ intelligere potuisset noster.
Habet enim sic: *Tandémque potitus optatis nuptiis*, (Rachelis) *amorem sequentis priori prætulit, serviens apud eum septem annis aliis*, Genes. XXIX, 30.

3. *Nephtalim*] In margine editionis Amstelodamensis positum *Nephthali*; quasi nostrum non scripsisse *Nephthalim*, & emendandum hîc aliquid esse,
sit verisimile. Verùm sciendum, adludere eum ad
versionem Græcam, quæ omnino habet Νεφθαλὶμ,
dire

dire ad patrem cupiens, cùm ei Laban focer
partem pecorum mercedem fervitii dedis-
fet, ob quæ parùm fibi eum æquum gener
Jacob ratus, dolum ab eo fufpectans, clam
profectus eft vicefimo primo ferè anno,
quàm advenerat. Rachel, viro infcio, patris
idola furto abftulit. quâ injuriâ Laban generum perfecutus, non repertis idolis, pace
factâ, regreffus eft: multum obteftatus generum, ne uxores filiabus fuis fuperinduceret. Inde digreffus Jacob, vidiffe angelos 5
& caftra Domini, traditur. Sed cùm præ-

Gen. 32.
& 33.

---

adjecto μ. Quæ eadem fcriptio & in ipfo novo Teft.
obfervatur Matth. IV, 15.

4. *Dolum ab eo fufpectans*] Tacitus lib. I *Quidam
fcelus uxoris fufpectabant.* Ceterùm propriè *fufpe-
ctare* eft frequenter fùrfum confpicere. Vt apud
Martialem, *Oculis fufpectans fidera.*

Vicefimo primo ferè anno quàm advenerat] Omiffo
& fubaudito *pôft*, quod alibi difertè additur. Nepos
Arift. *Sexto ferè anno, poftquam erat expulfus.* Item
Hamilc. *Nono anno, poftquam in Hifp. venerat, occi-
fus eft.* Nofter lib. II c. 45 *Sexto anno, poftquam redierat, in patriâ obiit.*

Pace factâ] Satis Latinè. Cicero de Senect. *Cùm
fententia Senatûs inclinaret ad pacem & fœdus faciendum cum Pyrrho.* Vide & pag. 97 libri de Latinit. falsò fufp.

Ne uxores filiabus fuis fuperinduceret] ne præter
fuas filias uxores alias duceret. Verbo *fuperinducere*
& alii ufi; fed alio fenfu. Plinius lib. XV cap. 17
Duum pedum terra fuperinducta.

5. *Vidiffe angelos & caftra Domini traditur*] Adjecta ea adpellatio, quâ angelos ipfe Jacobus vocavit

ter regionem Edom, quam Efau frater in-
colebat, iter deftinaret, miffis priùs legatis
& muneribus, fufpectum fibi fratrem explo-
ravit. Tùm ille obviam fratri-proceffit:
6 nec tamen Jacob fe ultrà fratri credidit. Sed
pridie, quàm inter fe fratres convenirent,
Dominus humanâ fpecie adfumtâ, conlu-
ctatus cum Jacob refertur. Et cùm adversùs Dominum prævaluiffet, tamen non effe
mortalem, non ignoravit: benedici fibi ab
7 eo flagitabat. Tum à Deo illi immutatum nomen eft, ut ex Jacob Ifraël diceretur.

---

dicendo מחנה אלהים זה. Quod In-
terpretes Græci vertunt, παρεμβολὴ θεῦ αὕτη, & Latinus, *Caftra Dei funt hæc.*

6. *Cùm adversùs Dominum prævaluiffet*] Tali locutione & Interpres ufus fuerat Genef. XXXII, 28
*Si contra Deum fortis fuifti, quantò magis contra ho-
mines prævalebis.* In Hebræo eft. כי שרית
עם אלהים ועם אנשים ותוכל:

Tamen non effe mortalem, non ignoravit] Mortalis
pro homine. Nepos IX, 5. 1. *Accidit huic, quod ceteris mortalibus.* Salluftius B. Jugurth. *Multos mortales cum pecore atque aliâ predâ cepit.* Sed hi tamen
in num. plur. ufurpant.

Benedici fibi ab eo flagitabat] Hoc paullò Lati-
niùs, quàm fi dicatur *benedici fe à Domino.* Ex
phrafi *benedicere alicui* commodè dicitur imperfona-
liter *benedicitur alicui ab aliquo.* Sed pro *benedicere alicui* dicunt etiam *benedicere aliquem*; ídque
per Græcismum, ut fuprà cap. IV monuimus. Atque
inde dicendum porro foret, *ille benedicitur à Domino, & Benedici fe à Domino flagitabat.*

Sed

Sed eùm ille viciſſim à Domino nomen Domini quæreret, Non eſſe quærendum, quia admirabile eſſet, reſponſum eſt. Ex colluctatione autem, latitudo femoris Jacob obtorpuit.

CAP. X.
Gen. 33.

Igitur Iſraël declinans fratris domum, promovit agmen in Salem Sicimorum oppidum: atque ibi loco pretio accepto, tabernaculum ſtatuit ſibi. Huic oppido Emor, Chemoreus princeps præerat. Hujus filius Sichem, Dinam filiam Jacob ex Liâ genitam, ſtupro ſubdidit. Quo comperto, Simeon

Gen. 34.

& Levi, Dinæ fratres, omnes in oppido

---

7. *Latitudo femoris Jacob obtorpuit*] Secutus eſt verſionem Græcam, aut quæ ex eâ faſta eſſet, Latinam. Græca habet Gen. XXXII, 25 Ηψατο τῦ πλάτες τῦ μηρῦ αὐτῦ, καὶ ἐνάρκησε τὸ πλάτος τῦ μηρῦ Ἰακώβ. Latinus vetus habet : *Tetigit nervum femoris ejus, & ſtatim emarcuit.* Per *latitudinem femoris* intelligendum os latum, vel nervus latus femoris. Joſephus lib. I cap. 19 appellat τὸ νεῦρον τὸ πλατὺ.

1. *Declinans fratris domum*] At dixerat, venturum ſe ad fratrem in Seir, Gen. XXXIII, 14. Fortaſſe non conſultum ei viſum fuit, quòd metueret, ne frater ſententiam mutaret. Non faciendo autem, quod dixerat, nihil peccavit : quia nihil incommodi aut damni inde ortum eſt fratri, quòd ad eum non venit.

Emor, Chemoreus princeps] Interpretes Græci, Ἐμμὼρ ὁ Εὐαῖος. Latinus *Hemor Henæus.* Druſius legendum conjicit *Hemor Chorræus princeps*, vel *Hemor Henæus :* quoniam in editione Aldinâ verſionis Græcæ Gen. XXXII, 2 eſt Χορραῖος. *Chemoreus* legendum non eſſe, ſatis manifeſtum.

ſextus

sexûs virilis dolo peremerunt , ac impigrè
sororis ulti sunt injuriam : oppidum à filiis
Jacob direptum , prædáque omnis est abducta. Id factum ægrè admodùm tulisse Ja-
3cob traditur. Mox à Domino monitus, Gen. 35.
Bethleem petiit, ibíque altare Domino statuit. Inde in parte turris Gader tabernaculum fixit. Rachel ex partu obiit: puer
Benjamin vocatus est. Isaac decessit annos Gen. 36.
4natus centum & octoginta. At Esau potens divittis erat, uxoribus sibi etiam à Chananæorum gente adsumtis : cujus progeniem in hoc tàm præciso opere inserendam
non putavi. Si quis studiosior erit, ad ori-
5gines revertatur. Post excessum patris, Jacob in solo eo, in quo Isaac vixerat, commorabatur : filii ejus aliquantùm ab eo, pascui
gratiâ, cum gregibus secesserant : Joseph ta-

---

3. *In parte turris Gader tabernaculum fixit*] Versio
vulgata Gen. XXXV, 21 *Fixit tabernaculum trans
turrim gregis*. Græca verò, ἐπέκεινα τῦ πύργυ Γα-
δέρ. Secutus ergo rursus versionem Græcam , quæ
vocem *Gader*, ut nomen proprium habet ex Hebræo
עֵדֶר.

5. *Post excessum patris*] *Excessus* pro morte & ab
aliis dicitur. Cicero 1 de leg. *Certè non longè à tuis
ædibus inambulans, post excessum suum Romulus Julio
Proculo dixit, se Deum esse*. Subaudiendúm autem è
vitâ.

Pascui gratiâ] Non modò numero plur, *pascua*,
sed & singulari *pascuum*, idque substantivè dicitur.
Varro lib. II de re rust. cap. 11 *Pascuum ibidde*. Ce-

men,

Gen. 37.
Joseph.

men, ac Benjamin parvus, domi resederant. Carus admodùm Joseph patri, óbque id in- **6** visus fratribus: simul, quia frequentibus ejus somniis, majorem eum omnibus futurum, portendi videbatur. Igitur ad inspiciendos greges, revisendósque fratres à patre missus, opportunus injuriæ fuit. Namque **7** viso fratre, consilium necis ejus ceperunt. Sed obsistente Ruben, cui à tanto facinore abhorrebat animus, in lacum demissus: mox suadente Juda, deducti ad mitius consilium, negotiatoribus eum, qui tùm Ægyptum, petebant, vendiderunt. atque ab his Potifari, Præposito Pharaonis, traditus est.

CAP. XI.
Gen. 38.
Judas.

. Per idem tempus Judas, Jacob filius, Suam **1** Chananæam in matrimonium adsumsit. Ex quâ tres filios sustulit, Her, Onan, Selam. Sed Her, Thamar connubio sociatur. Quo mortuo, Onan fratris uxorem accepit. Qui, quia spermata in tetram effunderet, exstin-

---

terùm dicunt quoque *pascuus ager, pascuus mons, pascua rura.*

6. *Opportunus injuria*] Cui facilè injuria fieri potest. Ita locutus Plinius lib. I cap. 31. Et ad eumdem modum Sallustius B. Jug. *Opportunus hosti.*

7. *Præposito Pharaonis*] *Præpositus* substantivè, ut *Præfectus Regis.* Ambrosius lib. de Joseph cap. 4 *Præpositus coquorum:* itidem substantivè, sed cum alterius generis relatione. Pari modo *Præfectus alicujus gentis,* dicitur, aliâ atque aliâ ratione factâ.

ctus

2 ctus à Domino refertur.   Tùm Thamar meretricio habitu adsumto, socero mista est,
3 éxque eo geminos edidit.   In partu autem illo mirabile fuit, quòd cùm prodeunti puero, ad dignoscendum, qui priùs nasceretur, obstetrix manum ejus cocco inligasset, reductus in alvum matris puer, postero die editus est.   Nomen infantibus Fares & Zara   Gen. 39.
4 inditum.   At Jóseph, cùm benignè à cura-   Joseph. tore regio, qui eum pretio acceperat, haberetur, domúmque ejus & familiam procuraret, decorus ipse insigni specie, uxoris domini oculos in se converterat.   Cúmque amore ipsius deperiret, adpetitum sæpiùs,

---

2. *Meretricio habitu adsumto*] Interpres vetus Gen. XXXVIII, 14 *Depositis viduitatis vestibus adsumsit theristrum, & mutato habitu sedit in bivio itineris.*   Mox: *Deposito habitu, quem sumserat.*

Socero mista est] Cicero I de Div. *Corpus cum matre miscere.*   Peccavit autem graviùs, quàm socer: quia hic nurum suam esse nescivit, putavítque cum prostibulo se rem habere.   Cur tamen nurum suam justiorem se dixerit, exposuimus in lib. III Dissert. Sacr. cap. 8.

4. *Decorus ipse insigni specie*] *Species* pro pulcritudine.   Vnde *speciosus* pro pulcro. Supra cap. II *Speciosarum formâ virginum capti.*

Vxoris Domini oculos in se converterat] Nepos Alcib. *Quâ re fiebat, ut omnium oculos, quotiescunque in publicum prodisset, ad se converteret.*   Pari modo Curtius lib. III & VIII.   Nec multò aliter Florus in lib. II dixit, *convertere in se omnium mentes.*

Cúmque amore ipsius deperiret] Dicitur sane *deperire aliquem*, & *deperire aliquem amore*: eásque

C   nec

nec adquiescentem sibi, falso scelere infa-
mat: ac viro queritur, stuprum sibi inten-
tatum.   Ita Joseph in carcerem est conjectus.   Erant in eâdem custodiâ ministri re- 5
gis duo, qui cùm somnia sua ad Joseph retu-
lissent, futura ex somnio cónjectans, unum
eorum pœnas capite luiturum, alium absolvendum pronunciavit.   Atque ita accidit.
Igitur post biennium somnium regi obje- 6
ctum est.   Quod cùm à prudentibus Ægyptiorum non posset absolvi, minister regis
ille carcere exemtus, regem admonet, Joseph
esse mirum somniorum interpretem.   Ita 7
Joseph solvitur, interpretatúsque est regi
somnium: septem annis proximis maximam

---

phrases Plautus, Catullus & alii habent.   Sed dicitur tamen etiam *deperire amore alicujus*: & locutus
est ita Livius non semel.

Nec adquiescentem sibi] Non gratificantem sibi.
Dicitur sanè *adquiescere in aliquâ re*, aut *in aliquo homine*.   Sed dicitur tamen etiam *adquiescere alicui
rei*, aut *alicui homini*.   Seneca ep. XXIV *Vt meliora
sibi proponas & adquiescas spei blandæ*.   Noster rursus lib. II cap. 1 *Cùm impudicis non adquievisset*: &
quidem eâdem, quâ hîc, significatione.

5. *Alium absolvendum pronunciavit*] Pro *absolu-
tum iri*.   Planè frequens nostro, participio passivo in
Dus uti pro futuro infinitivi modi.

6. *Quod cùm à prudentibus Ægyptiorum non posset
absolvi*] *Absolvere somnium* pro *solvere somnium*, verbo composito pro simplici.   Sic Plautus *absolvere
navem* pro *solvere navem*: Tacitus *absolvere fidem*:
fru-</pre>

frugum ubertatem futuram, consequenti-
bus inopiam. Quo metu rex perculsus, videns divinum in Joseph spiritum, rei eum
annonariæ præfecit, æquato secum impe-
8 rio. Tùm Joseph abundantibus per totam
Ægyptum frumentis, magnam copiam con-
gessit : multiplicatisque horreis, adversùs
futuram famem consuluerat.   Eâ tempestate spes atque salus Ægypti in illo sita erat.
9 Per idem tempus verò duos ex Aseneth filios genuit, Manassem & Effrem.   Ipse autem, cùm summam à rege potestatem accepit, erat annorum xxx. Nam à fratribus, septemdecim annos natus, venundatus est.

& Varro *absolvere promissum* ; ut ad hunc locum monuit Drusius.

.8. *Adversùs futuram famem consuluerat*] *Consulere* pro providere, prospicere.   Quibus verbis subinde & adjungitur. Cicero III in Vetr. *Quibus viri
consulere ac prospicere debemus.* Eâ significatione
plerumque Dativum sibi junctum habet : ut *consulere alicui bene* vel *malè, consulere commodis & uti-
litati alicujus, consulere paci, pudori, fortunis, vitæ.*
Annon ergo dici potuisset *futuræ fami consuluerat* ?
Sanè non rebus bonis tantùm, sed & malis consulere
dicimur : etsi paullò rarius hoc sit quàm illud. Plinius quidem in epistolâ quâdam dicit, *consulere in-
firmitati.*   Ceterùm *consulere adversùs* 'aliquam
rem noster & infra alicubi dicit.

Spes atque salus Ægypti in illo sita erat] Terentius Adelph. III, 2 *In quo nostra spes opésque omnes
sitæ erant.*

C 2   In-

CAP. XII.
Gen. 42.

Interea rebus in Ægypto adversùs famem 1
benè compofitis, orbem terræ gravis frumenti inopia quatiebat. Quâ neceffitate,
compulfus Jacob, filios in Ægyptum mifit,
Benjamin tantùm fecum domi retento.
Igitur rerum pòtentem, penes quem an- 2
nonæ arbitrium erat, fratres adeunt, & more
regio adorant. Quibus ille vifis, callidè
agnitionem diffimulans, hoftiliter eos veniffe, & fubdolè loca explorare, arguebat.
Angebatur autem, quòd Benjamin fratrem 3

---

1. *Quâ neceffitate compulfus*] Quod orbem terræ
gravis frumenti inopia quatiebat, id *neceffitatem*
vocat. Nepos Themift. *Quâ neceffitate coactus.*

2. *Rerum potentem*] Vt *rerum potiri* dicitur, ita
nofter hîc, & infra quoque *rerum potens*.

Penes quem annonæ arbitrium erat] *Arbitrium* pro
poteftate. Vt in illo Ovidii: *Te penes arbitrium no-*
ftræ vitæque necisque. Pari modo dicunt *Penes ali-*
quem eft imperium, respublica. Nepos Themift. *Pe-*
nes quos fummum imperium erat.

More regio adorant] Vocabulo *adorare* ufus fuerat & Interpres vetus vertendo Genef. XLII *Cúmque*
adoraffent eum. Atque ita Hebræum וישתחוו־לו
exprimere voluit; vel Græcum προσκυνεῖν; ut fit
corpore in terram proftrato venerari. Scriptores
profani id vocabuli ut plurimùm de cultu Deorum
ufurpant; qui tamen non fine plicatione genuum &
geftu corporis fit. Interdum tamen & de venera-
tione hominum, & civili. Plinius lib. VIII cap. 1
Quod ad docilitatem attinet, regem adorant, genua
fubmittunt, fcil. elephanti. Juftinus lib. VI *Conon*
à regis confpectu & colloquio prohibitus eft, quòd
eum more Perfarum adorare nollet. Lampridius in

non

non videbat.   Res ergo in id deducta, ut
praesentiam ejus pollicerentur : nimirum
ut ex eo quaereretur, an isti explorandi causâ
Ægyptum intrassent.   Ad promissi autem
fidem Simeon obses traditur: ipsis frumentum gratis datum.   Rursum igitur reverten-   Gen. 43.
tes, Benjamin, ut convenerat, deduxerunt.   44. 45.
4 Tùm se cognoscendum Joseph fratribus
praebuit, non sine pudore malè merentium.
Ita eos oneratos frumento, multísque dona-
tos, domum remisit: praemonens, quinque
adhuc annos famem futuram : cum patre,
atque omni progenie ac familiâ ad se com-
5 migrarent.   Igitur Jacob in Ægyptum de-   Gen. 46.
scendit, Ægyptiis admodùm laetantibus, gau-   47.
dente rege , benignè à filio susceptus.   Id

Alex. Severo : *Adorari se vetuit regum more Persa-*
rum.   Alii. rem eam verbo *venerari* exprimunt. Nepos Con. *Necesse est enim , si in conspectum veneris,*
venerari te regem.   Curtius lib. VIII *More Persa-*
rum Macedonas venerabundos ipsum salutare, proster-
nentes humi corpora.

2. *Res in id deducta*] Nepos, *rem eò perducere.*
Vt Dione, *Eò rem perduxit.* Et Epam. *Eò res utro-*
rámque perduxit.

3. *Frumentum gratis datum*] Soluta quidem pecunia fuit ; verùm, quia ipsis insciis in saccos eorum
conjecta, frumentum meritò gratis datum censeri
potest.

Rursum revertentes] Ita Plautus Prol. Poen. *Rever-*
tar rursus. Et Florus *rursus redire.* Vide Indicem in
hunc Freinshemii, & à nobis locupletatum in Nepotem, voce *rursus*, & supra c. V.

<table><tr><td>C 3</td><td>gestum</td></tr></table>

Jacobi mi-
gratio in
Ægyptum.

Gen. 48.

geſtum anno ætatis Jacob centeſimo & tri-
geſimo: à diluvio autem, anno cIɔ ccc &
ɪx. Ceterùm ab eo tempore, quo Abraam
in terrâ Chananæorum conſedit, in id, quo
Jacob Ægyptum ingreſſus eſt, referuntur
anni ccxv. Igitur Jacob ſeptimo & deci- 6
mo anno, quàm Ægypto advenerat, urgente morbo, Joſeph filium obteſtatur, corpus
ſepulcro ſuo redderet. Tùm Joſeph patri 7
benedicendos filios ſuos obtulit, quibus
benedictis, cùm tamen benedictionis merito majori minorem præpoſuiſſet, filios
omnes benedictione luſtravit. Deceſſit autem annos natus cxLVII. Funus magnificè
curatum: corpus in ſepulcro majorum Jo-

---

5. *A diluvio autem anno cIɔ CCC & LX*] Sequitur rurſus verſionem Græcam, ſecundùm quam, à diluvio usque ad nativitatem Abrahami ſunt anni cIɔ
LXX, ut & ſupra noſter habet; ab Abrahamo usque
ad Iſaacum anni C. Ab Iſaaco ad Jacobum LX: quibus ſi addantur anni Jacobi CXXX, exeunt ipſi anni
cIɔ ccc & LX. Quem quidem numerum Sulpicio
reſtituit Victor Giſelinus, cùm lectum anteà eſſet cIɔ
CC LX, aut cIɔ CCC XL. Ceterùm ſecundùm
textum originalem à diluvio usque ad ingreſſum Jacobi in Ægyptum, ſunt modò anni Iɔ LXXXII.

6. *Septimo & decimo anno, quàm Ægypto adve-*
nerat] Omiſſa vocula *poſt,* quomodo ſupra c. IX *Vi-*
ceſimo primo anno, quàm advenerat.

7. *Benedicendos, benedictis*] De quâ Latinitate quid ſentiendum, monitum eſt ſuprà Notis in
cap. IV.

Benedictionis merito majori minorem præpoſuiſſet]
ſeph

8 feph condidit. Fratres poſt patris obitum pro conſcientiâ paventes, benignè habuit. Deceſſit autem Joſeph ipſe, ætatis anno decimo & centeſimo.

1 Hebræi igitur, qui in Ægyptum devene-CAP. XIII. rant, incredibile memoratu eſt, quàm citò numero aucti ſint, multiplicatáque progenie

2 Ægyptum repleverint. Sed defuncto rege, Exod. 1. qui eos ob meritum Joſeph benignè fovebat, ſuccedentium regum imperio deprimebantur. Nam & opus durum ædificandarum civitatum eis impoſitum : & quia jam multitudo abundans metuebatur, ne quandoque libertatem armis vindicarent, parvulos recens editos aquis mergere edicto regio co-

3 gebantur. Nec diſſimulari cruentum imperium licebat. Quâ tempeſtate filia Pha-Exod. 3 raonis infantem in flumine repertum, nu-Moſes. triendum pro filio curavit : nomen puero

4 Moyſes dedit. Moyſes hic, cùm viriles annos ageret, conſpicatus Hebræum ab Ægyptio pulſari, permotus dolore, fratrem ab injuriâ vindicans, Ægyptium calce perculſum

---

Merito hic fere παρέλκει : ut *benedictionis merito* nihil amplius ſit, quàm *benedictione* vel *per benedictionem.* Sic inf. cap. XXIII *Merito fidei* pro *fide* vel *fidem.* Vide & infra Notas ad cap. 47.

2. *Ne quandoque libertatem armis vindicarent* *Quandoque* pro *aliquando.* Juſtinus lib. VII cap. 5 *Ignarus eisdem quandoque exitiofam fore.*

                         inter-

interemit. Mox supplicium è facto metuens, in terram Madian profugit: & apud Jethro sacerdotem regionis illius diversatus, filiam ejus Sepphoram in matrimonium accepit, éxque eâ duos filios Gersom & Elieser sustulit. Hoc tractu temporum Job fuit, 6 legem naturæ, & agnitionem Dei, & omnem justitiam complexus, prædives opibus: atque eò inlustrior, quòd his neque integris corruptus, neque amissis depravatus est. Nam cùm per diabolum exutus bonis, 7 filiis etiam esset orbatus, ad extremum diris ulceribus adfectus, non potuit vinci, ut præ doloris impatientiâ aliquâ in parte peccaret. Mercedem denique divini testimonii conse- 8

---

5. *Supplicium è facto metuens*] E & *ex* sæpe & causam notant. Nepos XXV, 1. 3 *Quâ ex re nobilis ferebatur.* Item XII, 2, 2 *Quâ ex re Athenienses magnam gloriam sunt adepti.*

6. *Hoc tractu temporum Job fuit*] *Tractus* pro serie, ordine: Vt cùm dicitur *tractus terrarum, tractus maris, tractus arborum.* Virgilius Ecl. IV *Terrásque tractúsque maris, cælúmque profundum.* Nepos I, 5. 3 *Vt arborum tractu equitatus hostium impediretur.*

Omnem justitiam complexus] *Justitia* rursus pro omni virtute & pietate, ut suprà cap. II; & *justus* pro pio & probo, cap. III Ceterùm *omnem justitiam complexus* dicitur, qui, ut Lucas Evang. cap. I loquitur, πορευόμαι ἐν πάσαις ἐντολαῖς καὶ δικαιώμασι τῦ Κυρίῦ ἄμεμπτος.

cutus,

cutus, sanitati redditus, omnia, quæ amise-
rat, in duplum recepit.

1   At Hebræi multiplicato servitutis malo CAP. XIV.
pressi, querelis in coelum conversi, spem au- Exod. 3.
xilii à Deo exspectabant.   Tùm Moysi, pa-
scenti oves, repentè rubus ardere visa: flammis tamen, quod erat mirabiliùs, innoxiis.
2 Quâ novitate obstupefactus, rubo propiùs Moses.
accessit, statimque ad eum istiusmodi ferè
verbis Deus locutus est: Dominum se esse
Abraham, Isaac & Jacob: quorum progeniem, Ægyptiorum dominatione depres-
sam, ereptam malis cupiat. iter ergo susci-
peret ad regem Ægypti, ducémque se populi
in libertatem restituendi præstaret.   Cunctantem potestate confirmat, virtutem ei si-
3 gnorum faciendorum impertiens. Ita Moy- Exod. 4.

---

8. *Sanitati redditus*] Sic & inf. cap. XVI lib. de
v. Mart. *Confido enim, quòd per te reddenda sit sanitati.*   Pari modo dicit *redditus vitæ* cap. VII ejusdem libri. Pro quo eodem loco dicit etiam *vitæ restitutus.*

2. *Ducem populi in libertatem restituendi*] Pari modo dicitur, *Auctor rei faciendæ.*   Justinus II, 9. 10
*Miltiades & dux belli erat & auctor non expectandi
auxilii.* Ponitur autem participium passivum pro ge-
rundio.

Virtutem signorum faciendorum] Mox, *signis editis. Signa* pro operibus mirabilibus, pro miraculis. quo
vocabulo easdem res & Interpres Latinus adpellavit.
Est autem Hebraismus. Alluditur enim ad vocem
Hebræam אֹתוֹת, quæ & signa, & opera mirabilia

ses in Ægyptum profectus, signis priùs apud
suos editis, adsumto fratre Aaron, regem

Exod. 5.   adiit: missum se à Deo prodit, verbísque
se Dei dicere, populum Hebræum uti dimit-

Exod. 6. 7   teret.   At ille, negans se Dominum nosse,
& 8.   parere imperio abnuebat.   Cúmque Moy- 4

Plagæ   ses in testimonium mandatorum Dei ex vir-
Ægyptio-   gâ draconem fecisset, mox aquas omnes
rum.   in sanguinem convertisset, totámque terram ranis opplesset: facientibus similia
Chaldæis, magicas esse artes, quæcunque

---

significat. Exod. IV, 17 *Virgam quoque hanc sume in
manu tuâ, quâ facturus es signa.* In Hebræo est
רתראה. Similem Hebraismum & versio Græca
habet, quòd in eâ vox Hebræa expressa est Græcâ
σημεῖα: quæ & in novo Test. & eâdem quoque significatione, frequentissima est: pertinétque ad primam
illarum classium, in quas Hebraismos novi Test. peculiari libro digessimus.   Pòrrò *Virtus* pro δυνάμει,
facultate, potentiâ scriptoribusquoque ceteris inusi-
tatum non est.   Plautus Mostell. *Virtute formæ evenit, te ut deceat quicquid habeas.*   Cicero I de leg.
Arboris vel equi virtus.   Noster quoque mox deinde
Dei virtutem dicit pro *Dei potentiam.*   Ceterùm ipsa
quoque illa, quæ nunc signa dicit, id est, miracula,
alibi *virtutes* dicit.   Cognatæ enim res sunt potentia,
per quam miraculosa actio fit, & actio miraculosa
ipsa.

4. *Facientibus similia Chaldæis*] Pari modo mox,
Chaldæis fatentibus.   Vox *Chaldæi* hic non gentis,
sed artis vox est.   Fuerunt enim Chaldæi isti natione
Ægyptii.   Sunt autem cujuscunque nationis & gentis magi & mathematici dicti Chaldæi, quod Chaldæi
præcipuè isti partim arti, partim superstitioni dediti
fuerunt.

per Moysen fierent, potiùs quàm Dei virtutem, pronunciabant, donec superductis ciniphibus terra oppleta est, Chaldæis fatentibus, 5 majestate divinâ ista fieri. Tùm rex malo coactus, advocato ad se Moyse, & Aaron, dat populo discedendi potestatem, modô ut 6 superductam cladem averterent. Sed ubi clades exemta est, impotens sui animus, in se reversus, exire, ut convenerat, Israëlitas non patiebatur. Ad extremum, decem

Exod. 9, 10. 11.

Superductis ciniphibus] Vocem *ciniphes* ex versione Latinâ Exod. VIII mutuatus videtur. Ibi enim legitur sic: *Percussit pulverem terræ: & facti sunt ciniphes in hominibus & in jumentis. omnis pulvis terræ versus est in ciniphes per totam terram Ægypti.* In Hebræo est ‏כִּנִּם‎. Versio Græca autem habet σκνίφες. Ex qua voce Græcâ Latina *ciniphes* exiit; ita quidem, ut σ, quod per prosthesin additum, neglectum sit, & I intersertum. Dicunt vulgò κνίψ, κνιπὸς, & deinde per prosthesin σκνιψ, ut pro μικρὸς dicitur σμικρός. Quid insecti autem hîc intelligatur, non adeo liquet. De vocabulo Græco Hesychius: Κνίψ, ζῶον πτηνὸν, ὅμοιον κώνωπι. Ipsam vocem Hebræam nonnulli Latinâ *pediculi* vertere maluat: quos & Interpres Germanicus secutus est.

5. *Superductam cladem*] Verbum *superducere* & ex Plauti Truculento affertur pro *præter jam adducta, alia adducere.*

6. *Impotens sui animus in se reversus*] *In se reverti* alio sensu, quàm quo Terentius dicit *ad se redire*, Andr. III, 5. 16; nimirùm pro eo ferè, quod idem Terentius dicit *redire ad ingenium* Hec. I, 2.38. Pro *impotens sui animus*, Terentius, Cicero, & alii anti-

plagis

plagis corporis & regni sui contusus & evictus est.

Sed priùs, quàm Ægypto populus est 1 egressus, mandatis Domini instruitur, rudis adhuc temporum, mensem illum, qui tunc erat, primum omnium mensium esse cognosceret; sacrificium autem diei illius in solennitatem consequentium seculorum ita esse celebrandum, ut quartadecimâ die mensis agnus immaculatus, anniculus, victima cæderetur, ejusdem sanguine postes illinirentur: carnem penitùs exedendam, os autem non conterendum: septem diebus fermento abstinerent, azymis uterentur, ritúmque hunc posteris traderent. Ita po- 2 pulus egressus dives suis copiis, & Ægypti spoliis cumulatior: cujus numerus, ex quinque & septuaginta Hebræis, qui primùm

---

quiores dicunt etiam *impotens animus*, voculâ *sui* omissâ.

1. *Rudis adhuc temporum*] Quòd populus Hebræus novæ illius partitionis temporum expers fuit, ex eo non est colligendum, temporum eum planè rudem fuisse.

Sanguine postes illinirentur] Non tantùm *lino, linere*, sed & *linio, linire* reperitur. Propertius lib. III el. 12 *Liniuntur cæde sagittæ*. Columella lib. VI cap. 17 *Quicquid vitiosi est inurere, atque ita liquidâ pice cum oleo linire*.

2. *Ex quinque & septuaginta Hebræis*] Textus Hebræus Gen. XLVI tantum שבעים i. e. *septua-*

Ægy-

Ægyptum defcenderant, ad millia virorum
fexcenta pervenerant: ab eo autem, quo **Exod. 12.**
primùm Abraham terram Chananæorum
accefferat, anno trigefimo & quadringen-
tefimo; à diluvio autem mille quingentis
3 quinque & feptuaginta. Igitur properè
egresfis, columna nubis interdiu, noctu columna ignis præferebatur. Sed cùm ob
interjectum finum rubri maris, præter ter- **Exod. 14.**

____

ginta, habet: & verfio quoque Latina vetus. At
verfio Græca habet ἑβδομήκονταπέντε. Atque hanc,
ut alibi, ita hîc quoque fecutus videtur nofter: idque eò magis, quòd & Act. VII, 14 eundem numerum
expreffum fciret. Quòd autem ipfe quoque Lucas,
cùm Acta Apoftolorum fcriberet, verfionem Græcam fecutus eft, fecit pro folenni fuo; quòd non adeo
magni momenti, neque cum periculo animarum conjuncta res effet.

Ægyptum defcenderant] Fortaffe *in Ægyptum.*
Certè fuprà cap. VIII ita fcripferat. Quanquam non
novum eft, nomina quoque Regionum fine præpofitione poni.

*Ab eo autem, quo primùm Abr. terram Chananæo-
rum accefferat*] Vox *autem* fupervacua, imò incommoda, hîc videtur; quia mox in altero membro, &
quidem tempeftivè, ea fequitur. Vox *tempore* autem deficere, neque abeffe hinc poffe, videtur.

*A diluvio autem mille quingentis quinque & feptua-
ginta*] Sequitur rurfus Interpretes Græcos, qui primis
poft diluvium hominibus plures annos, quos, cùm
generarent, nati fuerint, tribuunt, quàm Scriptura
originalis Hebræa. Ex hâc quidem anni non nifi
Ð CC XCVII colligi poffunt.

3. *Ob interjectum finum rubri maris*] Rubrum mare
ftatuere videtur latiùs, quàm ut folum finum Arabi-
ram

ram Philiſtim via duceret, ne poſtea Hebræis eremum adſpernantibus, redeundi in
Ægyptum continentibus terris noto itinere
facultas panderetur ; nutu Dei averſi, in
rubrum mare inlati ſunt, caſtráque ibi cun-
ctantes conſtituerunt.   Quod ubi regi nun- 4
ciatum eſt, Hebræum populum viæ errore
in objectum. mare deveniſſe, nullum ei eſſe
exitum obſiſtente elemento, furens animi,
quo angebatur, tot hominum millia regno
ſuo & poteſtati decedere, exercitum properè
educit.   Jámque eminùs arma ſignáque & 5

---

cum denotet : idque ex veterum Geographorum di-
menſione, qui rubrum mare dixerunt, quicquid Ara-
biam & Perſiam adluit.   Verumtamen neque illud negandum, priùs ſinum Arabicum iſtoc nomine
dictum fuiſſe, quàm partes maris alias.   Vnde vero
nomen ſinui inditum fuerit, ſcitè conjecit Nic. Ful-
lerus in Miſcellaneis Theolog. lib. IV cap. XX.

Cùm præter terram Philiſtim via duceret] Exod.
XIII, 17 *Non eos duxit Dominus per viam terræ Philiſtim, quæ vicina eſt ; reputans, ne forte pœniteret
eum, ſi vidiſſet, adversùm ſe bella conſurgere, & rever-
teretur in Ægyptum : ſed circumduxit per viam de-
ſerti* &c.   Scripſit fortaſſe Sulpicius, *Cùm per terram
Philiſtim via duceret.* Phraſis *via ducit* nota etiam
ex illo Virgilii, *Quo te, Mœri, pedes ? an, quo via ducit, in urbem ?*

Eremum adſpernantibus] Alia hæc eſt cauſa, quàm
quæ in adlatis modò verbis Exodi expreſſa eſt. Hanc
autem Severum non animadvertiſſe, vix eſt veriſimile.   Et latet hîc fortaſſe aliquid mendi.

por-

portentæ patentibus latè campis acies visebantur, cùm Hebræis metu trepidis, & cœlum adspectantibus, Moyses à Deo monitus, Transitus
6 percussum virgâ mare discidit.   Ita populo, maris rubri.
cedentibus in latera aquis, velut in conti-
nenti ; iter pervium fuit.   Nec cunctatus
rex Ægyptius cedentes insequi, mare, quà
patebat, ingressus : mox coëuntibus aquis,
cum omni exercitu deletus est.

1   Tunc Moyses incolumitate suorum, ex- CAP. XVI.
itio hostium, virtutéque exsultans, canticum Exod. 15.
Domino cecinit, idémque omnis turba viri-
2 lis ac muliebris sexus fecit.   Sed ingressos
eremum, cùm jam per triduum iter agerent,
aquæ penuria urgebat, repertáque ob ama-
3 ritudinem usui non erat.   Ac tùm primum Aqua amara
impotentis populi contumacia adparuit, dulcescit.

---

1. *Exitio hostium, virtutéque exsultans*] Legendum
sine dubio, *virtutéque Dei*, uti monuit Sigonius. Sanè
virtus, id est, potentia, Dei in toto isto Cantico Mo-
sis celebratur.

2. *Ingressos eremum*] Editiones, etiam recentiores,
habent *ingressus*.   Sed quidni recipiatur in textum,
de quo Sigonius monuit, *ingressos*? Superstitio est,
maculas adeò manifestas eluere nolle.   Quod idem de
proximâ quoque superiore maculâ dicendum videretur, nisi quis monuisset pro *virtutéque* legendum
fortassè esse *interituque* ; ut adeò res adhuc ambigua
hîc sit.

Impotentis populi contumacia] Supra cap. XIV *Impotens sui animus in se reversus exire Israëlitas non patiebatur*.   Sed additur hîc *sui*, quod in altero non ad-

jamjámque in Moysen ferebatur, cùm edoctus à Deo, lignum aquis intulit, cujus hæc vis fuit, ut dulcem saporem fluentis redderet. Exin promotum agmen, apud Elim duodecim fontibus aquarum & septuaginta arborum palmarum repertis consedit. Rursum populus famem conquerens, Moysen incre-

Exod. 16.

4

---

paret. *Impotentem iræ, amoris, animi* hominem dicunt: ceterùm vocem *sui* neque antiquiores addunt, dicúntque sine hoc, *impotentem hominem & impotentem animum*, qui sibi moderari nequit. Terentius Andr. V, 3. 8 *Adeóne impotenti esse animo*, &c. Pari modo Cicero & alii, *Animus impotens.* Sed videtur tamen vox *sui*, quam noster diserté addidit, subaudienda.

Jámque in Mosen ferebatur, cùm lignum aquis intulit] Ita cùm non initio periodi, sed in eâ mediâ adparet: quomodo in capitis proximi superioris illis, *Jámque enim acies visebantur, cum Hebreis Moyses percussum virgâ mare discidit.* Faciunt ita & elegantiores. Nepos XVIII, 9. 1 *Dimidium ferè spatium confecerat, cùm ex fumo castrorum ejus, suspicio adlata est ad Eumenem, hostem adpropinquare.* Virgilius lib. I Æn. *Vix è conspectu Siculæ telluris in altum Vela dabant, cùm Juno* &c.

4. *Exin promotum agmen*] *Agmen* de magnâ hominum multitudine, & de justo exercitu, usurpant passim auctores. Justinus II, 2. 21 *Huic tanto agmini* [loquitur de exercitu Xerxis] *dux defuit.* Ita dicunt *in primo agmine* pro *in prima parte exercitûs.*

Famem conquerens] Non tantùm de aliquo, fed & aliquid queri aut conqueri dicunt. Cæsar 1 B. Gall. *Abditi in tabernaculis, aut suum factum querebantur, aut cum familiaribus suis commune periculum miserabantur.*

pabat,

pabat, Ægypti servitium, cum saturitate ventris, desiderans. tùm grex coturnicum super- **Coturnices.**
5 nè missus, castra opplevit.   Postero autem die animadvertunt, qui extra castra procesferant, parvis quibusdam siliquis oppletum solum : quarum species in modum coriandri seminis, glaciali albedine erat, ut crebrò hibernis mensibus superductis pruinis tegi
6 terram videmus.   Tùm per Moysen populus admonetur, panem hunc, eis munere missum Dei, unumquemque in id paratis vasculis, tantum usurpare debere, quàntum in diem unum pro numero singulis satis esset: sexto tamen die, quia sabbato colligi
7 non liceret, duplum præsumerent.   Verùm populus, ut semper parùm dicto audiens, more humani ingenii, non refrenavit cupiditatem, ex reconditis in posterum quoque

---

5. *Parvis quibusdam siliquis oppletum solum*] Siliqua est folliculus seu integumentum, quo legumina vestiuntur.   Oportet igitur nostrum statuisse, manna integumento quodam vestitum fuisse.

6. *Panem hunc eis munere missum Dei*] Cibum, quem siliquas dixerat, nunc *panem* vocat: Paullóque pòst vocabulo generali *cibus* utitur, cùm dicit, Hebræos XL annos hoc cibo usos esse. Quòd *panem* vocat, id Hebraismum resipit. Hebræi notionem tum specialem *panis*, tum generalem *cibi*, uno eodémque vocabulo לֶחֶם exprimunt: hósque imitati Scriptores N. T. vocabulum ἄρτος itidem dupliciter usurpant.

, **D**   diem

diem confulens.   Sed repofita, fœtore diro in vermes effervefcebant: cùm die fexto in fabbatum refervata, integra permanerent. Hoc Hebræi per xl annos cibo funt ufi: cu- 8 jus fapor melli proximus: nomen Manna traditur.   In teftimonium autem divini muneris, refervaffe Moyfes gomor plenum in vafe aureo dicitur.

Manna.

CAP.XVII.   Inde progreffus populus, cùm aquæ pe- 1 nuriâ tentaretur, ægrè ab exitio ducis tempe- rabat.   Tùm Moyfes, mandante Domino, apud locum, cui Oreb nomen eft, virgâ pe- tram percutiens, largè aquæ copiam fecit. Sed ubi Raphidin perventum, Amalechitæ 2 populum incurfionibus vaftabant.   Moy- fes fuis in prælium eductis, cùm Jefum bel- lantibus præfeciffet, adfumto Aaron & Vr,

Exod. 17.

Aqua è petrâ.

Sexto die duplum præfumerent] *Præfumere* ufur- patum propriè de actione, quæ parte quâdam corpo- ris fit: quomodo Plinius lib. XXXVI, cap. 6 *Theo- phraftus auctor eft, potores in certamine bibendi præ- fumere farinam ejus,* lapidis puta. Plerumque verò, ut notum, de actione, quæ fit animo, ufurpatur; & vox *animo* interdum difertè additur, dicitúrque *præ- fumere animo.*

1. *Ægrè ab exitio ducis temperabat*] Infrà cap. XXXV *Abftinuit regis exitio.* Item: *Inani operâ exitium ejus moliebatur.* Rurfus cap. XX *In perni- ciem eorum ferebatur.* Ita vocabulis *exitium* & *per- nicies* ipfa hominis cædes fignificatur. Ita Ne- pos XIV, ç. 4 *Vt impellantur ad eorum perniciem.*

2. *Cùm Jefum bellantibus præfeciffet*] Nomen He- fpe-

spectator pugnæ futurus, simul precandi Dominum gratiâ, montem conscendit.   Sed
cùm dubio eventu acies concurrissent, Moysi
precibus victor Jesus, hostes in noctem ceci-
3 dit.   Per idem tempus, Jethro Moysi socer, Exod. 18.
cum filiâ Sepphorâ, quæ Moysi nupta, pro- Jethro.
ficiscente in Ægyptum viro, domi resede-
rat, liberísque ejus, cognitis rebus, quæ per
4 Moysen gerebantur, ad eum venit.   Hujus
consilio Moyses ordines populi distribuit;
tribunos centurionésque & decuriones præ-

---

bræum יְהוֹשֻׁעַ Interpretes Græci nomine Ἰησοῦς
expresserunt.   Quos secuti Interpres Latinus vetus,
nostérque Auctor, scripserunt similiter *Jesus*.

Cùm dubio eventu acies concurrissent] *Concurrere*
de prælio, conflictu. Justinus III, 5. 14. *Tantis animis*
concursum est, ut raro unquam cruensius prælium fue-
rit.

3. *Moysi socer*] *Moysi* pro *Moysis*, ut *Achilli* pro
Achillis, ex *Achillei*, à nominativo *Achilleus* pro
Achilles. Virg. I Æn. *Troas relliquias Danaûm &*
immitis Achilli. Vide & Hellenolex. Vechn. lib. I
cap. IV. Nomen Hebræum *Mosche* Græci exprimunt
per Μωϋσῆς & per Μωϋσεύς.   A quorum posteriore
in sermone Latino dicitur *Moyseus*, *Moysei*, atque ita
porro *Moysi*.   Interpres Latinus Exod. XVIII, 1. 2
Cognati Moysi, uxor Moysi.

Cùm filiâ Sepphorâ] Ex Hebræo צִפֹּרָה Interpretes Græci fecerunt Σεπφώρα.   Quos imitatus Interpres Latinus vetus scripsit itidem *Sepphora*.

4. *Tribunos, centurionésque & decuriones præfi-*
ciens] Ita vocat quos Interpretes Græci χιλιάρχους
ἑκατοντάρχους & δεκαδάρχους dixerant in versione

ficiens, necessarium disciplinæ situm posteris tradidit : Jethro in patriam regressus.
Exod. 19. Exin ad Sinam montem perventum. Ibi 5
Moyses à Domino monetur, populus ut san-
ctificaretur, auditurus Dei voces : idque so-
licitè curatum. Sed ubi Deus monti institit,
validis tubarum clangoribus aër quatieba-
tur, crassæque nubes crebris cum fulmini-
bus advolvebantur. Sed Moyses & Aaron 6
in montis cacumine Dominum propter, po-
Exod. 20. pulus circa ima montis constitit. Ita lex
lata multiplex & copiosa, Dei verbis, & sæpe
repetita : cujus si quis erit curiosior, fontem
ipsum adeat, nos eam breviter perstringi-
Decalogus. mus. Non erunt, inquit, tibi Dei alieni præ- 7

Exod. XVIII, 25. Quos autem iidem Interpretes πεν-
τηκονίάρχυς dixerant, illos noster omittit. Ceterùm
voce *tribunus* & Interpres Latinus usus hîc fuerat ;
quod sciret tribunos Latinôrum numero militum,
quibus præessent, τοῖς χιλιάρχοις ferè respondere.
Pro *decuriones* autem dixit *decanos*.

6. *Fontem ipsum adeat*] Suprà cap. XI *Si quis studiosior erit, ad origines revortatur.* Et cap. I meta-
phorâ planè eâdem dixit, *Vniversa rerum divinarum
mysteria non nisi ex ipsis fontibus hauriri queunt.* Nimirum fontes ipsam Scripturam sacram & canonicam
vocat.

7. *Non erunt tibi Dei alieni præter me*] Secutus est
versionem Græcam, quæ habet, Ὀυκ ἔσονῖαί σοι Ͽεοὶ
ἕτεροι πλὴν ἐμῦ. Nam illud *præter me* respondet
Græco πλὴν ἐμῦ ; ab eo autem, quod versio Latina
vetus habet, discrepat. Rursus tamen cum Inter-
ter

ter me: Non facies tibi idolum: Non fumes nomen Dei tui in vanum: Sabbato nullum opus facies: Honorifica patrem tuum, & matrem tuam: Non occides: Non mœchaberis: Non furtum facies: Non falfum teftimonium dices adversùs proximum, tuum: Non concupifces quicquam proximi tui.

---

prete Latino nofter congruit, quòd vocem *alieni* ufurpat, non *alii*.

7. *Non facies tibi idolum*] Hoc præceptum diftinguit ille à primo, ut veteres plerique omnes fecerunt; & nominatim Tertullianus, Origenes, Athanafius, Gregorius Nazianz. Ambrofius: ut de Hebræis nihil nunc dicam. Auguftinus autem aliter fenfit. Cujus auctoritatem fecuta Ecclefia occidentalis illud de non faciendis idolis præceptum conjunxit cum primo.

Honorifica patrem] Novum verbum à nomine adjectivo *honorificus*. Quo ufus, ut obfervavit Drufius, & Interpres Siracidæ: itémque Auguftinus. Ille quidem cap. X, 31 *Fili mi, in manfuetudine honorifica animam tuam.*

Non concupifces quicquam proximi tui] Ita breviter ille, quod Mofes pluribus verbis. Ceterùm quod in prohibitione utitur voculâ *Non*, eíque futurum indicativi modi adjicit, id Hebraismus eft: quem tamen non ex ipfo textu Hebræo, fed ex verfione Græcâ, aut vetere Latinâ, haufit nofter. Quâ de re & in parte I libri de Hebraismis N. T. pag. 222 egimus. Quintilianus lib. I c. 5 *Cognata funt NE ac NON adverbia: qui tamen dicat pro illo Ne feceris, Non feceris, in idem incidat vitium; quia alterum negandi eft, alterum vetandi.* Vide & Voffium pag. 159 libri de Vitiis Lat. Serm. Deinde quòd *quidquam proximi*

D 3

His

His à Deo dictis, cùm tubæ circumstre-
perent, lampades inardescerent, montem
fumus obtegeret, populus præ timore inhor-
ruit, verba Dei non sustinens: poposcitque
à Moyse, ut ipsi tantùm loqueretur Dominus, atque ita audita ad populum referret.
Edicta autem Dei ad Moysen istiusmodi
sunt : Hebræus puer pecuniâ emtus, sex
annis serviet, post hæc liber erit: Sponte

Exod. 21.
Leges fo-
renses.

---

tui dicit pro *quicquam quod alterius est*, id partim
Græismus, partim Hebraismus est. Græci quemvis
album vocant τὸν πλησίον, id est, *propinquum, proximum*, dicúntque ἀγαπᾶν τὸν πλησίον pro ἀγαπᾶν
τὸν ἕτερον.   Quòd autem additur pronomen, dicitúrque ἀγαπᾶν τὸν πλησίον αὑτῦ, *diligere proximum
suum*, id fit Hebræorum more, qui dicunt אהב
רעהו. Verba Hebræa Lev. XIX, 18 sunt ואהבת
לרעך כמוך Quæ Interpretes Græci verterunt,
Ἀγαπήσεις τὸν πλησίον σȣ ὡς σεαυτόν.   Et similiter
Latinus, *Diliges proximum tuum, sicut teipsum*. ut scilicet pronomina adjicerent, quomodo adjiciunt Hebræi. Quâ de re & in parte I libri de Hebraismis N.
T. pag. 67 & seqq. egimus.

2. *Hebræus puer*] *Puer* pro servo. At Interpres vetus : *Si emeris servum Hebræum, sex annis serviet tibi.*
Quòd ergo noster vocabulo *puer* usus est, adlusit ad
versionem Græcam, quæ habet, Ἐὰν κτήσῃ παῖδα
Ἑβραῖον. Vox παῖς non tantùm ætatis, sed & conditio-
nis & status hominum vox est, significátque passim
apud Auctores & *servum*.   Quòd autem noster eamdem significationem vocabulo Latino tribuit, id in
Græcismis est numerandum.   Ceterùm ipse quoque
Interpres Latinus vetus in locis aliis vocabulo Latino eamdem significationem tribuit. Vt Luc. I *Su-
scepit Israël puerum suum.*   Fit sanè ut Scriptores

autem

autem permanenti in servitute, auris forabitur: Qui hominem occiderit, capite pœnas luet: Qui imprudens, ritè exul erit. Qui
patrem matrémve pulsaverit, conviciúmque eis dixerit, capitali supplicio afficitor:
3 Si quis Hebræum subreptum vendiderit_,
morti dabitur: Si quis servum proprium_,

---

quoque alii eum, qui servus est, puerum vocent: verùm tunc ad ætatem simul adluditur.   Vt quod Horatius dicit, *Persicos odi, puer, adparatûs.* Et Terentius, *Puerum inde abiens conveni Chremis.*

2. *Capite pœnas luet*] Ita alii, *capite puniri, capite
plecti.*   Livius lib. III *Qui plebem sine tribunis reliquisset, quique magistratum sine provocatione damnasset, tergo ac capite puniretur.*   Ita in eodem lib. dicit *agro mulctari,* & Justinus *pecuniâ damnari:* per
ablativum puta.   Quarum phrasium ea vis est, ut caput, agrum, pecuniam amisisse aliquem intelligatur.
Vox *caput* autem in talibus vitam significat. Vide &
Indicem in Corn. Nep. à nobis locupletatum, voce
caput.

Qui imprudens] Imprudens pro *nec opinante.*   Ita
Nepos XVII, 2. 3 *Omnes imparatos imprudentésque
offendit.*   Dicitur autem *prudens* quasi *providens,*
& *imprudens* quasi *improvidens.*

Ritè exul erit] Ritè, id est, νομίμως, secundum legem.   Exul autem ita, ut locum, ubi vixerat, relinquat, & ad certas urbes, aut ad aram confugiat, ibíque ad certum tempus permaneat.

2. *Capitali supplicio afficitor*] Orationem variat. Est
autem *supplicium capitale,* si quis capite plectatur, atque ita caput, id est, vitam, amittat.

3. *Morti dabitur*] Rursus orationem variat.   Sic
& paullò post *Neci dabitur.*   Item infrà cap. XXV
Comprehensos neci dedit. Horatius lib. II sat. 3 *Mille
ovium insanus morti dedit.*   Quòd autem Interpres

ſervámve percuſſerit, éxque eo ictu obierit,
reus judicio fiet: Si quis partum non deformatum mulieri excuſſerit, neci dabitur:
Si quís ſervo oculum aut dentem extorſerit,
ſervus vindictâ liberabitur.   Taurus ſi ho- 4

Latinus toties repetit *morte moriatur*, id reſipit phraſin Hebræam, & eam quidem, de quâ in cap. XXXIV
libri de Hebraismis N. T. egimus.

  Exque eo ictu obieris] *Obire* pro *mori*, Subaudiendum autem *diem ſuum*, aut, quod Nepos addidit *diem
ſupremum*. Vide Indicem in Nep. voce *obire*.

  Reus judicio fiet] Interpres vetus *Criminis reus erit*.
Græci δίκη ἐνδικηθήσεται.

  *Si quis partum non deformatum mulieri excuſſerit,
neci dabitur*] Reſpexit ad verſionem Græcam: Ἐὰν
ἐξέλθη τὸ παιδίον αὐτῆς μὴ ἐξεικονισμένον, ἐπιζήμιον
ζημιωθήσεται. Ἐὰν δὲ ἐξεικονισμένον ᾖ, δώσει ψυχὴν
ἀντὶ ψυχῆς. Sed ſunt quædam omiſſa, & locus in-
tegrè legendus ferè ſic eſt: *Si quis partum non deformatum mulieri excuſſerit, mulctam pendat: ſi quis
deformatum, neci dabitur*. Ceterùm textus Hebræus
illum partûs deformati & non deformati diſtinctio-
nem non habet. Imò nec verſio Latina vetus, quæ
ſic habet: *Si rixati fuerint viri, & percuſſerit quis
mulierem prægnantem, & abortivum quidem fecerit,
ſed ipſa vixerit, ſubjacebit damno, quantum maritus
mulieris expetierit, & arbitri judicaverint. Sin autem mors ejus fuerit ſubſecuta, reddet animam pro ani-
mâ*. Porrò *deformatus* pro ſimplici *formatus*. Quintilianus præf. lib. VI *Non enim floſculos ſicut prior,
ſed certos & deformatos fructûs oſtenderat*.

  3. *Servus vindictâ liberabitur*] Plinius in epiſtolâ
quâdam: *Si voles vindictâ liberare, quos proximè inter amicos manumiſiſti*. Prætor capiti ſervi manu-
mittendi virgulam imponens, eum in libertatem vin-
dicabat: eaque virgula & vindicta vocabatur. Phra-

minem

minem occiderit, lapidabitur.   Si Dominus
sciens beſtiæ vitium, non conſuluerit, & ipſe
lapidabitur: aut pretio ſe redimat, in quantum accuſator popoſcerit.   Si ſervum taurus occiderit , in triginta drachmis pecunia
domino numerabitur.   Si quis defoſſum
lacum non cooperuerit, pecúsque in lacum
ceciderit, pretium pecudis domino dabit. Si
taurus alterius taurum occiderit, pecus ve-
nundabitur, pretiúmque domini partientur:

ſin hic Latinam adhibuit, quamvis eadem res apud
Hebræos non eodem modo perageretur. Moſes tantùm ſic habet: *Dimittet eum liberum pro oculo, quem
eruit.*

4. *Si Dominus ſciens beſtiæ vitium non conſuluerit*] *Conſulere* pro *providere, proſpicere.* Vnde &
ſubinde cum his vocabulis conjungitur. Cicero I in
Verr. *Vos, quod ad famam veſtram pertinet , pro-
ſpicite ac conſulite.* Idem in epiſtolis: *Vt quibuſ-
cumque rebus poteris, proſpicias & conſulas rationibus
meis.*

In quantum accuſator popoſcerit] *In quantum* noſter ſæpe ponit pro *quantum.* Ita Juvenalis: *In
quantum ſitis atque fames & frigora poſcunt.* Ita dicunt *in tantum, in multum.* Vide Scioppium epiſt. V
Paradox. litter.

5. *Si quis defoſſum lacum non cooperuerit*] Adludit
ad vocem Græcam λάκκος, quâ Interpretes Græci uſi
hîc ſunt.   Interpres Latinus *ciſternam* vocat. Græca
vox & foſſam ſignificat. Quam ipſam rem noſter Latinâ voce *lacus,* quæ à Græcâ orta eſt, videtur exprimere voluiſſe. Porrò *Defoſſus* eſt pro ſimplici *foſſus:*
quomodo Virgilius dicit *defoſſi ſpecus ;* & Columella
defodere ſcrobem.

Si taurus alterius taurum occiderit] Interpres ve-

D 5

per-

peremtum etiam divident. Quòd si dominus vitium tauri sciens, non consuluerit, taurum dabit. Si quis vitulum subripuerit, 6
quinque restituet. Si ovem subripuerit,
quadrupli poena erit. Si viva penes abacto-
rem pecora reperientur, dupla restituet. No-
cturnum furem occidi licet, diurnum non
licet. Si cujus pecora alterius sata depave-
rint, dominus pecoris eversa restituet. Si
depositum perierit, is, penes quem depositum fuit, jurabit, nihil se dolo egisse. Fur inventus duplum dabit. Commendatum pe-
cus à bestiâ interceptum, non restituetur.
Si quis virginem nondum desponsatam cor- 7
ruperit, dotabit puellam, & ita eam uxorem
accipiet. Si pater puellæ nuptias recusaverit,
dotem raptor dabit. Si quis se pecudi mi-
scuerit, morti dabitur. Sacrificans idolis,
pereat. Viduam & orphanum non pre- 8
mendos : Pauperem debitorem non perur-

---

tus : *Si bos alienus bovem alterius vulneravit, & ille
mortuus fuerit.* Noster secutus videtur Interpretes
Græcos, qui verterunt, Ἐὰν κερατίσῃ τινὸς ταῦρος
τὸν ταῦρον τῦ πλησίον. Sed vocem *alicujus* omisit :
aut culpâ librariorum ea excidit. In versione vetere
perperam legitur *bos alienus* pro *bos alicujus*.

6. *Si quis vitulum subripuerit*] Adludit ad vocem
Græcam μόσχος, quâ usi hoc loco sunt Interpretes
quæque alibi vitulum, hîc autem bovem vel taurum
significat. In Hebræo est שׁוֹר.

8. *Viduam & orphanum non premendos*] Nunc in
gen-

gendum: Nec ufuram pofcendam: Vefti-
mentum pauperis pro pignore non accipiendum: Principem populi non increpandum:
Primogenita omnia Domino offerenda:
Carnem à ferâ captam non edendam. Coi- Exod. 23.
tiones in teftimonium falfum , aut in qua-
cunque malitiâ, non effe faciendas. Inimici
pecus errans non præteribis, fed reduces.
Si animal inimici fuccubuiffe oneri invene-
9ris, erigere debebis. Innocentem & juftum
non occides. Non juftificabis impium pro
muneribus. Munera non accipienda. Advenam benignè habendum. Sex diebus opus
faciendum: Sabbato requiefcendum: Fru-

---

cafibus obliquis edicta divina recenfet, cùm anteà cafibus rectis id fecerit, & mox rurfus cafibus obliquis
utatur.

9. Innocentem & juftum non occides] Drufius putat,
innocentem & juftum non effe hîc Synonyma ; quòd
innocens fit, qui fine culpâ eft, licet damnatus fit:
juftus verò, qui culpam habet, licet à judicibus ab-
folutus fit. Quod verum nobis non videtur. Sane
vocabulum *juftus* refpondet Hebræo צדיק, & Græco δίκαιος. At צדיק in talibus nihil aliud eft, quam
innocens. Deut. XXVI והצדיקו את צדיק &
abfolvent juftum, id eft innocentem. Interpretes
Græci, Δικαιώσωσι τὸν δίκαιον. Ceterùm vox *juftus*,
itémque Græca δίκαιος, hoc fenfu numeranda eft in
Hebraismis, quippe fignificatio illis nova, & quidem
exemplo vocis Hebrææ, tribuitur. Quâ de re in
cap. I Differtationis, quam de conciliandis Paulo &
Jacobo edidimus, dedità operâ egimus.

Non juftificabis impium pro muneribus] *Juftificare*
ctûs

ctûs septimi anni non metendos, sed pauperibus & egenis relinquendos.

Hæc ferè Moyses ad populum verba Dei 1 retulit, altariúmque ex duodecim lapidibus sub monte constituit. Ac rursum montem, 2 in quo Dominus consistebat, conscendit: adhibito secum Aaron, Nabad & Abiud, majoribúsque natu septuaginta. Sed hi non volentes Dominum intueri, locum tamen, in quo Dominus stabat, viderunt: cujus mirabilis forma, & claritudo eximia refertur.

CAP. XIX.

Exod. 24.

---

est absolvere. Estque vocabulum totum novum, & ad exprimendum Græcum δικαιῶν ab Interpretibus formatum; ut verbum quoque Latinum haberent, quod Græco illi, etymo, vel etymi potius significatione, responderet. At Verbum Græcum non quidem totum novum est; sed significatio tamen ei planè nova tributa est, & quidem illa, quam verbum Hebræum הַצְדִּיק habet. Quod quâ ratione, quâve occasione, evenerit, in prædictâ Dissertatione exposuimus. Respexit autem noster ad Versionem Græcam Exod. XXIII. 7. Οὐ δικαιώσεις ἀσεβῆ ἕνεκεν δώρων. At sensus textûs Hebræi paullulùm diversus est: ísque Latinè exprimi sic potest, *Non justificabo,* id est, non innocentem habebo, non absolvam, *impium;* Et *Munera non accipies.*

1. *Altarium constituit*] Vocabulo *altarium* usus est & infrà in Dial. II. Sed & alii ejus ætatis Scriptores eo vocabulo usi deprehenduntur.

2. *Non volentes Dominum intueri*] Sigonius legendum monuit *valentes.* Sic & paullò pòst de Moyse: *Vt intueri eum populus non valeret.*

Locum tamen, in quo Dominus stabat, viderunt] Ad-

Moy-

Moyſes autem accerſitus à Domino, interio-   Exod. 25.26.
rem nubem, quæ circùm Dominum ſteterat,   27. 28. 29.
ingreſſus, quadraginta diebus totidémque   30. 31.
3 noctibus ibi fuiſſę traditur.   Quo tempore
ſuper ædificando tabernaculo atque arcâ,
ritúque ſacrificandi edoctus verbis Dei eſt:
quæ ego, quia prolixa admodum videbantur, inſerenda huic tam præciſo operi non
4 putavi.   Sed immorante diutiùs Moyſe,
quippe qui XL dies apud Dominum duceret,   Exod. 32.
populus, deſperato ejus reditu, Aaron com-   Vitulus au-
pulit ſimulacra facere.   Tunc ex metallis   reus.
5 conflatis vituli caput extitit.   Cui cùm populus, Domini immemor, hoſtias obtuliſſet,
vinóque ſe & ventri dediſſet, deſpectans

---

ludit ad verſionem Græcam Exod. XXIV, 10 Καὶ
εἶδον τὸν τόπον, ὖ ἐστήκει ὁ Θεὸς τῦ Ἰσραήλ. At textus
Hebræus aliter habet.   Et quidem Latinè vertendus
ille ſic eſt: *Et viderunt Deum Iſraëlis.*

    3. *Huic tam præciſo operi*] *Præciſus* pro *conciſo,*
brevi. Sic & infrà alicubi.   Quintilianus lib. IV cap. 2
Præciſa narratio.

    4. *Qui XL dies apud Dominum duceret*] Druſius
putat, *ducere* hîc idem eſſe quod *agere,* quomodo Seneca dicat *diem ſomno ducere.*   At veriſimilius eſt,
quòd ſit *cunctando extrahere.*   Quâ notione etiam
dicunt *tempus trahere.*   Nepos II, 7. 1 *Dedit operam,*
ut quàm longiſſimè tempus duceres. Sic & Cicero III
in Verr. infrà lib. II cap. 44. noſter dicit *dies tra-*
here.

    5. *Vinóque & ventri dediſſet*] Meliores quoque
dicunt *dare ſe alicui rei,* pro *dedere.*   Cicero V in
Verr. *Dabit ſe labori atque itineribus.* Alibi: *Dare*
                                                    hæc

hæc jufto dolore Deus, improbum populum,
nifi à Moyfe fuiffet exoratus, deleffet. Sed 6
regreffus Moyfes, cùm duas ex lapide tabulas, manu Domini fcriptas, detuliffet, popu-
lúmque luxui & facrilegio deditum deprehendiffet, tabulas confregit: indignam effe
gentem exiftimans, cui lex Domini traderetur. Multis tamen increpitis, Levitas ad fe
adgregavit, eisdémque præcepit, ut diftri&is
gladiis populum cæderent. Quo impetu
xx tria millia virorum peremta traduntur.

---

fe rei familiari vitæque ruflicæ, dare fe biftoriæ. Nepos VII, 11. 4 *Dare fe duritiæ.*

Defpe&ans hæc Deus] Verbum *defpe&are* propriè
ufurpatum pro *de fuperiore loco fpe&are.* Ita Ovidius IV Metam. *Ex æthere terras defpe&at.* Idem
alibi: *De vertice montis defpicere in terras.* Per
translationem deinde idem eft quod contemnere.

6. *Populum luxui & facrilegio deditum*] *Sacrilegium* pro *idololatria.* Ita infrà: *Mirum id Eliæ fuit,
qui folum fe à facrilegio immunem effe crederet.* Item:
Exprobratóque ei facrilegio. Quæ autem adpellationis fit ratio, facile adparet. Idololatræ enim honorem & cultum vero Deo debitum eidem fubtrahunt
& fuffurantur.

Multis tamen increpitis] Credo, re&è habere fe
conje&uram Drufii, putantis, legendum effe: *Multis
tamen increpitos Levitas ad fe adgregavit.* Sane infrà lib. II fcripfit fimiliter: *Is cùm deprehendiffet Judæos gentilium connubiis permixtos, multis increpitos
renanciare hujusmodi matrimoniis jubet.* In quibus
multis eft pro *multis verbis;* ut *paucis* dicitur pro
paucis verbis.

XX tria millia] Mirum, hîc legi *XXIII millia,*
Tùm

7 Tùm Moyfes tabernaculum extra caftra Exod. 33.
conftituit : quod quoties. fuiffet ingreffus,
columna nubis adftare pro foribus vifebatur,
corámque ad Moyfen Dominus loquebatur.
8 Pofcente autem Moyfe, ut Dominum in majeftate propriâ videret, refponfum, formam
Dei mortalibus oculis perfpici non poffe, po-
fteriora tamen ejus videre conceffum: ta-
bulæéque, quas Moyfes prius confregerat, re-
fectæ.   Sed in hoc colloquio Dei xi diebus
diverfatus apud Dominum Moyfes tradi-
9 tur.   Cúmque de monte defcenderet, tabu- Exod. 34.
las præferens, tantâ claritudine facies ejus
renidebat, ut intueri eum populus non valeret.   Sed cùm mandata Dei relaturus es-
fet, vultum velamento obtexit, atque ita ad
populum verbis Domini locutus eft.   Hoc Exod. 35
in loco, tabernaculi interiorúmque ejus ædi- usque 40.

cùm non tantùm textus originalis Hebræus, fed &
verfio Græca, quam nofter fubinde fequitur, tantùm
tria millia memoret.   Ego non dubito, noftrum fcripfiffe *tria millia*: cúmque verfionis Latinæ, quam
vulgatam vocant, codices nonnulli perperàm haberent *viginti tria*, eumdem numerum ad marginem
primùm noftri Auctoris notatum fuiffe ; deinde verò
in ipfum textùm inrepfiffe.

   7. *Adftare pro foribus*] Non tantùm *ante januam*
& *ante fores ftare* dicunt, fed & *pro foribus*. Cicero
II Phil. *Haftâ pofitâ pro æde Jovis Statoris*. Et
pro Mil. *Illa præfidia, quæ pro templis omnibus cer-
nitis.*
   1. *Sufcepti operis modum cuftodientes*] Satis La-
ficatio

ficatio refertur. Quo confummato, nubes no fupernè decidit, atque ita tabernaculum obumbravit, ut ipfum Moyfen aditu excluderet. Hæc ferè duobus libris, Genefi atque Exodo, continentur.

CAP. XX.

Exin Leviticus liber fequitur, in quo litandi præcepta traduntur, mandata etiam latæ fuperiùs legis adduntur, plena omnia facerdotalibus inftitutis. Quæ fi quis cognofcere volet, perfectiùs inde capiet. Nos enim fufcepti operis modum cuftodientes,

Num. 1. &c. folam hiftoriam perfequimur. Igitur Levi 2 tribu in facerdotium fegregatâ, reliquæ tribûs dinumeratæ, repertáque hominum Iɔc & III cIɔ. Cùm ergo populus mannæ cibo, 3

---

tinè *modum cuftodire.* Plinius lib. XX Nat. Hift. c. 13 *Auribus quoque in dolore fuccus infunditur, cuftodite, ut diximus, modo. Modus operis* autem dicitur, ut *modus haftæ, modus plantæ Herculis, modus agri* apud alios auctores. Vide & Ind. in Corn. Nep.

2. *Levi tribu. Reliquæ tribûs*] Vocabulo *tribûs* utitur, ut Interpres Latinus Scripturæ facræ ; ut fignificet profapiam, familiam. Ceterùm antiquioribus eâ vox aliud fignificavit ; nimirum partem aliquam civitatis Romanæ ; quæ quidem non homines unius, fed diverfarum profapiarum habebat.

Reperta hominum fexcenta & tria millia] Textus Hebræus quingentos quinquaginta amplius habet. Sed numerum hunc minorem nofter non curavit.

3. *Mannæ cibo*] Vt *herba lapathi, metallum auri* apud Poëtas Horatium & Virgilium. Nimirum vocabulum fpeciei vocabulo generis in cafu obliquo adjicitur.

ut

ut supra retulimus, uteretur, tot tantisque
beneficiis Dei, ut semper, ingratus, viles, quibus in Ægypto adsueverat, dapes desidera-
4 bat.   Tùm Dominus immensam copiam Num. 11.
coturnicum castris intulit: quas cùm avidè Coturnices.
diriperent, primoribus labiis admotis carni-
bus, interibant.   Magnáque eo die clades Num. 12.
in castris fuit, adeò ut xx & iii virorum Num. 13.
millia periisse tradantur.   Ita populus eo,
5 quem desiderabat, cibo punitus est.   Inde
promotum agmen, & in Faran ventum est:
edoctúsque à Domino Moyses, vicinam
esse terram, cujus possessionem eis promi-
serat Dominus: exploratoribus in eam mis- Explorato-
sis, renunciatur, felicem omni copiâ esse res missi.
regionem: sed gentes validas, & munita Num. 14.
6 ingentibus muris oppida.   Quod ubi populo compertum, magna mentes omnium
formido incesserat: eóque mali ventum, ut

---

4. *Primoribus labiis*] Propriè dixit, quod Cicero &
alii figuratè. Cicero pro Cœl. *Qui primoribus labris
gustassent genus hoc vitæ.* Ceterùm *primoribus* dicitur pro *primis.*   Nam & *primorem partem domus,
primorem aciem* dixerunt pro *primam partem domus,
primam aciem.*   Deinde *primoribus labiis* dicitur pro
primore seu *primâ parte labiorum:* quomodo *extremis digitis* pro *extremâ parte digitorum* dicitur; ut
notio partis simul involvatur. Cujus generis varia in
Indice Nepotis, voce *pars,* & in epist. priore ad Gerh.
Titium p. 93 congessimus.

6. *Eò mali ventum*] Locutio talis, qualis illa, *eò
insolentiæ procedere, eò desperationis adducere:* quo-

E   spreto

spreto Moyfi imperio, ducem fibi conſtitue-
re pararent, cujus ductu in Ægyptum rever-
terentur.   Tunc Jeſus & Chaleb, qui inter 7
exploratores terræ fuerant, confciſſis veſtibus
flentes, populum obteſtantur, ne exploratoribus credant, formidoloſa referentibus : ſe
quoque unà cum his fuiſſe, nihil metuendum
in ſolo illò reperiſſe : promiſſis illos Dei con-
fidere oportere, hoſtes prædæ potius quàm
exitio fore.   Sed gens indomita, ſanis confi- 8
liis malè renitens, in perniciem eorum ferebatur.   Queis rebus commotus Dominus,
partem populi hoſtibus cædendam objecit.

CAP. XXI.   Exploratoribus interfectis ad vulgi for- 1
Seditiones. midinem, ſecuta eſt eorum contumacia, qui
Num. 16.   ſeDathan & Abiron ducibus adversùmMoy-
Num. 17.   ſen & Aaron erigere conati ſunt.   Sed eos

---

rum illud Plinius in Paneg. hoc Juſtinus lib. III cap. 5
habet.   Curtius quoque lib. VI dicit *Hùc malorum
ventum eſt :* & lib. V *Eò rerum ventum erat, ut
tàm periculoſum eſſet non credere ſuis, quàm decipi.*

8. *In perniciem eorum ferebatur*] Joſuæ & Calebi
puta, ceterorúmque, qui eos à peſſimo inſtituto retrahere ſtudebant.   Neque opus eſt emendare *in
perniciem ſuam*, ut vult Druſius.   Cædem alicujus
perniciem dici, ſimile eſt illi, quod ſuprà cap. XVII
eadem *exitium* dicitur in verbis, *Ægrè ab exitio ducis temperabat* Nepos XVIII, 11. 2 *Cujus in pernicie poſitam habuiſſent ſpem victoriæ.*

1. *Adversùm Moyſen & Aaron ſe erigere*] Fabius
lib. VI Inſtit. Orat. præf. *Sed vel propter hoc nos con-
tumaciùs erigamus,* [contra fortunam puta] *quòd il-*
vivos

2 vivos hiatu fuo terra abforbuit.   Nec multò
pòft, totius populi in Moyfen & Aaron orta
feditio eft, adeò ut tabernaculum [quod erat
nefas, nifi facerdotibus, introire,] inrumpe-
rent.   Tùm verò catervatim in eos graffata
mors eft: momentóque omnes interiffent,
nifi Moyfi precibus placatus Dominus cladem avertiffet.   Numerus tamen peremto-
3 rum, feptingenti & xiv millia fuit.   Nec *Num. 20.*
multò pòft, ob aquæ penuriam, ut jam fæ-
piùs, populi exorta feditio eft.   Tunc Moyfes à Domino monitus, ut petram virgâ feriret, familiari fibi experimento [fiquidem
id jam antè feciffet] femel atque iterum petram percuffit, atque ita aqua effluxit.   In *Aqua ex*
quo quidem notatus à Domino Moyfes re- *petrâ.*
fertur, quòd per diffidentiam non nifi iterato ictu aquam eduxerit.   Denique ob

---

lam ut præferre nobis difficile eft, ita facile contemne-
re. Sed & Statius lib. VIII Theb. dixit *erigi contra*
aliquem.

2. *Totius populi in Moyfen & Aaron orta feditio*
eft] Eleganter inter participium & verbum Subftan-
tivum aliquid interponitur.   Atque ita nofter fæ-
piffimè.   Vt paullò pòft: *Catervatim in eos graffata*
mors eft. Item: *Ob aquæ penuriam populi exorta*
feditio eft. Ita paffim & alii. Juftinus lib. XXX cap. 1
Regis mores omnis fecuta regia erat. Item lib. XI c. 1
Ita vulgus omne confolatus hortatúsque pro tempore
eft.

3. *Per diffidentiam non nifi iterato ictu aquam edu-*
xerit] *Per* pro *propter.* Juftinus X, 1. 2 *Darium*

hoc peccatum, promiſſam ſibi terram non ingreſſus eſt, ſicut inferiùs oſtendam. Igi- 4 tur Moyſes ex eo loco promovens, cùm præter Edom agmen educere pararet, misſis ad regem legatis, tranſeundi copiam po-poſcit, ob jus ſanguinis bello abſtinendum ratus. Etenim gens illa Eſau progenies erat. Sed rex ſupplices adſpernatus, tranſitum negavit, paratus armis contendere. Tùm

Legatio ad regem Edo-mitarum.

---

per indulgentiam pater regem vivus fecit. Item VIII, 3. 10 *Receperant per miſericordiam duos fratres ejus.*

Denique ob hoc peccatum promiſſam ſibi terram non ingreſſus eſt] Denique pro *breviter,* uno verbo. Nepos XVIII, 12. 1 *A quo tot annos adeò eſſent malè habiti, ut ſæpè ad deſperationem forent adducti: quique maximos duces interfeciſſet: denique in quo uno eſſet tantum, ut, quoad ille viveret, ipſi ſecuri eſſe non poſſent.* Item XXI, 2. 2 *Minimè libidinoſus, non luxurioſus, non avarus, nullius rei denique cupidus, niſi ſingularis perpetuique imperii.* Curtius VII, 1. 36 *Denique non oſtendit auctorem* &c. Vide & Indices Freinshemii in Curtium & Florum.

Sicut inferiùs oſtendam] Oſtendere pro *exponere, narrare.* Itá paſſim meliores. Nepos XVI, 5. 1 *oſtendimus.* Et XVII, 1. 4 *Vt oſtendimus ſuprà.*

4. *Moyſes ex eo loco promovens*] Subaudi *agmen,* id eſt, exercitum. Suprà cap. XVI *Exin promotum agmen.* Curtius IV, 1. 30 *Potitus Peluſii Memphin copias promovit.*

Cùm præter Edom agmen educere pararet] Edom pro *Idumæâ,* aut *terrâ Edom,* more Hebræorum, qui regiones adpellant ipſis primorum Dominorum ac habitatorum nominibus.

Paratus armis contendere] Contendere cum aliquo pro *bellum gerere.* Nepos IX, 4. 3 *Quòd majus*

Moy-

5 Moyſes in Or montem iter convertit, vetitâ viâ abſtinens, ne quam inter conſanguineos cauſam belli præberet. In eo quoque curſu regem gentis Chananæorum delevit. Seon quoque regem Amorræorum perculit, omniúmque eorum oppidis potitus eſt. Baſan quoque & Balac reges devicit, & caſtra ſuper Jordanem haud longè ab Hiericho molitus eſt. Tunc adverſus Madianitas certa-6 tum, victíque & ſubacti ſunt. Moyſes mortuus eſt, cum XL in deſerto annos populo præfuiſſet. Ceterùm Hebræi ob hanc cauſam tanto tempore in eremo fuiſſe traduntur, donec omnes, qui verbis Dei non crediderant, interirent. Excepto enim Jeſu & Chaleb, nemo ultra xx annos natus, Ægypto pro-7 fectus, Jordanem tranſiit. Ipſe Moyſes, ut terram promiſſam videret tantùm, nec contingeret, peccato ejus adſcribitur: quòd eo

Num. 21 & Deut. 3, 20. Num. 22. &c.

Num. 31. Deut. 34.

Deut. 32.

---

bellum imminere arbitrabantur, quàm ſi cum barbaro ſolùm contenderent. Deinde addunt vocabula *armis, acie,* dicúntque *contendere armis, contendere acie:* quorum utrumque idem Nepos & alii uſurpant.

5. *Baſan quoque & Balac reges devicit*] Μνημονευτικὸν ἁμάρτημα, quòd *Baſan,* nomen regionis, cujus Dominus Og fuit, pro nomine ipſius regis poſuit.

Caſtra ſuper Jordanem molitus eſt] i. e. apud Jordanem, prope Jordanem. Verſio Græca Num. XXII,1 παρενέβαλον παρὰ τὸν Ιορδάνην.

6. *Nemo ultra viginti annos natus*] Nemo plus quàm viginti annos natus, nemo viginti annis major.

E 3   tem-

tempore, quo faxum ferire & aquam producere præceptus eft, poft tot virtutum fuarum
experimenta, dubitaverit.   Deceffit autem 8
anno ætatis vigefimo & centefimo.   De fepulcri loco parùm compertum.

CAP. XXII.
Jofue. 1.
Jofuë dux
Ifraëlita-
rum.

Moyfe mortuo, fumma rerum penes Je-1
fum Nave filium erat.   Etenim illum fibi
Moyfes fuccefforem conftituerat, virum virtutibus fuis fimillimum.   Principio autem 2
fufcepti imperii, dimiffis per caftra nunciis,
populum certiorem facit, frumentum uti pararent : triduóque proximo iter pronunciat.
Sed Jordanis flumen validiffimum, tranfi-3

---

7. *Saxum ferire præceptus eft*] Pro *præceptum eft
ei, ut faxum feriret.*   Verba, quæ Dativum perfonæ
adfcifcunt , non fæpè in formâ paffivâ de perfonâ
ufurpantur.   Simile autem eft huic, quod infrà Dial. I
c. 13 dicit *imperatus* pro eo, cui imperatum eft.

Poft tot virtutum fuarum experimenta] *Virtus* pro
facultate, potentiâ aliquid faciendi, ut fæpè.

1. *Summa rerum penes Jefum Nave filium erat*]
Summa rerum pro *fumma imperii.* Nepos XVIII, 5. 1
Rerum fumma ad Antipatrum defertur.   Sed dicunt
etiam *fumma res*; & numero plur. *fummæ res.* Nepos XVIII, 10. 3 *Cum quibus ei de fummis rebus erat
dimicandum.*   Juftinus lib. VI cap. 2 *Diu Lacedæmo-
nii, an eum fummæ rei præponerent, deliberarunt.*

Virum virtutibus fuis fimillimum] Sigonius legendum putat *fui.*   Ceterùm *virtutes* hic aliâ notione
dicuntur, quàm in proximo fuperiore capite, & quidem notione maxime ufitatâ.

2. *Triduo proximo iter pronunciat*] Curtius lib. IV
Imminens Dario iter ad Euphratem pronunciat. Litum

tum prohibebat; quia neque navium copia
pro tempore erat, neque vadari fluvius poterat, qui tùm pleno alveo ferebatur.   Igi- Jof. 3.
tur arcam præferri à facerdotibus, eosdémque adverfo flumine confiftere jubet. Quo
facto, incifus Jordanis traditur: ita per fic-
4 cum copiæ traductæ.   Erat in his locis oppidum nomine Hiericho, muris validiffimis
munitum, neque expugnationi neque obfidioni facile.   Sed Iefus Domino fretus, Jof. 6.
non armis aut viribus urbem adgreffus, ferri arcam Dei circa muros jubet: Sacerdotésque præire arcam, & tubâ canere.   Sed
cùm arca fepties circumlata effet, muri ac
turris conciderunt, direptum oppidum at-
5 que incenfum. Tùm Iefus Dominum tradi- Jof. 8.
tur**. Inde adverfus Haë ductus exercitus:

---

vius quoque alicubi *Pronunciare prælium in pofterum
diem.* Eft ergo *pronunciare* pro *indicere.*

3. *Neque navium copia pro tempore erat*] *Pro tempore*, i. e. pro conditione temporis. Vt in illo Virgilii: *Nunc te marmoreum pro tempore fecimus.* Juftinus XI, 1. 8 *Ita vulgus omne confolatus hortatúsque
pro tempore eft.*

4. *Neque expugnationi, neque obfidioni facile*] Quædam editiones habent *facilis:* fed manifefto errore.
neque enim ullâ ratione defendi id poteft.   Ceterùm conftructio notetur *expugnationi facile* pro *ex-
pugnatu facile*, vel *expugnari facile*, vel denique *ad
expugnandum facile.* Tot enim modis id exprimunt.
Verumtamen neque illa prior planè ignota eft. Ex Li-
vio adfertur *Facilis divifui provincia* pro *facilis ad*
E 4   loca-

locatísque à tergo urbis infidiis, Iefus metum fimulans, terga hofti dedit. Quo vifo, qui in oppido erant, patentibus portis cedentibus inftare. Ita hi, qui in infidiis fuerant, vacuam urbem cepere: cæsíque omnes, absque ullius effugio: Rex captus, fummóque fupplicio adfectus.

CAP. XXIII.
Jof. 9.

Quod ubi vicinarum gentium regibus compertum eft, in bellum confpirant Hebræos armis depellere. Verùm Gabaonitæ, gens valida, ex urbe opulentâ, ultro fe Hebræis dederunt, juffa facturos pollicentes: receptíque in fidem; ut ligna & aquam conveherent, imperatum. Sed regibus proximarum urbium, deditio eorum, iras conciverat.

Jof. 10.

Itaque admotis copiis, oppidum eorum, Gabaon nomine, obfidione circumfiftunt. Igitur oppidani, arctis rebus fuis, nuncios ad Iefum mittunt, obfeffis uti fuc-

<hr>

dividendum. Item, *Facilis impetrandæ veniæ Claudius.*

5. *Summo fupplicio adfectus*] i. e. extremo, capitali. Virgilius lib. II Æn. *Venit fumma dies & ineluctabile tempus Dardaniæ.* Nepos XXV, 5. 1 *Vt hujus fine offenfione ad fummam fenectutem retinuerit benevolentiam.* Summum *fupplicium* habet ipfe Cicero I in Catil. Verba ejus funt: *Nonne hunc fumma fupplicio mactari imperabis?*

1. *Vltro fe Hebræis dederunt*] Pro *dediderunt.* Ita fuprà cap. 19 *Vino & ventri fe dare.* Ad quem locum & ex antiquioribus talia funt notata.

cur-

3 curreret. Ita ille maturato itinere inopinantibus fupervenit, cæsáque ad internecionem multa hoftium millia. cùm dies cædentes deficeret, nóxque victis futura præfidio videretur, merito fidei dux Hebræus noctem avertit. dies perfeveravit: ita nullum hoftibus effugium fuit. Quinque reges capti, interfecti funt. Eodem impetu vicinæ quoque urbes imperio adjectæ, regésque earum 4 peremti. Verùm quia omnia hæc in ordinem perfequi non fuit confilium, dum brevitati ftudemus, id modò adnotandum curavimus, xx & novem regna imperio Hebræorum fubjecta: quorum terra per unde-

Jof. 11.
Jof. 12.

---

3. *Cæfa ad internecionem multa hoftium millia*] Corn. Nepos XVIII, 3 *Bella, que ad internecionem poft Alexandri mortem gefta funt.*

Merito fidei noctem avertit] Quod Auctor ep. ad Hebr. toties dicit πίστι *fide*, itémque διὰ πίστεως *perfidem*, id nofter dicit *merito fidei*. Et vox *merito* ferè παρέλκει. Vt & in illo cap. XII *Benedictionis merito majorem minori præpofuiffet*, id eft, *benedictione* vel per *benedictionem*. Vide & Notas in cap. 47. Illud *fidei merito* adparet etiam in Dial. II cap. 11.

4. *Terra per undecim tribùs vicitim diftributa eft*] Rectiùs dixiffet *per duodecim tribùs.* Etfi enim Levitis nulla peculiaris portio ceffit, rectè tamen dicitur per duodecim tribûs diftributam fuiffe terram: quia tribus Jofephi divifa fuit in duas, Manaffis & Ephraimi; quibus tantumdem ferè terrarum tributum, quantum duabus aliis tribubus. Jofuæ cap. XIV v. 4 *Filii Jofephi dua tribus, Manaffe & Ephraim.*

E 5   cim

Jof. 13. &c.
Jof. 21.

cim tribûs viritim diftributa eft. Levitis enim in facerdotium adfumtis, nulla portio data, quò liberiùs fervirent Deo. Equidem 5 hoc exemplum non tacitus præterierim, legendúmque miniftris Ecclefiarum libenter ingefferim. Etenim præcepti hujus non folùm immemores, fed etiam ignari mihi videntur. tanta hoc tempore animos eorum habendi cupido veluti tabes inceffit : inhiant poffeffionibus, prædia excolunt, auro incubant, emunt vendúntque, quæftui per omnia ftudent. At fi qui melioris propo- 6 fiti videntur, neque poffidentes, neque negotiantes, quod eft multò turpiùs, fedentes munera expectant, atque omne vitæ decus mercede corruptum habent, dum quafi venalem præferunt fanctitatem. Sed lon- 7 giùs quàm volui egreffus fum, dum me temporum noftrorum piget tædétque. Ad inceptum redeo. Igitur, ut fuprà dixi, divifo per tribûs captivo folo, pace fummâ Hebræi perfruebantur, finitimis bello territis, tot victoriis nobiles armis nemine audente ten-

Avaritia
Epifcoporum tempore Severi.

Jof. 23.
Jof. 24.

Levitis in Sacerdotium adfumtis] Vel vocabulo *facerdotii* omnia Levitarum munera ac minifteria comprehendit, vel non fcripfit id, quod res eft. Nam foli Levitarum pofteri Aaronis propriè facerdotio fungebantur : ceteri his in templo miniftrabant. Suprà cap. XX fimiliter dixit, *Levi tribu in facerdotium fegregatâ.*

tare.

8 iare. Eodem tractu Iesus mortuus est, anno
ætatis decimo & centesimo. De imperii
autem ejus tempore parùm definio. Frequens tamen opinio est, xx & vii annis eum
Hebræis præfuisse. Quod si ita est, à mundi
exordio in excessum ejus anni sunt cIɔ Iɔ
ccc Lxxx & iiii.

1 Iesu mortuo, populus sine duce agebat.
Sed cùm adversus Chananæos bellandum
esset, dux belli Judas adsumtus est.   Hujus
ductu res prosperè gestæ: domi militiæque
summum otium: populus, aut subactis aut
per deditionem acceptis gentibus imperita-
2 bat.   Inde, ut semper fieri secundis rebus
solet, morum disciplinæque immemor, ma-
-trimonia ex victis adsumere, paullatímque
externòs mores trahere, ac mox profano ritu idolis sacrificare, occœpit. Adeò cuncta
cum externis societas perniciosa est. quæ
Deus longè antè prospiciens, salubri Hebræos responso instruxerat, devictas gentes

CAP.
XXIV.
Jud. 1.
Judices
Israëlitici.

---

1. *Dux belli Judas adsumtus est*] More Hebræorum *Judas* pro posteris Judæ, quomodo in ipsis fontibus Jud. I.

Summum otium] Superiore cap. *summa pax*.

2. *Matrimonia ex victis adsumere*] i. e. uxores. Sic
infrà cap. XL *Cùm ex alienigenis conjugia sumsisset.*
Ita *servitia* pro servis: *legationes* pro legatis: *custo-
dia* pro custodibus: *dominatio* pro dominis. Vide
Ind. Freinsh. in Flor. v. *Dominatio*; & Ind. in Nep.
à nobis locuplet: v. *Auxilium.*

ut

ut internecioni darent. Sed plebs cupida_
dominandi, imperare victis cum pernicie
malebat. Igitur cùm, relicto Deo, idola;
colerent, deftituti divino auxilio, à rege
Mesopotamiæ evicti, & subacti, VII annis captivitatem pependerunt: donec Gothoniel duce in libertatem reftituti per quinquaginta annos rerum potiti funt. Rursúm- 4
que corrupti longæ pacis malo, idolis lita-
verunt. Móxque aderat pœna peccantibus.
ab Eglo enim rege Moabitarum devicti, duodeviginti annis fervierunt, donec inftinctu
Dei Adon regem hoftium dolo interemit_,

Jud. 3.

*Othoniel
Judex.*

*Ehud Ju-
dex.*

Internecioni darent] Vt fuprà cap. XVIII *Morti
dabitur, veci dabitur*: & infrà, *letbo dare.*

3. *VII annis captivitatem pependerunt*] Legendum omninò VIII. Ita enim difertè Jud. III, 8. *Captivitatem pendere* eft talis phrafis, qualis *fervitutem
pendere*, quâ infrà cap. XLI ufus eft. Alibi dicit etiam
fervitutis pœnas pendere.

3. *Gothoniel*] Pro *Othoniel* ex Hebræo : עָתְנִיאֵל
idque exemplo Interpretum Græcorum, qui fcripfe-
rant Γοθονιὴλ : quomodo & ex עֲמֹרָה fecerant
Γόμοῤῥα.

Per quinquaginta annos rerum potiti] In fontibus
Jud. III eft *quadraginta.*

4. *Ab Eglo*] Non puto, Auctorem fic fcripfiffe; fed
vel *ab Eglon*, vel *ab Eglom*. Verfio Græca habet
Εγλαὶμ : Latina verò *Eglon*. Solenne autem eft noftro, nomina propria peregrina ἄκλιτα facere.

Adon regem hoftium dolo interfecit] *Adon* fine dubio perperàm fcriptum pro *Aod*. Ipfum illud *Aod*
autem haufit ex verfione vel Græcâ, vel Latinâ, libri
con-

contractóque tumultuario exercitu libertatem armis vindicavit.   Idem per LXXX annos in pace Hebræis præfuit.   Huic Semi- Samgar
gar succeffit: hícque adversùs Allophylos Judex.
congreffus, secundum eventu prælium fe-
5 cit.   Rursúmque Hebræos, sectantes idola, Jud. 4 & 5.
rex Chananæorum Jabin nomine subjuga-
vit, graviffimámque in eos per XX annos dominationem exercuit: donec priftinum Deb- Debora
bora mulier ftatum reddidit.   Adeò nihil Judex.
spei in eorum ducibus erat, ut muliebri auxilio defenderentur.   Quanquam hæc in typum Ecclefiæ forma præmiffa fit, cujus auxilio captivitas eft depulfa.   Sub hâc duce, Jud. 5.
6 vel judice, XL annis Hebræi fuerunt.   Rursúmque ob peccata Madianitis traditi, duro
imperio habebantur, afflictíque malo servi-

Judicum. Verfio Græca habet Αώδ. Et Latina fimiliter *Aod.*   At in Hebræo eft אֵהוּד.

   Adversùs Allophylos congreffus] id eft, adversùs
Philiftæos.   Imitatur rurfus Interpretes Græcos, qui
Philiftæos appellant ἀλλοφύλυς, id eft, alienigenas,
alterius originis homines, vocabulo generis ad fpeciem translato.

   4. *Secundum eventu prælium fecit*] Drufius mavult
secundo eventu : quia obfervavit, alibi noftrum fcripfiffe, *Crebra prælia fecundo eventu habuit* ; &, *fecundo eventu, peremto rege, gentem imperio adjungit.*

   5. *Debbora*] Exemplo Interpretum Græcorum, qui
fcripferunt Δεββῶρα ; quamvis in Hebræo effet
דְּבוֹרָה.

   In typum Ecclefiæ] Quòd, quomodo Debora fœ-
tutis

tutis divinum auxilium imploraverunt. Ita
semper in secundis rebus immemores coele-
stium beneficiorum, idolis supplicabant: in
adversis, Deo.   Vnde cùm reputare in ani- 7
mo soleo, populum tot beneficiis Dei obli-
gatum, tot cladibus cùm peccaret coërci-
tum, expertúmque & misericordiam & seve-
ritatem Dei, nequaquam emendatum; &
cùm semper veniam erroris acciperet, semper peccasse post veniam: nihil mirum videri potest, Christum ab his non esse receptum; cùm jam inde ab initio toties in Domino rebelles deprehendantur : magísque
mirum est, illis semper peccantibus, nunquam Dei, si quando eum imploraverunt,
defuisse clementiam.

**CAP.
XXV.**

**Gideon
Judex.**

Igitur cùm eis, ut supra retulimus, Madia- 1
nitæ dominarentur, conversi ad Dominum,
misericordiam solitam flagitantes, impetraverunt. Erat in Hebræis Gedeon quidam no- 2

---

mina hostis Sisaræ tempora clavo transfixit, eúmque
peremit, ita Ecclesia diabolum victura esset.

   7. *Toties in Domino rebelles deprehendantur*] Mirum, si Severus scripserit *in Domino*; & non potiùs
in Dominum. Est quidem enallage casûum non in-
frequens; sed in talibus tamen vix reperiatur.

   2. *Erat in Hebræis Gedeon quidam nomine*] Elegantiores quoque subinde *in* pro *inter* usurpant. Nepos I, 4. 4 *Domi creati decem pretores : in eis Miltiades.* Item præf. *In ejus virtutibus commemo-
rari.*

mine,

mine, vir juſtus, & carus Domino, acceptúſ-
que. huic angelus de campo meſſis domum
revertenti adſtitit: Dominus, inquit, tecum,
₃potens in virtute. At ille voce humili, non
eſſe in ſeDominum, ingemiſcebat: ſiquidem,
quòd populum captivitas premeret, virtutúmque Domini, qui eos de terra Ægypti
éduxerat, flens recordabatur. Tùm angelus:

Vir juſtus] Vide ſuprà Notas in cap. II & III.

Dominus, inquit, tecum potens in virtute] Legendum fortaſſe, *Et, Dominus, inquit, tecum.* Neque
enim aliter vox *inquit,* cum præcedente verbo *adſtitit* videtur cohærere poſſe. Ceterùm vox *inquit,*
more planè Romano poſita hic adparet; puta poſt
primam vocem orationis, quæ refertur. Ita enim veteres omnes vocem eam uſurparunt, ut in libro de
Latinitate merito ſuſpectâ ampliùs monebimus. Interpres Latinus vetus habet : *Adparuit ei angelus
Domini, & ait, Dominus tecum.* Porro *Dominus tecum* formula ſalutandi eſt Hebræorum more formata,
& verſa quidem ex Hebræis יְהֹוָ֥ה עִמְּךָ quæ
Jud. VI, ₁₁ adparent. Denique illud *potens in virtute*
reſpondet Hebraicis גִּבּוֹר הֶחָיִל ; quæ Interpretes Græci verterunt, ἰσχυρὸς τῶν δυνάμεων: Latinus
autem , *virorum fortiſſime.* Virtus enim hîc, ut
ſæpè, δύναμιν, potentiam, robur ſignificat. Et videtur noſter rurſus ad verſionem Græcam adludere.

3. *Non eſſe in ſe Dominum ingemiſcebat*] Formatum ex illis Jud. VI *Si Dominus nobiscum eſt, cur
adprehenderunt nos hæc omnia.* Ergo illud *in ſe*
eſt pro *ſecum,* vel, *inter ſe.* In verſione Græcâ eſt
μεθ' ἡμῶν.

Virtutum Domini recordabatur] id eſt, potentia-
rum, vel, quæ per potentiam ac robur facta erant, mi-
raculorum.

Vade,

Vade, inquit, in hoc spiritu, quo locutus es, 4
& populum de captivitate eripe. Ille verò
abnuere, se infractis suorum viribus, cùm
ipse minimus esset, tantum onus suscipere.
perstare contrà angelus, ne dubitaret posse
fieri, quæ Dominus loquebatur. Perfe- 5
cto igitur sacrificio, dirutâque arâ, quam
Baalis idolo Madianitæ sacraverant, ad suos
profectus, castra castris hostium contulit.
Sed Madianitis etiam gens Amalech se con-

---

4. *Vade in hoc spiritu, quo locutus es*] Græca habent, Πορεύε ἐν ἰσχύϊ σε ταύτῃ. Et versio Latina similiter: *Vade in hâc fortitudine tuâ.* Noster, quia meminerat, vocem πνεῦμα *spiritus* in sacris literis quandoque & δύναμιν *potentiam* significare, ideò voce *spiritu* hìc usus videtur.

Abnuere, se infractis suorum viribus tantum onus suscipere] Nihil hìc mutandum; nec legendum, ut Hornius putat, *Abnuere, in se, fractis suorum viribus, tantum onus suscipere.* Infractis est pro simplici *fractis*; ut optimi quique eâ voce utuntur: quâ de re in libro de Latinitate merito suspectâ pluribus. Deinde *Abnuit se hoc facere* vel *facturum esse*, insolens videri non debet; cùm dicendum similiter sit *Negat se hoc facere* aut *facturum esse*, neque pronomen *se* abesse hinc possit. Denique *Abnuit se suscipere* pro *Abnuit se suscepturum esse*, sine exemplo dictum itidem videri non debet. Cæsarem memini scripsisse *pollicetur dare* pro *daturum esse.*

Ne dubitaret posse fieri, quæ Dominus loquebatur] Vocibus *Non dubito* non semper voculam *quin*; sed subinde & accusativum cum infinitivo subjici, monuit Gebhardus ad illud Nepotis *Non dubito fore plerosque*, congestis plusculis Auctorum exemplis.

jun-

junxerat. Gedeon verò non ampliùs quàm Jud. 7.
ad triginta & 11 millia exercitum paraverat.
6 Sed priusquam confligeret, Deus ad eum
locutus eſt, nimiam eſſe hanc multitudinem, quam in prælium vellet educere: Hebræos pro ſolitâ perfidiâ eventum pugnæ non
Deo, ſed virtuti ſuæ daturos. itaque daret
volentibus diſcedendi poteſtatem. quod ubi
populo divulgatum, xxx & 11 M à caſtris re-
ceſſerunt. Sed ex x millibus, quæ reſederant, admonitus à Domino, non ampliùs
quàm trecentos tenuit: reliquos ab armis di-
7 miſit. Ita mediâ vigiliâ caſtra hoſtium ingres-

---

5. *Non ampliùs quàm ad triginta & duo millia exercitum paravit*] Sic & paullò pòſt: *Non ampliùs
quàm trecentos. Non ampliùs* eleganter pro *non
plura, non plures.* Vide Ind. in Corn. Nep. à nobis locupletatum. Voculam *ad* malè adjeſtam putat Druſius; quia fuerint ipſa XXXII millia, ut ex Jud. VII,
3 conſtet: vocula *ad* verò idem ſit quod *circiter;*
ut in illo Terentii *Quaſi talenta ad quindecim coëgi.*
Verùm ſciendum, voculam *ad* ſæpè παρέλκειν: ut in
ipſo quoque illo Terentii. Nam non *ad,* ſed *quaſi*
idem ibi eſt quod *circiter.* Sulpicio verò voculam
ad non idem eſſe quod *circiter:* ſed & ipſum ipſa
XXXII millia memorare voluiſſe, id vel ex eo adparet,
quod præmiſit *Non ampliùs.* Simile eſt, quod lib. II
c. 8 dicit, *ferè ad ſeptuaginta erant:* tum voculâ
ferè, tum quoque vocula *ad* redundante. Vide Notas
ad eum locum.

7. *Mediâ vigiliâ caſtra hoſtium ingreſſus*] Jud.
VII, 19 *Ingreſſus eſt Gedeon & trecenti viri, qui erant
cum eo, in partem caſtrorum, incipientibus vigiliis noſtis media.* Ergo vigiliam mediam dixit noſter vi-

F   ſus,

fus, juffis omnibus tubâ canere, magnum
terrorem injecit: neque cuiquam refiftendi
animus fuit, turpi fugâ, quò quisque potuit,
dilapfis.   Sed occurrentibus omni ex parte
Hebræis, paffim fugientes cadunt.   Reges
Gedeon perfecutus ultra Jordanem, com-
prehenfos neci dedit.   Eâ pugnâ centum
& xx m ex hoftibus cæfa, xv capta traduntur.   Tunc confenfu omnium Gedeoni, ut 8
princeps populi effet, delatum.   Quod ille
adfpernatus, communi jure cum civibus vi-

giliam noctis mediæ ; quòd crederet, vigiliam mediæ noctis & mediam effe, quia vigiliæ tantùm tres
effent. Sed funt tamen, quæ & quartam vigiliam
fuiffe arguant. Vide Druf. Obf. lib. X cap. 10.

7. *Centum & XX millia ex hoftibus cæfa, XV capta traduntur*] Non fatis adfecutus eft mentem Hi-
ftorici facri ; qui, cùm centum & viginti millia cæ-
derentur, quindecim millia remanfiffe, cúmque fuis
regibus fervata fuiffe fcribit ; ceterùm non obfcurè
tamen fignificat, ipfa quoque quindecim millia, quæ
ex priore pugnâ remanferant, maximam partem cæfa
fuiffe. Vide modò Jud. VIII, 10. 11. 12.

8. *Vt princeps populi effet*] Voculæ *princeps* fi
eam hîc notionem effe velit, quæ tempore Octavii
Augufti effe cœpit, benè eft. Octavius Auguftus,
ut ex Tacito conftat, cùm reverâ rex effet, potefta-
téque uteretur ἀνυπευθύνῳ, nòn rex tamen, fed princeps dici voluit. Ita factum, ut vocabulo *princeps*
eadem notio fubjiceretur, quæ vocabulo *rex* fubjecta erat : útque vocabulis itidem derivatis *principatus, principalis, principium*, nova notio fubjiceretur. Si igitur, ut dixi, vocem *princeps* hîc quoque
fic accipi velit Severus, benè eft, & verum fcripfit.

vere,

Jud. 8.

vere, quàm præesse suis, maluit. Depulsâ
igitur captivitate, quæ septem annos populum continuerat, pax per XL annos fuit.

1 Sed defuncto Gedeoni, filius ejus Abimelech, ex concubinâ ortus, fratribus interemtis, pessimis quibusque consentienti-
bus, & maximè Sichimorum principibus
2 operam ei navantibus, regnum occupavit.
Isque discordiis civilibus exercitus, cùm
suos bello premeret, turrim quamdam, in
quam se amisso oppido fugientes receperant, expugnare adgressus, dum incautiùs
subit, saxo à muliere ictus periit, cùm trien-
3 nio imperium tenuisset.   Huic successit
Thola, qui duobus & XX annis regno potitus est.   Post hunc Jair fuit, qui cùm æquè
viginti & duos annos principatum obtinuis-
set, populus relicto Domino idolis se man-

CAP.
XXVI,
Jud. 9.
Abimelech
Judex.

Jud. 10.
Thola
Judex.
Jair Judex.

Voluerat populus, Gideonem suum principem, id
est, regem & Dominum esse.   At Gideon jure cum
civibus communi vivere maluit, quàm suis præesse;
ut princeps puta & potestate regiâ.   Interpres Latinus vetus id expressit verbo *dominari*, vertitque *Do-
minare nostri tu & filius tuus*.   Ceterùm vocabulo
princeps, itémque *principatus*, imò & ipso vocabulo
regnum, mox aliâ notione utitur, quòd scribit, *Tho-
lam regno potitum fuisse, & Jairum principatum obtinuisse*.   Fuerunt hi Hebræorum judices. Quales in
sacris מלכים *reges* sanè dicuntur: verùm, ut
Nepos in Agesilao loquitur, *nomine magis quàm imperio*, reges fuerunt.

F 2   cipa-

cipavit. Obque id Ifraëlitæ fubacti funt
ab Allophylis & Ammonitis, duóque de xx
annis fub eorum imperio fuerunt. Quo 4
tempore eis Dominum invocantibus, divinum fcilicet refponfum redditum eft: Simulacra potiùs invocarent, fe non ultrà mifericordiam ingratis præftiturum. At illi flentes culpam fateri, & precari veniam, abje-
ctisque idolis Deum implorantes, negatam
licet mifericordiam impetraverunt. Igitur 5
Jepta duce ad libertatem armis vindicandam
frequentes conveniunt: miffis priùs ad Ammon regem legatis, ut finibus fuis contentus, bello abftineret. At ille prælium non
abnuens, aciem inftruxit. Tùm Jepta
priùs quàm fignum pugnæ daretur, voviffe
dicitur, fi profperè pugnaffet, eum, qui fibi
primus revertenti obvius fuiffet, hoftiam
Deo dandum. Ita victis hoftibus, cùm do- 6
mum rediret, filia ei obviam fit, quæ patrem
exceptura victorem, cum tympanis & choris

Jud. 11.
Jephta
Judex.

---

3. *Ab Allophylis & Ammonitis*] Rurfus *Allophylos* dicit Philiftæos; imitatus, ut monui, Interpretes
Græcos.

5. *Miffis priùs ad Ammon regem legatis*] Editiones vulgò habent *Amon.* Ceterùm pro *Amon* fcri-
beretur faltem *Ammon:* quoniam de rege Ammonitarum agi manifeftum eft. At *Ammon* nondum tamen fufficit: fed legendum ampliùs *Ammonitarum
regem;* vel, ut Drufius putat, *regem filiorum Ammon:*
ut una vox omiffa, alia verò trajecta fit.

læta

læta procefferat.   Tùm Jepta confterna-
tus, dolore confciffis veftibus, indicat filiæ
voi neceffitatem.   At illa, non fœmineâ
cœftantiâ, mori non recufans, duos tantùm
tanen menfes vitæ fpatium petit, ut æquales
fua prius videret.   Quibus actis, ultrò ad
patrem redit, votùmque Domino reddidit.
7 Jepta principatum fex annis tenuit. huic Efe- Jud. 12.
bon fucceffit , & tranquillis rebus exacto Ebzan
imperio, anno feptimo deceffit. Póftque Judex.
                                                Elon Ju-
eum Allon Zabulonites annis x itémque dex.
Abdon annis VIII rerum potiti, pacis tem- Abdon
pore nihil, quod hiftoria loqueretur, edide- Judex.
runt.

1   Rurfum Ifraëlitæ ad idola converfi , di- CAP.
vino deftituti præfidio , fubjecti Allophy- XXVII.

---

6. *Vt æquales fuas prius videret*] Æquales pro his,
qui funt ejusdem ætatis, optimi ævi vocabulum :
& paullò melius quàm , quo etiam Juftinus lib. XXIII
utitur, *coæquales.* Voffius quidem in Indice libri de
Vitiis Latini fermonis fcibit: *Coæqualis barbarè pro
æqualis.* Sed aliquid nimiùm hoc videtur ; cùm non
tantùm Juftinus, ut dixi, fed & Petronius eo vocabulo ufus fit. Hujus in Satyrico verba funt : *Coæ-
quale natalium fuorum finciput illud totidem habere
annos, quot ipfa vetula.* Illud tamen verum eft, fim-
plex *æquales*, quo nofter ufus eft, effe melius. hoc
quippe Cicero, Nepos, aliíque antiquiores perpetuò
ufi deprehenduntur. Cicero Bruto: *Memoriæ proditum eft, poëtas nobiles poëtarum æqualium morte do-
luiffe.* Nepos Attico: *Soror, quam propè æqualem
habebat.*

F 3

                                                lis,

Jud. 13.
Samson
Judex.

Jud. 14.

Jud. 15.

lis, per XL captivitatis annos pœnas perfidiæ pependerunt. Eâ tempeſtate Samſon 2
natus traditur. Hujus mater diu ſteris,
angelum vidit : dictúmque ei eſt, vino &
ſicerâ atque immundis abſtineret : fore, uti
puerum ederet libertatis vindicem & hoſtium ultorem. Ita mulier enixa puerum,
Samſon nomen ei indidit. Is intonſo ca- 3
pite, miræ virtutis traditur : adeò ut leonem,
in viâ obvium, manu diſcerperet. Vxorem
ex Allophylis habuit : quæ cùm abſente
viro in alterius matrimonium conveniſſet,
dolore ereptæ conjugis perniciem genti molitus eſt : fretus Domino , & viribus, palàm
victores clade afficiebat. ecc ſiquidem vulpi-
bus captis, ardentes lampades earum inliga-
vit caudis, atque eas agris hoſtium immiſit.

---

2. *Vino & ſicerâ atque immundis abſtineret*] Jud.
XIII, 4 *Cave, ne bibas vinum ac ſiceram, nec immun-
dum quicquam comedas.* Retinet ergo tam Interpres
vetus libri Judicum, quàm noſter Severus vocem Hebræam שכר ; ſed leviter tamen, ut fieri ſolet, im-
mutatam, novâque adfectam terminatione. In verſione Græcâ hodie legitur, Μὴ πίῃς οἶνον καὶ μέθυσ-
μα. Ex quo adparet, voce שכר Interpretes credidiſſe ſignificari, quicquid potentiam inebriandi habet.
In quam ſententiam plurimi quoque veterum ſcripſerunt. Hieronymus in lib. de Nom. Hebr. *Omne,
quod inebriare poteſt, apud Hebræos ſicera dicitur.*
Idem in epiſt. ad Nepotianum : *Sicera Ebræo ſermone
omnis potio adpellatur, quæ inebriare poteſt, ſive illa
quæ frumento conficitur, ſive pomorum ſucco, aut cum*

At

At tùm fortè maturis meſſibus, facile incendium fuit, vineæque & olivarum arbores ex-
4 uſtæ. Grandi Allophylorum exitio abreptæ
uxoris injuriam ultus videbatur.   Quo dolore Allophyli permoti, mulierem tanti mali
cauſam cum domo & patre incendio con-
ſumſerunt. Sed Samſon parùm ſe vindica-

ſavi decoquuntur in dulcem & barbaram potionem,
aut palmarum fruΕlus exprimuntur in liquorem, co-
Εliſque frugibus aqua coliratur.   Ita vinum ſiceræ
ſpecies fuerit: cúmque primaria ſpecies poſita eſſet,
ipſum quoque genus ſubjiceretur.   Mirum autem,
quod non & verſio Græca ipſam vocem Hebræam
babet.   Sanè alibi in eâ verſione ipſa illa ſervata eſt.
Vt Eſ. XXIV, 9 Πικρὸν ἐγένετο τὸ σίκερα τοῖς πίνυσι.
Et ſimiliter S. Lucas in cap. I Evangelii ſervavit, cùm
ſcripſit, Οἶνον καὶ σίκερα ου μὴ πίη.

3. *Maturis meſſibus*] Pro *maturis frugibus*. Ovid.
VIII Metam. *Gravidis onerati meſſibus agri*. Virgilius I Georg. *Illius immenſæ ruperunt horrea meſ-*
ſes. Nei Poëtæ tantùm, ſed & Hiſtorici vocem ita
uſurpan:.   Juſtinus lib. XXIV cap. 7 *Prohibiti*
agreſtes oraculis feruntur, meſſes, vináque, villis ef-
ferre.

Olivarum arbores] Vt *arbor palma, herba lapathi,*
metallum auri : nomine generis juncto nomini ſpeciei. Qſâ formâ & noſter ſuprà dixit *cibus manna.*

4. *Abreptæ uxoris injuriam ultus*]. Injuriam, ńon
quam feiſſet uxor, ſed quam accepiſſet. Sic Nepos
IX, 5. 1 *Cùm ultum ſe injurias patriæ putaret.* Vbi
injuriæ patriæ ſunt, quas patria ipſius Athenæ acce-
perant. Ceterùm *injuria patriæ* dicitur & illa, quam
patria feit.   Nimirum caſûs genitivi vis non eadem
ſemper et; ſed modò cauſam efficientem, modò objectum ndat.

Parùm ſe vindicatum ratus] Dicitur ſane non

F 4

tum

tum ratus, urgere omnibus incommodis
profanam gentem non deſinebat. Tùm com- 5
pulſi Judæi, vinctum eum Allophylis tradi-
derunt.   Sed traditus, ruptis vinculis, ádre-
pto oſſe aſini, quod caſus telum dederat,
mille ex hoſtibus proſtravit.   Ingraveſcen-
te autem æſtu, cùm ſiti adfectus eſſet, invocato Domino, ex oſſe, quod manu tenebat,
aqua fluxit.

CAP.
XXVIII.
Jud. 16:

Eâ tempeſtate Samſon Hebræis præerat, 1
Allophylis unius virtute domitis.   Igitur
inſidiantes vitæ ejus, nec palàm eum tentare
audentes, uxorem ejus, quam ille poſteà ac-

tantùm *ulciſci alium*, ſed & *ulciſci ſe*. Ovidius lib. II
de remed. am. *Parce queri : melius ſic te ulciſcere ta-*
cendo. Plinius lib. VIII ep. 7 *Nihil liberiùs interim*
ex meis miſſurus ſum tibi, in quo te ulciſcaris. Pari
modo non dubium, quin dixerint *vindicare ſe.* Et
manifeſtum hujus quoque exemplum eſt in oratione
Ciceronis pro Dejotaro, ſi quidem vulgata ſctio ſit
genuina. *Qui poſſet*, inquit, *de abſente ſe vindicare.*
Porrò quia dicunt, *Ille vindicat ſe de aliqui:* Dici
item poteſt, *Ille vindicatus eſt de aliquo*, à ſepſo ſcilicet. Hâc formâ igitur dicit noſter, *Parùm ſe vindi-*
catum ratus : ubi ſubaudiendum, *à ſeipſo te Phili-*
ſteis. Vindicatus fuit Simſon, & quidem ſeipſo,
dum ipſe ſe vindicavit, & quidem de Philiſteis.

5. *Adrepto oſſe aſini*] Genus poſuit pro ſpecie. In
textu originali eſt, maxillam fuiſſe.

Quod caſus telum dederat] Vocabulo *telum* commodè uſus eſt pro quovis inſtrumento, quo quis defendit
ſe, aliíque damnum dat.

cepe-

ceperat, pecuniâ corrumpunt, virtutem viri
2 uti proderet.   Illa eum blandimento muliebri adgreſſa, diu eludentem, & multùm
cunctantem perpulit, ut indicaret, in crini-
3 bus capitis virtutem ſuam ſubſiſtere.   Mox
dormienti inſidiata, crinem ejus abſtulit,
atque ita eum Allophylis tradidit.   Nam
ſæpè priùs traditum, comprehendere nequi-
verant.   Tùm illi effoſſis oculis, vinctum
4 compedibus in carcerem conjecerunt.   Sed
ſpatio temporis acciſus crinis creſcere, &
cum eis virtus redire occœperat. Jámque
Samſon conſcius recepti roboris, tempus
5 modò juſtæ ultionis operiebatur.   Erat Allophylis moris, cùm dies feſtos agerent,
Samſon quaſi in pompam publicam producere, capto inſultantes.   Ita die quodam,
cùm publicum epulum in honorem idoli dediſſent, Samſon exhiberi jubent.   Templum autem, in quo omnis populus, omnésque Allophylorum principes epulabantur,

---

1. *Virtutem viri uti proderet*] *Virtus* pro potentia,
robore, ut ſæpè.   Sic paullò pôſt, *In crinibus capitis
virtutem ſuam ſubſiſtere.*   Item, *Cum crinibus virtus
redire occœperat.*   Mox deinde ipſo vocabulo *robur*
utitur, dicitque *conſcius recepti roboris.*

4. *Acciſus crinis creſcere*] Manifeſtum ſphalma eſt
in editione tum Leidenſi, tum Amſtelodamenſi, *Ac-
ciſos crines creſcere:* quod & jam ante editio Colonienſis habuerat.

F 5

dya-

duabus subnixum columnis miræ magnitudinis erat. Productus Samson, inter co- 6
lumnas statuitur. Tùm ille tempore adrepto, invocato priùs Domino, columnas dis-
jecit: turbáque omnis ruinâ domûs obruta,
ipse cum hostibus non inultus occubuit,
cùm xx annis Hebræis præfuisset. Huic 7
Simmichár successit, de quo nihil ampliùs
Scriptura prodidit. nam neque finem imperii ejus reperi, & fuisse populum sine duce
invenio. Ideò cùm adversùs Benjamin tribum civile bellum fuit, Judas temporarius
dux belli adsumtus est. Sed plerique, qui
de temporibus scripserunt, annum unum
imperio ejus adnotaverunt. Plerique ita 8
eum præterierunt, ut post Samson Heli sacerdotem subjunxerint: nos eam rem, ut parùm compertam, in medio relinquemus.

CAP. XXIX.

Per hæc tempora civile, ut diximus, bel- 1

---

7. *Huic Simmichár successit*] Scripsisse videtur *Semigar*. Ita enim suprà legitur; & infrà quoque in
cap. proximo. *Cùm,* inquit, *post Samson judicem Semigar fuerit.* Estque Semigar ex Hebræo סַמְגַּר.
Mirum autem, cur Simsoni Severus subjiciat Simga-
rem, cùm ipsæ sacræ litteræ id non faciant. Memo-
rant quidem illæ Judicum aliquem nomine Simga-
rem; sed hunc non Simsoni, sed Ehudo subjiciunt.
Vid. Jud. III, 31.

Judas temporarius dux belli adsumtus est] *Judas*
pro tribu Judæ, Hebræorum more, qui solo nomine
auctoris familiæ familiam ipsam significant. *Tempo-*
lum

lum exarferat. Caufa autem motûs hæc Jud. 19.
2 fuit. Levites quidam cum concubinâ iter Bellum
faciens, urgente noĉte compulſus in oppido civile in
Gabaa, quod ab Benjamitis incolebatur, ſe- Benjamitas.
ceſſerat. Cùm eum ſenex quidam hôſpitio
benignè recepiſſet, juvenes ex oppido hoſpi-
tem circumſiſtunt, ſtupro eum ſubdere pa-
3 rantes. Multùm à ſene increpiti, ægréque
exhortati, vicario demum concubinæ ejus
corpore in ludibrium accepto, advenæ pepercerunt: inlusámque noĉte totâ, poſtero
die reddiderunt. Sed illa [ſtupri injuriâ, an
verecundiâ, parùm definio] viſo viro ani-
4 mam efflavit. Tùm Levita in teſtimonium

---

rarius pro eo, qui non in perpetuum, ſed ad tempus
adhibetur. Pari ratione Apulejus *ſedem tempora-*
riam, & *Cantum temporarium* dixit; videlicet ad tempus durantem: uti Scioppius in Judicio de Stylo
hiſt. p. 188 monet. Quòd autem Nepos in Attico
temporariam liberalitatem, & Seneca ep. IX *tempo-*
rariam amicitiam dixit, paullò diverſa vocabuli notio eſt: notatúrque liberalitas & amicitia talis, quæ
ſit & colitur *temporis cauſsâ*, ut phraſi Nepotis utar.
Vide & Ind. in Nep. à nobis locupletatum.

3. *Ægrè exhortati*] Legendum ſine dubio *exôrati*,
uti Sigonius monuit.

Stupri injuriâ, an verecundiâ, parùm definio]
Ita reĉtè editio Colonienſis. At perperàm cum Lei-
denſis, tum Amſtelodamenſis, *verecundie*.

Viſo viro animam efflavit] Μνημονικὸν ἁμάρτημα
Auĉtoris. Origenes habent, cùm Levita manè oſtium
aperuit, concubinam eis ante oſtium jacuiſſe ſparſis
in limine manibus; cúmque hortatus eam fuerit, ut

diri

diri facinoris, membra ejus in duodecim dis-
cissa partes, per duodecim tribûs misit, quò
promtiùs omnes facti invidia commoveret.
Quod ubi omnibus compertum, undecim 5
reliquæ tribûs adversùs Benjamin in bellum
conspirant. Huic bello Judas, ut diximus,
dux fuit. Sed duobus præliis malè pugnatum : tertio demum Benjamitæ victi,
cæsíque ad internecionem. Ita paucorum
scelus, publico exitio punitum. Hæc quo-

Jud. 20 & 21.

surgeret, nihil eam respondisse, quòd jàm esset mor-
tua. Vide Jud. XIX, 27. 28. Ergo non viso viro demum ; sed antè quàm videre eum potuit, animam ef-
flâsse intelligitur.

4. *Quò promtiùs omnes facti invidia commoveret*]
Invidia pro odio, optimis quibusque frequentatum.
Nepos X, 4. 21 *Id cùm factum multi indignarentur,
magnæque esset invidiæ tyranno.* Cicero, *facere, pa-
rare, alicui invidiam*, id est, odium. Vide Indicem
Nizolii.

5. *Vndecim reliquæ tribûs adversùs Benjamin*] Aut
Benjamin dicitur pro tribu Benjamin, ut suprà *Judas*
pro tribu Judæ ; aut ad vocem *Benjamin* vox *tribum*
subaudienda. Superiore capite dixit plenè, *Adversùs
Benjamin tribum* ; ut *Benjamin*, quomodo & alia nomina Hebraica, ἄκλιτον sit ; ceterùm vim casûs secundi habeat.

Malè pugnatum] Id est, infeliciter. Justinus lib.
XXXII *Cùm adversùs Bastarnas malè pugnassent.*
Nepos pro eo dicit *malè rem gerere.* Vide Indicem
v. *Malè.* Valerius Maximus dicit *infeliciter pugnare.*

Cæsíque ad internecionem] Nepos XVIII, 3. 1 *Bella
ad internecionem gesta.* Noster suprà cap. 23 *Cæsa ad
internecionem multa hostium millia.*

Paucorum scelus publico exitio punitum] *Publicum*
que

6 que Judicum volumine continentur. Regum libri sequentur.   Sed mihi annorum ordinem & seriem temporum persequenti, pa-
7 rùm continuata videtur historia.   Nam cùm post Samson Judicem Semigar fuerit, paullóque pòst historia consignet, populum sine Judicibus egisse; Heli etiam sacerdos libris regnorum fuisse referatur: sed cùm, quot anni inter Heli & Samson fuerint, minimè Scriptura prodiderit: video, medii quiddam
8 fuisse temporis, quod laboret ambiguo. Ceterùm à die mortis Jesu, usque in id tem-

---

vocat, quod est omnis populi, & ad omnem populum redundat: ídque vi originis, & exemplo optimorum quorumque.   Nam *publicum* manifestè dictum quasi *populicum.* Nepos XXV, 2. 4 *Sepè suis opibus inopiam eorum publicam levavit.* Vbi *inopia publica* est, quæ est totius populi.   Pari modo II, 2. 2 *publica pecunia.* Sic & *publicè ali*, *efferre*, *sepelire* Nepoti est nomine & sumtu omnis populi & totius civitatis talia fieri. Vide Indicem in Nep.

7. *Heli etiam sacerdos libris regnorum fuisse referatur*] Ad vocem *fuisse* subaudiendum *judex* vel *inter judices.*

Libris regnorum] Antea dixerat *Regum libri.* Sed nunc imitatur Interpretes Græcos, qui libros βασιλειῶν *regnorum* dicunt, eóque numero libros quoque Samuelis comprehendunt.   Hieronymus quoque lib. II ad Ruff. c. 7 *In libris quoque Samuelis & Malachim, quos nos regnorum quatuor nominamus.* Alibi tamen fatetur, rectiùs *libros Regum* dici.

Sed cùm, quot anni inter Heli & Samsonem fuerint, minimè Scriptura prodiderit] Vocula *cùm* non otiosa quidem hîc est; sed ab ipso Auctore tamen

pus,

pus, quo Samſon defunctus eſt, numerantur .
anni cccc & ix. Amundi autem exordio anni
IV, ccc & iii. Quamquam ab hâc ſupputa-
tione noſtrâ ceteros discordare , non ne-
ſciam.   Sed mihi conſcius ſum, me non in- 9
curioſè latentem annorum ordinem protu-
liſſe, donec in hæc tempora incidi, de
quibus dubitare me fateor. nunc reliqua ex-
ſequar.

CAP.
XXX.
Jud. 21
Heli.
1 Reg. 1
& ſeqq.

Igitur, ut ſuprà retuli, Hebræi ſine judice 1
aut duce ullo, proprio arbitrio agebantur.
Heli ſacerdos erat : ſub hoc Samuel natus
eſt.   Huic pater Elchana, mater Anna. hæc 2
diu ſterilis, cùm conceptum à Deo peteret,
voviſſe traditur , ſi puer naſceretur, ſacran-

---

adjecta non videtur, quòd jam initio periodi poſita
ea eſſet. *Scripturam* κατ' ἐξοχὴν vocat, quæ ſacra,
& canonica eſt ; imitatione Pauli, ipſiúsque Chriſti.
Ad *prodiderit* ſubaudiendum *memoriæ*. Dicunt enim
plenè *prodere memoriæ* pro *ſcribere, in hiſtoriam conferre* ; & deinde per ellipſin *prodere*. Nepos VII, 1. 1
Omnes qui de eo memoriæ prodiderunt. Cicero Orat.
Sermonem Craſſi memoriæ prodamus. Idem I in Verr.
Quod eſt proditum memoriæ & litteris. In quo proximo & vocem *litteris* adjicit. Rurſus in Tuſc. Qq.
omiſſo utroque, *Cujus ne nomen quidem proditum eſt.*

1. *Hebræi ſine judice aut duce ullo proprio arbitrio
agebantur*] Ita habent editiones. Verùm legendum
ſine dubio *agebant*, voce formæ activæ. Sanè eâ formâ in capite ſuperiore ſcripſit, *populum ſine judicibus
egiſſe.* Accedit quòd in hoc capite repetit, quæ in
ſuperiore jam dixerat. Addit enim, *Vt ſuprà retuli.*

dum

dum Domino.   Ita enixum puerum, Heli
sacerdoti tradidit.   Mox cùm adolevisset,
3 Dominus ad eum locutus est.   Heli sacerdoti iram denunciat, ob vitam filiorum, qui
sacerdotium patris in quaestum verterant_,
munera à sacrificantibus exigentes, quamquam plerumque eos pater increpâsse referatur.   Sed levior objurgatio non satisfecerat
4 disciplinae.   Igitur Allophylis, in Judaeam inruentibus, obviam itum.   Sed victi Hebraei,
parant aciem restituere: arcam Domini secum in pugnam efferunt, & cum eâ filii sacerdotis prodeunt: quia ipse annis gravior
luminibus obductis satisfacere officio nequi-
5 verat.   Sed ubi arca in conspectum hostium
deducta est, majestate quâdam praesentis Domini territi, fugam parabant. Adsumtâque

---

Subaudiendum autem utrobíque *vitam*. Atque ita
Auctores optimi quique loquuntur.

2. *Sacrandum Domino*] Subaudi *esse*. Et *sacrandum esse* scribit pro *sacratum iri*. Quâ formâ loquendi saepè usus est suprà; & saepè itidem infrà.

Enixum puerum] Non sine exemplo est, quòd participio temporis praeteriti à verbo deponenti derivato usus est significatione passivâ. passim enim in
Auctoribus talia occurrunt. Justinus lib. VII cap. 6
Alia [bella] *interpositâ pactione componit, alia redi-
mit, facilimis quibusque adgressis.* Item lib. VIII c. 5
*Pactio ejus fidei fuit, cujus anteà fuerat deprecati belli
promissio.*

5. *Majestate quâdam praesentis Domini territi*]
1. Sam. IV, 6. 7 *Et cognoverunt, quòd arca Domini ve-*
rur-

rursum constantiâ, & non sine Domino mutatis animis, totis viribus concurrunt. Victi Hebræi: arca capitur: filii sacerdotis cadunt. Heli, delato ad se mali nuncio, consternatus, ó animam exspiravit, cùm per annos xx sacerdotium administrâsset.

Arca fœderis capta.

Victores secundo prælio Allophyli, arcam Dei, quæ in potestatem venerat eorum, oppido Azoto, in templum Dagon intule-

CAP. XXXI.
1 Reg. 5.

-uisset in castra. *Timuerúntque Philistim dicentes, Venit Deus in castra. Ergo ipsam arcam Deum vocârunt.* Prudentius quoque arcam *Deum circumvagum* vocat.

6. *Animam exspiravit*] Quod per ellipsin dicitur *exspirare,* id noster plenè dixit *exspirare animam;* ut suprà *efflare animam.* Sic & Virgilius lib. III Æn. At Livius lib. II per ellipsin, *Inter primam curationem exspiravit.* Et Plinius in Paneg. per metaphoram, *Exspiravit libertas.*

Cùm per annos XX sacerdotium administrâsset] Secutus est codices Græcos, qui, ut Eusebius in Chronicis auctor est, habuerunt, εἴκοσιν ἔτη: quomodo & editio Romana, & hanc secuta Anglicana, habet, 1 Sam. IV, 18. Verùm fontes Hebræi habent *quadraginta.* Deinde non à fontibus tantùm, sed & ab ipsa versione Græcâ discrepat nonnihil noster, quòd Heli per annos viginti sacerdotium administrâsse scribit, de munere judicis autem, quo idem functus est, nihil addit; cùm textus Hebr. habeat, annis quadraginta, versio Græca autem annis viginti ipsum Israëlitas judicâsse.

1. *Allophyli arcam Dei, quæ in potestatem venerat eorum, oppido Azoto, in templum Dagon intulerunt*] Editio Coloniensis, quam & Leidensis, itémque Amstelodamensis, sequitur, *Eorum oppido Azoto.* Verùm

runt.

2 runt.   Sed fimulacrum dæmoni dicatum,
ubi arca inlata eft, conruit.   Quûmque idolum loco reftituiffent, nocte infecutâ difcer-
ptum eft.   Inde mures per omnem regionem exorti, noxiis morfibus multa homi-
3 num millia letho dabant. Quo malo compulfi Azotii, ad declinandam calamitatem,
arcam Dei ad Gethæos transtulerunt.   Qui
cùm fimili clade adficerentur, in oppidum
Afcalonenfium arcam transvexerunt.   His

manifeftè adparet, aliter diftinguendum effe, & *eorum* pertinere ad *poteftatem*. Si enim ad *oppido* per-
tineret, dicendum potiùs effet, *oppido fuo Azoto intulerunt*. Non ignotum eft quidem, pronomina de-
monftrativa & reciproca quandoque permutari ; verùm hîc quoque ita factum effe, nihil opus eft ftatuere, cùm *eorum* ad *poteftatem* referri neceffum fit.
Certè vocabulo *poteftatem* neceffe eft adjectum effe
vocabulum fecundi casûs ; ut intelligatur, in quorum poteftatem arca venerit. Nam quod venit in
poteftatem, id in poteftatem venit alicujus.

2. *Inde mures per omnem regionem exorti*] Haufit ex verfione Græcâ, aut quæ ex hâc expreffa effet,
Latinâ. Verfio Græca 1 Sam. V, 6 Καὶ μέσον τῆς
χώρας αὐτῆς ἀνεφύησαν μύες. καὶ ἐγένετο σύγχυσις
θανάτῳ μεγάλῃ ἐν τῇ πόλει. Et fimiliter verfio Latina vetus : *Ebullierunt villæ & agri in medio regionis illius, & nati funt mures, & facta eft confufio mortis magna in civitate.* Quibus omnibus in textu Hebræo nihil refpondens adparet.

Letho dabant] Sic fuprà *morti dare, neci dare,
internecioni dare.*

3. *In oppidum Afcalonenfium arcam transvexerunt*] Secutus eft rurfus Interpretes Græcos, qui

G

vero,

1 Reg. 6.

verò, advocatis gentis ejus primoribus, consilium fuit, arcam Domini Hebræis reddere.
Ita ex sententiâ principum, augurúmque &
sacerdotum, impositâ vehiculo, multis cum
muneribus remittitur. Illud mirabile, quòd, 4
cùm oneri boves feminas subjecissent, vitu-
lósque earum domi retinuissent, iter nullo
duce in Judæam pecudes direxerunt, non re-
vocante adfectu fœtûs relicti. Cujus rei
miraculo reguli Allophylorum usque in fines Hebræorum arcam secuti, religiosum officium præstiterunt.   Judæi autem, ubi re- 5
ferri arcam viderunt, certatim ex oppido
Bethsamis cum gaudio obviam ruere, festi-
nare, exsultare, grates Domino referre. Mox
Levitæ, quorum hoc negotium erat, sacrificium Deo celebrant: bovésque eas, quæ
arcam adduxerant, immolant. Sed in op- 6
pido, quod suprà diximus, teneri arca non
potuit. Itaque passim Dei nutu per totam

1 Reg. 7.

urbem sævitum. Arca in Cariathiarim oppidum translata est, ibíque per viginti annos
fuit.

---

1 Sam. V, 10 habent, εἰς Ἀυκάλωνα. At in textu Hebræo alia Philistæorum urbs, & quidem *Ekron*, nominatur.

5. *Grates Domino referre*] *Grates referre* nihil amplius hîc est, quàm *grates aut gratias agere*. Apud alios
autem *gratiam referre*, ut notum, aliquid amplius est.

Levitæ, quorum hoc negotium erat, sacrificium

E â

1 Eâ tempeſtate Samuel ſacerdos Hebræis præerat : quietis à bello rebus populus in otio degebat. Pax deinde Allophylorum inruptione turbata, trepidantibus cunctis ob 2 conſcientiam peccati. Samuel, cæsâ priùs hoſtiâ, Domino fretus, ſuos in prælium deduxit : primóque impetu fuſis hoſtibus, vi-3ctoria penes Hebræos ſtetit. Sed hoſtili metu remoto, ſecundis tranquillisque rebus, conruptis conſiliis, more vulgi, cui præſentia faſtidio, inſueta deſiderio ſunt, regium nomen, cunctis ferè liberis gentibus ſemper inviſum, populus deſiderabat, planéque non ſine exemplo amentiæ præopta-4bat libertatem ſervitio mutare. Igitur fre-

CAP.
XXXII.
Samuel.

Judicum
ſtatus mu-
tatus in re-
gium.

Reg. 8.

Deo celebrant] Vt ſuprà vocabulis *ſacerdos* & *ſacerdotium* non ſatis rectè utebatur, quòd omnes Levitas, id eſt, Levi poſteros, ſacerdotes vocabat : ita hîc quoque halluncinatus vidétur, quòd Levitarum in univerſum hoc munus fuiſſe putat, ut ſacrificium celebrarent.

1. *Samuel ſacerdos*] Levita fuit, non ſacerdos. Ita diſertè & Hieronymus lib. I contr. Helvid. c. 13 *Noſcendum, quòd Samuel Levita, non ſacerdos, non pontifex fuerit.*

3. *Non ſine exemplo amentiæ*] adeò ut inſigne exemplum amentiæ hoc eſſet.

Præoptabat libertatem ſervitio mutare] Nepos XXV, 12. 1 *Præoptaret equitis Romani filiam generoſarum nuptiis.* Vbi conſtructio talis, *præoptare aliquid alicui.* Sed & cum infinitivo conſtruunt, ut noſter. Plautus Capt. III, 5. 30 *Meúmque potiùs me caput periculo præoptaviſſe, quàm is periret, ponere.*

G 2   quen-

quentes Samuelem circumfiftunt, ut, quia_
jam ipfe fenuiffet, regem eis conftitueret.
At ille placidè, falubri oratione ab infanâ vo- 5
luntate detorquere plebem: dominationem
regiam & fuperba imperia exponere, libertatem extollere: fervitutem deteftari; poftremò, divinam eis iram denunciare, fiquidem homines mente conrupti, Deum regem
habentes, regem fibi ex hominibus flagita-
rent.   His atque aliis iftiusmodi fruftrâ di- 6
ctis, cùm populus in fententiâ perfevera-
ret, Dominum confulit.   Qui permotus ve-
cordiâ infanæ gentis, nihil adversùm fe petentibus negandum refpondit.

Juftinus lib. VIII c. 4 *Vt perire ipfi, quàm non perdere*
eos præoptarent.

4. *Quia jam ipfe fenuiffet*] Adlegarunt & aliam
caufam; & hanc quidem, quòd filii Samuelis diffimi-
les effent patris. Vide 1 Sam. VIII, 5. Imò & tertiam
caufam adlegârunt; quòd fcilicet omnes ceteræ gentes Reges haberent: ut ex eodem loco, & ampliùs ex
verf. 20 ejusdem capitis adparet.

5. *Servitutem deteftari*] *Deteftari* fignificat hîc aliquid, quod fit verbis; nimirùm verbis exponere &
docere, quàm mifera & execranda res fit fervitus. Sic
& *miferari* non tantùm adfectionem aliquam animi
fignificat, fed & verbis uti, quibus adfectionem illam
animi prodas. Salluftius B. Jugurth. *Eos multa pol-*
licendo ac miferando cafum fuum confirmat. Juftinus lib. VIII *Nunc fuam, nunc filiorum vicem mife-*
rantes.

Deum regem habentes, regem fibi ex hominibus fla-
gitarent] 1 Sam. XII, 2 *Videntes autem, quòd Nabas,*
                                                      Igi-

1 Igitur Saul facerdotali priùs à Samuele
unguento perfufus, rex conftitutus eft. Hic
ex tribu Benjamin, Cis patre ortus, mode-
ftus animi, formâ excellenti erat: ut meritò
dignitas corporis dignitati regiæ conveni-
2 ret.   Sed principio regni hujus aliquanta-
ab eo pars populi defciverat, parere imperio
abnuens, feque Ammonitis conjunxerat-.
Verùm hos Saul impigrè ultus eft: victíque
3 hoftes, & venia Hebræis data.   Tùm Saul
iteratò à Samuele unctus traditur.   Inde
Allophylorum inruptione atrox bellum exortum : locum exercitui ad conveniendum
4 Saul in Galgalis conftituerat.   Et quùm per
feptem dies Samuelem opperitus effet, ut fa-
crificium Domino fieret : tardante illo, quùm
populus dilaberetur , inlicitâ præfumtione
rex ad vicem facerdotis holocauftum obtu-

CAP.
XXXIII.
1 Reg. 9,
& 10.
Saul Rex.

1 Reg. 13.

---

rex filiorum Ammon , veniffet adversùm vos, dixifti
mihi, Nequaquam, fed rex imperabit nobis : cùm Dominus Deus vefter regnaret in vobis.   Itéta cap. VIII
v.7 Non te abjecerunt, fed me, ne regnem fuper eos. De
Θευκρατεια iftâ, quam Jofephus vocat, pluribus in Dif-
fertatione de Synedriis Hebræorum egimus.

Inlicitâ præfumtione holocauftum obtulit] Vocabuli præfumtio alia hîc eft notio, quàm apud antiquiores.   His quidem præfumtio actus erat ante aliquid
capiendi.   Quâ notione nofter quoque fuprà cap.
XVI fcribit, Sexto tamen die duplum præfumerent.
Deinde per metaphoram dicebatur de animo. Plinius
lib. IX ep. 3 Alius alium, ego beatiffimum exiftimo,
qui bona manfuræque fama præfumtione perfruitur.

G 3

lit:

lit; multúmque à Samuele increpitus, serâ
peccatum pœnitentiâ fatebatur. Igitur ex 5
peccato regis metus omnem exercitum pervaserat. Castra hostium haud longè sita,
præsens periculum ostendebant: neque cuiquam exeundi in prælium animus: plures
lacrimas & latebras petiverant. Nam præter imbecillitatem animorum, qui alienum
à se Dominum delicto regis arbitrabantur,
in maximâ ferramentorum inopiâ exercitus
erat: adeò ut præter Saul & Jonathan filium
ejus, nemo gladium aut lanceam habuisse
tradatur. Nam Allophyli superiore bello
victores usum Hebræis ademerant, neque

Subinde & vocem *animo* diserte addunt, dicúntque
animo præsumere. At posterioribus seculis voces
præsumere & præsumtio, cœperunt significare audaciam, confidentiam, insolentiam. Concilium Aga-
thense Can. XV *Statuimus, ut civitatenses sive diœce-
sani presbyteri vel clerici, salvo jure ecclesiæ, rem ecclesiæ, sicut permiserint episcopi, teneant, vendere autem aut donare penitùs non præsumant.* Et Can. 23
*Clericum nullus præsumat apud secularem judicem Epi-
scopo non permittente pulsare.*

5. *Plures lacrymas & latebras petiverant*] Drusus
legendum censet *lacunas vel lacus,* & *latebras* : quia
versio Græca habet, Καὶ ἐκρύβη ὁ λαὸς ἐν τοῖς σπη-
λαίοις, καὶ ἐν τοῖς μάνδροις, καὶ ἐν τοῖς πέτραις, καὶ
ἐν τοῖς βόθροις, καὶ ἐν τοῖς λάκκοις; Lexicon vetus
autem habeat, Βόθρος *fossa, fovea, lacuna* : λάκκος,
lacuna, lacus, cisterna. Sanè supra cap. X dicit *in
lacum demissus.*

Vsum Hebræis ademerant] Excidit sine dubio vox
cui-

cuiquam conficiendi teli bellici, aut rustici Jonathan
6 ferramenti, potestas fuerat.   Igitur Jonatha 1 Reg. 14.
audaci consilio, solo armigero suo comite,
castra hostium ingressus, viginti ferè ex hostibus interemtis, universum exercitum ter-
7 rore perculerat.   Tùm verò nutu Dei in fugam versi, non imperia exsequi, non ordines
observare, omne præsidium in pedibus habere.   Quod ubi Saul animadvertit, suis pro-
però eductis fugientes persecutus, victoriâ
8 potitus est.   Eo die rex edixisse traditur, ne
quis nisi confectis hostibus, cibum caperet.
Sed Jonatha interdictionis ejus inscius, favo

---

armorum aut similis. Quòd autem usum armorum
Philistæi Hebræis ademerint, quódque, ut porrò dicit, nemini Hebræorum teli aut ferramenti rustici
conficiendi potestas fuerit, id conligit ex verbis S.
Scripturæ istis 1 Sam. XIII, 19 *Faber ferrarius non in-*
veniebatur in omni terrâ Israël. Caverant enim Phi-
listim, ne fortè facerent Hebræi gladium aut lanceam.
Descendebat ergò omnis Israël ad Philistim, ut ex-
acueret quisque vomerem &c. Adparet, fuisse id inter
conditiones pacis, quas Hebræis Philistæi tulerant,
ut nulli inter Hebræos fabri ferrarii essent, qui quidem artem illam facerent.

7. *Non ordines observare*] Alii dicunt *ordines*
servare. Et fortassè noster quoque ita scripserat.

Omne præsidium in pedibus habere] *Præsidium*
per metaphoram pro auxilio. Et *præsidium in pedi-*
bus habere eleganter pro *conferre se in pedes, dare se*
in fugam.

8. *Jonatha interdictionis ejus inscius*] Legerim potiùs hîc & paullò antè, *Jonathon:* quòd videam, In-

                         reper-

reperto, tincto spiculo, mel degustaverat. Sed ubi regi ex Domini irâ compertum est, morte adfici filium jussit.   Sed populi auxilio ab exitio vindicatus est.   Eâ tempestate 9 Samuel à Domino monitus, regem adiit, verbis Domini nuncians, uti genti Amalech, quæ olim Hebræos, ex Ægypto venientes, transitu prohibuerat, bellum inferret: addito interdicto, ne quid ex spoliis devictorum concupisceret.   Ita in fines hostium 10 ductus exercitus, rex captus, gens subacta. Saul victus prædæ magnitudine, præcepti divini immemor, capta servari & ferri jubet.

Quo facto offensus Dominus, Samuelem 1 adloquitur: poenitere se, quòd Saul regem constituerit.   Dictum sacerdos regi refert. Mox à Domino monitus, David regali un- 2

2 Reg. 15.

CAP.
XXXIV.

2 Reg. 16.

---

terpretes quoque Græcos, quos noster subinde sequitur, scribere ἐξανάθαν; ut quidem vim casûs primi habeat.

Sed ubi regi ex Domini irâ compertum est] Lego, *Quod ubi regi ex Domini irâ compertum est.* Necesse omninò est, nominativum quemdam hîc præmitti. Quod cùm & Drusius animadverteret, addidit voculam *id*; ut legeretur, *sed id ubi regi compertum est.* At ego malim sic, ut dixi.   Sanè vocula *sed* parum huic loco congruit, cùm ab eâdem voculâ & proximè antecedens, & proximè sequens periodus incipiat: ut, si hæc quoque periodus ab eâdem incipiat, periodi omninò tres ab unâ eâdémque voculâ *sed* initium capiant. Ceterùm iram Domini ex ejusdem Domini silentio intellexit.   guen-

guento perlinit, parvum etiamnum puerum, David in
sub patre agentem, pastorem ovium, adsue- regem un-
tum sæpiùs citharâ canere : ob quod posteà gitur.
à Saule adsumtus, inter ministros regios ha-
3 bebatur.   Quâ tempestate, Allophylis at- 1 *Reg.* 17.
que Hebræis bello flagrantibus, cùm ex ad- Goliath.
verso acies constitissent, Goliat quidam ex
Allophylis, vir miræ magnitudinis & roboris, suorum ordines prætergressus, ferocibus
verbis probra in hostes jaciens, singularem
4 pugnam ciebat.   Tùm rex magna præmia,

---

2. *Parvum etiamnum puerum*] Videtur David tunc
non parvus, vel admodùm puer, sed jam adolescens
aut juvenis fuisse : quia Saulus, proceræ staturæ homo, ei vestes & arma sua utenda dare voluit. *Etiamnum* pro *adhuc* de tempore, quod non nunc est præsens, sed præsens tunc fuit, cùm ista gererentur.
Ita & *præsens tempus, præsens bellum, præsentes res se-
cundæ* dicuntur non tantùm, quæ nunc sunt, sed &
quæ olim fuerunt, & tùm quidem cùm res, de quibus
agitur, gererentur. Nepos XVII, 8. 4 *Præsens tempus hoc desiderabat.* Item VII, 6. 2 *Sic populo erat
persuasum, & adversas superiores & præsentes secundas res operâ ejus accidisse.* Dicitur quoque *in præsentiâ* pro *tùm temporis.* Idem Nepos II, 8. 4 *Huc
cùm venisset, & in præsentiâ rex adesset.*

3. *Allophylis atque Hebræis bello flagrantibus*] Justinus lib. XXXI c. 3 *Hispanis bello flagrantibus ducem
tantùm deesse.*

Singularem pugnam ciebat] Unius cum uno pugnam, quam vulgò *duellum* dicunt, eleganter & more
meliorum *singularem* vocat. Ita *singularis potentia,
singulare imperium* Nepoti dicitur, quod est unius.
Vide X, 9. 5. XXI, 2. 2. Porrò *pugnam ciere* & aliis,
iisque melioribus, usitatum.

G 5   & fi-

& filiæ nuptias despondit, si quis provocan-
tis spolia retulisset. Sed nemo ex tanto
agmine adgredi audebat. Igitur David 5
etiamnum puer, pugnæ se obtulit, rejectis-
que armis, quibus infirma ætas gravabatur,
virgâ tantùm & quinque lapidibus sumtis,
in prælium processit. primóque ictu, misso
fundâ lapide, Allophylum perculit, caput victi & spolia abstulit, gladium posteà in templum posuit. Allophyli autem omnes in
1 Reg. 18. fugam versi, victoriam concessere. Sed è 6
prælio reversis, multus circa David favor, invidiam regis accenderat. Timens autem
tam charum omnibus cum invidiâ & pernicie necare, sub specie honoris objectare eum
periculis statuit. Ac primùm tribunum eum 7
fecerat, ut rem bellicam curaret. Inde,
cùm ei filiam spopondisset, fidem fregit,

---

5. *Quibus infirma ætas gravabatur*] Non est que-
stus David de infirmitate aut imbecillitate suâ; sed
modò dixit, se non adsuetum esse, armis onustum incedere. 1 Sam. XVII, 39 *Non possum sic incedere*, inquit, *quia usum non habeo*. Et præmissum est: *Cæpit
tentare, si armatus posset incedere. non enim habebat
consuetudinem.*

6. *Tam charum omnibus cum invidiâ & pernicie
necare*] Id est, ut invidia, id est, odium, ac pernicies
necandi inde oriretur. Ita dicunt, *cum amore*, *cum
odio aliquid facere*. Justinus lib. VII cap. 2 *Cum
amore popularium administrato regno*. Nepos XXV,
7. 3 *Summâ cum offensione ejus domi remanserunt.*

eámque alteri tradidit. Mox filia regis natu minor, Melchol nomine, amore David flagrare occœperat. Igitur nuptiarum ejus istiusmodi conditionem proponit; si centum præputia David ex hostibus retulisset, regiam virginem matrimonio illius cessuram. Sperabat enim, juvenem periculosa audentem, facilè periturum. Sed longè aliter, ac ratus erat, evenit. Nam ut proposuerat, impigrè David centum præputia ex Allophylis retulit: atque ita regis filiam in matrimonium accepit.

Davidis nuptiæ.

1 Crescebat in dies in eum regis odium, stimulante invidiâ: quia bonos semper mali infectantur. Igitur ministris & Jonathæ filio imperavit, vitæ ejus ut insidias pararent.
2 Sed Jonathæ charus acceptúsque jam inde à principio David fuerat. Itaque rex increpitus à filio, cruentum imperium repressit.
3 Sed non diu mali boni sunt. Nam cùm spiritu erroris Saul adfligeretur, eíque David adsisteret, citharâ laborantem deliniens, lanceâ eum ferire cónatus est, nisi ille lethalem

C A P. XXXV. Saul David insidiatus.

1 Reg. 20.

---

7. *Melchol*] Secutus est versionem Græcam, quæ habet Μελχόλ. Ceterùm in textu originali est *Michal.*

3. *Cùm spiritu erroris Saul adfligeretur*] Spiritum erroris vocat, qui in Scripturis canonicis *spiritus Dei malus* vocatur. Intelligit autem Diabolum: quem & in capite proximo sequente ita vocat.

ictum

ictum properè declinasset. Exinde jam non 4
occultè, sed palàm ei necem parabat: nec
ultra se David regi credidit.	Ac primùm
fugiens, ad Samuelem se contulit: indè ad
Abimelech, postremò ad regem Moab con-
fugit.	Mox per Gad prophetam monitus,
in terram Judæ regressus, vitæ periculum
adiit. Eâ tempestate Saul Abimelech sacer- 5
dotem interemit, quod David recepisset: &
cùm ex ministris regiis nemo in sacerdotem
manûs inferre auderet, Doëg Syrus cruen-
tum ministerium exsecutus est.	Post id Da- 6
vid desertum petiit. illuc quoque eum Saul
persequutus est, sed inani operâ ejus exitium
moliebatur, quem Dominus protegebat.
Erat in deserto spelunca, vasto recessu patens.
In hujus interiora David se conjecerat.
Saul nesciens in primo speluncæ aditu re- 7

1 Reg. 22.

1 Reg. 24.

---

4. *Indè ad Abimelech*] Secutus rursus Interpretes
Græcos. In textu originali est *Abimelech*.

Ad regem Moab] Moab pro Moabitis, nomen pa-
triarchæ & progenitoris pro patronymico, Hebræorum more: quomodo suprà *Judas* pro tribu & posteris Judæ.

5. *Doëg Syrus*) Secutus est rursus Interpretes Græcos, qui habent Δωὴκ ὁ Σύρος. In textu originali est
האדמי *Idumæus*.

7. *In primo speluncæ aditu successerat*] Suprà cap.
VII *Successit in domum Bathuelis*. Ergo *in primo
aditu* scripsit hîc pro *in primum aditum*. Sic & suprà
in matrimonio accipere pro *in matrimonium*.

ficien-

ficiendi corporis gratiâ successerat: ibíque
somno captus requiescebat. Quód ubi David animadvertit, hortantibus cunctis, ut
opportunitate uteretur, abstinuit regis ex-
8 itio: diploidem tamen ejus abstulit. Mox
egressus, tuto eminùs loco à tergo regem ad-
locutus est, sua in illum commemorans beneficia, ut sæpè pro regno ejus caput periculis objectâsset: utque postremò præsenti

---

Reficiendi corporis gratiâ] Cui consonum, quod
mox sequitur, *Ibíque somno captus requiescebat.* Sed
unde ille hæc habet? & ad quid adlusit? An ad verbum Græcum παρασκευάσασθαι, quod in versione
Græcâ 1 Sam. XXIV, 3 legitur? ut putaverit παρασκευάσασθαι esse idem, quod *preparare, reficere corpus.* Ita sanè videtur. Adparet autem, quàm vetus
sphalma sit illud; si quidem verum sit, quod Henr.
Stephanus in Thesauro ad hanc vocem suspicatur,
pro παρασκευάσασθαι legendum esse ἀποσκευάσασθαι. Sanè exoneratio alvi ibi notata videtur. Quam
ob causam & Interpres Latinus vertit *purgare ventrem.* Et ipsum illud Græci vulgò ἀποσκευάσασθαι
dicunt.

Abstinuit regis exitio] *Exitium* pro *cæde*, ut
paullò ante, *Ejus exitium moliebatur.* Et suprà cap.
XVII *Ægrè ab exitio ducis temperabat.* Pari modo
pernicies pro cæde cap. XX *In perniciem eorum ferebatur.* Nepos XIV, 5. 4 *Quo facilè fieri, ut impellantur ad eorum perniciem.*

7. *Diploidem ejus abstulit*] Rectiùs dixisset, *oram
diploidis abscidit.* Vide 1 Sam. XXIV, 4. Vocabulum
Græcum mutuatus ex versione Græcâ est, quippe
quæ habet, τὸ πλερύγιον τῆς διπλοΐδος. Interpres
Latinus vetus habet, *Oram chlamydis.*

tem-

tempore à Domino sibi traditum, interimere
noluisset.   Ad hæc, culpam Saul fateri, veniam precari, lacrymas fundere, pietatem
David extollere, malitiam suam incusare, regem eum & filium adpellans.   Tantùm ex
feroci illo animo mutatum: crederes nihil
ultra adversùm generum ausurum. Sed David, qui penitùs ingenium mali spectatum
haberet & cognitum, nihil regi credendum
ratus, intra eremum se continebat. Saul ve-

---

8. *Præsenti tempore à Domino sibi traditum*] Dicunt etiam *in præsenti*, subaudito *tempore*, & additâ
præpositione, quam noster subaudiendam reliquit.
Nepos VII, 4. 2 *Inimici ejus quiescendum in præsenti
detreverunt.*

Malitiam suam incusare] pro *malitiæ se incusare*. Cicero lib. VII ep. 16 *Superbiam tuam accu-
sant*. Nepos VI, 4. 2 *In quo libro avaritiam ejus ac-
cusarat.*

Regem eum adpellans] *Regem adpellare* idem est
quod *regem facere, constituere*. Quo sensu & noster
infrà cap. 37 dicit, *Regali unguento inlitus, rex adpellatus est*. Si igitur vocabulum eâ notione hîc usur-
pâsset, falsum planè dixisset. Nihilôminùs enim quàm
regem Davidem adpellavit Saulus. Sed nec de simplici nominatione intellectum vocabulum; id, quod
res est, exprimit. Non enim dixit Saulus, Davidem
jam esse regem; sed modò, ominari ac scire se, Davidem aliquando regem futurum esse. Vide 1 Sam.
XXIV, 21.

9. *Qui penitiùs ingenium mali spectatum haberet*]
Editio Coloniensis habet *penitùs*: quod & magis pla-
cet. Porrò *spectatum* pro *cognitum*, *exploratum*.
Quomodo dicunt *Homo spectatæ fidei.*

10 cors animi, quia comprehendendi generum
poteſtas non erat, filiam ſuam Melchol Da- 1 Reg. 25.
vid, ut ſuprà retulimus, nuptam, Faltim cuidam in matrimonium dedit. David ad Allophylos confugit.

1 Eâ tempeſtate Samuel diem functus eſt. CAP.
Saul Allophylis bellum inferentibus, Domi- XXXVI.
num conſulit, nullúmque eſt ei reſponſum 1 Reg. 28.
redditum. Tùm per mulierem, cujus viſcera
ſpiritus erroris impleverat, Samuelem evocatum conſulit. Dictum ei ab eo eſt, po-

---

10. *Faltim cuidam in matrimonium dedit*] In textu
originali vocatur פַלְטִי, & in verſione Græca φαλτί.
Nam פ Hebræorum, etiam initio poſitum, Interpretes Græci plerumque per φ expreſſerunt. Porrò φ
Græcum Latino F, ejusdem organi litterâ, expreſſit
noſter. Sed unde littera M, quæ in fine adjecta? Druſius perperàm eam ſcriptam putat pro N; ipſum
φαλτιν autem & *Faltim* litteram N adjectam habere
ad eum modum, quo eámdem adjectam habent nomina Λευιν & Σαειν. Ceterùm *Faltim cuidam* meliorum imitatione dictum pro *Cuidam nomine Faltim.*
Nepos IV, 4. 4 *Argilius quidam.* V, 1. 3 *Callias quidam.* X, 8. 1 *Callicrates quidam.*

Ad Allophylos confugit] Ad Achis regem Gath, à
quo oppidum Ziclag habitandum ei datum. Quæ
autem in capite proximè antecedente XXVI libri I
Samuelis perſcripta ſunt, ea noſter non attigit.

1. *Cujus viſcera ſpiritus erroris impleverat*] Ad-
pellatione *ſpiritus erroris* & in proximo ſuperiore capite uſus fuerat, eâque Diabolum deſignaverat. Videtur autem mutuò ſumta illa ex 1 Joh. IV, 6.

ſtero

stero illum die cùm filio victum ab Allophylis, in prælio casurum.   Igitur Allophyli castris in hostili solo positis, postero die aciem
instruunt: David tamen ex castris remisso,
quia parùm crediderant sibi illum, adversùm suos, fidum fore. Sed conserto prælio,
Hebræi fusi, filii regis cadunt : Saul equo
delapsus, ne vivus in potestatem hostium veniret, gladio suo incubuit.   De ætate imperii ejus parùm certa comperimus, nisi quòd
in actibus Apostolorum XL annos regnâsse
dictus est.   Quamquam ego arbitror, tùm

1 Reg. 29.
2
1 Reg. 31.
3

Illum cum filio in prælio casurum.] Legendum fortassè *cum filiis :* quia paullò pòst sequitur, *filii regis
cadunt.*

  2. *Conserto prælio*] Loquuntur ita & alii. Justinus
VII, 2 *Conserto prælio magnâ cæde Illyrios fudere.*
Item XXIV, 5 *Interjectis diebus prælium conseritur.*
Ceterùm & *conserere manum* dicunt, eâque phrasi
justum itidem prælium designant. Nepos XIV, 8. 4
*Quòd nunquam manum consereret, nisi cùm adversa-
rios locorum angustiis clausisset.* Item XXIII, 4. 2
Cum his manum conseruit, utrósque profligavit.   Adparet phrasin *conserere prælium* esse ferè talem, quales
sunt *icere fædus, percutere fædus.*   Nimirum, cùm
proprie dicatur, *icere porcum, percutere porcum,* ad
faciendum fœdus, factum est, ut verbis, *icere & percutere,* ipsum quoque nomen *fædus* adjiceretur, diceretúrque *icere fædus, percutere fædus.*   Pari modo
cùm propriè dicatur *manum conserere,* eâque phrasi
justum prælium significaretur, factum est, ut verbo
conserere ipsum quoque nomen *prælium* adjiceretur,
diceretúrque *prælium conserere.*

à Pau-

à Paulo, cujus illa prædicatio refertur, etiam
Samuelis annos sub regis istius ætate nume-
4 ratos.   Plerique tamen, qui de temporibus
scripserunt, xxx eum annos regnâsse adnotaverunt: cui opinioni nequaquam accedi-
mus. nam eâ tempestate, quâ Domini arca
in Cariathiarim oppidum translata est, necdum regnare Saul cœperat: refertur autem, per David regem ex illo oppido arcam
sublatam, cùm per xx annos ibi constitisset.
Ergo, cùm intra id tempus Saul regnaverit
atque decesserit, parvo admodum spatio te-
5 nuit imperium.   Eadem nobis de temporibus Samuelis caligo, ut qui, cum Heli sacerdote natus, admodùm senex sacerdotio
functus referatur.   A nonnullis tamen, qui
de temporibus scripsere, [quia ferè nihil de
ejus annis sacra historia signavit,] lxx annis
præfuisse populo refertur. Sed unde hæc au-
6 ctoritas fuerit adsumta, non reperi. Nos in

---

3. *Cujus illa prædicatio refertur*] Vox *prædicatio* usu ecclesiastico hîc pro *sermone*, pro *oratione*
ponitur. Cujus origo ex versione Latinâ novi Test.
in quâ verbo *prædicare* τὸ κηρύσσειν exprimitur.

5. *Samuel admodùm senex sacerdotio functus*] Videtur putâsse, Samuelem fuisse summum sacerdotem, &
in locum Eli successisse. Paullò antè Heli quoque
sacerdotem vocavit; quem tamen sacerdotem summum fuisse constat. Quòd igitur de Samuele ita
sensit, planissimè erravit. Vide suprà Notas in
cap. 32.

H   tantâ

tantâ erroris copiâ, Chronicorum adnotationem secuti, quia eam ex Apostolorum_
actibus, sicut superiùs memoravimus, pro-
fectam arbitramur, Samuelem & Saulum xl
annos principatum egisse referimus.

CAP.
XXXVII.
2 Reg. 1.
David Rex.

SAUL peremto, David in terrâ Allophylo- 1
rum, perlato ad se mortis ejus nuntio, miro
pietatis exemplo flevisse traditur. Tùm Chebron Judææ oppidum petiit. Ibi rursùm regali unguento inlitus rex adpellatus est. Sed 2
Abner, qui magister militiæ Saul regis fue-

Isbaal Rex.

rat, spreto David, Isbaal regis sui filium regem constituit. Crebris deinde præliis inter
duces regum concursum: pulsus Abner sæpiùs: fratrem tamen Joab,qui ex parte David
exercitui præerat, fugiens peremit. Quo dolore postea Joab, cùm se Abner David regi
dedisset, jugulari eum præcepit, non sine_
dolore regis, cujus fidem cruentaverat. Per 3

---

6. *Chronicorum adnotationem secuti*] Intelligit præcipuè Eusebium, qui in Chronicis diserte ita scriptum
reliquit.

1. *Chebron Judææ oppidum*] *Judeam* nunc vocat
tribum Judæ, vel potiùs terras tribûs Judæ. At in
novo Test. ἡ Ἰουδαία *Judæa* paullò plus terrarum
complectitur.

2. *Isbaal regis sui filium*] Nomen Viri tale 1 Par.
VIII, 33 legitur. At in libris Samuelis Isboseth adpellatur.

Cùm se Abner David regi dedisset] Dare pro *de-*
dere: ut supra non semel. Vide Notas in cap. XIX.

idem

idem tempus omnes ferè natu majores Hebræorum publico consensu regnum ei totius gentis detulerunt. nam per septem annos in Chebron tantùm regnaverat. Ita ter- 2 Reg. 5.
tiò rex ungitur, annorum circiter xxx. Allophylos in regnum iruentes, secundis præliis
4 repulit. Eâ tempestate arcam Domini, quæ 2 Reg. 6. 7. 8.
in Cariathiarim oppido, ut suprà retulimus, erat, in Sion transtulit. Cùmque ædificare Domino templum in animo haberet, divinum ei responsum redditum, semini il-
5 lius id reservari. Bello deinde Allophylos domuit. Moabitas subjugavit, Syriam subegit, stipendiúmque ei imposuit. Auri atque æris ex prædâ immensum modum retu-

---

3. *Omnes ferè natu majores Hebræorum*] i. e. Seniores. Nimirum *majores natu* dicuntur non tantùm, qui ante nos neque eodem tempore nobiscum vixerunt; sed qui ætate sunt provectâ, & cùm ante nos vixerint, tamen & nobiscum vivunt. Nepos II, 2. 8. *Arcem paucis majoribus natu tradunt.* Miratur Drusius, cur adjecerit voculam *ferè*, cùm nemo excipiatur. Sed solemne hoc est Auctori nostro, ut eam voculam παρέλκυσαν faciat. Vt infrà cap. XL bis.

4. *Semini illius id reservari*] Coloniensis editio habet *servari*. Per *semen Davidis* intelligit filiumejus Salomonem. Estque modus loquendi Hebraicus, quòd filius dicitur semen. Sed vocabulum plerumque collectivum est, & plures notat. Est tamen, ubi perinde ut à nostro, de uno usurpatur. Gen. IV, 25 *Posuit mihi aliud semen pro Habele.*

5. *Stipendium ei imposuit*] i. e. tributum. Sic infrà

                    lit.

lit. Bellum deinde adversùm Ammonitas ex 6 injuriâ Chanun regis eorum exortum. Syris denuò rebellantibus, qui cum Ammonitis in bellum conjuraverant, David summam rerum Joab principi militiæ permiserat: ipse à bello remotus, intra Hierufalem commorabatur.

Quâ tempeftate Berfaben quamdam, miræ feminam pulcritudinis, ftupro compertam habuit. Hæc viri cujusdam uxor, qui

---

c. XLI, *laxare ftipendium.* Qui tributum pendunt, *ftipendiarii* adpellantur.

6. *Summam rerum Joab principi militiæ permiferant.*] *Summa rerum* pro fummâ imperii, pro fummo imperio ; nec tantùm abfoluto & ἀνυπευθύνῳ, fed & quod alterius imperio fubeft. Nepos XVIII, 5 *Rerum fumma ad Antipatrum defertur.* Idem XIV, 2. 5 *Pofteaquam Pharnabazum rex revocavit, illi fumma imperii tradita eft.* Alibi *fummam belli* vocat idem Nepos. Vt XVI, 5. 3 *Cujus belli cùm ei fumma effet data.* Vocant etiam *fummam rem* & *fummas res.* Vide Ind. in Nep. & fuprà Notas in cap. XXII. Porro *principem militiæ* vocat, quem alii Imperatorem dicunt : & *permittere* dicit pro *committere.* Quâ notione & Nepos XXII, 1. 3 dixit, *permittere aliquid alicujus arbitrio.*

1. *Berfaben quamdam*] Pro *quamdam nomine Berfaben.* Vide fuprà Notas in cap. 35. Deinde *Berfaben* dicit pro *Batfebam*, fecutus rurfus Interpretes Græcos, qui habent Βηρσαβεέ. Infrà in hoc ipfo cap. legitur *Berfabee* ; prorfus, ut Interpretes Græci habent.

Stupro compertam] Vt Hebræi fuum ידע, & Græci fuum γινώσκειν, ita Latini fuum *cognofcere* de re Veneteâ ufurpant. Ovidius lib. IV Metam. *Ille fue-*
-tùm

tùm in caftris erat, fuiffe traditur. Hunc David iniquo pugnæ loco objectum hoftibus, interficiendum curavit. Ita mulierem in matrimonio viduam, fed jam ex ftupro gra-
2 vidam, numero uxorum adgregavit. Tùm per Nathan prophetam graviter increpitus, licet agnito errore, caftigationem Domini non effugit. Namque filium ex furtivo illo concubitu editum, paucos poft dies amifit, multáque in domum familiámque ejus
3 execranda acciderunt. Ad extremum Abfalon filius ejus arma impia adversùs patrem fuftulit, regno eum depellere cupiens. Adversùs hunc Joab acie conflixit, admonitus à rege, ut victo parceret. Sed ille fpreto imperio, parricidiales conatûs ferro ultus eft. Flebilis ea victoria fuiffe regi traditur:
Tanta in eo pietas erat, ut etiam parricidæ
4 filio ignofci voluerit. Vix hoc bellum exftinctum videbatur, aliud rurfum exortum,

Nathan.
2 Reg. 12.
2 Reg. 13.
2 Reg. 15.
usque 18.

2 Reg. 19.

2 Reg. 20.

---

*lambebat conjugis ora, Inque finus caros veluti cogno-
fceret ibat.* Turpilius apud Nonium : *Mulier mere-
trix, quæ me quæfti causâ cognovit fui.* Atque ita non
tantùm vir, fed & fœmina cognofcere dicitur. Nofter
pro *cognofcere* utitur verbo *comperire*, dicítque *ftupro
comperta* pro *ftupro cognita.* Aliud autem eft *ftupri
comperta* ; videlicet manifefta & quafi convicta:
quomodo Livium atque Juftinum locutos effe Freinsshemius Indice in Juftinum. v. *Comperta* notavit.

4. *Vix hoc bellum exftinctum videbatur, aliud rurfus exortum*] Sigonius voculam *cùm* excidiffe putat,

Sabæa

Sabæa quodam duce, qui peſſimum quem-
que ad arma incitavererat. Sed properè mo-
2 Reg. 21. tus omnis morte ducis repreſſus. Crebraꝗ
22, 23. deinde adversùs Allophylos David prælia
ſecundo eventu habuit : cunctisque bello
domitis , & tàm exteris quàm domeſticis
motibus compreſſis, florentiſſimum regnum
2 Reg. 24. in pace habebat.   Tùm eum ſubita cupido 6
inceſſit, ad metiendas imperii vires populum
cenſere.   Ita à Joab militiæ magiſtro , de-
cies centena & trecenta civium millia dinu-
merata. Hujus eum facti mox piguit, pœ-
nituítque, veniam à Domino petens, cur in
id animos extuliſſet, ut regni ſui potentiam
ex ſuorum potiùs multitudine, quàm ex favore divino æſtimaret. Itaque miſſus ad 7
eum angelus, trinam ei pœnam denunciat,
dátque arbitrium unam eligendi. Sed pro-
poſitâ triennii fame, trium menſium fugâ,

---

legendúmque, *Cùm aliud rurſus exortum.* Ita *cùm*
non initio periodi, ſed in illâ mediâ poſitum eſſet:
cujus rei ſuprà quoque exempla vidimus.

6. *Hujus facti eum piguit, veniam à Deo petens*]
Participium caſûs recti cum proximo antecedente
non congruit: cujus rei & alibi exempla obſervâſſe
memini ; quæ tamen nunc non ſuccurrunt.

Cur in id animos extuliſſet] Legendum omnino,
Quòd in id animos extuliſſet, uti Sigonius monuit.

7. *Miſſus ad eum angelus*] Prophetam Gad ita vocat, quòd ſciret Prophetas quoque in Sacris litteris
מלאכים ἄγγελος, id eſt, nuncios, Dei puta ad
homines, adpellari.

morte tridui: fugam & famem deteſtatus, mortem elegit, momentóque temporis LXX 8 millia virorum interire. Tùm David videns angelum, cujus dexterâ populus proſternebatur, veniam precari, ſeque vivum pro omnibus poenæ objicere: ſe dignum exitio, quia ipſe peccâſſet. Ita averſum plebis ſupplicium: David in loco, in quo angelum viderat, aram Domino ſtatuit. Mox 9 annis & morbo infraĉtior, Salomonem filium ex Berſabee Vriæ uxóre ſuſceptum, ſucceſſorem regni conſtituit. Is regali unguento per Sadoc ſacerdotem unĉtus, patre adhuc incolumi, rex adpellatus. David, cùm regnâſſet annos XL, defunĉtus eſt. 　　　　　　　　　　　　　　　　　3 Reg. 1.
Salomon Rex.

1 Salomon initio regni urbem muro circumdedit. Huic per ſoporem adſtare Dominus viſus eſt, petendi quæ vellet tribuens 　　　　　　　　　　　　　CAP. XXXIX.

Morte tridui. mortem elegit] *Mortem* vocat peſtilentiam. Interpres vetus ipſo vocabulo *peſtilentia* uſus vertit, *Aut certè tribus diebus erit peſtilentia in terrâ tuâ.* Alibi verò & ipſe peſtilentiam *mortem* dicit; nimirum Pſ. XCI, 3.

8. *Se vivum pro omnibus poenæ objicere*] Legendum ſine dubio *Se unum pro omnibus,* uti Druſius conjecit.

9. *Annis & morbo infraĉtior*] *Infraĉtus* pro ſimplici *fraĉtus,* à verbo *infringo.* Ita optimi quique. Imò verò nunquam aliter; ut in libro de Latinitate merito ſuſpeĉtâ ampliùs monebo. Suprà quoque c. 25 dicit *Infraĉtis ſuorum viribus.*

1. *Per ſoporem adſtare Dominus viſus eſt*] Sic & 　　　　　　　　　　　　　　　　optio-

optionem. Sed ille non aliud sibi quàm 2
sapientiam dari popofcit, reliqua omnia parvi æstimans. Ita somno excitatus, cùm ante
sacrarium Domini constitisset, indultæ sibi
à Domino sapientiæ documentum dedit.
Namque duæ mulieres unâ in domo diver-3
fantes, cùm eodem tempore pueros edidis-
fent, atque ex his alter post diem tertium
nocte obiisset, mater defuncti somno alterius
infidiata, mortuum suum suppofuit, viventem abstulit. Inde inter eas de puero altercatio, postremò res ad regem delata: diffi-
cilis judicii absolutio inter negantes, ubi testis deerat. Tùm Salomon divinæ sapien-4
tiæ munere perimi puerum corpúsque ejus
dividi inter ambigentes jubet. Cúmque una
earum judicio adquievisset, alia verò cedere
potiùs puero quàm discerpi eum mallet, Salomon ex adfectu feminæ hanc verè matrem
esse conjectans, puerum illi adjudicavit,
non fine circumstantium admiratione: siquidem latentem veritatem prudentiâ pro-

---

suprà cap. 8. *per soporem vidisse.* Vide Notas ad illud
cap.

4. *Cedere potiùs puero, quàm discerpi eum mallet*]
Potiùs hîc παρέλκει. *Mallet* enim est pro *magis vellet.* Deinde *cedere puero* dicitur, ut *cedere regno*:
& subaudiendum est vocabulum casûs tertii. Justinus lib. XXXI cap. 5 *Sin verò quis illis Italiâ velut
fonte virium cesserit.* Item lib. XXIX, 2 *Cedere se
illi regno, quod Romani occupaverint.* Sed dicunt
tulis-

5 tuliſſet.   Ita in admirationem ingenii pru-3 Reg. 4.
dentiæque ejus reges vicinarum gentium,
amicitiam ab eo, fœdúsque petiere, parati
imperata facere.

1   Quis opibus confiſus, templum Domino CAP. XL.
immenſi operis facere adgreſſus, paratis per 3 Reg. 6.
triennium impendiis, quarto ferè imperii *Templum*
anno primum fundamentum jecit: à profe- *Hieroſol.*
ctione Hebræorum ex Ægypto anno ferè
octavo & octogeſimo & quingenteſimo.
Licet libro Regnorum III, cccc xl fuiſſe referantur: quod nequaquam convenit.   Siquidem per ſeriem ſuperiùs comprehenſam
facilius fuerit, ut minùs fortaſſis annorum,
2 quam amplius, adnotârim.   Sed non du-

---

etiam *cedere alicui regnum.* Idem Juſtinus lib. X
c. 2 *Hanc partem cedere ſibi, ſicuti regnum, Darius
poſtulaverat.*

   1. *Quarto ferè imperii anno*] Vocula *ferè* παι-
ρέλυσι : cujus rei & ſuprà cap. XXXVII exemplum
adparuit.   Sanè I Reg. VI diſertè ſcriptum eſt, ipſo
anno quarto imperii Salomonis templum ædificari
cœptum fuiſſe.
   Anno ferè octavo & octogeſimo & quingenteſimo]
Textus originalis Hebræus I Reg. VI habet, *anno
quadringenteſimo & octogeſimo* ab egreſſu Iſraëlita-
rum ex Ægypto templum ædificari cœptum eſſe. Neque aliter verſio Latina vetus.   Sed nec verſio Græca
à textu originali tantùm diſcrepat, quantùm noſter
Auctor.   Ejus enim editio Romana, quam & Londi-
nenſis ſequitur, habet, Εν τῷ τεσσαρακοςῷ καὶ τετρα-
κοσιοςῷ ἔτει τῆς ἐξόδυ υἱῶν Ισραήλ.   Et ſanè codices Græcos tales, qui ſic, ut editio Romana habet, ha-

bito, librariorum potiùs negligentiâ, præfertim tot jam seculis intercedentibus, veritatem
fuisse corruptam, quàm ut propheta errave-
rit. sicut in hoc ipso nostro opusculo futurum
credimus, ut describentium incuriâ, quæ
non incuriosè à nobis sunt digesta, vitientur.
Igitur **Salomon** cœptum templi opus vigesimo anno explicuit. Celebrato deinde ibi-3
dem sacrificio, dictâque oratione, quâ populum templúmque benedixit, Dominus ad
eum locutus est, denuncians fore, si quando
peccâssent, ac Dominum reliquissent, templum illud solo æquandum. Quod jampridem impletum videmus, & mox connexum
rerum ordinem exponemus. Interea Sa-4

3 Reg. 8   *2 Reg. 10.*

---

berent, noster inspexisset. Subjicit enim: *Licet li-*
bro regnorum tertio CCCC XL fuisse referantur. Verùm minimè ei hæc placent: dicítque, ea *nequaquam*
convenire; & *librariorum negligentiâ veritatem cor-*
ruptam fuisse. Debuisset autem suam annorum sup-
putationem ei numero, qui I Reg. VI expressus est,
potiùs adcommodare, quàm propter suam supputa-
tionem hunc corruptum dicere.

3. *Denuncians fore, templum illud solo æquandum*]
Pro *Denuncians fore, ut templum illud solo equetur.*
Ergo nota temporis futuri hîc duplex est, & in voculâ
fore, & in voce *æquandum.* Nam *æquandum* est pro
æquandum esse; & *æquandum esse* pro *equatum iri.*
Solemne enim est nostro, participio passivo temporis
futuri uti pro verbo infinito ejusdem temporis. Cujus generis plurima notavimus suprà, & intrà quoque
non pauca observari poterunt.

lomon

lomon florens opibus, omnium qui unquam 3 Reg. 11.
fuerant regum ditiſſimus: quíque ſemper_
ordo rerum eſt, ab opibus in luxum & vitia
delapſus, cùm adversùm interdiⅽtum Dei ex
alienigenis conjugia ſumſiſſet, etiam ſeptin-
gentas uxores & trecentas concubinas haberet, idola eis ritu gentium ſuarum, quibus
5 litarent, conſtituit.   Quibus rebus averſus
Dominus, graviter increpito pœnam denun-
ciavit, fore ut regnum ex parte majore adem-
tum filio, ſervo illius traderetur.   Idque ita
accidit.

1   Defuncto Salomone anno imperii qua-   CAP. XLI.
dragesimo , cùm Roboam filius anno æta-   Roboam
tis ſexto & decimo regnum patrium tenere 3 Reg. 11.
cœpiſſet, pars populi ab eo offenſa diſce-
dit.   Etenim cùm laxari ſibi ſtipendium po-
poſciſſet, quod Salomon graviſſimum im-
poſuerat, repudiatis precibus ſupplicum fa-
2 vorem univerſæ plebis averterat.   Itaque_

---

4. *Cùm ex alienigenis conjugia ſumſiſſet*] *Conjugia* pro conjugibus, uxoribus; ut ſuprà *matrimonia*
pro iisdem, abſtractum ſcil. pro concreto. Vide ſuprà
cap. XXIV, & in illud Notas.

1. *Cùm Roboam anno ætatis ſexto & decimo regnum patrium tenere cœpiſſet*] Manifeſtè falſum Putat autem Druſius, Auctorem ſcripſiſſe, *anno ætatis
XLI.* quoto anno ætatis ipſum cœpiſſe regnare ex II.
Par. XII, 13 conſtare poteſt. facilem enim lapſum fuiſſe
de XLI ꞓ XVI.

Favorem univerſæ plebis averterat] Legendum fortaſſe, *à ſe averterat.*

con-

Jeroboam
Rex Ifraël.

confenfu omnium, imperium ad Jeroboam_ defertur. Is medio genere ortus, aliquam-diu Salomoni fervitutem pepénderat. Sed cùm ei refponfo Achiæ prophetæ regnum Hebræorum adnunciatum compofiffet, necare eum clam deftinaverat. Quo ille metu 3 in Ægyptum confugit: ibíque uxore acceptâ, ex ftirpe regiâ, cognitâ demum Salomonis morte, in folum patrium regreffus, voluntate populi, ut fuprà retulimus, fumfit imperium. Penès Roboam tamen duæ 4 tribûs, Judæ & Benjamin, refederant: ex his ad trecentá millia páravit exercitum_.

---

2. *Is medio genere ortus*] neque plebejo prorfus, nec tamen regali; fed inter utrumque medio.

Salomoni fervitutem pependerat] I Reg. XI, 26 & II Par. XIII, 6 Jeroboam Salomonis fervus vocatur; qui rebellaverit contra regem; qvémque rex deftinaverit interficere. Ceterùm ut hîc dicit *fervitutem pendere*, ita fuprà dixit *captivitatem pendere;* & infrà lib. II *fervitium pendere*. Ipfa phrafis autem dubito an fatis apta huic loco fit. Etfi enim legitur, Jeroboamum Salomonis fervum fuiffe, non tamen putandum, Salomonem tamquam mancipio ufum eo fuiffe; fed ut miniftro aulico eôque non poftremo. Sanè I Reg. XI, 28 legitur, Salomonem præfeciffe illum omni oneri domûs Jofephi.

3. *Voluntate populi fumfit imperium*] Cæfar lib. I de B. Civ. *Curio omnium fummâ voluntate Iguvium recipit.* Et lib. III *Kalenus Delphos, Thebas, Orchomenum, voluntate ipfarum civitatum recipit.*

4. *Ad trecenta millia paravit exercitum*] Drufius legendum monuit *ducenta millia:* quoniam in

Quúm-

Quúmque acies promoverentur, verbis Dei populus admonetur, prælio abstineret; ex suo nutu Jeroboam regnum accepisse. Ita spreto regis imperio, exercitus dilapsus: Jeroboam imperium invaluerat. Sed cùm Hierosolymam Roboam obtineret, ubi templo à Salomone facto populus sacrificare Domino consueverat: veritus Hieroboam, ne ab eo plebem religio averteret, statuit animos ejus superstitione occupare. Itaque vaccam auream in Bethel, alteram apud Dan constituit, quibus populus litaret: sacerdotésque, omissâ Levi tribu, ex plebe instituit. Invisum Domino flagitium expostulatio consecuta. Crebra deinde inter reges prælia: dubio eventu regnum obtinebant. Roboam septimo & decimo imperii anno exacto, vitâ functus est.

3 Reg. 13.

In hujus locum Abiu filius ejus regnum CAP XLII.

---

originibus est, *centum octoginta millia.* Vide I Reg. XII, 21.

Verbis Dei populus admonetur] id est, nomine Dei, à Semaia propheta, I Reg. XII, 22. Ita suprà *verbis Dei increpare.*

6. *Vitâ functus est*] Phrasi eâ sæpè usus est noster. Habet verò & Papinianus l. filiusf. D. de castr. pec. *Filiusfamiliâs miles,* inquit, *si captus apud hostes vitâ fungatur, lex Cornelia subveniet scriptis heredibus.* Frequentius est *defungi vitâ,* & omisso nomine, *defungi.* Virgilius lib. IV Æn. *Defunctaque corpora vitâ.*

1. *Abiu filius ejus*] Ita legendum sine dubio; cùm

Hie-

interfecit, regnúmque occupavit: vir perinde in Dominum atque homines impius.
Ab hoc pars populi seceſſit: Thamni cui- 6
dam regium nomen delatum.   Sed Jam

---

aliorum editiones habeant *Zambri*; cùm non tantum vetus Colonienſis editio habeat *Jambri*, ſed &
in MS. quodam ſic repererit Druſius: imò infrà quoque Jambri ſcribatur.   Verum quidem eſt, eum, qui
Elam interfecit, de quo hîc & agitur, in textu Hebræo *Zimri*, & in verſione Græcâ *Zambri* vocati;
ut Sulpicius ad iſtam verſionem, ut alibi, ita & hic
adludere videri poſſit: verùm, cùm Sulpicius, quamvis per errorem, tantùm de uno agat, oportet hunc
vel Zambri tantùm, vel Jambri ab eo dictum eſſe;
cúmque Jambri nomen non ſemel, ſed ter hic viſa-
tur, veriſimile eſt, pro *Zambri* quoque, quòd in Druſii & aliorum editionibus eſt, *Jambri* legendum eſſe.
Quòd de uno agat, ſatis docet contextus. Verba Sulpicii ſecundùm Druſium & alios ſunt: *Eum*, [Elam
puta] *Zambri, princeps equitum, epulantem interfe-*
cit.   Ab hoc [Zambri puta] *pars populi ſeceſſit:*
Thamni cuidam regium nomen delatum. Sed Jambri
ante hunc [Thamni] *ſeptem annos, & cum eodem duo-*
decim regnavit.   Vnus ille igitur, de quo agit, vel
Zambri tantùm, vel Jambri ab eodem dictus eſt.   Ceterùm erraſſe Sulpicium, manifeſtum eſt. Alius enim
fuit, qui Elam interfecit; & alius qui Thibzi, vel ut
noſter adpellat, Thamni regni æmulum habuit.   Ille
Zimri, hic Amri in textu originali vocatur.   Ceterùm
quòd pro *Amri* noſter habet *Jambri*, adluſit ex parte
ad verſionem Græcam, quæ Αμβρι habet, inſertâ inter M & P literâ B, quemadmodum factum eſt in *Zam-*
bri pro *Zamri* & in *Mambre* pro *Mamre*, & in *Nem-*
brod pro *Nemrod.* Qui autem factum ſit, ut ab initio
Jod acceſſerit, & ſcriptum ſit *Jambri* pro *Ambri*, non
liquet.

6. *Thamni cuidam regium nomen delatum*] Nobri

bri ante hunc septem annos, & cum eodem
7 duodecim regnavit.   At in parte tribûs Iu- *Iosaphat*
dæ Asa mortuo, Iosaphat filius ejus regnare *Rex Iud.*
cœpit, vir religiosis virtutibus merito clarus.
Is cum Iambri pacem habuit.   Defunctus
est autem, cùm regnasset annos v & xx.

1   Hujus imperii tempore Achab, Iambri fi- C A P.
lius, rex decem tribuum fuit, vltra omnes in XLIII.
Dominum impius.   Namque Iezabel filiâ *3 Reg. 16.*
Basæ regis ex Sidone, in matrimonio acceptâ *Achab*
Baali idolo aram lucósque constituit, & pro- *Rex Isr.*
2 phetas Domini interemit.   Quo tempore
Helias propheta oratione cœlum conclusit,
ne pluuiam terræ daret: idque regi denun- *Elias Proph.*
ciauit, ut se impius causam mali esse cogno- *3 Reg. 17.*
sceret.   Igitur suspensis cœlo aquis, cùm lo-

---

men *Thamni* habet itidem ex versione Græcâ, nam
in textu originali est *Thibni*.

Sed Iambri ante hunc septem annos, & cum eo-
dem duodecim regnasit] De annis regni Amri manifestè errat.   Notum enim ex 1 Reg. XVI Amri in
universum duodecim tantùm annos regnum tenu-
isse. Quamdiu autem regnaverit Thamni, incertum,
neque in sacris litteris expressum est.

1. *Vltra omnes in Dominum impius*] *Vltra* pro
supra non rarò usurpat noster.

Filia Basæ regis ex Sidone] Nomen regis Sido-
niorum sine dubio corruptum à librariis est.   In originibus vocatur *Ethbaal.* Et versio Græca habet
Ιεθεβαάλ.

ca omnia adufta folis ardoribus non victum
hominibus, non pabulum jumentis darent,
ipfe fe intra periculum famis propheta con-
cluferat.   Eâ tempeftate cùm eremum pe-   3
tiiffet, corvis cibum miniftrantibus, 'vixit.
Aquam torrens próximus, donec aruit, dedit.
Inde admonitus à Domino , Sareptæ oppi-   4
dum petiit: ad mulierem viduam divertit.
Cúmque ab eâ efuriens cibum peteret, illa
caufari, non effe fibi nifi pufillum farris, &
pufillum olei: quo abfumto, unà cum filiis

In matrimonio accepta] Simile illi, quod fupra cap. IX adparet *in matrimonio poftulans.* Alibi
verò fcripfit, *in matrimonium accipere, in matrimonium adfumere, in matrimonium dare.* Vide
Notas ad cap. IX. Vt mirum fit, fi nunc fcripferit *in
matrimonio accepta.*

4. *Sareptæ oppidum*] Vt *Vrbs Antiochiæ.* Nimirum ut generi fpeciem, fic fpeciei individuum adjiciunt fecundo cafu.

4. *Ni pufillum farris*] Drufius conjicit, Sulpicium fcripfiffe *pugillum farris:* quia in verfione
Græcâ eft, δραξ αλευρε: & verfio Latina fimiliter
habet, *Nifi quantum pugillus capere poteft farinæ.*
Non adfentior: quia fequitur, *pufillum olei.* Quomodo enim *pufillum olei,* ita & *pufillum farris* videtur fcribere voluiffe.

Vnà cum filiis mortem exfpectaret] Secutus eft
Interpretes Græcos, qui habent τοῖς τέκνοις. Ceterùm fontes ipfi non nifi unius mentionem faciunt.

mor-

5 mortem exfpectaret. Sed cùm Helias verbis Dei polliceretur, nec hydriam farre, nec vas oleo effe minuendum, mulier pofcenti fidem non cunctata prophetae credere, promifforum fidem confecuta eft. Siquidem divinis incrementis tantum accrefceret, quantum quotidie detrahebat. Eodem tempore ejusdem viduae filium mortuum, Helias in vitam

6 reduxit. Tum juffu Domini regem adiit, exprobratôque ei facrilegio, popofcit ad fe omnem populum congregari. Qui cùm properè conveniffet, accitis idolorum ac lucorum facerdotibus cccc ferè & L, inter eos inde orta eft altercatio: Helia Dominum praedicante, illi fuperftitiones fuas adferebant.

7 Poftremò, placuit fieri periculum, ut, fi cujus

3 Reg. 18.

---

5. *Nec has oleo effe minuendum*] Scribit pro folenni fuo *minuendam effe* pro *minutum iri*

Promifforum fidem confecuta eft] *Fides* hic non pro *promiffione*, ut in phrafibus *fidem dare, fidem praeftare, fidem frangere*; Sed pro ejus quod promiffum eft praeftatione, & pro re ipsâ accipienda.

6. *Exprobrato ei facrilegio*] *Sacrilegium* pro *idololatriâ*, ut fubinde fupra; & in hoc capite iterum, *Qui folum fe à facrilegio immunem effe crediderat*.

6. *CCCC fere & L*] Vocula *ferè* παρέλκει, ut fupra faepiùs.

7. *Religio, quare virtutem edidiffet*] *Virtus* pro facultate, potentiâ ufurpatur. Deinde ipfa quoque

I 2　　　　　　caefam

bito, librariorum potiùs negligentiâ, præfertim tot jam feculis intercedentibus, veritatem
fuiffe corruptam, quàm ut propheta errave-
rit. ficut in hoc ipfo noftro opufculo futurum
credimus, ut defcribentium incuriâ, quæ
non incuriosè à nobis funt digefta, vitientur.
Igitur Salomon cœptum templi opus vigefimo anno explicuit. Celebrato deinde ibi- 3
dem facrificio, dictâque oratione, quâ populum templúmque benedixit, Dominus ad
eum locutus eft, denuncians fore, fi quando
peccâffent, ac Dominum reliquiffent, templum illud folo æquandum. Quod jampridem impletum videmus, & mox connexum
rerum ordinem exponemus.   Interea Sa- 4

3 Reg. 8.

3 Reg. 10.

---

berent, nofter infpexiffet. Subjicit enim: *Licet li-*
bro regnorum tertio CCCC XL fuiffe referantur. Verùm minimè ei hæc placent: dicítque, ea *nequaquam*
convenire; & *librariorum negligentiâ veritatem cor-*
ruptam fuiffe. Debuiffet autem fuam annorum fup-
putationem ei numero, qui I Reg. VI expreffus eft,
potiùs adcommodare, quàm propter fuam fupputa-
tionem hunc corruptum dicere.

3. *Denuncians fore, templum illud folo æquandum]*
Pro *Denuncians fore, ut templum illud folo æquetur.*
Ergo nota temporis futuri hîc duplex eft, & in voculâ
fore, & in voce *æquandum.* Nam *æquandum* eft pro
æquandum effe: & *æquandum effe* pro *æquatum iri.*
Solemne enim eft noftro, participio paffivo temporis
futuri uti pro verbo infinito ejusdem temporis. Cujus generis plurima notavimus fuprà, & infrà quoque
non pauca obfervari poterunt.

lomon

lomon florens opibus, omnium qui unquam 3 Reg. 11.
fuerant regum ditissimus: quique semper
ordo rerum est, ab opibus in luxum & vitia
delapsus, cùm adversùm interdictum Dei ex
alienigenis conjugia sumsisset, etiam septin-
gentas uxores & trecentas concubinas haberet, idola eis ritu gentium suarum, quibus
5 litarent, constituit. Quibus rebus aversus
Dominus, graviter increpito pœnam denun-
ciavit, fore ut regnum ex parte majore adem-
tum filio, servo illius traderetur. Idque ita
accidit.

1 Defuncto Salomone anno imperii qua- CAP. XLI.
dragesimo, cùm Roboam filius anno æta- Roboam
tis sexto & decimo regnum patrium tenere 3 Reg. 12.
cœpisset, pars populi ab eo offensa disce-
dit. Etenim cùm laxari sibi stipendium po-
poscisset, quod Salomon gravissimum im-
posuerat, repudiatis precibus supplicum fa-
2 vorem universæ plebis averterat. Itaque

---

4. *Cùm ex alienigenis conjugia sumsisset*] *Conjugia* pro conjugibus, uxoribus; ut suprà *matrimonia*
pro iisdem, abstractum scil. pro concreto. Vide suprà
cap. XXIV, & in illud Notas.

1. *Cùm Roboam anno ætatis sexto & decimo regnum patrium tenere cœpisset*] Manifestè falsum Putat autem Drusius, Auctorem scripsisse, *anno ætatis
XLI.* quoto anno ætatis ipsum cœpisse regnare ex II.
Par. XII, 13 constare potest. facilem enim lapsum fuisse
de XLI in XVI.

Favorem universæ plebis averterat] Legendum fortasse, *à se averterat.*

con-

Jeroboam
Rex Ifraël.

confenſu omnium, imperium ad Jeroboam defertur. Is medio genere ortus, aliquam- 'diu Salomoni ſervitutem pependerat. Sed cùm ei reſponſo Achiæ prophetæ regnum Hebræorum adnunciatum compofiſſet, necare eum clam deſtinaverat. Quo ille metu 3 in Ægyptum confugit: ibíque uxore acceptâ, ex ſtirpe regiâ, cognitâ demum Salomonis morte, in ſolum patrium regreſſus, voluntate populi, ut ſuprà retulimus, ſumfit imperium. Penès Roboam tamen duæ 4 tribûs, Judæ & Benjamin, reſederant: ex his ad trecentá millia paravit exercitum.

---

2. *Is medio genere ortus*] neque plebejo prorſus, nec tamen regali; ſed inter utrumque medio.

Salomoni ſervitutem pependerat] I Reg. XI, 26 & II Par. XIII, 6 Jeroboam Salomonis ſervus vocatur; qui rebellaverit contra regem; quémque rex deſtinaverit interficere. Ceterùm ut hîc dicit *ſervitutem pendere*, ita ſuprà dixit *captivitatem pendere*; & infrà lib. II *ſervitium pendere*. Ipſa phraſis autem dubito an ſatis apta huic loco ſit. Etſi enim legitur, Jeroboamum Salomonis ſervum fuiſſe, non tamen putandum, Salomonem tamquam mancipio uſum eo fuiſſe; ſed ut miniſtro aulico eôque non poſtremo. Sanè I Reg. XI, 28 legitur, Salomonem præfeciſſe illum omni oneri domûs Joſephi.

3. *Voluntate populi ſumſit imperium*] Cæſar lib. I de B. Civ. *Curio omnium ſummâ voluntate Iguvium recipit. Et lib. III Kalenus Delphos, Thebas, Orchomenum, voluntate ipſarum civitatum recipit.*

4. *Ad trecenta millia paravit exercitum*] Druſius legendum monuit *ducenta millia:* quoniam in

Quúm-

Quúmque acies promoverentur, verbis Dei
populus admonetur, prælio abftineret, ex
5 fuo nutu Jeroboam regnum accepiſſe. Ita
ſpreto regis imperio, exercitus dilapſus : Jeroboam imperium invaluerat. Sed cùm Hieroſolymam Roboam obtineret, ubi templo
à Salomone facto populus ſacrificare Domino conſueverat : veritus Hieroboam,
ne ab eo plebem religio averteret, ſtatuit
animos ejus ſuperſtitione occupare. Itaque vaccam auream in Bethel, alteram apud
Dan conſtituit, quibus populus litaret : ſa-
cerdotésque, omiſsâ Levi tribu, ex plebe in-
6 ſtituit. Inviſum Domino flagitium expo- 3 Reg. 13.
ſtulatio conſecuta. Crebra deinde inter
reges prælia : dubio eventu regnum obtinebant. Roboam ſeptimo & decimo imperii
anno exacto, vitâ functus eſt.

1   In hujus locum Abiu filius ejus regnum CAP XLII.

---

originibus eſt, *centum octoginta millia.* Vide I Reg.
XII, 21.
   Verbis Dei populus admonetur] id eſt, nomine Dei,
à Semaia propheta, I Reg. XII, 22. Ita ſuprà *verbis
Dei increpare.*
   6. *Vitâ functus eſt*] Phraſi eâ ſæpè uſus eſt noſter. Habet verò & Papinianus l. filiusf. D. de caſtr.
pec. *Filiusfamiliâs miles,* inquit, *ſi captus apud hoſtes
vitâ fungatur, lex Cornelia ſubveniet ſcriptis heredibus.* Frequentius eſt *defungi vitâ,* & omiſſo nomine, *defungi.* Virgilius lib. IV Æn. *Defunctaque
corpora vitâ.*
   1. *Abiu filius ejus*] Ita legendum ſine dubio ; cùm
                                                    Hie-

3 Reg. 14.
Abiæ Rex
Judæ.
Aſa Rex
Judæ.

Hieroſolymæ ſex annos tenuit: quamvis in
Chronicis triennio regnâſſe referatur. Huic
Aſa filius ſucceſſit, à David quintus ferè,
quippe abnepos ejus. fuit religioſus Domini
cultor. namque deletis aris lucisque idolorum, veſtigia paternæ perfidiæ ſuſtulit. Fœdus cum rege Syriæ firmavit: ejus auxilio
Jeroboæ regnum, quod tùm à filio teneba-

---

vulgares editiones habeant *Abiud*. Textus Hebræus
habet אֲבִיָּם. Et verſio Latina vetus ſimiliter
Abiam. At noſter ſecutus eſt Interpretes Græcos,
qui ſcripſerunt *Aßá*. Vide I Reg. XV, 1.

*Sex annos tenuit, quamvis in Chronicis triennio
regnâſſe referatur*] Sigonius emendat, *Tres annos
tenuit, quamvis in Chronicis ſex annis regnâſſe referatur*. Nimirum in fontibus II Par. XIII diſertè
ſcriptum eſt, Abiamum tres annos regnaſſe. Miratur autem Druſius, Sigonium ita emendare ſuſti-
nuiſſe; ſiquidem in Chronicis Euſebii, ad quæ ſine
dubio noſter adludit, legatur, *Poſt quem Abia annis
tribus*. Concedit tamen, fieri poſſe, ut in Chronicis mendum ſit, & olim in eis lectum fuerit, *annis
ſex*.

1. *Huic Aſa ſucceſſit*] Vulgares editiones habent
Aſab. Sed quid adtinet mendum tam manifeſtum
in textu ſervare, cùm nihil quicquam adpareat, quod
Sulpicium inducere potuerit, ut *Aſab* potius quàm
Aſa ſcriberet. Sanè Interpretes Græci, ad quos ille
adludere ſolet, habent *Aſá*.

Jeroboæ regnum] Quomodo caſibus obliquis *Adæ,
Abrahæ* utuntur ſcriptores eccleſiaſtici, quamvis caſum rectum faciant *Adam, Abraham*: ita noſter nunc
Jeroboæ ſcribit, quamvis caſum rectum *Jeroboam*
fecerit.

tur, multâ clade adfecit: ac ſæpe victis hoſtibus prædam ex victoriâ retulit.   Poſt unum & quadrageſimum annum, æger pedibus deceſſit.   Huic triplex peccatum adſcribitur: unum, quòd ſocietate regis Syriæ nimiùm confiſus ſit: alterum, quòd prophetam Domini hoc ipſum increpantem, iñ vincula conjecit: tertium, quia in pedum dolore remedium non à Domino, ſed à medicis ſperavetit.   Sed initio regni hujus, Hieroboam rex decem tribuum defunctus eſt, regnum Nadab filio reliquit.   Is malis operibus, & tam ſuis quàm maternis meritis inviſus Domino, non ultra biennium regno potitus eſt; privatáque imperio indigna progenies.   Baaſam Achiæ filium ſucceſſorem habuit, æquè à Domino alieniſſimum. Isque ſexto & vigeſimo imperii anno defunctus eſt: regnum ad Helam filium devolutum, nec ultra biennium retentum; namque eum Jambri, princeps equitum, epulantem

marginal references: 2 Par. 16. — Nadab Rex Iſr. 3 Reg. 15. — Baaſa Rex Iſr. — Ela Rex Iſr. — 3 Reg. 16. Amri Rex Iſr.

---

4. *Maternis meritis inviſus Domino*] Sigonius legit *paternis*. Intelliguntur autem ipſius Jeroboami, idololatriæ auctoris, merita.

5. *Baaſam Achiæ filium*] Ita eſſe legendum, rectè conjecit Druſius, cùm in antiquis editionibus eſſet *Banachiæ filium*. Quid autem adtinet iſtiusmodi menda retinere in textu? Series hiſtoriæ docet, fuiſſe Baaſam, & hunc Achiæ filium.   Ex *Baaſam Achiæ* autem illud *Banachiæ* factum eſſe, manifeſtum eſt.

Jambri princeps equitum] Mirum, cur Druſii &
inter-

interfecit, regnúmque occupavit: vir perinde in Dominum atque homines impius. Ab hoc pars populi feceffit: Thamni. cuidam regium nomen delatum. Sed Jam- 6

---

aliorum editiones habeant *Zambri*; cùm non tantum vetus Colonienfis editio habeat *Jambri*, fed & in MS. quodam fic repererit Drufius : imò infrà quoque Jambri fcribatur. Verum quidem eft, eum, qui Elam interfecit, de quo hîc & agitur, in textu Hebræo *Zimri*, & in verfione Græcâ *Zambri* vocati ; ut Sulpicius ad iftam verfionem, ut alibi, ita & hic adludere videri poffit : verùm, cùm Sulpicius, quamvis per errorem, tantùm de uno agat, oportet hunc vel Zambri tantùm, vel Jambri ab eo dictum effe ; cúmque Jambri nomen non femel, fed ter hic vifatur, verifimile eft, pro *Zambri* quoque, quod in Drufii & aliorum editionibus eft, *Jambri* legendum effe. Quòd de uno agat, fatis docet contextus. Verba Sulpicii fecundùm Drufium & alios funt : *Eum,* [Elam puta] *Zambri, princeps equitum, epulantem interfecit. Ab hoc* [Zambri puta] *pars populi feceffit: Thamni cuidam regium nomen delatum. Sed Jambri ante hunc* [Thamni] *feptem annos, & cum eodem duodecim regnavit.* Vnus ille igitur, de quo agit, vel Zambri tantùm, vel Jambri ab eodem dictus eft. Ceterùm erraffe Sulpicium, manifeftum eft. Alius enim fuit, qui Elam interfecit ; & alius qui Thibui, vel ut nofter adpellat, Thamni regni æmulum habuit. Ille Zimri, hic Amri in textu originali vocatur. Ceterùm quòd pro *Amri* nofter habet *Jambri*, adlufit ex parte ad verfionem Græcam, quæ Ἀμβρὶ habet, infertâ inter M & P literâ B, quemadmodum factum eft in *Zambri* pro *Zamri* & in *Mambre* pro *Mamre*, & in *Nembrod* pro *Nemrod*. Qui autem factum fit, ut ab initio *Jod* accefferit, & fcriptum fit *Jambri* pro *Ambri*, non liquet.

6. *Thamni cuidam regium nomen delatum*] Nobri

bri ante hunc septem annos, & cum eodem
7 duodecim regnavit.   At in parte tribûs Iudæ Asa mortuo, Iosaphat filius ejus regnare
cœpit, vir religiosis virtutibus merito clarus.
Is cum Iambri pacem habuit.   Defunctus
est autem, cùm regnasset annos v & xx.

1   Hujus imperii tempore Achab, Iambri filius, rex decem tribuum fuit, vltra omnes in
Dominum impius.   Namque Iezabel filiâ
Basæ regis ex Sidone, in matrimonio acceptâ
Baali idolo aram lucósque constituit, & pro-
2 phetas Domini interemit.   Quo tempore
Helias propheta oratione cœlum conclusit,
ne pluuiam terræ daret: idque regi denun-
ciauit, ut se impius causam mali esse cognosceret.   Igitur suspensis cœlo aquis, cùm lo-

Iosaphat Rex Iud.

CAP. XLIII. 3 Reg. 16. Achab Rex Isr.

Elias Proph. 3 Reg. 17.

---

men *Thamni* habet itidem ex versione Græcâ, nam
in textu originali est *Thibni.*

*Sed Iambri ante hunc septem annos, & cum eo-
dem duodecim regnaßit*] De annis regni Amri manifestè errat.   Notum enim ex 1 Reg. XVI Amri in
vniversum duodecim tantùm annos regnum tenu-
isse. Quamdiu autem regnaverit Thamni, incertum,
neque in sacris litteris expressum est.

1. *Vltra omnes in Dominum impius*] *Vltra* pro
supra non rarò usurpat noster.

Filia Basa regis ex Sidone] Nomen regis Sido-
niorum sine dubio corruptum à librariis est.   In originibus vocatur *Esbbaal.* Et versio Græca habet
Ἰεθεβαάλ.

I   ca

ca omnia adufta folis ardoribus non victum
hominibus, non pabulum jumentis darent,
ipfe fe intra periculum famis propheta con-
cluferat. Eâ tempeftate cùm eremum pe- 3
tiiffet, corvis cibum miniftrantibus, vixit.
Aquam torrens proximus, donec aruit, dedit.
Inde admonitus à Domino, Sareptæ oppi- 4
dum petiit: ad mulierem viduam divertit.
Cúmque ab eâ efuriens cibum peteret, illa
caufari, non effe fibi nifi pufillum farris, &
pufillum olei: quo abfumto, unà cum filiis

In matrimonio accepta] Simile illi, quod fupra cap. IX adparet *in matrimonio poftulans*. Alibi
verò fcripfit, *in matrimonium accipere, in matrimonium adfumere, in matrimonium dare*. Vide
Notas ad cap. IX. Vt mirum fit, fi nunc fcripferit *in
matrimonio accepta*.

 4. *Sareptæ oppidum*] Vt *Vrbs Antiochiæ*. Nimirum ut generi fpeciem, fic fpeciei individuum adjiciunt fecundo cafu.

 4. *Ni pufillum farris*] Drufius conjicit, Sulpicium fcripfiffe *pugillum farris:* quia in verfione
Græcâ eft, δραξ ἀλεύρε: & verfio Latina fimiliter
habet, *Nifi quantum pugillus capere poteft farinæ*.
Non adfentior: quia fequitur, *pufillum olei*. Quomodo enim *pufillum olei*, ita & *pufillum farris* videtur fcribere voluiffe.

 Vnà cum filiis mortem exfpectaret] Secutus eft
Interpretes Græcos, qui habent τοῖς τέκνοις. Ceterùm fontes ipfi non nifi unius mentionem faciunt.

mor-

5 mortem exfpectaret. Sed cùm Helias verbis
Dei polliceretur, nec hydriam farre, nec vas
oleo effe minuendum, mulier pofcenti fidem
non cunctata prophetæ credere, promifforum fidem confecuta eft. Siquidem divinis
incrementis tantum accrefceret, quantum
quotidie detrahebat. Eodem tempore ejusdem viduæ filium mortuum, Helias in vitam
6 reduxit. Tum juffu Domini regem adiit, 3 Reg. 18.
exprobratôque ei facrilegio, popofcit ad fe
omnem populum congregari. Qui cùm
properè conveniffet, accitis idolorum ac lucorum facerdotibus cccc ferè & L, inter eos
inde orta eft altercatio: Helia Dominum
prædicante, illi fuperftitiones fuas adferebant.
7 Poftremò, placuit fieri periculum, ut, fi cujus

---

5. *Nec ßas òleo effe minuendum*] Scribit pro folenni fuo *minuendam effe* pro *minatum iri*.

Promifforum fidem confecuta eft] *Fides* hic non
pro *promiffione*, ut in phrafibus *fidem dare, fidem
præftare, fidem frangere;* Sed pro ejus quod promiffum eft præftatione, & pro re ipsâ accipienda.

6. *Exprobrato ei facrilegio*] *Sacrilegium* pro
idololatriâ, ut fubinde fupra; & in hoc capite iterum, *Qui folum fe à facrilegio immunem effe crediderat.*

6. *CCCC fere & L*] Vocula *ferè* παρέλκει, ut
fupra fæpiùs.

7. *Religio, quare ßirtutem edidiffet*] *Virtus* pro
facultate, potentiâ ufurpatur. Deinde ipfa quoque

I 2

cæfam

cæfam hoftiam miſſus eœlo ignis abfumeret,
rata eſſet religio, quæ virtutem edidiſſet. Ita
facerdotes occifo vitulo, Baal idolum invocare cœperunt : fruſtráque conſumtis in-
vocationibus imbecillitatem domini fui tacitè
fatebantur. Tum verò Helias irridens eos :
Ne fortè, inquit, dormiat, clamate vehementiùs, ut fomno, quo tenetur, evigilet. Enimvero miferi trepidantes, muſſare, & tamen,
quidnam Helias facturus eſſet, exfpectare. At **8**
ille, cæfum vitulum impofuit , quum priùs
facrarium aquâ oppleſſet : invocatóque Domino, exfpectantibus cunctis, ignis cœlo de-
lapfus, aquam cum hoftiâ abfumfit. Tum
verò populus folo ftratus, Dominum fateri,
idola exfecrari : poftremo Heliæ juſſu pro-
phani facerdotes comprehenfi, deductíque
ad torrentem, necati funt. Redeuntem inde **9**
3Reg. 19. regem propheta profecutus eft. Sed cùm ei
Iezabel regis uxor vitæ periculum pararet, ad
remotiora feceſſit. Ibi eum Dominus adlo-

---

actio miraculofa, quæ ex potentiâ & facultate oritur,
virtus dicitur. Vide fupra Notas ad cap. XIV.

8. *Cum priùs facrarium aquâ oppleſſet*] *Sacrarium* vocat aquæ ductum, qui circa altare fuit ; quòd
iſte locus, in quo fuit aquæ ductus, Deo facratus eſſet.

8. *Deducti ad torrentem necati funt*] Torrens
ille in originibus Kifon vocatur.

9. *Ad remotiora feceſſit*] ad defertum Berfabee.

cutus

cutus est, septem millia virorum esse adhuc pronuncians, qui se idolis non dedissent. Mirum id Heliae fuit, qui solum se à sacrilegio immunem esse crediderat.

1 Eà tempestate Achab rex Samariae vineam Nabuthaei, adhaerentem sibi, concupivit. Quam cùm ille ei vendere noluisset, dolis Iezabel interfectus est. Ita Achab vineà potitus est, cùm tamen Nabuthaei mortem doluisse 2 referatur. Mox per Heliam verbo Domini increpitus, agnitóque crimine cilicio indutus,

CAP.
XLIV.
3 Reg. 21.

---

1. *Vineam Nabuthaei*] Nomine isto proprio adludit rursus ad versionem Graecam, quae habet Ναβε-θαί.

Adhaerentem sibi] i. e. adhaerentem domui suae regiae. Vt Terentius Phorm. V, 1. *A fratre quae egressa est meo*, pro *ex aedibus fratris*. Et Catullus in Epith. in nupt. Pelei: *Ad se quisque sago passim pede discedebant*.

Cum tamen Nabuthaei mortem doluisse referatur] Adludit ad versionem Graecam 1 Reg. XXI, 16 quae nonnulla habet in hanc senténtiam.

2. *Per Heliam verbo Domini increpitus*] Putem legendum esse *verbis*, id est, nomine, *Domini:* quemadmodum in cap. superiore scriptum: *Cùm Heliae verbis Dei polliceretur.* Et in hoc ipso cap. *Achab verbis Dei à propheta increpitus.*

Egisse paenitentiam traditur] Agere paenitentiam Scriptoribus ecclesiasticis multùm frequentatum. Neque tamen ceteris planè ignotum fuit. Memini enim legere apud Petronium & Valerium Max.

im-

egisse pœnitentiam traditur. Quo facto,
imminentem pœnam auertit. Namque rex 3
Syriæ magno cum exercitu, duobus & triginta regibus in societatem belli adscitis, fines Samariæ ingressus, cum rege urbem ob-
sidere cœpit.   Actis deinde obsessorum rebus, dat belli conditiones, si aurum & argentum & feminas tradidissent, fore uti vitæ eorum parceret.   Sed tam injustis conditionibus extrema perpeti satius visum.   Et cùm 4
jam omnium desperata esset salus, propheta
à Domino missus, regem adit, hortatur ut in
prælium exeat: cunctantem, multis confirmat. Ita eruptione factâ, fusi hostes, copio-
saque præda reperta.   Sed post annum re- 5
paratis viribus, Syrus in Samariam regressus,
acceptam cladem ultum ire cupiens, rursum

Achabi de   victus est.   Eo prælio cxx millia Syrorum
Syris victo-   interiere: Regi venia data, regnum ei & pri-
ria.   stinus status concessus.   Tum Achab verbis 6
Dei à propheta increpitus, cur abusus divino

---

3. *Actis deinde obsessorum rebus*] Sigonius legi
vult *fractis*.   At Drusius mavult *arctis:* quia in
libro II similiter scripsit, *arctis suorum rebus.*

Dat belli conditiones] Aliter dicunt *ferre con-*
ditiones.   Vtrique ex adverso respondet *accipere*
conditiones.

6. *Quòd ei exitiabilem fore pugnam denunciaf-*
fet] Vocabulo *exitiabilis* subinde usus est noster

mune-

munere, hosti sibi tradito peperciffet. Igitur
Syrus poft triennium, bellum Hebræis intulit. Adversùm hunc Achab, pfeudoprophe- 3 Reg. 22.
tarum impulfu, in prælium defcendit, fpreto
Michaea propheta, & in vincula conjecto,
quòd ei exitiabilem fore pugnam denuncias-
fet. Ita eo prælio Achab interfectus, Ocho-
ziæ filio imperium reliquit.

1   Is æger corpore, cùm ex miniftris, qui CAP. XLV
idolum pro falute ejus confulerent, mififfet: 4 Reg. 1.
Helias à Deo monitus, obviam fe eis obtulit, Achazias
increpitosque renunciare regi jubet, mortem Rex Ifr.

2 ejus confequuturam. Tum rex comprehendi eum, ac deduci ad fe jubet: fed miffi,
cœlefti igne abfumti. Rex, ut propheta
prædixerat, obiit, fucceffit autem Ioram ei fra- Ioram Rex
ter ejus: isque duodecim annis imperio potitus Ifrael.
eft. At in parte duarum tribuum Iofaphat Ioram Rex
rege defuncto, Ioram filius regnum tenuit Iudæ.
annos duodeviginti. Is Achab filiam uxorem Achazias
                                       Rex Iudæ.
3 habuit, focero quàm patri propior. Poft Elifeus
hunc Ochozias filius imperium adeptus eft. Proph.
Hoc regnante Helias translatus refertur. Eo-

---

pro *exitialis.* Sed ufi eo & antiquiores fuerant, in-
térque hos ipfe quoque Cicero.

   1. *Qui idolum pro falute ejus confulerent*] Nu-
men Accaronitarum, quod Baalzebub vocatum.

   3. *Hoc regnante Elias translatus*] Supra cap. II

4 Reg. 2 & seqq.

dem tempore Eliseus discipulus ejus, multis signis potens extitit : quæ omnia notiora sunt, quàm ut nostro stilo egeant. Ab eo 4 est viduæ filius resuscitatus, Syrus leprâ purgatus. Famis tempore, omnium rerum copia fugatis hostibus invecta; in usum trium exercituum aquæ præbitæ : de exiguo olei immodicis incrementis solutum mulieris debitum, & ipsi sufficiens vivendi substantia data. Hujus temporibus, ut diximus, Ochozias duarum tribuum erat rex : decem vero 5 Ioram, ut supra retulimus, imperabat. Interque eos fœdus ictum. Nam & adversùs Syros junctis viribus bellatum : & adversùm

---

Enoch ob justitiam translatus. Quò vero translatus sit, id subaudiendum est. Sic & Auctor ep. ad Hebr. cap. XI μετετέθη *transpositus est;* subaudito itidem, nec disertè expresso, quò transpositus sit.

Eliseus discipulus ejus] Credo Sulpicium scripsisse *Eliseus,* vel potius *Heliseus;* quia video, Interpretes Græcos, ad quos adludere solet noster, scripsisse Ἐλισσαῖε.

Multis signis potens] Miracula & miraculosa opera vocat *signa,* uti supra. Vide Notas in cap. XIV.

4. *In usum trium exercituum aqua præbita*] Tres illi exercitus Regis Iuda, Regis Israël, & Edomitarum fuere. Vide II Reg. III, 16.

Ipsi sufficiens bibendi substantia data] *Substantia* rursus pro bonis, facultatibus. Vide sup. Notas in cap. VII.

Iehu

Iehu, qui per prophetam in regem decem tribuum unctus fuerat, pariter in prælium
egressi, eadem pugnâ interiere.

1   Sed regnum Ioram Iehu tenuit. Posito C A P.
Ochozia in Iudæâ rege, qui uno anno regna- XLVI.
vit, mater ejus Gotholia imperium occupa- 4 Reg. 9.
vit, ademto nepoti imperio, etiam tum parvo Iehu Rex
puero, cui Ioas nomen fuit. Sed huic ab Isr.
aviâ præreptum imperium, post octo ferè 4 Reg. 11.
annos, per sacerdotem & populum depulsâ Ioas Rex
2 aviâ redditum.   Hic initio regni observan- Iudæ.

---

    1. *Posito Ochozia in Iudeâ rege*] In Coloniensi
& Amstelodamensi editionibus malè conjuncta hæc
sunt cum proximis superioribus, & à proximis sequentibus majore distinctione separata. *Posito* scriptum videtur pro *composito, sepulto*. Sanè *Componere* dicunt pro *sepelire*. Virgilius:
    Ante diem clauso componet Hesper Olympo.
Et Horatius:
    — — Est tibi mater?
    Cognati, quis te salvo est opus? haud mihi quis-
          quam.
    Omnes composui. — — — —
    Mater ejus Gotholia] Athaliam vocat *Gotholiam*,
secutus rursus Interpretes Græcos, qui vocant Γοθο-
λίαν; quomodo supra *Gothoniel* pro *Othoniel*, eosdem secutus Interpretes dixit.
    1. *Imperium post octo ferè annos redditum*] Imò
verò post sex annos, ita enim disertè habent origines,
II Reg. XI, 3.
    2. *Adoratus ab eis*] Adludit ad II Par. XXIV, 17.

I 5   tissi-

tiffimus divini cultûs fuit, magnisque fumtibus templum exornavit. pòft adulatione
principum depravatus, adoratúsque ab eis,
Dei iram meruit.   Namque ei Azahel rex
Syriæ bellum intulit : inclinatísque rebus
fuis, auro templi pacem redemit.   Nec tamen eâ potitus eft, facti invidiâ à fuis interfectus, anno imperii quadragefimo.   Huic A-   3
maffia filius fucceffit.   At in parte decem
tribuum defuncto Iehu, Ioachas filius ejus
regnavit invifus Deo, malis operibus, ob quæ
regnum ejus Syris prædæ fuit, donec Dei mifericordiâ depulfis hoftibus, priftinum habere ftatum cœperunt.   Ioachas diem functus,   4
Iohæ filio reliquit regnum.   Is Amaffiæ regi
duarum tribuum civile bellum intulit, victo-
riâque potius, multam prædam in regnum
fuum convertit.   Idque ob Amaffiæ delictum accidiffe traditur.   Siquidem Idumæo-
rum fines victor ingreffus, idola gentis ejus
adfumferat.   Hic novem annos regnaffe   5

Amafias
Rex Iud.
4 Reg. 13.
Ioachas
Rex Ifr.

4 Reg. 14.
2 Par. 23.

2 Par. 25.

Facti infidiâ à fuis interfectus] *Infidiam* pro
odio dicit, ut fupra.   Ceterùm quòd invidiâ ejus,
quòd Ioas aurum ex templo fuftulerat, eôque pacem
redemerat, eundem interfectum putat nofter, id non
ex facris litteris haufit, fed ex conjecturâ addidit.
II Par. XXIV, 25 alia adlegatur caufa ; nimirum quòd
Zachariam, filium Iojadæ, interfeciffet.

5. *Quantum in libris regnorum reperi*] In libris
fcri-

ſcribitur, quantum libris Regnorum reperi. Sed in Paralipomenis, atque etiam in Chronicis, novem & viginti annos imperium temuiſſe adnotatum eſt. Et nimirum id perſuadente ratione, quæ in his Regnorum libris facilè perſpici poteſt. Ioram enim rex de- Ioram Rex cem tribuum, octavo anno imperii Amaſſiæ Iſral. traditur regnare cœpiſſe, unúmque & quadraginta annos imperium tenuiſſe. regnante demum Ozia Amaſſiæ filio, quarto imperii

6 ejus anno defunctus eſt. Quâ ratione viginti & novem annos regi Amiſſiæ effecit. Itaque nos hoc ipſum ſecuti, quia rationem temporum perſequi placet, Chronicorum auctoritati acceſſimus.

———————————

Regum ſe reperiſſe dicit, Amaſiam novem annos regnaſſe. At II Reg. XIV, 2 diſertè legitur, Amaziam viginti novem annos regnaſſe. Neque ipſa verſio Græca, quam ſequi ſolet noſter, aliter habet. Quare non erat, quòd diſcrepantiam librorum Regum, & Paralipomenon noſter hîc notaret.

In Chronicis] Chronica intelligit Euſebii.

Octavo anno imperii Amaſſiæ] II Reg. XIV, 23. legitur, *decimo quinto.*

6. *Quâ ratione novem & viginti annos Regi Amaſſiæ effecit*] Ipſum Euſebium intelligere videtur, cujus Chronica non rarò citat. Quæ Chronica ita omnino & habent: *Ebræorum Iuda Amaſias annos XXIX.*

Igitur

CAP.
XLVII.
4 Reg. 15.
Ozias Rex
Iud.
Zacharias
Rex Ifr.

2 Par. 26.

Igitur Amaſſiæ Ozia filius ſucceſſit. nam **1**
in parte decem tribuum Ioas diem functus,
Ioram filio locum fecerat: póſtque hunc Zacharias ejus filius regnavit.   Horum nos re- **2**
gum, omniúmque, qui in parte decem tribu-
umSamariæ præfuerunt,adnotanda eſſe tempora non putavimus: quia brevitati ſtuden-
tes, ſuperflua omiſimus, & ad cognitionem
temporum ejus potiſſimùm partis annos credimus perſequendos, quæ in captivitatem
poſteriùs abducta, prolixius tempus in regno
habuit.   Igitur Ozias regnum Iudæ adeptus, **3**
præcipuam curam Domini cognoſcendi habuit, Zacharia propheta plurimùm uſus.
Eſaias etiam ſub hoc primùm prophetaſſe
traditur: quo merito proſperis eventibus adverſùs finitimos bella geſſit.   Arabas etiam

---

1. *Ioram filio locum fecerat*] Morte ſcilicet.
Quâ notione phraſin ſæpenumero uſurpavit.

2. *Ejus potiſſimùm partis annos credimus per-*
ſequendos] Partem intelligit duarum tribuum; quæ
regnum Iudæ vocari ſolet.

3. *Zacharia propheta plurimùm uſus*] II Par.
XXVI, 5. Zacharias iſte vocatur *intelligens in biſio-*
nibus Dei. Sed Interpretes Græci habent, τᾶ συνιέν-
τ⊙ ἐν φόβῳ Κυρίυ. Vide Obſerv. Druſ. l. IV cap.
20 & 22.

Quo merito proſperis eventibus bella geſſit]Quod
Eſaias ſub Ozia vaticinatus eſt, *eo merito* Oziam
proſperis eventibus adverſus finitimos bella geſſiſſe
devi-

3 devicit. Iámque Ægyptum terrore nominis sui concusserat, elatúsque secundis rebus, inlicita præsumens, incensum Deo obtulit: quod solis facere sacerdotibus fas erat. Itaque cùm per Azariam sacerdotem increpitus eo loco decedere cogeretur, atque in iram exarsisset, leprâ oppletus decessit. Quo morbo adfectus, vitâ functus est, quúm regnasset annos duos & quinquaginta. Regnum inde

4 Reg. 15.

4

---

scribit. . Vbi vox *meritum* non vulgarem significationem obtinet, sed novam. Sic supra cap. 12 dixit, *Benedictionis merito majori minorem prepofuisset.* Et cap. 23. *Merito fidei noctem abtertit.* Adparet vocem in his *causam efficientem,* quam vocant, significare: & cùm alibi ipse casus ablativus vim causæ efficientis involuat, in his quasi per pleonasmum vox *merito* adjicitur.

4. *Inlicitâ presumens incensum Deo obtulit*] *Presumere* pro *occipere, instituere, audere* non est antiquioris aeui. Antiquioribus *presumere* idem fuit, quod *ante capere; aut ominari & animo præcipere.* Quas significationes & in libro de Latinitate falso susp. pag. 184 notavimus. Supra cap. 35 noster & sic habet, *Illicitâ presumtione holocaustum obtulit.* Vide Notas ad eum locum.

Leprâ oppletus decessit] Non e vitâ; sed e templo tantum. Sequitur enim: *Quo morbo adfectus vitâ functus est.* Præcessit quoque phrasis plena, *eo loco decedere.*

5. *Ioathæ filio*] Est is Iotham. Quod A inseruit, secutus rursus est Græcos Interpretes, qui scripserunt Ἰωάθαμ.

Ioa-

Iotham
Rex Iud.

Achas
Rex Iud.

CAP.
XLVIII.
Ion. 1 &
seqq.

Ioathæ filio datum: Isque admodùm sanctus
fuisse traditur, prosperéque imperium admi-
nistravit: gentem Ammonitarum bello victā
stipendium præstare coëgit. regnavit autem
annis XVI. Eidémque Achaz filius successit.

Celebris circa hæc tempora Ninivitarum **1**
fides traditur.   Id oppidum olim ab Assur,
Seon filio, conditum, caput regni Assyriorum fuit: frequens tùm incolentium multitudine, alens virorum millia c & xx: atque,
ut in magno populo, abundans vitiis. Queis **2**
Deus motus, Ionam prophetam ex Iudæâ ire
præcepit, ac denunciare urbi excidium, sicut
olim Sodoma & Gomorrha divinis ignibus
conflagrassent. Verùm propheta prædicatio- **3**
nis istius ministerium detrectans, non con-

---

5. *Stipendium præstare*] Vt supra, *stipendium
imponere, stipendium laxare,* id est, tributum. Infra
c. LIII dicit *tributum pendere.*

1. *Ab Assur, Seon filio, conditum*]Drusius non dubi-
tat legendum esse *Sem filio:* quoniam Gen. X, 22 diserte legitur, Assurem, filium Semi, Niniven condidisse.

Alens virorum millia C & XX] Legendum fortasse *puerorum.* Horum enim tot millia eam urbem
habuisse, ex ipsis originibus constat.

3. *Prædicationis istius ministerium detrectans*]
Prædicationis vocabulum sensu ecclesiastico hic
usurpatum, ut supra. Cujus rei occasio fuit, quòd
Latinus interpres eo vocabulo usus fuerat ad vocem
Græcam κηρυγμα exprimendam.

tumaciâ,

tumaciâ, fed præfcientiâ, quâ videbat Dominum pœnitentiâ populi placandum, navim,
quæ longè diversâ regione Tharſos petebat,
4 confcendit.   Sed, ubi in altum proceſſum,
nautæ fævitiâ maris compulfi, quisnam eſſet
mali cauſa, forte exploravere.   Cùm ſuper Ionam
Ionam fors decidiſſet, tamquam piaculum
tempeſtatis in profundum projeſtus eſt: ex-
ceptúsque à ceto, marino monſtro, ac devo-
ratus, poſt triduum ferè Ninivitarum littori-

---

3. *Quâ videbat Dominum pœnitentiâ populi
placandum*] Editio Colonienſis habet *Quia, Placandum* ſcil. *eſſe*, ſcripſit pro *placatum iri :* idque
pro ſolenni ſuo.

Navim, qua Tharſos petebat] Druſius legendum
putat *Tharſis :* quia verſio Græca, quam noſter ſequi ſolet, Ion. I habet, Καὶ ἀνέστη Ἰωνᾶς τοῦ φυγεῖν εἰς
Θαρσίς.   Quid verò *Tharſis* ſibi velit, optimè con-
jeciſſe videtur Arnoldus Bootius in Animadverſionibus ſacris; quod videlicet ſit Tarteſſus.

4. *Cùm ſuper Ionam ſors cecidiſſet*] Phraſis iſta
inter Hebraismos numeranda videtur.   Hebræi dicunt, נפל גורל על פלני *cadit ſors
ſuper aliquem :* quæ phraſis & in hiſtoriâ Ionæ legitur.   Interpretes Græci verbum de verbo expreſſerunt, verterúntque ἔπεσεν ὁ κλῆρος ἐπὶ Ἰωνᾶν. Sed
& Lucas Aſt. I eamdem phraſin uſurpavit.

Poſt triduum ferè] Ferè παρέλκει rurſus, ut ſupra
non ſemel.

Ninivitarum littoribus ejeſtus] Ingens ἀναφω-
ρία. Quî Ninivitarum littoribus ejici potuit à piſce,
bus

bus ejectus, jussa prædicat, urbem scilicet, ob
peccata populi triduo perituram. Igitur non   5
dissimulanter, ut olim Sodomis, audita est
vox Prophetæ: ac statim jussu regis, exem-
plóque, p pulus universus, quin & recens
nati, cibo potuque abstinere jubentur: jumenta itidem & diversi generis animalia
compulsa fame ac siti, lamentantium speciem
cum hominibus præbebant. Ita imminens
malum aversum. Ionæ apud Deum con-   6
querenti, quòd fides dictis non adfuisset, responsum, pœnitentibus veniam negari non
posse.

CAP.
XLIX.

At in Samariâ Zachariam regem admo-   1
dùm impium, quem superiùs regnasse me-

----

cùm in mari mediterraneo ab eodem absorptus esset.
Origines tantùm habent, ejectum fuisse in aridam,
id est, in siccum, in terram.

4. *Triduo perituram*] Secutus rursus est Interpretes Græcos, qui habent, Ἐτι τρεῖς ἡμέρας, καὶ Νι-
νευὴ καταστραφήσεται. At textus Hebræus habet
quadraginta.

· 6. *Quòd fides dictis non adfuisset*] Iustinus lib.
XIII. *Vt sero mortis ejus fides adfuit.* Et lib. IX.
Ea primùm fides inopiæ Scythicæ fuit.

1. *Mane insidiis*] Nomen explicatum, nec con-
tractum est *Menahem* & *Manahem.* Vnde fit *Manem*, & terminatione Græcâ, aut Latinâ, *Manes.* Sed
mox adparet & decurtatio, ut pro *Manem* vel *Manes*
scriptum sit *Mane.*

mo-

moravimus, Sella quidam interemit, re- 4 Reg. 15.
gnumque occupavit: idemque Manæ insi- Sellum & a-
2 diis exemplo facti sui perit. Mane ereptum lii reges Isr.
Sellæ imperium tenuit, filioque Pache reli-
quit. Eumdem verò Pache quidam ejusdem
nominis interemit, regnumque occupavit.
Mox ab Osee peremtus, eodem scelere, quo
3 adsumserat, imperium amisit. Hic ultra
omnes reges superiores impius, pœnam sibi, perpetuamque genti captivitatem à Deo
meruit. Namque ei Salmanasser rex Assy- Salmanas-
riorum intulit bellum, victumque tributa- ser.
4 rium sibi effecit. Sed cùm occultis consiliis rebellionem pararet, regémque Æthiopum, qui tùm Ægyptum obtinebat, in auxilium accerseret, idque Salmanasser comperisset, perpetuis eum vinculis in carcerem

---

2. *Eumdem Pache quidam ejusdem nominis in-*
teremit] Non omninò ejusdem nominis fuit; sed
cognati seu adfinis. Sanè in scripturâ Hebræâ di-
versitas satis est evidens.

3. *Hic ultra omnes reges superiores impius*]Im-
pius quidem fuit Hoseas; sed non ultra tamen seu
supra reges superiores. II Reg. VII,2 scriptum est disertè, non perinde impium fuisse, ut superiores.

4. *Regem Æthiopum, qui tùm Ægyptum obtine-*
bat, in auxil. accerseret] Is II Reg. XVII, 4 tantùm *rex Ægypti* vocatur; cui quidem *So* nomen
fuerit.

K

con-

conjecit, urbémque excidit, populum universum iu regnum suum abduxit, Assyriis
in hostili solo ad custodiam positis. exinde
ea pars Samaria adpellata: quòd linguâ Af-
syriorum custodes Samaritas vocant. ex quibus plerique divinas ceremonias receperunt,
reliquis in errore gentilitatis perseverantibus.

Vrbémque excidit] Fontes habent, cepisse modò, non verò & excidisse, urbem.

Exinde ea pars Samaria adpellata] Aliter res
habet. Samaria regio ab ejus nominis urbe adpellata. Vrbs verò à monte, & hic denique à *Semer* quodam sic dictus fuit.

4. *Quòd linguâ Assyriorum custodes Samaritas
vocant*] Et hoc falsum. Primò vocabuli termina-
tio illa non Assyriorum, sed Græcorum est. Deinde
falsum, quòd שמר Assyriorum fuerit vocabulum.
Constat enim, incolas earum terrarum dixisse pro eo
שמר.

*Ex quibus plerique divinas ceremonias recepe-
runt, reliquis in errore gentilitatis perseverantibus*] Discernit hos, qui ex Assyriâ in Palæstinam
venerunt, in duas classes. Sed aliter habent fontes,
qui quidem nullo facto discrimine prodiderunt,
gentes eas coluisse Jehovam, & simul quoque idola
sua. Vide II Reg. XVII, 33. 41. Porro *gentilitatis*
vocabulo ipsum gentilium errorem de idolis suis co-
lendis notavit. Sic & vocabulo *gentiles* eos notat,
qui idola colunt, & veri cultûs divini expertes sunt.
Quæ autem ejus rei causa & occasio fuerit, dictum
est supra ad cap. I; ubi de vocabulo *ethnici* egimus.

Hoc

5 Hoc bello Tobias in captivitatem ductus est. Tobias.
At in parte duarum tribuum rex Achas ob Achas Rex
impietatem invisus Deo, cùm finitimorum Jud.
bellis sæpe premeretur, deos gentium colere
decrevit, nimirum quia eorum illæ auxilio
victores frequentibus præliis extitissent. Ita
in hoc nefariæ mentis piaculo diem functus
est, cum XVI annis in regno fuisset.

1 Huic Ezechias filius successit, multùm CAP. L.
paterni dissimilis ingenii. Namque initio 4 Reg. 18.
regni, populum sacerdotesque ad Dei cul- Ezechias
tum cohortatus, multis disseruit, ut frequen- Rex Jud.
ter castigati à Domino, sæpiùs essent mise- 2 Par. 29.
ricordiam consequuti; ut postremùm de-
cem tribus, in captivitatem nuper abductæ,
sacrilegii pœnas dissolverent: cùrandum eis
2 sedulo, ne eadem pati mereantur. Ita
conversis ad religionem omnium animis,
Levitas Sacerdotesque omnes ad celebran-
da secundùm legem sacrificia ordinavit: ce- 2 Par. 30.
lebrarique Pascha instituit, quod jam pri-
3 dem fuerat omissum. Cumque dies festus

---

5. *Deos gentium coelre decreßit*] Nunc *gentes*
vocat, quos & *gentiles* vocare solet. Quâ de re itidem prædictas Notas vide.

1. *Sacrilegii pœnas dissolverent*] *Dissolvere* pro
simplici *solvere*: pro quo alibi & *absolvere* dicit.
Sacrilegium autem rursus idololatriam vocat.

K 2 ad-

adeſſet, dimiſſis per omnem terram nuntiis, conventûs diem edixit: ut, ſi qui poſt abdu-
ctionem decem tribuum in Samariâ reſediſ-
ſent, ad ſolemne ſacrum convenirent. Ita
frequentisſimo conventu dies ſacer publicâ
lætitiâ exactus; longo poſt intérvallo religione legitimâ per Ezechiam reſtitutâ. Pari 4
deinde induſtriâ, quâ divina curaverat, rem
bellicam adminiſtravit, Allophylósque frequentibus præliis contudit: donec ei Sennacherib rex Aſſyriorum bellum intulit, magno cum exercitu fines ejus ingreſſus laté-
que agris vaſtatis, nullo obſiſtente, urbis
obſidionem urgebat. Ezechias enim multitudine inferior, non auſus manum conſerere, muris ſe tuebatur. Rex Aſſyrius por- 5
tis adſultans, minitari excidium, deditionem imperare; Ezechiam fruſtra Deo con-
fidere, ſe Dei nutu potiùs arma ſuppreſſiſſe;

4 Reg. 1.
2 Par. 32.
Sennache-
rib. Eſa.36.

---

3. *Conſentûs diem edixit*] Editio Colonienſis
habet *indixit*.

4. *Multitudine inferior, non auſus manum conſerere*] Nunc dicit *manum conſerere* pro *prælium
committere*; quomodo Nepos & alii. At ſupra
cap. 36 dixit *prælium conſerere*, quomodo Iuſtinus
& alii. Vide notas ad illud cap. Porro ut noſter
multitudine inferior, ſic Nepos *inferior copiis*. Vide XIV, 8. 4.

5. *Se Dei nutu potiùs arma ſuppreſſiſſe*] Legendum ſine dubio *ſumſiſſe*, ut Sigonius cenſet.

vi-

victorem omnium gentium, everforem Sa- Efa. 37.
mariæ, effugi non poffe, ni maturâ dedi-
6 tione fibimet confuluiffent.   In hoc rerum
ftatu Ezechias Deo fretus, Efaiam prophetam confulit : ejúsque refponfo edocetur,
nihil ex hofte periculi fore, divinum autem
auxilium non defuturum. Nec multò pòft 4. Reg. 19.
Tirhac rex Æthiopum regnum Affyriorum
invadit.

1   Quo nuncio Sennacherib ad fua tuenda CAP. LI.
converfus, fremens & clamitans, victori fibi
victoriam eripi, bellum omifit : misfis ad
Ezechiam litteris, cum verborum contume-
liis denuncians, fe paullò pòft rebus domi
compofitis ad excidium Iudææ maturè redi-
2 turum.   Sed nihil his Ezechias motus, oraffe Dominum traditur, ne hanc tantam hominis infolentiam inultam fineret.   Ita eàd-
dem nocte angelus caftra Affyriorum adgreffus, multa hominum millia letho dedit.

---

2. *Multa hominum millia letho dedit*] CLXXXV
millia. Sed non fatis adcuratè, & plenè Auctor hæc
narrat. Ita enim hoc facit, quafi exercitus Sennache-
ribi tùm, cùm regnum ejus Tirhak invaderet, ipfé-
que bellum, quod intulerat Hebræis, omitteret, ab
Angelo cæfus fuerit. Verùm ex cap. XXXVII E-
faiæ intelligitur, Sennacheribum audito adventu
Tirhakæ Hierofolyma obfidione folviffe, novóque
hofti obviam iviffe; poft biennium verò victo Tir-

Rex trepidus in oppidum Niniven confugit,
ibíque à filiis interfectus, dignum se exitium
tulit.   Per idem tempus Ezechias, æger corpore, morbo incubuerat. Cumque Esaias ei
verbum Domini adnunciasset , vitæ ejus finem adesse: flesse rex traditur. ita xv annos prorogari sibi ad vitam meruit.   Quibus peractis, nono & vigesimo imperii annò
decessit: regnum Manasse filio reliquit. Is
à patre multàm degenerans, relicto Domino, culturas impias exercuit: ob qued in
potestatem Assyriorum traditus, malo coactus agnovit errorem: populumque adhortatus est, uti relictis idolis Dominum colerent.   Nihil sanè dignum memoriâ gessit:
regnavit autem annos v & L. Amon deinde
filius ejus regnum adeptus est, nec ultra biennium eo potitus est: paternæ impietatis

(marginalia left:) 4. Reg. 20 Esai. 38.   Manasse Rex Jud. 4. Reg. 21   4 Reg. 22 Amon, Rex Jud.

(marginalia right:) 3 4 5

---

haka obsidionem urbis denuo tentasse, túmque defe-
tum fuisse exercitum ejus.

   Dignum se exitium tulit] Drusius ait, suspicari
quempiam posse, Sulpicium scripsisse *exitum :* sed
nihil mutandum tamen.   Porro *tulit* dicit pro *ac-*
cepit. Ita dicunt *pietatis fructum ferre* pro *acci-*
pere, adipisci.   Vide Nepotem XXV, 5. 1.

   3. *Morbo incubuerat*] lethali illi II Reg. XX, 1.
Sic & infra lib. II cap. 22. *Ita ex mærore animi cor-*
poris morbo incubuit.

   4 *Culturas impias exercuit*] idolorum puta;
quas *sacrilegia* vocare solet.

                                    heres,

heres, Domini negligens, fuorum infidiis
circumventus periit.

1   Ad Jofiam filium imperium devolutum. CAP. LII.
Is admodùm religiofus fuiffe traditur, fum- 4 Reg. 22
mâque curâ divina adminiftraffe, Helchia Iofias,
2 facerdote ufus benè.   Is cùm in templo li- Rex Jud.
brum verbi Dei fcriptum, repertum à facer- 4. Reg. 23
dote legiffet, quo continebatur, Hebræam
gentem ob crebras impietates & facrilegia
delendam, piis ad Deum precibus fletuque
3 jugi imminentem cladem avertit.   Quòd
ubi indultum fibi per Ollam prophetiffam
comperit, majore curâ, utpote obligatus divinis beneficiis, cultum Dei exercuit. Igitur
vafa omnia, anteriorum regum fuperftitionibus idolis confecrata, cremavit.   Nam-

---

1. *Helchia facerdote ufus benè*] Ut dicitur *familiariter*, intimè *uti aliquo* ita nofter *benè aliquo
uti.*   Vult autem, benè & clementer erga Helchiam
fe geffiffe.

2. *Hebræam gentem delendam*] Delendam fcil.
effe, pro *deletum iri*, fcribit pro folemni fuo.

3. *Quod ubi indultum fibi per Ollam prophetiffam comperit*] Scribendum *Oldam*; vel potiùs
Holdam: quia Interpretes Græci, quos fequi folet
nofter, habent Ὀλδά.   Iidem interpretes habent &
vocabulum προφῆτις.   Unde nofter *prophetiffa* fecit; additâ terminatione Græcâ recentiore, quæ in
βασίλισσα & id genus aliis adparet.

3. *Anteriorum regum fuperftitionibus*] Supra vo-

que eo profani ritus invaluerant, ut foli ac
lunæ divinos honores darent, eisdémque_,
etiam ex metallis facraria ædificarent. Qui- **4**
bus Iofias in pulverem redactis, facerdotes
quoque profanarum ædium interfecit. Sed
ne fepulcris quidem impiorum pepercit:
quod olim prædictum a propheta, imple-
2.Par.35 tum animadverfum eft. Hujus octavo &
decimo imperii anno, Pafcha celebratum.
Poft triennium fere, adversùs Nechao regem **5**
Ægypti, qui bellum Affyriis inferebat, in
prælium egreffus, priusquam inter fe acies
concurrerent, fagittâ ictus eft. Exque eo
vulnere in urbem relatus, deceffit, cùm regnaffet annos 1 & xx.

CAP. LIII. Joachas inde filius ejus regnum adeptus, **1**
tribus menfibus tenuit, captivitati ob impie-
4 Reg. 23 tatem deftinatus. Namque eum Nechao
Joachas rex Ægypti vinctum, captúmque duxit,
Rex Jud. Nec multò pòft in vinculis diem functus eft.
Judæis ftipendium annuum imperatum: rex **2**

---

cavit *fuperiores reges*, quomodo & meliores folent.
5. *Adversùs Nechao regem Ægypti*] Interpretes
Græci vocant eum Νεχαὼ. Et hoc fecutus eft nofter. Ceterùm in textu Hebræo dicitur *Necho*.

Cùm regnaffet annos I & XX] Legendum *I &*
XXX; Ita enim legitur II Reg. XXII, 1: nec verifimile eft, noftrum id non obfervaffe.

eis

es Eliachim arbitrio victoris datus, qui post-
ea nomine immutato Joachis vocitatus est.
Hic Joachæ fratris Josiæ F. fuit, fratri quàm
3 patri propior, sacrilegio invisus Deo. Igitur
cùm regi Ægyptio pareret, quippe cui tribu-
tum penderet, Nabuchodonosor rex Baby-
lonius Judæam terram occupavit armis, &
per triennium jure belli victor possedit. Et-
enim cedente jam rege Ægypti, determina-
tisque inter eos imperii finibus convenerat,
4 Judæos ad Babylonem pertinere. Ita cùm
Joachis, exactis in regno annis undecim, filio
ejusdem nominis locum fecisset, isque regis

Jojakim
Rex Jud.

4. Reg. 24
Jechon.
Rex Jud.

---

2. *Joachæ fratris Josiæ filius fuit*] Legendum
sine dubio, *Joachæ frater, Josiæ filius, fuit* : ut jam
alii monuerunt.

Fratri quàm patri propior] Ita supra cap. VLV
Socero quàm patri propior.

4. *Joachis filio ejusdem nominis locum fecisset*]
morte scilicet. Est *Joachis* is, qui in originibus *Jojakim* vocatur. Mirum autem, ni legendum sit
Joachim. Sane *Eliachim*, pristinum ejus nomen,
apud nostrum quqque, genuinam suam terminatio-
nem retinuit. Deinde Interpretes Græci, quos
noster sequi solet, habent Ἰωακείμ. Imò infra lib.
II cap. 1 ipsum nomen *Joachim* bis legitur. Quod
autem eujus filium ejusdem nominis fuisse dicit,
fallitur. Ei enim nomen fuit *Joachin & Jechania.*
Sed noster quod scripsit, Interpretum Græcorum
fide scripsisse videtur; utpote qui duorum nominum
discrimen admodùm exiguum fecerunt, quod pa-

K 5　　　　Ba-

Babylonii in se iram concitasset, Deo nimirum agente, cui constitutum erat Judæam
gentem captivitati & internecioni dare, Nabuchodonosor Hierosolymam cum exercitu
ingressus, urbem murósque ac templum solo stravit: auri immensum modum, & sacra ornamenta vel publica vel privata, pube-
résque omnes virilis ac muliebris sexus transtulit: relictis, quorum imbecillitas aut ætas
fastidio victoribus fuit.   Quæ turba, inutilis servitio, exercendis colendisque agris, ne
incultum esset solum, deputata.   Eisdem-   5
que rex Sodechias præpositus: ademtis viribus inani tantum umbrâ regii nominis

4. Reg. 25.
Sedechias
Rex Jud.

---

trem Ἰωακεὶμ, filium Ἰωαχεὶμ, vocarunt.

4. *Vrbem murósque & templum solo stravit*]
Non tùm id factum, cùm Jojakim remotus fuit; sed
aliquot annis pòst, rege Zedekia. *Solo sternere di-*
cit & infra lib. II cap. XII.   Alii *solo æquare.* Ceterùm dicunt etiam *humi sternere,* & terræ *sternere.*

Et sacra ornamenta vel publica vel privata] *Vel*
videtur positum pro *&*; quomodo Sulpicii ævo
solebant.

*Quæ turba exercendis colendisque agris depu-
tata*] *Deputata* hìc est pro *adsignata*: ut lib. II c.7
deputari leonibus.   Quâ significatione dubito an
vox usurpata fuerit ab antiquioribus.   Est autem
his idem, quod *existimare, censere*; aut idem quod
resecare. Ita dicunt, *Deputare vineam, deputare se
dignum quovis malo, deputare parvi pretii.*

5. *Inani tantum umbrâ regii nominis concessâ*]
con-

concefsâ. Sed Ioachis tribus menfibus tem-
6 pus imperii habuit.   Is cum populo Babyloniam translatus, & in carcerem conjectus
eft: trigefimum poft annum emiffus, atque
à rege in amicitiam receptus, menfâque &
confiliis participatus, non fine folatio depul-
fæ calamitatis decesfit.

1   Interea Sedechias rex turbæ inutilis, CAP. LIV.
quamquam fine viribus, infido ingenio, &
Dei immemor, qui non intelligeret captivitá-
tem ob delicta gentis inlatam, poftremis de-

Nepos diceret, *Rex nomine magis quàm imperio.*
Vide hujus Agefilaum.

5. *Sed Joachis tribus menfibus tempus imperii habuit*] Intelligit Jojachinum, quem ejusdem cum patre nominis fuiffe dixerat.

6. *Trigefimum poft annum emiffus*] Verè poft
annum trigefimum.   Non anno trigefimo feptimo
demum, ut II Reg. XXV, 27 difertè legitur, emiffus
eft.

Mensâ & confiliis participatus] Non malè. Sic
enim Plautus in Milite glor. *Participare aliquem
fermone.* Et in Ciftell. *Participare aliquem confilii,*pro *participem facere confilii.* Dicunt item *participare laudes cum aliquo.*   Atque ita idem eft,
quod *participem facere;* Sed eft quoque idem quod
participem fieri. Ut *participare parem pefem.*
Quod infra lib. II cap. I. & alibi dicit *participare* cibis, id quod ad conftructionem adtinet, paullò info-
lentius eft.

1. *Poftremis denique malis debitus*] Poftrema
que

nique malis debitus, regis animum offendit.
Ita ei poſt novem annos Nabuchodonoſor
bellum intulit: compulſûmque intra muros
confugere triennio obſedit. Quâ tempeſta- 2
te Jeremiam prophetam, qui jam ſæpiùs imminere urbi captivitatem pronunciaverat,
conſulit, ſi quid ſpei forſitan ſupereſſet. Sed
ille, cœleſtis iræ non ignarus, eadem ſæpiùs
interrogatus, reſpondit, ipſi regi ſpecialem
pœnam denuncians.   Tùm verò Sedechias 3
in iram excitatus, trudi prophetam in carcerem jubet; móxque eum crudelis facti piguit.   Sed obſiſtentibus Judæorum principibus, quibus jam inde à principio moris fuerat
bonos premere, abſolvere innocentem non
eſt auſus. Iisdem cogentibus, in lacum im- 4
menſi profundi, cœnoque ac ſordibus, atque
ex eo exitiabili fœtore horridum, demiſſus
eſt, ut ne ſimplici quidem morte exſpiraret.

Jeremias
Proph.

Jer. 37 &
ſeqq.

4 Reg. 25.
2 Par. 36

---

mala dicit, quæ & *extrema* & *ultima* dicunt. Dein-
be *debitus* de perſonâ.   Ut Claudianus in Giganto-
machiâ dicit, *Cælo debita progenies.*

    4. *In lacum immenſi profundi demiſſus*] *Lacus*
Pro *foßea, foßa,* ut ſupra cap. XVIII, & infra lib. II
cap. VII. Ceterùm *lacus immenſi profundi* eſt pro
lacus immenſæ profunditatis, adjectivo nomine
uſurpato ſubſtantivè. Sic *incertum* dicunt pro
incertitudo: idque more Græcorum, qui λευκόν dicunt pro λευκότης.

                                        Sed

Sed rex, licet impius, aliquantò tamen sacerdotibus mitior, educi prophetam de lacu, & carceris custodiæ reddi jubet.   Inter

5 ea obsessos vis hostium & penuria urgebat: consumtisque omnibus, quæ mandi poterant, fames invaluerat.   Ita defessis inediâ defensoribus, oppidum captum, incensûmque.   Rex, ut propheta dixerat, effossis oculis, Babyloniam translatus: Hieremias mise

6 ricordiâ hostili carcere exemtus.   Cùm eum Nebuzardan, princeps regius, captivum cum ceteris duceret, delatâ sibi optione ab eo, utrum in solo patrio deserto desolatóque subsistere, an secum abire in summis honoribus vellet, residere in patriâ maluit.

7 Nabuchodonosor abducto populo, residuis quos belli conditio vel prædæ fastidium reliqui à victoribus fecerat, Godoliam ejusdem gentis præposuit, absque ullo insigni regio aut imperii nomine: quia præesse paucis, & calamitosis, nulla dignitas erat.

Aliquantò tamen sacerdotibus mitior] Pro *sacerdotibus* legendum sine dubio *principibus.*

7. *Residuis quos belli conditio vel prædæ fastidium reliqui à victoribus fecerat*] Sigonius legendum censet *relinqui à victoribus:* Giselinus autem *reliquias.* Ego prætulerim prius. Supra similiter dixit: *Relictis, quorum imbecillitas aut ætas fastidio victoribus fuit.*

HISTO-

HISTORIÆ SACRÆ
LIBER SECUNDUS.

CAP. I

Daniel.

Aptivitatis tempora prophetarum vaticiniis atque actibus inlustrata sunt. Maximè itaque Danielis egregiam ad conservandam legem perseverantiam, & in absolutionem Susannæ divino consilio, ceteráque ab eo gesta ordine persequemur. Hic sub rege Ioachim captus deductúsque Babyloniam, parvus admodùm puer: postea ob elegantiam vultus inter ministros regios adsumtus, unáque cum eo Ananias, Misael & Azarias. Sed cùm eos rex delicatioribus cibis curari præcepisset, idque Asphanæ enucho negotii dedisset, Daniel paternarum traditionum memor, ne ex mensâ regis gentilium cibis participaret,

Dan. I.

I

2

3

---

1. *Et in absolutionem Susannæ diuino consilio*] Sigonius legendum censet *diuinum consilium* : Drusus verò IN delendum. Ego rursus prætulerim prius.

3. *Paternarum traditionum*] Sic & infra cap. XII *Paternarum traditionum immemor*. Intelligit autem traditiones non patris, sed patrum, id est, majorum. Græcè vocantur πατροπαραδότοι, itemque παλαιαὶ παραδόσεις. Vide I Pet. I, 18. Gal. I, 14.

Ne ex mensâ regis gentilium cibis participaret]

po-

popofcit ab eunucho,ut leguminibus tantùm
uterentur. Caufante Afphane, ne dif-
4 fimulatum imperium regis confecutura macies proderet: Daniel Domino fretus, pollicetur majoris decoris fibi vultûs ex leguminibus, quàm ex cibis regiis fore. Fidésque
dictis adfuit, ita ut minimè eorum vultus
comparabiles haberentur, qui imperialibus
impendiis procurabantur. Igitur à rege in
honore & gratiâ adhibiti, prudentiâ & di-
-fciplinâ brevi omnibus regis proximis ante-
5 lati. Per idem tempus Sufanna quædam Sufannæ
Joachim nupta, fpectatæ fœmina pulchri- hiftoria.

Participare eft *participem facere;* dicuntque *par-*
ticipare aliquem aliquâ re; quâ formâ & in lib. I
cap. 53 fcriplit nofter, *Mensâ & confiliis participa-*
tus. Deinde *participare* eft idem, quod *partici-*
pem fieri. Sed dicunt *participare aliquam rem*
pro *participem fieri alicujus rei:* ut paulò ante
monui. Nofter autem cafu tertio dicit, *participare*
cibis; neque hic tantum, fed & infra cap. XII. Idque more Græcorum ita fieri videtur, quippe qui dicunt, κοινωνεῖν τινί.

4. *Ne diffimulatum regis imperium confecutu-*
ra macies proderet] *Diffimulatum* pro *neglectum.*
Sic & Dial. II cap. 1 *Diffimulatum fe à clerico que-*
rens.

A rege in honore & gratiâ adhibiti] Vulgo dicunt *in honore habiti*] Quâ formâ & in cap. III
hujus libri dictum, *In fummis honoribus habeban-*
tur.

                    tudi-

tudinis, à duobus presbyteris adpetita, cùm
impudicis non adquievisset, falso crimine
incesfitur: iisdem presbyteris deferentibus,
in remotis locis adolescentem cum eâ depre-
hensum, sed illum juvenili alacritate senum
manus effugisse.   Ita presbyteris fides habita, judicio populi Susanna damnatur.   Quæ 6
cùm secundùm legem ad supplicium duceretur, Daniel tùm annos natus XII, increpitis Judæis, quòd innocentem morti dedissent, reducere eam in judicium, causámque denuo audiri postulat. Enimvero mul- 7

---

5. *A duobus presbyteris adpetita*] Utitur vocabulo Græco, quod in ipsâ historiâ Susannæ visitur;
cùm Latinè dicere posset *Seniores*.   Est autem nomen dignitatis; respondétque Hebræo זקנים.

5. *Cùm impudicis non adquievisset*] i. e. grati-
ficata esset.   Sic supra lib. I cap. XI *Non adquiescentem sibi* pro *non gratificantem sibi.*   Vide Notas ad eum locum.

*In remotis locis adolescentem cum eâ deprehen-
sum*] Drusius mallet *in occultis locis.*   Ego nihil
mutandum putem.

6. *Quòd innocentem morti dedissent*] *Morti
dare* est hic non *plectere capite,* sed *damnare capite.*   Sequitur enim, *Reducere eam in judicium
causámque denuo audiri postulat.*   Alibi vero eâ
phrasi ipsa pœna capitalis significatur.   Vide supra
lib. I c. 18 Drusius, cùm vim phraseos exprimere vellet, scripsit: *Ad mortem damnassent, morti adju-
dicassent.*   Verùm *ad mortem damnare* parùm Latitudo

titudo Iudæorum, quæ tùm aderat, non
fine Domino exiftimans puerum contemtæ
ætatulæ in hanc conftantiam prorupiffe
favore adcommodato, in confilium rever-
8 titur.   Initur denuo judicium: Danieli, ut
inter majores natu refideret, delatum. Igitur feparari adcufatores jubet: unumque ex
eis interrogat, fub cujus generis arbore ad-
ulteram deprehendiffet: ex varietate refponfi falfitas deprehenfa: Sufanna abfoluta:
presbyteri, qui innocenti periculum crea-
verant, capite damnati.

1   Eâ tempeftate Nabuchodonofor fomnium vidit, myfterio futurorum mirabile. Cujus interpretationem, quum per fe non poffet evolvere, adfcitis ad interpretandum
Chaldæis, qui magicis artibus, extisque
hoftiarum fcire occulta, & futura præcinere

CAP. II.
Dan. 2
Nabucho-
donoforis
fomnium.

---

tinè dici videtur: quâ de re in libello de Latinitate
merito fufpectâ pluribus.

8. *Unumque ex eis interrogat*] Sigonius legi
vellet *Unum atque alterum ex eis.* Drufius autem
mallet *Unumque ex eis & poft alterum:* aut
utrumque ex eis.   Mihi neutra conjectura placet:
minimè verò Sigonii.   Qui enim *unum atque alte-*
rum ex eis dicit, is ex pluribus aliquot, ac minimùm
duos, intelligit.   At Seniores ifti numero tantùm
duo fuerunt.

1. *Futura præcinere*] Simplex canere tantùm vide-

L
vide-

videbantur: mox veritus, ne more hominum non vera, fed placita regi ex fomnio
conjectarent, vifa fupprimit, popofcitque
ab eis, ut, fi vera in his divinatio effet, fomnium ipfum fibi dicerent: tùm demum
interpretationi eorum crediturum, fi priùs
enunciando fomnium, artis periculum feciffent.   Illi verò tantam molem abnuen-   2
tes, non effe id humanæ opis confitebantur.
Rex motus, quòd falfa divinandi profeffione homnes erroribus inluderent, cùm ad-
ftricti præfenti negotio nihil fcire fe confi-
terentur.   Ita edicto regis in eos animadverfum, palamque omnes hujus artis interfi-
ciebantur.   Quod ubi Danieli compertum,   3
regis proximum adpellat: enunciationem

---

dem fignificare poterat.   Sed antiquiores quoque
ipfo illo compofito funt ufi.

Vifa fupprimit] per foporem *ßifa*, ut loquitur
alibi, aut per quietem.

Si ßera in his dißinatio effet] Drufius vocula *bis*
ipfa fomnia denotata putat.   Ego verò ad homines
pertinere putem.

2. *Tantam molem abnuentes*] Tantam difficul-
tatem declinantes.

3. *Regis proximum adpellat*] Sic cap. fuperiore,
Omnibus regis proximis antelati.   Et inf. cap. 13
Mardochæus inter proximos regis erat.   Tales &
amici regum adpellantur.   Nepos I, 3, 2 *Si amicis
fuis oppida tuenda tradidiffet.*   Juftinus XXXIV.

somnii, interpretationemque ejus pollice-
4 tur. Res ad regem defertur: Daniel accer-
situr. jam revelato sibi per Dominum mysterio, visio regis refertur, solutioque.   Sed
res postulat, ut regis somnium, & interpretationem prophetæ, & consequentium fi-
5 dem exponamus.   Viderat rex per soporem, imaginem capite aureo, brachiisque
argenteis, ventre & femoribus aëreis, cru-

---

4. 3 *Cùm cunctari enm* [Antiochum] *sideret, con-
sultationémque ad amicos referre.* Drusius mallet pro *regis proximum*, scripsisse nostrum *regis
præfectum*, quia Arioch ille, de quo agitur, fuerit
רב טבחים *magister mactatorum*, id est, militum. Atqui tales, ut ostendimus, *regum amici* dicuntur.   Quidni ergo *regum proximi* rectè dicerentur.

*Revelato sibi per Dominum mysterio, visio regi
refertur*] *Sibi* pro ei, reciprocum pro demonstrativo: ut *pater suus* dicunt pro *pater ejus.* Cujus generis multa in lib. de Latinit. f. susp. pag. 46 & seqq.
congessimus. Porro *mysterium* dicit, quod secre-
tum & arcanum erat; somnium scilicet ejusque interpretationem.   Dicitur enim μυστήριον παρὰ τὸ
μύειν, *a claudendo.* Neque verò placet, quod Drusius Notis ad hunc locum, & Casaubonus in Exercitationibus contra Baron. scribunt, originem vocis esse Hebræam; & quidem à radice סתר, unde sit
מסתר & מוסתר.

5. Brachiisque argenteis] Enclitica *que* addita,
cùm sequantur similia, quibus addita non est, indicat.

sibus ferreis, quæ in pedes partim ferreos,
partim fictiles desinebat.   Sed ferrum atque
testum inter confusum coire non poterat.
ad extremum, imaginem lapis sine manibus
abscissus proterebat : redactáque omnia in
pulverem, vento ablata.

CAP. III.
Expositio
somnii Na-
buchodo-
nos.

Igitur secundùm prophetæ interpretationem imago visa, figuram mundi gerit.   Ca-   **2**
put aureum, Chaldæorum imperium est : siquidem id primum, & opulentissimum fuisse accepimus.   Pectus & brachia argentea,   **3**
secundum regnum adnunciant, Cyrus enim
victis Chaldæis atque Medis, imperium ad

---

aliquid excidisse.   Quid verò illud sit, ipsæ origines
docent; nimirum *pectore.* Sed & caput proximum
idem ostendit; in quo quippe est, *Pectus & brachia
argentea.*

Ferrum atque testum inter confusum] Giselinus putat, aut voces *inter & confusum* conjungen-
das esse, aut interserendam voculam *se,* legendúmque
inter se. Ego verò *se* excidisse, & præterea traje-
ctionem factam esse putem ; legendúmque adeo,
*Ferrum atque testum confusum inter se coire non
poterant.* Video enim in cap. III, ubi somnii interpretationem refert, phrasi *inter se coire* denuo,
& quidem bis, usum. Verba ejus sunt : *Ita ut nunquam inter se coïat.* Item : *Commisceri testum
atque ferrum, nunquam inter se coeuntem materiam. Testum* pro *testa* novum est. Sed retinendum tamen ; quia quæ sequuntur, genere ei con-
gruunt.

Persas

4 Perſas contulit. In ventre æreo, tertium regnum portendi pronunciatur: idque impletum videmus. Siquidem Alexander ereptum Perſis imperium, Macedoniæ vindi-5 cavit. Crura ferrea, imperium quartum: idque Romanum intelligitur, omnibus antè regnis validiſſimum. Pedes verò partim ferrei, partim fictiles, dividendum eſſe Romanum regnum, ita ut nunquam inter ſe coëat, præfigurant: quod æquè impletum eſt. Siquidem jam non ab uno imperatore, ſed etiam à pluribus, ſempérque inter ſe armis aut ſtudiis diſſentientibus res Roma-6 na adminiſtratur. Denique commiſceri teſtum atque ferrum nunquam inter ſe coëuntem materiam commiſtiones humani generis futuræ à ſe invicem diſſidentes, ſignificantur. Siquidem Romanum ſolum ab exteris gentibus aut rebellibus occupatum, aut dedentibus ſemper pacis ſpecie traditum conſtat: exercitibúsque noſtris, urbibus at-

---

5. *Omnibus antè regnis ßalidisſimum*] Inſolens conſtructio, pro *omnium antè regnorum ßalidiſſ.*

Dißidendum eſſe Romanum Imp.] ſcribit pro ſolemni ſuo, *dißidendum eſſe* pro *dißifum iri.*

6. *Aut dedentibus ſemper pacis ſpecie traditum*] Sigonius conjecit legendum eſſe, *Dedentibus ſe per pacis ſpeciem:* quod valde probo. *Per*

K 3   *que*

que provinciis permixtas barbaras nationes,
& præcipuè Iudæos, inter nos degere , nec
tamen in mores nostros transire , videamus.
Atque hæc esse postrema tempora prophetæ adnunciant.   In lapide verò sine manibus abscisso, qui aurum, argentum , & ferrum testúmque comminuit, Christi figuram
esse.   Is enim non conditione humanâ editus [siquidem non ex voluntate viri, sed ex
Deo natus est] mundum istum, in quo sunt
regna terrarum , in nihilum rediget , regnúmque aliud incorruptum atque perpetu-

---

speciem eleganter, pro sub sperie Livius dicit *per speciem venandi.* Pro quo etiam dicunt *per causam venandi* Frontinus lib. III *Hujusmodi fal-
laciam instruxit, ut ille per causam venandi noctu
procederet.* Sic & antiquiores. Cæsar III B. C.
Per causam exercendorum militum. Livius lib.
XXIV *Cum adpropinquaret januæ rex, per causam aliquam sustinent in angustiis à tergo a-
gmen.*

  Nec tamen in mores nostros transire videamus]
Legendum *videmus,* monente Giselino; itémque
Sigonio.

  7. *Siquidem non ex voluntate viri , sed ex Deo
natus est*] Alio sensu hæc usurpat, quàm ab ipso
Apostolo & Evangelista sunt usurpata; nimirum de
generatione, etsi non vulgari, tamen propriè dictâ;
cum Apostolus usurpaverit de generatione figu-
ratâ.

um,

um, id est, futurum seculum, quod sanctis
8 paratum est, confirmabit.   De quo uno
adhuc quorumdam fides in ambiguo est,
non credendum de futuris, cùm de præteritis convincantur.   Igitur Daniel multis à
rege muneribus donatur, præfectus Babyloniæ, atque omni imperio, in summis
honoribus habebatur.   Ejus suffragio Ananias, Azarias, & Misaël, ad summam æquè
9 dignitatem & potestatem provecti.   Eodem   Dan. 2.
ferè tempore, præclara Ezechielis prophetia
extitit, revelato ei futurorum & resurrectionis mysterio.   Extat liber magni operis, &
cum curâ legendus.

1   At in Iudæâ, cui post excidium Ierosoly-   CAP. IV.
mæ Godoliam præpositum supra memoravi-   4 Reg. 25

---

7. *Futurum seculum*] id est futurum mundum.
Seculum pro mundo ponere nostro solemne est.
Vide supra Notas ad cap. 3 lib. I.

8. *De quo uno quorumdam fides in ambiguo est,*
non credendum de futuris; cùm de præteritis con-
vincantur] Sensus est, quosdam dicere, non esse
credendum de futuris; cùm tamen de præteritis
convincantur. *Cùm pro cùm tamen* satis frequentatum.

9. *Revelato ei resurrectionis mysterio*] Adludit
sine dubio ad cap. XXXVII. Ezechielis. At ibi non
de resurrectione mortuorum, sed de resurrectione, id
est, restitutione populi Iudaici in pristinum statum
agitur.

mus ægrè ferentes Judæi principem sibi ex
stirpe non regiâ, arbitrio victoris datum, Ismael quodam duce & concitatore nefandæ
conjurationis, dispositis eum in convivio
insidiis peremerunt. At hi, qui extra noxi- 2
am fuerant, ultum ire facinus cupientes, properè adversùm Ismael arma capiunt. Sed
ille, quia cognovit exitium sibi imminere, relicto exercitu, quem contraxerat, non ampliùs quàm octo comitantibus ad Ammonitas confugit. Igitur populum universum 3
metus pervaserat, ne paucorum scelus o-
mnium exitio rex Babylonius ultum iret,
nam præter Godoliam, multos ex Chaldæis
cum eo interfecerant. Itaque consilium 4

ineunt fugiendi in Ægyptum. Sed priùs Hi-
eremiam frequentes adeunt, sciscitantes
divinum responsum. At ille verbis Dei 5
universos hortari, in solo patrio manerent:
si id fecissent, Dei præsidio tuendos, nullúmque à Babyloniis periculum fore. Sin

---

1. *Ægrè ferentes Iudæi*] Non omnes, sed aliqui;
& illi quidem, qui cum Ismaële faciebant.

2. *Qui extra noxiam fuerant*] Ut Iohannes
quidam, filius Caree, & alii: de quibus Ier. XLI, 12
Extra noxiam esse simile fere illi, quod Cicero dicit,
extra omnem culpam causámque se ponere.

5. *Dei præsidio tuendos*] Tuendos sc. esse, pro
defensum iri, scribit pro solemni suo.

Ægy-

Ægyptum peterent, omnes ibi ferro ac fame, diverſóque mortis genere perituros.

6 Sed plebs adſueto malo inſolens parendi ſalubribus conſiliis, & divino imperio profecta eſt in Ægyptum. Quid de eâ poſtea actum, ſacris litteris ſiletur: nobis nihil compertum. *Jer. 44.*

1 Hoc tractu remporum Nabuchodonoſor elatus rebus ſecundis, ſtatuam ſibi auream immenſæ magnitudinis poſuit: adorarique 2 eam ut ſacram effigiem præcepit. Quod cùm certatim ab omnibus depravatis adulatione omnium animis fieret, Ananias, Azarias & Miſael profano officio abſtinuerunt, non ignorantes honorem hunc ſoli Deo debitum. Igitur rei ex edicto regis conſtituuntur, propoſitáque eis conditio pœnarum, ardens caminus, ut præſenti metu adorare ſtatuam cogerentur. Verùm illi devorari ignibus, quàm piaculum commit3 tere, maluerunt. Itaque vincti pedibus, in medias flammas conjiciuntur. Sed miniſtros infandi operis, dum promptiùs damnatos in ignem propellunt, flamma abſorbuit: Hebræos [mirum dictu, & incredibile, non viſentibus] ignis non adtigit,

CAP. V.
Dan. 3.
Nabuchodonoſoris ſtatua.

Ananias cùm ſuis in cam num conjectus.

---

6. *Inſolens parendi*] Sic Salluſtius *inſolens beⅆ accipiendi.* Ceterùm dicunt etiam *inſolens bellorum, inſolens infamiæ.*

quum

qnum à spectantibus deambulantes in ca-
mino psalmum Deo dicere cernerentur.
Visúsque cum his inter ignem quartus specie angeli, quem Nabuchodonosor propiùs
intuitus, filium Dei se vidisse confessus est.
Tum rex haud dubius, divinam in re præ- 4
senti fuisse virtutem, missis per omne regnum suum edictis, facti miraculum provulgavit; confessus, soli Deo honorem defe-
rendum. Nec multò pòst, rex objecto sibi 5
somnio, mox voce etiam cœlo emissâ admonitus, potestate regiâ abjectâ, atque ab
omni conversatione humanâ remotus, herbis tantùm vitam sustinens, egisse pœnitentiam traditur: servatum ei nutu Dei imperium, donec impleto tempore, agnito
demum Deo, post septem annos, & regno,

Dan. 4.
Nabucho-
donosoris
insania.

---

3. *Visúsque cum his inter ignem quartus*] *inter
ignem* pro *in igne.* Sic dicunt *inter Sias* pro *in Si-
is: Inter annos quatuor* pro *in annis quatuor;* vel
omisso *in, annis quat.* Vide lib. de Latinit. f. susp.
p. 223. 224.

Filium Dei se vidisse confessus est] In originibus est, quòd quartus ille fuerit similis filio Dei.

4. *Miraculum provulgavit*] Drusius legendum
putat *promulgavit.*

5. *Post septem annos & regno & statui pristino
restitutus*] Quòd septem anni fuerint, id colligit ex
eo, quod scriptum est *post septem tempora,* &
deinde *post finem annorum.*

&c

6 & statui pristino restitutus est. Hic post de-
victum, ut supra diximus, Sedechiam, quem
captivum, Babylonem transtulit, regnasse
traditur annos VI & XX: quamquam id non
7 in Sacrâ historiâ scriptum invenerim. Sed
fortè accidit, ut dum multa evolverem,
adnotationem hanc jam interpolato per æ-
tatem libello, sine auctoris nomine reperirem, in quó regum Babyloniorum tempora continebantur: quam prætereundam
non putavi. siquidem & Chronicis consen-
tirent: & ita illius nobis ratio quadraret, ut
per ordinem regum, quorum tempora continebat, usque in primum Cyri regis annum,
LXX annos [tot enim per Sacram historiam
à captivitate usque ad Cyrum fuisse refe-
runtur] impleret.

1 Post Nabuchodonosor filius ejus regnum
est adeptus, quem in Chronicis Evilmaro-
dach fuisse vocitatum reperi. Hic duodecimo imperii anno diem functus, fratri mi-

CAP. VI.
Evilmero-
dach.
4. Reg. 25.

---

6. *Adnotationem hanc jam interpolato per ætatem libello reperirem*] Giselinus legendum putat
interpolato per ætates libello : quod sanè verò per-
quamsimile est. Libellum autem, in quo adnotationem istam legit, auctoris ἄδηλος fuisse, ipse significat, quod addit, eum sine auctoris nomine fuisse.

1. *Hic duodecimo imperii anno diem functus
fratri minori, qui Baltasar dictus est, locum fecit*]

nori,

nori, qui Balthafar dictus eſt, locum fecit.
Is cùm quarto & decimo anno publicum e-
pulum principibus ac præfectis ſuis daret, ſacra vaſa, quæ per Nabuchodonoſor de
templo Hieroſolymæ ablata, ac in regales
uſùs uſurpata, ſed recondita in theſauris habebantur, proferri imperavit.   Cùm his per

---

Quòd Euilmerodacho nomen quoque Nabuchodo-
noſori fuerit, non liquet.   Quòd verò duodecim
annos regnaverit, & anno imperii duodecimo mortuus ſit, id parùm conſonat his, quæ de eodem rege
prodiderunt antiquiores.   Canon Mathematicus
quem dicunt, annos modò tres ei tribuit.   Beroſus
apud Ioſephum tantùm duos.   Porro *Baltaſarem*
dicit, qui in fontibus *Belſazar* vocatur; quod ſciret in verſione Græcâ eum dici Βαλτάσαρ Quòd verò Evilmerodachi fratrem eum facit, ejus nec vola
nec veſtigium eſt in originibus.   Veriſimile eſt autem, Belſazarem ſeu Baltaſarem iſtum, cujus Dan.
V ſit mentio, eſſe Laboroſardochum, quem Neri-
gliſſaris & ſororis Evilmerodachi filium fuiſſe, Beroſus & Abydenus memoriæ prodidere.

   2. *Is cùm quarto & decimo anno publicum epulum principibus ſuis daret.*] Hic quoque numerus
ſine dubio minùs rectè ſe habet.   Neque enim in
ſacris litteris eâ de re quicquam adparet, & hiſtoria
ἡ ἔξω planiſſimè refragatur.   Si enim Belſazar ſeu
Baltaſar ille eſt Laboroſardochus, quod ſanè eſt veriſimile, ſolus aliquot modò menſes regnavit; cum
patre Nerigliſſare autem, vel potiùs pater Nerigliſ-
ſares ejus loco, quatuor annos: uti Beroſus apud Ioſephum auctor eſt.

luxum

luxum ac licentiam regalis convivii promiscuè omnis virilis ac muliebris sexus, uxores concubinæque ejus uterentur, subitò rex in pariete conspicit digitos scribentes: cernebantúrque in versum ductæ litteræ. Sed qui posset scripta legere, non reperiebatur.

4 Igitur rex perterritus, magos & Chaldæos advocat. Quibus mussitantibus nec quicquam respondentibus, regina regem admonet, esse quemdam Hebræum Daniel nomine, qui olim Nabuchodonosor occulti mysterii somnium revelasset, jam tùm ob illustrem sapientiam summis honoribus do-

5 natum. Itaque accitus Daniel, perlegit, interpretatúrque, ob delictum regis, qui sacra Deo vasa temerasset, ipsi exitium imminere, regnúmque ejus Medis ac Persis

6 datum. quod mox consecutum est, nam eâ-

---

3. *Promiscuè omnis virilis ac muliebris sexus*] Vel pro *omnis* legendum est *omnes*, ut vult Sigonius; vel huic illud idem est. Reperitur enim & apud alios *omneis* & *omnis* pro *omnes*.

3. *Cernebantur in versum ductæ litteræ*] Sigonius suspicatur legendum *in candelabrum versùm*, quomodo Cicero dixerit *in forum versus*; voce *versùs* redundante. Sallustius quoque in B. Iugurth. *Ad se Borsùm* dicit pro *ad se*.

4. *Regina regem admonet*] Regina, quæ regis mater; vel ut Iosephus vult, avia fuit.

dem

dem nocte Balthaſar interiit, regnúmque
ejus Darius natione Medus occupavit:
Danielem inluſtri opinione compertum uni-
verſo imperio præpoſuit, ſecutus ſuperio-

6. *Eàdem nocte Baltaſar interiit*] Quomodo in-
terierit, conſtare poteſt ex fragmento Beroſi apud
Joſephum, quod ſic habet: Λαβοροσάρχοδ@ ἐκυεί-
ευσι μεῖὰ τῆς βασιλείας παῖς ὢν μῆνας ἐννέα, ἐπιβυλυ-
θεὶς ꝫ 2ιὰ τὸ πολλὰ ἐμφαίνειν κάκοήθη ὑπὸ τῶν φί-
λων ἀπετυμπανίσθη. *Laboroſoarchodus* [hunc e-
nim Baltaſarem illum eſſe diximus] *puer adhuc re-*
gnum tenuit menſes noßem : Sed quia praßæ indo-
lis in illo mylta ſigna apparerent, inſidiis amico-
rum trucidatus eſt.

Regnum ejus Darius, natione Medus occupaßit]
Quòd Darium regnum occupaſſe dicit, ex eo non
ſequitur, in eodem errore fuiſſe noſtrum, in quo Joſephus fuit, videlicet Babylonem à Dario obſeſſam
atque ita occupatam fuiſſe. Si autem Darius iſte eſt
Nabonnedus Beroſi, quod ſanè veriſimile eſt, regnum ei communi ſuffragio eorum, qui Laboroſardochum occiderant, delatum atque traditum eſt.
Beroſus apud Joſephum: Απολομένυ ꝫ τύτυ, συνελ-
θόντες οἱ ἐπιβυλεύσαντες αὐτῷ, κοινῇ τὴν βασιλείαν
ἐπειέθηκαν Ναβον-ήδῳ τινὶ τῶν ἐκ Βαβυλῶν@, ὅττι
ἐκ τῆς αὐτῆς ἐπισυςάσεως. *Interfecto* hoc [La-
boroſardocho] *cùm inter ſe coïiſſent, qui inſidias ei*
ſtruxerant, communi conſenſu regnum detulere Na-
bonnedo, uni ex Babyloniis, qui in eàdem conjura-
tione fuerat.

6. *Danielem inluſtri opinione compertum*] Opinio pro *famà* & antiquioribus frequentatum. Iuſti-
nús lib. XII cap.8 *Porus bellum jampridem, auditâ*

rum regum judicium. Nam & Nabuchodonofor eum regno præfecerat, & Balthafar vefte purpureâ & torque aureo donatum, tertium regni principem conftituerat.

1　Igitur hi, qui unà cum eo rerum potentes
erant, exagitati in Judæo, quod eis alienigena captivæ gentis fuiffet æquatus,
regem depravatum adulatione compellunt,
ut fibi diebus proximis triginta divini honores darentur, neque cuiquam liceret dominum, nifi regem precari.　Facilè id Dario

CAP. VII

Alexandri opinione, in adfenfum ejus parabat.
Atque ita ille non femel.　Sed & hoc antiquiores
Cæfar & Livius eâ notione ufurparunt.

1. *Exagitati in Judeo*] Gifelinus emendavit
exagitati inbidiâ: quod Drufius & in textum
recepit.

Regem compellunt, ut fibi divini honores da-
rentur] Sufpicor poft *compellunt* excidiffe aliquid
& quidem *edicere* aut fimile.　Sanè fequitur paullò
pôft, *Edicto regis non paruiffe.*　Et fenfus non perfectus videtur, nifi vox *edicere* aut fimilis ad-
iiciatur.

Neque cuiquam liceret Dominum, nifi regem,
precari.] Τò *precari* hic de adoratione religiofâ intelligendum; itémque *preces:* de quibus mox &
fequitur, quòd Deo non homini fint deferendæ.
Aliter enim falfum fcripfiffet.　Per *Dominum* autem intelligit ipfum Deum: & *nifi* pro *fed* pofitum
videtur; cujus vocabuli ufus exempla Vechnerus in
Hellenol. p. 110 notavit.

persua-

perfuasum, ftultitiâ regum omnium, qui fibi
divina vindicant.   Igitur Daniel non rudis, 2
neque infcius, Deo preces non homini de-
ferendas, reus conftituitur, edicto regis
non paruiffe.   Multúmque abnuente Dario
cui charus acceptísque femper fuerat, principes pervicere, ut in lacum demitteretur.
Sed objecto beftiis, nullum periculum fuit. 3
Quod quum rex comperiffet, adcufatores
deputari leonibus præcepit: qui non fimili
exemplo perfuncti funt, nam continuò de-
vorati, ferarum famem expleverunt.   Da- 4
niel charus antè, clarior haberi cœpit. rex
antiquato edicto fuo, novum propofuit:
relictis erroribus ac fuperftitionibus, Deum
Danielis colendum.   Extant etiam vifiones 5
ejus, quibus confequentium feculorum ordi-

Daniel leonibus objicitur. ●

Dan. 7. 8 9 & 10.

---

2. *Vt in lacum demitteretur*] Voce *lacus* aliquoties jam ufus eft pro *fovea, foffa*.   Vide fupra
Notas in cap. XVIII lib. I Interpretes Græci vocant λάκκον τῶν λεόϊlων. Et ad vocem λάκκος- nofter adlufit.

3. *Adcufatores deputari leonibus precepit*] Verbo *deputare* & fupra fic ufus eft lib. I cap. 53.   In
quem locum Notas vide.

4. *Antiquato edicto fuo*] Verbo *antiquare* ipfe
quoque Cicero ufus eft, dicitque *antiquare legem,
regationem*, pro *abrogare, abolere*. Vt III de Off.
*Cùm legem Agrariam ferret, quam tamen antiqua-
ri facilè paffus eft.*

nem

nem revelavit : annorum etiam numerum complexus, intra quem Christum, sicut factum est, descensurum ad terras pronunciavit, venturúmque Antichristum manifestè

6 exposuit. Quod si quis studiosior erit, rectiùs ibi quæsitum reperiet: nobis propositum est, rerum tantùm ordinem contexere. Darius duodeviginti annos regnasse traditur. Quà tempestate Astyages Medis imperabat.

1 Hunc Cyrus, ex filiâ nepos ejus, regno expulit, Persarum usus armis: unde summa imperii ad Persas translata est. Babylonii quoque in potestatem ditionémque ejus con-

2 cessere. Igitur initio regni, propositis publicè edictis, dat potestatem Iudæis, in solum patrium redeundi: sacra etiam vasa, quæ

Astyages.

CAP. VIII.
Cyrus Rex
Persarum.
Esr. 1.
Ier. 25.
2 Par. 36.

---

6. *Darius duodeviginti annos regnasse traditur*]
Congruit hoc ferè cum eo, quod de Nabonnedo, quem Darium illum esse diximus, prodidit Berosus apud Iosephum; videlicet decimo septimo anno regni Nabonnedi Cyrum venisse ex Perside, & Babylonem oppugnasse. Sed & Canon Mathematicus Ptolemæi Nabonadio septemdecim annos tribuit.

1. *Babylonii quoque in potestatem ditionèmque ejus concessere*] Quà autem ratione id factum fuerit, id non ex hoc auctore, sed ex fragmento Berosi apud Iosephum constare potest; videlicet Nabonnedum, regem Babyloniorum, Cyro cum ingenti exercitu obviam ivisse; victum autem Borsippum se contulisse, quo facto Cyrum Babylonem urbem regiam

M

Na-

Nabuchodonosor de templo Hierosolymæ abstulerat, reddidit. Itaque pauci tùm in Iudæam regressi: ceteris redeundi animus, an facultas defuerit, parùm comperimus. Erat eâ tempestate apud Babylonios Beli antiquissimi regis, cujus etiam Virgilius meminit, ex ære simulacrum, quod superstitione hominum consecratum, Cyrus quoque adorare erat solitus, antistitum ejus dolo illusus, qui vesci effigiem illam atque potare adfirmabant: cùm diurnam pensitationem, quæ idolo inferebatur, clam ipsi absumerent. Igitur Cyrus cùm Daniele familiariter uteretur, quærit ab eo, cur simulacrum non adoraret, cùm manifestum viventis Dei esset indicium, absumentis ea, quæ inferebantur? Daniel ri-

Historia de Belo Apocrypha.

---

expugnasse, cúmque ad oppugnandam quoque Borsippum venisset, Nabbonnedum obsidionem non sustinuisse, sed Cyro se dedidisse, ab eóque Carmaniæ præfecturâ donatum fuisse.

3. *Beli antiquissimi regis, cujus etiam Virgilius meminit, ex ære simulacrum*] Sigonius illud, *cujus etiam Virgilius meminit*, glossema esse putat. Quod vel ita verum est; vel quæ Virgilius de Belo Tyrio dicit, eâ noster perperam Belo Babylonio tribuit.

3. *Diurnam pensitationem*] Illud quod Belo quotidie impendebatur. Quantum autem illud fuerit, ex historia Beli sciri potest.

5. *Nam ferè ad septuaginta erant*] Primò ferè dens

dens hominis errorem, negare id posse fieri,
ut æs illud, id est, bruta materies, cibo ûtere-
tur, aut potu. Accersi ergo rex sacerdotes
jubet: [nam ferè ad septuaginta erant:] adhibitôque eos terrore increpitat, quis impen-
sa consumeret, cùm Daniel vir prudentiâ insignis, minimè id ab insensibili simulacro
posse fieri contenderet. Tùm illi confisi
parato dolo, inferre & obsignari à rege templum deposcunt; uti, nisi omnia postero die
absumta deprehenderentur, morte pœnas

---

redundat, ut multis aliis in locis. Deinde *ad septua-*
ginta quoque nihil est amplius quàm *septuaginta.*
Nam in historia Beli disertè legitur: *Erant autem*
Sacerdotes Beli septuaginta. Sic & supra lib. I
cap. 25. *Non amplius quàm ad triginta & duo mil-*
lia exercitum parabit. Neque erat, quòd voculam
ad ibi male adjectam putaret Drusius, quia ipsa
XXXII millia fuerint. Ipsa enim vocula *ad* quoque in illo loco redundat. vide Notas ad eum locum.

Minimè id ab insensibili simulacro posse fieri]
Insensibile pro *non sentiente.* Nimirum nomina
adjectiva in BILIS etsi plerumque significant potentiam passivam, quandoque tamen & activam significant. Sic *impetrabilis* dicitur etiam is, qui
potest impetrare.

6. *Inferre & obsignari à rege templum depo-*
scunt] Legendum videtur *inferri*, & addendum
præterea nonnihil quòd exciderit; sive jam addatur
illud, quòd præcessit, *diurnam pensitationem*, sive
id genus aliud.

M 2 per-

perſolverent : dum eadem conditio Danieli maneret.   Itaque ſigno regis tem- 7
plum obſignatur, cùm priùs Daniel, ſa-
cerdotibus inſciis , pavimentum cinere
adſperſiſſet , ut introeuntium occultos
aditûs veſtigia proderent. Igitur poſtero
die rex templum ingreſſus, animadvertit abſumta, quæ idolo adponi juſſerat. Tùm Da- 8
niel occultam fraudem veſtigiis prodentibus
referat, ſacerdotes cum uxoribus & filiis, ſub-
foſſo foramine ingreſſos, ea quæ idolo ad-
poſita fuerant devoraſſe. Ita omhes juſſu
regis interfecti, templum ac ſimulacrum De-
nieli in poteſtatem datum, atque arbitrio ejus
dirutum.

CAP. IX. Interea Iudæi, quos ex permiſſu Cyri in 1
2 Par. 36. patriam regreſſos ſupra memoravimus, urbem ac templum reſtituere adgreſſi, ut pauci
atque inopes, parùm proficiebant : donec
centeſimo ferè anno, Artaxerxe rege Perſis
Eſr. 3. imperitante, per eos, qui locis præerant, ab
Reædifica- ædificando ſunt deterriti. Etenim tùm Sy- 2
tio templi ria atque omnis Iudæa ſub Perſarum imperio
impedita. per magiſtratus ac præſides regebatur. Igitur his conſilium fuit, regi Artaxerxi ſcribe-

____

2. *Non paterentur ſub alieno imperio ƀiƀere*]
id eſt, *non ſuſtinerent ƀiƀere, nollent ƀiƀere.* De
verbo *ſuſtinere* notum, quòd dicant *non ſuſtineo fa-*
                                                  re,

re, non oportere Iudæis reſtituendæ urbis ſuæ
copiam dari, ne pro contumaci ingenio, reſumtis viribus, aliis gentibus imperare ſoliti,
non paterentur ſub alieno imperio degere.
3 Ita comprobato à rege præſidum conſilio, Eſr. 6.
prohibita urbis ædificatio, usque in ſecundum Darii regis annum dilata eſt. Sed hoc
tractu temporum, qui reges Perſis impera-
verint, inſeremus, quò facilius annorum ſe-
4 ries in ordinem contexta prodatur. Poſt
Darium Medum, quem duodeviginti annos
regnaſſe ſignificavimus, Cyrus uno & triginta annis rerum potitus eſt. Scythis bellum
inferens, in prælio cecidit : ſecundo anno,
poſtquam Tarquinius Superbus Romæ re-
5 gnare cœperat. Cyro Cambyſes filius ejus Cambyſes.
ſucceſſit, regnavitque annos novem. Hic,
cùm Ægyptum atque Æthiopiam bello premeret & ſubegiſſet, victórque in Perſas rever-
teretur, caſu ſe ipſum vulneravit, ex eôque
6 ictu periit. Poſt hujus mortem Magi duo
fratres, natione Medi, menſes ſeptem Perſa-

---

cere, ut Græci ἐχ ὑπέτλην ποιῶν. At *Non patior
facere* vulgatum non eſt.

5. *Caſu ſe vulneravit*] Iuſtinus lib. I *Gladio ſuâ
ſponte evaginato in femore graviter vulneratus
occubuit.*

6. *Magi duo fratres Perſarum regnum obtinuerunt*] Nomina eorum *Patizithes* & *Smerdis* : quo-

M 3
rum

rum regnum obtinuerunt. Ad hos interficiendos ſeptem nobiliſſimi Perſæ conjurave-
runt, quorum princeps fuit Darius Hyſtaſpis
filius, natus ex fratre patruele Cyri, omniúmque conſenſu regnum ei delatum: regnavit
annos ſex & triginta. Hic ante quadriennium quàm decederet, apud Marathonam
pugnavit, celeberrimo Græcis Romanisque

Darius Hy-ſtaſpis.

rum ille à Cambyſe expeditionem in Ægyptum ſu-
ſcepturo μελεδανὸς τῶν οἰκηίων *curator domus* conſtitutus fuerat, ut Herodotus in Thalia prodidit. Iuſtinus Cometem & Oropaſtam vocat. Quæ nomina unde hauſerit, non liquet. Ceterùm quòd duos
fratres regnum obtinuiſſe ſcribit noſter, non ſic capiendum, quod uterque ſe pro rege geſſerit, ſed quòd
unus eorum nomine Smerdis, nomen regium uſur-
paverit; alter verò & quidem Patizithes, ut id poſſet fieri, malis artibus effecerit. Ceterùm magorum
iſtorum alterum, & quidem Smerdin, eſſe Artaſa-
ſtham illum, cujus in cap. IV Eſræ fit mentio, non
male demonſtraſſe videmur in Exercitationibus
Acad. p. 77 & ſeqq.

Natione Medi] Quod magi, Patizithes & Smerdis, natione Medi fuerint, id colligi poteſt, & colle-
giſſe videtur noſter, ex eo, quod, cùm Cambyſi jam
ſuborta eſſet ſuſpicio, quod non frater ſuus Smerdis,
ſed magus quidam ei cognominis imperium occu-
paſſet, proceres Perſicos hortatus eſt, ne per ſocordi-
am imperium ad Medos redire ſinerent: uti prædi-
cto loco prodidit Herodotus.

7. *Hic ante quadriennium quàm decederet, apud
Marathonam pugnabit*] Non ſic, ut pugnæ ipſe

hiſtohiftoriis prælio. Id geftum poft Romam conditam anno ferè ducentefimo & fexagefi- mo, Macherino & Augurino confulibus. ab- hinc annos, fi tamen inveftigatio Romano- rum confulum non fefellit, Io ccc LXXX & VIII. Omne enim tempus in Stiliconem con-

8 fulem direxi. Poft Darium Xerxes fuit, isque Xerxes, unum & viginti annos regnaffe traditur: quamquam in plerisque exemplaribus vigin- ti & quinque annos imperii ejus fuiffe reperi. Huic fucceffit Artaxerxes, cujus fupra men-

9 tionem fecimus. Hic cùm inhiberi ædifica- tionem urbis Iudææ, templique juffiffet, fu- *Artaxerxes Longim.*

---

interfuerit, fed ut ejus aufpiciis res à Mardonio gefta fit; quamvis malè. *Ante quadriennium quàm decederet*, eft talis locutio, qualis illa, Nepotis III, 3. 3 *Poft annum quartum quàm Themiftocles erat expulfus.* Et quomodo pro hoc dici poteft: *Quarto anno poftquam erat expulfus,* ut idem Nepos III 1. 4 loquitur: ita pro illo dici poffit: *Quadriennio vel anno quarto antequam decederet* Cafum quar- tum *Marathonam* fecit à primo *Marathona:* qui quidem novus primus cafus eft à quarto *Maratho- na,* cujus primus eft *Marathon.* Sic ab accufativo Græco κρατῆρα factus eft nominativus Latinus *Cra- tera,* & ab accufativo Θέμιστα factus nominativus *Themifta.*

9. *Sufpenfum opus usque in fecundum Darii re- gis annum pependit*] Paullò antè: *Vrbis ædificatio usque in fecundum Darii regis annum dilata eft.*

ſpenſum opus usque in ſecundum Darii regis
annum pependit.   Sed ut usque ad eum
temporum ordo connexus ſit, Artaxerxes regnavit annos unum & quadraginta, Xerxes
duobus menſibus.   Póſtque eum Sucdianus
ſeptem menſibus fuit.

CAP. X.   Darius deinde, ſub quo templum eſt reſti-   1
Darius No- tutum, regnum adeptus eſt, cui Ochus tùm
thus.   nomen erat.   Hic cùm ex Hebræis tres ado-
            loſcentes ſpectatæ fidei, corporis cuſtodes ha-
Reædifica- beret, unúsque ex his prudentiæ documento
tio templi admirationem regis in ſe convertiſſet, delatâ
Hierofol.   ſibi optione petendi, ſi quid animo concepis-
Eſr. 6.   ſet, ingemiſcens patriæ ruinis, copiam reſti-
            tuendæ urbis popoſcit, meruitque à rege, ut

Intelligit autem Darium ſecundum cui, & Ochus
nomen, quique vulgo Nothus dicitur.   Hinc cap.
proximo ſequente: *Darius, ſub quo templum reſtitutum, regnum adeptus eſt, cui Ochus tùm nomen
erat.* Sed falſum eſſe auctorem, cumque eo acutiſſi-
mum Scaligerum, manifeſta res eſt: id quod deditâ
operâ demonſtravimus in Exercitationibns Acade-
micis, & harum quidem tertiâ.

   1. *Vnúsque ex his prudentiæ documento*] Eſt is
Zorobabel. Hiſtoriam pleniùs legere licet III Eſr. III.

   Admirationem regis in ſe conſertiſſet] Inf. cap.
42. *Omnium in ſe animos & ſtudia conſerterat.*
Sic Florus II, 17. 4 *Conſertere in ſe omnium mentes.*
Et Nepos VII, 3. 5 *Conſertere ad ſe omnium oculos.*
   Meruitque à rege] *Mereri* conſequendi notio-
                                             ſub

fubŧegulis ac præfidibus imperaret, ut ædificationem facræ ædis præbitis impendiis ma-
2 turarent. _Ita templum quadriennio confummatum, fexto pòft anno, quàm Darius
regnare cœperat, idque Iudæis fatis vifum : &
quia magnæ molis erat urbem reftituere, diffifi viribus, opus multi laboris incipere non
3 aufi, templo continebantur.   Per idem tempus Esdras fcriba legis poft viginti ferè annos
quàm templum fuerat confummatum, de-
funcfto jam Dario, qui unum de viginti annis .

Esdras.
Artaxerxes
Mnemon.

---

ne, ut fæpè in hoc atque aliis ejus ævi fcriptoribus.

2. *Sexto pòft anno quàm Darius regnare cœpe-*
rat] Inf. cap. 45. *Sexto anno poftquam redierat.*
Ergo voculam *poft* nomini temporis modo præponit,
modo poftponit : & quidem ut adverbium.   Infra
cap. XVII *Septimo* (anno) *pofteaquam Darium de-*
ɓicerat.   Alias loquendi formulas ἰσοδυναμ ἐσαις
mox infra videbimus.

3. *Esdras fcriba legis*] Quoniam vox Hebræa
סופר homonyma eft, plurésque fignificationes habet, ut & *peritum legis diɓinæ,* & *fcribam* fignificet,
factum eft, ut Græca quoque vox γραμματεύς, &
porro Latina *fcriba,* homonyma fieret, & *legis diɓi-*
næ peritum fignificaret.   Quâ de re in parte I Commentarii de Hebraismis N. T. pag. 83 egimus.

Poft ɓiginti ferè annos quàm templum fuerat
confummatum] Vide quàm orationem variet. Nunc
dicit *Poft ɓiginti annos quàm.*   Potuiffet autem &
fic, ut paulò antè, *Vigefimo pòft anno quàm;* vel
Vigefimo anno poftquam; vel denique *poft ɓigefi-*

rerum fuerat potitus, permissu Artaxerxis secundi, non illius, qui inter duos Xerxes fuit,
Esr. 7 & 8. sed hujus, qui Dario Ocho successerat, Baby-
loniâ profectus, multisque eum sequutis, Hierosolymam pervenere. Vasa quoque diversi
operis, & dona, quæ rex templo Dei miserat,
cum duodecim Levitis.   Vix enim hic nu-
Esr. 9 & 10. merus ex illâ tribu repertus traditur. Is cùm
deprehendisset Iudæos gentilium connubiis

---

mum annum quàm. Sed & omisso *post* dicit *vigesimo primo anno quàm.* Vide cap. IX lib. I & in illud
Notas. Ceterùm quòd Esram, post viginti annos
quàm templum consummatum fuit, in Palæstinam
migrasse ait, id falsum est; si quidem verum sit, ut
omninò verum est, sub Dario Hystaspis templum
ædificari cœptum atque consummatum fuisse. Hic
enim Darius, ut ipse auctor supra scripsit, regnavit
annos sex & triginta: & anno septimo demum Artaxerxis, qui Darium Hystaspis excepit, id est, Longi-
mani, Esras in Palæstinam venit.

3. *Permissu Artaxerxis secundi*] Mnemonem
intelligit. Sed fallitur; ut in prædictâ Exercitatione tertiâ demonstravimus.

*Multisque eum sequutis Hierosolymam pervene-
re*] Drusii editio habet, *Multique eum sequuti;* ut
verbum illud numeri pluralis casus aliquis primus
antecedat. At ego malim illud *multisque eum sequutis,* quod editio quoque Coloniensis habet, retinere, & cum Galesinio legere *Multisque eum sequutis Hierosolymam pervenit;* ut adeo *pervenit* referatur ad Esdram.

4. *Gentilium connubiis permixtos*] Vocabulo

pet-

permixtos, multis increpitos, renunciare
istiusmodi matrimoniis, ac filios ex his susce-
ptos extrudi jubet; omnésque dicto parue-
re. Purgatus populus, veteris legis ritum
agebat. Ceterùm Esdram nihil super refici-
endâ urbe egisse comperio: credo potiorem
curam ratus, plebem corruptis moribus reformare.

---

gentiles non eâ notione usus est, quâ antiquiores so-
liti fuerunt. Festus: *Gentilis dicitur & is, qui ex
eâdem gente ortus, & is, qui simili nomine adpellatur.* At noster *gentiles* dicit eos, qui verum Deum
ignorant, quique idolorum sunt cultores. Cujus
adpellationis in Lexicis malè redditur ratio; quòd
scilicet ita dicantur, quia in gentilium, id est, majorum suorum fide perstiterint, nec religionis cultum
mutaverint. Vera ratio ex Hebraismo arcessendâ
est. Nimirum quia vox Hebræo גּוֹיִם tum
gentes qualescunque, tum gentes, quæ verum Deum
ignorant & idololatræ sunt, significat, factum est, ut
primò Interpretes Græci veteris, deinde exemplo horum Scriptores novi Test. vocabulo Græco ἔθνη non
unam modo, quæ & vulgares est, sed duas significationes tribuerent. Græcos imitati deinde Interpretes Latini, ipsi quoque Latinæ voci *gentes* duplicem
significationem dederunt. Et ut Græci non modò
primitivæ voci ἔθνη, sed & derivatæ ἐθνικὸς duplicem significationem tribuerunt: ita planè & Latini
tum Interpretes, tum Scriptores alii, non voci *gentes* tantùm, sed & hinc derivatæ *gentiles,* duas significationes adsignarunt. Vide & Notas ad cap. I &
ad XLIX libri primi.

Erat

CAP. XI.   Erat eâ tempeſtate apud Babyloniam   1
Nehemias. Neemias miniſter regius, gente Iudæus, Artaxerxi merito obſequiorum cariſſimus.   Is   2
Iudæos percontatus, quis paternæ urbis ſtatus eſſet, ubi comperit, in iisdem ruinis jacere
patriam, totis ſenſibus conturbatus, cùm gemitu multisque lacrymis oraſſe ad Deum

---

1. *Erat eâ tempeſtate apud Babyloniam*] Non
tantùm regionem, ſed & ipſam urbem *Babyloniam*
dicunt; *Babylonem* dicere poſſint. Iuſtinus I. II. 7
*Hæc Babyloniam condidit, murúmque urbi coƈto
latere circumdedit.* Sic & pluribus locis aliis. Supra tamen lib. I cap. 4 *Babylonem* noſter dixit. Deinde *apud Babyloniam* dicit pro *Babyloniæ* vel pro
Babylone. Iam non inſolens quidem eſt Scriptoribus Latinis præpoſitiones ipſis quoque nominibus
urbium adjicere, & dicere exempli gratiâ *in Seleuciâ*
pro *Seleuciæ;* quâ de re & in libello de Latinitate
falsò ſuſp. pag. 300 egimus : ſed tamen *apud Babyloniam* pro *Babyloniæ* aut *Babylone,* dixiſſe antiquiores vix putaverim. At æqualibus Sulpicii ita
ſcribere ſolemne fuit : & ipſum Sulpicium quoque
non ſemel ita ſcripſiſſe memini. Exempli cauſâ
lib. I cap. 5 ſcripſit : *Apud Charras diverſatus eſt*
pro *Charris* vel *Carris.* Ceterùm errat ille, quòd
ſcribit, Nehemiam fuiſſe Babylone. Diſertè enim
Nehem. I ſcriptum eſt, fuiſſe eum Suſis : ubi & reges
Perſarum degere ſoliti fuerunt.

2. *Is Iudæos percontatus*] In textu Hebræo Nehemiæ eſt, percontatum fuiſſe Nehemiam אנשׁים
מיהודה *ſiros à Iuda* vel *ex Iuda,* id eſt, homines ex regione Iuda, ex Iudæâ, venientes.

tra-

traditur, delicta gentis suæ reputans, miseri-
3 cordiámque divinam efflagitans.   Igitur, Neh. 2.
quum eum rex inter epulas mœstum extra
solitum animadvertisset, popofcit ab eo, caufam dolorum ut exponeret.   Tùm ille ad-
verfa gentis fuæ, & ruinam civitatis. deflere,
quæ jam per annos ferè ducentos & quinquaginta folo ftrata, malorum teftimonium,
fpectaculum inimicis præberet : daret fibi
4 eundi & reftituendæ ejus poteftatem. Paruit
rex piis precibus: ftatimque eum cùm præfidio equitum, quò tutiùs iter ageret, dimi-
fit: datis ad prætores epiftolis, ut neceffaria
præberent.   Is quum Hierofolymam perve-
niffet, viritim populo opus urbis diftribuit,
& certatim juffa omnes curabant.   Iámque Neh. 3 feqq.
ad medium machinæ procefferant, quum
flagrante invidià gentium vicinæ urbes con-

· 3. *Extra folitum*] Pro *præter folitum*. Plautus
Amphit. II, 2. 203 *Extra te unum*. Terentius Phorm.
I, 2. 48 *Extra unam aniculam.*

4. *Quò tutiùs iter ageret*] *Agere iter* pro *facere*
dixit & in lib. de vità Mart. cap. 12 itemque Dial. II
cap. 3. Sed & Ovidium lib. II de arte am. fic locutum,
obfervatum eft.

Iam ad medium machina procefferant, quum]
Cùm vel *quum* in medià periodo ufurpare & alii folent: quà de re & fupra monuimus. Vide & Indicem in Nepotem.

fpi-

spirant, opera interrumpere, Iudæos ab ædificando deterrere. Sed Neemias, dispositis   5
Restitutio urbis Hierosol. adversùm incursantes præsidiis, nihil territus,
cœpta explicuit: consummatôque, & valvis
portarum perfectis, per familias construendis
interiùs domibus urbem dimissus est. Cen-
suitque populum minimè urbi parem. Neque enim amplius quàm ad quinquaginta
millia promiscui sexûs atque ordinis repertà.
Tantum ex illo quondam immani numero   6
frequentibus bellis absumtum, aut captivitate detentum. Nam olim hæ duæ tribus,
quattm hoc residuum fuit, quum ab his decem tribûs separatæ sunt, ccc & xx millia
virorum armaverant. Adeo ob peccatum
internecioni & captivitati datæ, ad hanc us-

---

5. *Consummatôque & valvis portarum perfectis*]
Videtur aliquid excidisse; & quidem vox *muro*; quod
de & Sigonius monuit. Sanè historia Nehemiæ di-
stinctè & de muro & de valvis prodidit.

Construendis interiùs domibus] Interiùs, id est,
in urbe & intra muros.

5. *Vrbem dimissus est*] Manifestum est, legendum esse *dimensus est*: quâ de re & alii monuerunt.

Neque amplius quàm ad quinquaginta millia]
Pari modo lib. I cap. 25. *Non amplius quàm ad triginta & duo millia.* Ad quod vide Notas.

6. *Internecioni & captivitati datæ*] Dictum
ita, ut *morti dare, neci dare, letho dare*: quibus
itidem sæpè usus est noster.

que

7 que paucitatem devenerant. Sed hæc, ut dixi, plebs duarum tribuum fuit: decem vero prius ductæ, per Parthos, Medos, Indos atque Æthiopas difperfæ nunquam in folum patrium funt regreffæ: hodiéque barbararum gentium imperiis continentur. Sed confummatio reftitutæ urbis xxx & II impe

8 rii Artaxerxis anno refertur. A quo tempore usque ad Chrifti crucem, id eft, Fufium Geminium & Rebellium confules, anni cccxc & VIII. Ceterùm, à reftitutione templi usque in everfionem, quæ fub Vefpafiano, confule Augufto, per Titum Cæfarem con

9 fummata eft, anni cccc LXXX & III. Prædictum id olim eft à Daniele, qui ab inftaura- Dan. 9. tione templi usque in everfionem LX & IX hebdomadas futuras pronunciaverat. A die

---

7. *Nunquam in folum patrium funt regreffæ*] Non quidem tantis agminibus in patriam regreffæ funt decem tribus, quantis duæ alteræ; fed certum tamen, ex ipfis quoque decem tribubus aliquos rediiffe. Hinc enim factum, ut circa tempora nati Chrifti adhuc fciri potuerit, quis ex tribu Afer, aut ex aliâ oriundus effet.

8. *A reftitutione templi usque in everfionem*] Reftitutionem templi, ut fupra adparuit, factam putat fub Dario Notho. Quod quia falfum eft, & reftitutio fub Dario Hyftafpis facta: neceffe eft, numerum fequentem quoque annorum CCCCLXXXIII non recte fe habete.

Au

autem captivitatis Iudæorum, utque in tempus reſtitutæ civitatis, fuerunt anni CCIX.

CAP. XII. Hoc temporum tractu, Heſter atque Iudith fuiſſe arbitramur. Quarum quidem
Eſter. actûs, quibus potiſſimum regibus connectam, non facile perſpexerim. Nam cùm Heſter ſub Artaxerxe rege referatur, porrò duos hujus nominis Perſarum reges fuiſſe reperi, multa cunctatio eſt, cujus hæc temporibus adplicetur. Mihi tamen viſum eſt, huic Artaxerxi, ſub quo Hieroſolyma eſt reſtituta, Heſter hiſtoriam connectere: quæ ante fuit veriſimilis: ut, ſi ſub priore Artaxerxe fuiſſet,

1

2

---

1. *Cùm Heſter ſub Artaxerxe rege referatur*] Quòd Eſtherem ſub Artaxerxe vixiſſe ſcribit, adludit ad Interpretes Græcos, qui Ahasverum, ſub quo fuiſſe eam ſacræ litteræ prodiderunt, Artaxerxem vocant. Deinde, quia duos ejus nominis reges Perſarum fuiſſe ex hiſtoriâ profanâ conſtat, Eſtherem poſteriori, id eſt, Mnemoni æqualem fuiſſe, noſter putat.

2. *Quæ ante fuit ʋeriſimilis*] Quòd Sigonius emendavit, *Quia haut fuit ʋeriſimile,* bonum factum: itémque quòd pro *cujus tempora complexus eſt,* legendum cenſuit, *Qui ejus tempora complexus eſt.* Ceterùm quòd voculam *ut* repudiat, & pro *retuliſſet* legit *retuliſſe,* id non placet. Nimirum non obſervavit ille, aut non recordatus eſt, voculam *ut* ſubinde pro *quod* poni. Multa hujus generis produximus in libro de Latinitate falſo ſuſp. pag. 247 & ſeqq. Quibus addatur illud Iuſtini lib. XI cap. 3 *Iu-*

cujus

cujus tempora complexus est, nullam tam
illustris fœminæ mentionem retulisset, maximè cùm ab illo Artaxerxe inhibitam templi
ædificationem, sicut supra memoravimus,
constet: neque Hester passura fuerit tùm, si
in illius matrimonio tùm fuisset. Nunc gesta
3 edisseram.   Erat eâ tempestate regi in matrimonio Vastis quædam, miræ fœmina pulchritudinis.   Cujus cùm formam omnibus
prædicaret, die quodam, cùm publicum convivium dabat, adesse reginam demonstran-

---

*rejurando se omnes obstrinxerunt, ut victis Persis
Thebas diruerent, pro quòd victis Persis Thebas di-
ruere vellent.* Idemque illud ejusdem Iustini lib.
IX cap. 2 *Non modo* [ut ponatur] *veràm etiam ut
inviolata maneat, pollicetur.* pro *quòd inviolata
mansura esset, pollicetur.* Pari modo igitur à Sulpicio scriptum credatur, *Haut fuit verisimile, ut, si
sub priore Artaxerxe fuisset, qui ejus tempora complexus est, nullam tàm inlustris fœminæ mentionem
retulisset,* pro *Haut fuit verisimile, quòd, si sub priore Artax. fuisset, nullam ejus mentionem retulisset.*

Cujus tempora complexus est] Rectè ut dixi,
emendavit Sigonius, *Qui ejus tempora complexus
est.* Intelligitur autem Auctor libri Esræ, quem in
cap. IV nomine Artasastæ Artaxerxem Longima-
num designare noster putat.

3. *Demonstrandæ pulchritudinis gratiâ*] Non
liquet de eo, quòd Vastim demonstrandæ pulchritudinis ejus gratiâ à rege arcessitam scribit: videturque
hoc ex conjecturâ adjecisse.

N

dæ

de pulchritudinis gratiâ jubet.   Illa verò **4**
ftulto rege confultior, pudens virorum oculis fpectaculum corporis præbere, juffa abnuit.   Quâ contumeliâ barbarus animus
permotus, uxorem matrimonio ac regiâ de-
Efther. 2. pellit.   Igitur, quum in locum ejus puella **5**
regis conjugio quæreretur, reperta eft Hefter
ceteras fpecie vincere.   Hæc Iudæa, ex tri-
Mardo- bu Benjamin, utroque parente orba, à Mar-
chæus. dochæo patruele fratre educta.   Quum ad **6**
regales nuptias duceretur, mandante educa-
tore, genus ac patriam occultavit: admonita
ne paternarum traditionum immemor, etfi
in matrimonium alienigenæ captiva fuccede-
ret, gentilium cibis participaret.   Igitur **7**
juncta regi, brevi, ut fit, vi pulchritudinis

---

5. *A Mardochæo patruele fratre educta*] *Patruelem fratrem* & fupra nominavit aliquem; idque imitatione Ciceronis, qui in quinto de finib. fic
habet: *Frater nofter cognatione patruelis, amore
germanus.* Adlufit autem ad illud, quòd Interpretes
Græci in cap. II lib. Efth. v. 7 fic habent, θυγάτηρ
Αμιναδάβ ἀδελφῦ πατρὸς ἀυτῦ. Si Efther filia
fuit fratris patris Mardochæi, neceffe eft Mardochæ-
um Efheræ fratrem patruelem fuiffe.   Sed in textu
Hebræo eft vocula דוד, quæ paullò generalior videtur.

6. *Gentilium cibis participaret*] Vide fupra
Notas in cap. I hujus libri.

7. *Vt eam equatam imperio*] Legendum for-
                                              totum

totum ejus animum facile cepit : adeo ut eam æquatam imperio, infigni regio, vefte purpureâ donaret.

1	Quâ tempeſtate Mardochæus inter pro-CAP. XIII.
ximos regis erat, pro virili portione nego-
tiorum familiarium curator.   Is compofitas
à duobus ſpadonibus regi infidias prodide-
rat : atque ex eo charior, ſummisque hono-
2	ribus donatus. Erat eâ tempeſtate regi Ha-Efther. 3.
man quidam perfamiliaris, quem æquatum
ſibi, adorari more regum præceperat.   Id
Mardochæus unus ex omnibus facere faſti-

---

taſſe *æquatam ſibi imperio*.   Sanè capite proximo ſequente dicit, *Quem æquatum ſibi adorari præce-perat*. Minimum autem vox *ſibi* ſubaudiendafuerit.

1. *Mardochæus inter proximos regis erat*] Sic & ſupra cap. I *Omnibus regis proximis antelati*. Et cap. II *Regis proximum adpellat*.   Ad quem locum diximus tales & *amicos regum* à Latinis dici.   An verò Mardochæus proximus, atque amicus, id eſt, primarius miniſter, regis tùm omninò fuerit, de eo ex ipſis ſacris litteris non conſtat : & videtur Auctor hoc ex conjectura addidiſſe.

2. *Adorari more regum præceperat*] Sic & lib. I cap. 12 *More regio adorant*.   Alii dicunt etiam *adorare more Perſarum*, aut *more regum Perſa-rum*. Iuſtinus lib. VI *Conon à regis conſpectu & colloquio prohibitus eſt, quòd eum more Perſarum adorare nollet*.   Lamptidius in Alex. Severo : *Ad-orari ſe vetuit regum more Perſarum*. Vide No-tas in cap. XII lib. I.

diens, odia Perſæ in ſe graviter accenderat.
Igitur Haman ad perniciem Hebræi animum 3
intendens, regem adit : adfirmátque, eſſe in
regno ejus hominum genus, pravis ſuperſtitionibus, Deo hominibúsque inviſum, externis legibus vivens, dignum exitio. Rectum
eſſe, omnes hujus gentis internecioni dare ;
éxque eorum bonis immenſas opes pollicetur.   Facilè id barbaro perſuaſum. Edictum 4
emittitur ; Iudæos necandos.   Miſſique
continuo, qui per omne regnum ab Indiâ
usque Æthiopiam edictum promulgarent.
Eſther. 4   Id ubi Mardochæo compertum, conſciſſis
veſtibus ſacco obvolvitur: conſperſúsque cinere pergit ad reginam, ibique ejulatu mul-

---

Odia Perſæ in ſe accenderat] Hamanem Perſam vocat, qui in ſacris litteris אגגי *Agagæus* vocatur. Vide Eſth. III, 1. Vnde quidam conjiciunt,
ex ſtirpe regiâ Amalekitarum, quorum aliquando
rex Agag nomine fuit, oriundum illum fuiſſe. Porro
nomine gentili utitur pro proprio : quomodo &
mox *Hebræum* dicit pro Mardochæo. Eſtque hoc
Auctoribus ſolemne prorſus, ut nomen gentile atque adeo commune, pro proprio ponant. Nepos
hujus generis quæ habet, notata ſunt in Indice ad
vocem *Laco.*

4. *Facile id barbaro perſuaſum*] Rurſus nomine communi utitur pro proprio, & *barbarum* vocat
regem Perſarum ; quem quidem Artaxerxem putat.
Sic & Nepos Xerxem, itémque ſatrapam Artaxerxis,

to,

to, cuncta quaestibus replet : facinus indignum, immeritam gentem perire, neque ullam pereundi causam dari. Hester lamen-5 tantis voce excita, rem, ut erat, cognoscit. Tum verò anceps consilii; quia adeundi regem potestas non erat [etenim more Persarum, reginae introire ad regem, nisi accersitae, non licet. nec tamen, quum fuerit regi libitum, sed statuto tempore admittitur] & forte tùm ita evenerat, ut diebus triginta proximis separata à conspectu regis Hester 6 haberetur. Igitur audendum aliquid pro civibus rata, etsi certa pestis adesset, pulchro in negotio occumbere parat : invocato priùs Domino, aulam regis ingreditur. At barbarus re insolitâ perculsus, paulatim blandimento muliebri delinitus, postremò ad coenam reginae perducitur : unáque cùm illo

Esther. 5.

Tissaphernem, *barbari* nomine designat. Vide itidem, quae in Ind. ad voc. *Laco* notata.

  4. *Ab Indiâ usque Aethiopiam*] Omisso *ad*, pro *usque ad Aethiopiam*, quomodo & supra locutus est. Iustinus hujus generis multa habet. Vide Indicem in hunc Freishemii, v. *Usque.*

  6. *Iudae gentis infestus*] Non est verisimile, vocabulo *infestus* Auctorem ut nomine substantivo usum esse; ut *gentis infestus* dictum sit, quomodo *gentis inimicus.* Legendum ergo, ut Galesinus monuit, *genti infestus.*

                    Ha-

Haman ille regi charus, & Iudææ gentis infestus.   Igitur quum jam post epulas multis
poculis convivium calere cœpisset, Hester
genibus regis advolvitur, gentis suæ perniciem deprecatur.   Rex verò nihil se petenti;
si quid ultra peteret, negaturum pollicetur.
Tum Hester adrepto tempore, Hamanis mortem flagitat, in ultionem gentis, quàm perdi-
tam cupierat.   Sed rex amici memor, paulisper cunctatur; deliberandique gratiâ modi-

Esth. 7.

7

Haman.

8

---

7. *Multis poculis convivium calere cœpisset*] Sic
Cicero dixit *calere judicia*; & Tibullus *calere bella
Veneris*, cùm magno fervore exercentur.

8. *Modicum secessit*] in hortum, Esther. VII, 7.
Ceterùm *modicum* ponit pro *paullisper, exiguo tempore*.   Vt in Evangelio scriptum, *Modicum adhuc
temporis vobiscum sum*. Quem usum vocabuli non
quidem ævi Ciceroniani, sed tamen nec planè barbarum ac Sorbonicum cùm Carolo Langio dicendum esse, monuit Gerh. Ioh. Vossius in lib. de Vitiis
Serm. p. 147.

Adpetitam reginam clamitans] Drusius addit,
ad stuprum. Quod non consentaneum est historiæ
originali.   Nam Esth. VII, 8 legitur, Regem quæ-
sivisse, an & reginam interficere vellet in regiâ.   Cui
rei exprimendæ verbum *adpetere* adprimè congruit.
Dicunt enim, *adpetere aliquem gladio, ferro, insidiis, lapidibus*; atque ita verbo isto violentiam
significant.   Sed & casu sexto omisso, ac subaudito
tantùm, dicunt *adpetere aliquem*. Cujus rei exempla tamen nunc non succurrunt. Illud *ad stuprum*,

cum

cùm secessit. Deinde regressus, vidit Haman reginae genua complexum: succensus
irâ, & adpetitam reginam clamitans, morte
9 eum adfici jubet. Et tùm regi compertum
erat, poenam crucis per Haman Mardochaeo
paratam. Ita Haman eidem cruci adfigitur,
omniáque bona ejus Mardochaeo data, Iu-
daeique sunt absoluti. Artaxerxes regnavit
annos duos & sexaginta, eidémque Ochus
successit.

1 Huic rerum ordini rectè Iudith actûs con- CAP. XIV.
feram. Traditur enim post captivitatem Iudith. 1.

---

quod Drusius subaudiri volebat, planè incongruum
est: & dicendum potius foret, *adpetere aliquam
stupro,* quomodo dicitur, *adpetere aliquem insidiis.*

9. *Poenam crucis Mardochaeo paratam. Ita
Haman eidem cruci adfigitur.*] Adludit ad versionem Graecam, quae habet σταυρωθήτω ἐπ᾽ αὐτῶ. At
textus Hebraeus habet voculam עץ, quae tum lignum, tum arborem significat; dicitque adeo Hamanem in ligno, vel in arbore suspensum fuisse.
Certè formam crucis Romanae istud lignum, quod
Haman paraverat Mardochaeo, & in quo suspensus
ipse fuit, non habuit.

1. *Huic rerum ordini rectè Iudith actûs conferam*] Legendum sine dubio, ut jam alii monuere,
conferam. Hoc enim vocabulo noster in similibus
non semel usus est. Vt infra cap. 19 *Vt rerum ordo
consertus sit.* Item in Ep. II *Vt est consertus Apostolis & Prophetis.*

N 4

fuis-

fuisse: sed, quis eo tempore Persis regnaverit, historia divina non edidit. regem tamen sub quo illa gesta sint, Nabuchodonosor nuncupat, non utique eum, qui Hierosolymam ceperit. Sed nullum hoc nomine post captivitatem apud Persas regnasse reperio, nisi si ob impatientiam & pariles conatûs, quicum ille rex, Nabuchodonosor à Iudæis vocitatus est. Plerique tamen Cambysen, Cyri regis filium, putant esse: quòd victor Ægyptum atque Æthiopiam penetraverit. Sed huic opinioni eadem Sacra historia repugnat. nam duodecimo regis illius anno, Iudith fuisse signatur. Porro, Cambyses non ultra no-

___

1. *Historia diuina non edidit*] Alii dicerent *prodidit*: quo vocabulo & noster usus est non semel. Vt in hoc cap. *Mundiales historici prodiderunt.*

2. *Nisi si ob impatientiam & pariles conatûs, quicum ille rex, Nabuchodonosor à Iudæis uocitatus est*] Sine dubio unum atque alterum mendum hic est. Et quidem Sigonius pro *impatientiam* legendum censet *impotentiam*, & pro *quicum* legendum *quicunque*; ut sensus sit, *Nisi si ob impotentiam & crudelitatem, quicunque ille rex Persarum fuerit, à Iudæis Nabuchodonosor uocitatus est.* Porrò *nisi si* eleganter pro *nisi* posuit. Vt Terentius Eun. V, 2 *Nisi si commissum non erit.*

Pariles conatûs] Sigonius legendum putat *pares*; quasi *pariles* nostro non satis digna vox sit. At usus eodem vocabulo est in Dial. III cap. IX *Vi-*

vem

4 vem annos rerum potitus est. Vnde, si in
historiâ opinari licet, sub Ocho rege, qui post
Artaxerxem secundum fuit, hæc gesta crediderim: idque vel ex hoc conjicio, quod idem
Ochus [ut in secularibus quibusdam scriptis
legi] naturâ immitis, cupidúsque bellorum,
traditur. Nam & arma finitimis intulit, &
Ægyptum, quæ ante multos annos descive-
5 rat, bello recuperavit. Quo tempore etiam
sacra eorum, & Apim in Deum receptum, in- Iudith. 2
risisse traditur: quod postea Baguas, spado
ejus, natione Ægyptius, indignatus, contumeliam gentis morte regis ultus est. Menti-

---

sam, certum est, parilem columnam ruere de cœlo.
Sed & antiquiores eo usi sunt. Ovidius I Trist. el. 7
Accipere & parili reddere voce Vale.

4. *Vt in secularibus scriptis legi*] Pari modo
paullò pòst, *Scriptores secularium litterarum.* Nec
dissimile est illud alterum, quod sequitur, *Mundiales
historici prodiderunt.* Nimirum profana & non
sacra vocat *secularia;* & historicos profanos vocat
mundiales. Notandum autem, *seculares* idem planè hic esse, quod *mundiales,* id est, ad mundum per-
tinentes. Observatum enim est, nostrum, itémque
ceteros scriptores ecclesiasticos alios, mundum vocare *seculum;* & porrò quod ad mundum pertinet,
seculare. De cujus adpellationis origine dictum est
supra ad cap. III lib. I. Aliis scriptoribus, ut notum
est, *seculare* longè aliud significat: ut cùm dicunt
carmen seculare, ludi seculares.

6. *Sub quo Baguam fuisse*] Levissimum sanè ar-

 nit

nit autem hujus Baguæ hiſtoria divina. nam
eùm Holofernes juſſu regis adversùs Iudæos
duxerat exercitum, Baguam in iisdem caſtris
fuiſſe memoravit. Vnde non immeritò in
argumentum noſtræ opinionis adduxerim,
ut rex ille, Nabuchodonoſor nuncupatus,
Ochus fuerit, ſub quo Baguam fuiſſe mundiales hiſtorici prodiderunt. Ceterùm illud 7
nemini mirum eſſe oportebit, quòd ſcriptores ſecularium litterarum, nihil ex his, quæ
ſacris voluminibus ſcripta ſunt, adtigerunt:
Dei Spiritu prævalente, ut intaminata ab ore
corrupto, & falſis vera miſcente, intra ſua tantùm myſteria contineretur hiſtoria, quæ ſe-
parata à mundi negotiis, & ſacris tantùm vocibus proferenda, permiſceri cùm aliis velut
æquali ſorte non debuit. Etenim erat indi- 8
gniſſimum, ut alia agentibus, aut alia quærentibus, hæc quoque cùm reliquis miſceren-

---

gumentum, quoniam Ochi, regis Perſarum, tempore Baguas quidam fuit, ideo Nabuchodonoſorum,
ſub quo iridem tali nomine aliquis fuit, eſſe Ochum.
Sunt enim in talibus multæ συγκυρίαι.

8. *Ac per Iudith geſta*] Sigonius putat vocula
per omiſsâ noſtrum ſcripfiſſe *Iudith geſta*; ut *Iudith* vim habeat casûs ſecundi. Verùm Druſius ſimi-
lia credidit ſe producere poſſe ex Oroſio. Vt quod
hic lib. I cap. 8 habet, *Hæc idem Moyſes plenius ſe-
riusque, tamquam per ſe ſuósque geſta conſcripſit.*

tur.

tur. Sed pergam ad cetera, ac per Iudith
gesta, ut potero, paucis absolvam.

1   Igitur reversis, ut supra memoravimus, in   CAP. XV.
solum patrium Iudæis, necdum composito
rerum aut urbis statu, rex Persarum Medis
bellum infert, atque adversùs regem eorum,
Arfaxat nomine, acie confligit: secundo   Iudith. 1
eventu, peremto rege, gentem imperio ad-
2 jungit.   Idem reliquis nationibus facit, præ-   Iudith. 2
misso Holoferne, quem principem militiæ   & 3.
delegerat, cùm millibus peditum centum &

Et cap. 12 *Quæ per Mosen strenuè acta funt.* Item
Sicut qua per eum gesta.

   1. *Rex Persarum Medis bellum infert*] Quem
regem Persarum vocat, is in ipso libro Iudith Assyriorum rex adpellatur. Vocat autem ita, quoniam
qui in libro Iudith rex Assyriorum adpellatur, eum,
ut ex superioribus adparet, regem Persarum Ochum
esse credidit. Ceterùm conjecturam istam salsam,
& ne verò quidem similem esse, facilè intelligitur.
Tempore Ochi regem aliquem Medorum fuisse, nomine Arphaxadum, quem Ochus ille in prælio vice-
rit, quis credat? Si historia vera est, ad antiquiora
tempora referenda fuerit ; & ad illa quidem, quibus
regnum Assyriorum & Medorum adhuc discreta atque distincta fuere. Magnus Conringius, amicus noster, in Adversariis Chronologicis cap. IV, refert ad
tempora Iosiæ regis ; & Arphaxadum conjicit esse
Phraortem Medorum regem, de quo Herodotus prodidit, quod susceptâ adversùs Assyrios expeditione
cum maximâ parte exercitûs perierit.

                              vigin-

viginti, equitum duodecim. Is Cilicia & Arabia bello vastatis, multas urbes aut vi capit aut metu in deditionem compellit. Iamque Damascum admotus exercitus, magno Iudæos terrore perculerat. Sed impares ad resistendum, neque ad deditionem adquiescentibus animis, expertis quippe usque ante captivitatis mala, ad templum frequentes concurrunt. Ibi communi gemitu, permixtóque ululatu, divinum auxilium implorant: satis se Domino ob peccata vel crimina dedisse pœnarum; reliquiis saltem servitio nuper exemtis, parceret. Interea Holofernes Moabitis in deditionem acceptis, atque adversùm Iudæos in societatem belli adsumtis, quum ab eorum principibus inquireret, quibusnam viribus freti Hebræi, deditioni

Iudith. 4. (marginal)

Iudith. 5. (marginal)

4 (marginal)

5 (marginal)

---

3. *Damascum admotus exercitus*] Non tantùm dicunt *admoʋere aliquid alicui,* sed & *adm. aliquid ad aliquid.* Livius: *Ad urbem Romam admoturus exercitum ʋidebatur.* Noster propositionem neglexit, eámque subaudiendam reliquit.

4. *Ad templum frequentes concurrunt*] Templum intelligit Hierosolymitanum reædificatum. Et colligit sine dubio ex eo, quod Iudith IV, 2 legitur, quòd Israëlitæ de Hierosolymis déque templo Domini, timuerint.

5. *Moabitis in deditionem acceptis*] Drusius excidisse putat, *Et Ammonitis:* quia Achior Ammonitarum Dux fuerit.

ani-

6 animos non dediſſent, Accitor quidam com-Achioris de
perta ediſſerit, Iudæos Dei cultores, pio à pa Iudæis te-
tribus ritu inſtitutos, olim in Ægypto pepen-ſtimonium.
diſſe ſervitium; inde divino munere edu-
ctos, ac ſiccatum mare pedibus emenſos:
poſtremò, omnibus gentibus devictis habi-
7 tatas majoribus ſertas recepiſſe. Exin, vario rerum ſtatu floruiſſe, concidiſſe, atque iterum malis emerſiſſe: ſecundùm merita, iratum aut placatum Deum viciſſitudine exper-
tos, dum peccantes incurſionibus hoſtium
aut captivitatibus coërcentur, propitio numine ſemper invicti. Ceterùm, ſi præſenti

---

6. *Accitor quidam*] Mirum nomen iſtud eâ
formâ aliquoties hic legi. Ceterùm ex nomine
Achior, quod verum nomen eſt, facilis lapſus fuit
in *Accitor*.

In Ægypto pependiſſe ſerbitium] Sic ſupra dixit
pendere ſerbitutem, & pendere captibitatem; quomodo dicitur *pœnas pendere*. Infra cap. XXXI dicit
ſerbitutis pœnam pendere.

7. *Dum peccantes incurſionibus hoſtium aut ca-
ptibitatibus coërcentur*] Legendum putem *coer-
cerentur*. Præcedunt enim mera temporis præ-
tériti verba.

Si præſenti tempore absque peccato ſint] id eſt,
ſi tunc temporis, cùm Achior illa diceret, nullo gra-
viore peccato ſe obſtrinxiſſent. Nimirum *præſens
tempus* etiàm illud vocatur, quod tùm, cùm res gere-
retur, præſens fuit. Nepos XVII, 8 *Hujuſmodi genera obſoxit, quæ præſens tempus deſiderabat.*

tem-

tempore absque peccato sint, nullo modo
eos posse superari: sin aliter se habeant, facilè vincendos.   Ad hæc Holofernes ferox 8
multis victoriis, nihil sibi invictum ratus, irâ
accensus, cur ex peccato potissimùm Iudæorum pendere illius victoria putaretur, propelli Accitor in castra Hebræorum jubet, ut
cùm his periret, quos vinci non posse adfir-
maverat.   Ac tùm Iudæi montes petiverant.   Ita quibus id negotii datum, ima 9
montium successere, ibique vinctum Accitor reliquerunt.   Quòd ubi Iudæi animadvertunt, exemtum vinculis in collem perdu-
cunt.   Causas rei quærentibus, gesta exponit, receptúsque parem exitum opperieba-

Iudith. 6.

Facilè vincendos] scil. *esse*, id est, *facilè victum
iri*. Facit pro solemni suo; ut ista forma loquendi
non officium ac debitum, sed tempus modò futurum
designet.

9. *Ima montium successere*] Vt Sallustius & Tacitus *murum succedere*. Subaudienda autem præ-
positio quædam. Quæ quandoque & disertè additur, ut dicant *succedere ad montes, ad murum, succedere in pugnam, succedere sub primam aciem, sub
acumen styli*: qualia apud Livium, Cæsarem & Ciceronem observantur. Noster quoque supra lib. I
cap. 7 dicit, *successit in domum Barbuelis*. Ceterùm
usitatiùs construitur cum Dativo. Vt in illo Virgilii: *Quis nobis his nostris successit sedibus hospes*
Quod lib. I cap. 35 noster dicit *In primo spelunca-
tur*.

tur. Is post victoriam circumcisus, Iudæus Achior sa-
rosactus est. Igitur Holofernes difficultate loco-cra Iudæorum compertâ, quia adiri præcelsa non rum susci-
poterant, montes militibus circumdat, & pit.
summâ curâ Hebræos aquationibus prohibet: eóque maturius obsidionem sensere.
Itaque victi penuriâ aquæ, ad Oziam princi- Iudith. 7.
pem concurrunt, proni omnes ad deditio-
nem. Ille verò opperiendum paulisper, &
divinum auxilium expectandum, respondens: quinto decimo die deditionis tempus
constituit.

1 Quod ubi Iudith compertum, quæ viro CAP. XVI.
vidua, prædives opibus, insignis specie, sed Iudith. 8.
moribus quàm vultu inlustrior, tùm in castris 9. 10,
erat, arctis suorum rebus etiam certo sibi exitio audendum aliquid & tentandum rata, caput comit, vultu expolitur, comite ancillâ
2 castra hostium ingreditur. Statimque ad
Holofernem deducta, perditas res suorum
memorat, se transfugio vitæ consuluisse. Deinde à duce poscit liberum extra castra no- Iudith. 2.

---

aditu successerat, id maximè omnium ab usitatiore
formâ discrepat. Vide Notas ad istum loc.

10. *Quinto decimo die deditionis tempus constituit*] In ipso libro Iudith brevius tempus constitu-
tam fuisse legitur; quinque dierum puta. Vnde
Drusius conjicit, Sulpicium scripsisse *demum die.*

ctur-

Cturno tempore egreſſum, orandi gratiâ
mandatum id vigilibus, patarúmque cuſto-
dibus. Sed ubi per triduum egrediendi ac 3
redeundi conſuetudinem ſibi, barbaris fidém
fecit, Holofernem cupido inceſſit, dediticiæ
corpore abuti. Etenim formâ excellenti,
Perſam facilè permoverat. Ita ad ducis tentorium per Baguam eunuchum deducunt,
initióque convivii, barbarus multo ſe vino
obruit. Tùm remotis miniſtris, priusquam 4
vim mulieri inferret, ſomno captus eſt. Iudith tempore adrepto, caput hoſtis deſecat,
ſecúmque aufert. Et cùm ſecundùm conſuetudinem caſtris egredi crederetur, inco-

*Holofernes
à Iuditha
obtrunca-
tur.
Iudith.13. 14.*

---

3. *Vbi per triduum egrediendi ac redeundi conſuetudinem ſibi, barbaris fidem fecit*] Quod ſi legatur, *Vbi per triduum egrediendi & redeundi conſuetudine ſibi apud barbaros fidem fecit?* Suſpecta-
re mihi ſunt Phraſes illæ *facere ſibi conſuetudinem,
facere fidem barbaris.* Illud *facere fidem barbaris*
eſſet hic pro *facere ut barbari crederent.* Atqui ſignificat potius *facere ut barbaris credatur,* vel *ut
barbaris credant alii.* Sanè dicunt *Eſt mihi fides
apud hunc;* nec intelligitur fides, quâ ipſe credat,
qui ſic loquitur; ſed quâ credat ei alter. Pari modò
cùm dicunt *facere fidem alicui,* non intelligitur fides quâ ipſe credat, cui fides paratur, ſed quâ credat
ei alius.

3. *Holofernem cupido inceſſit dedititiæ corpore
abuti*] Druſius malit, *abutendi.* Sed non deſunt
exempla, quòd nominibus voluntatem ſignificanti-

lumis

5 lumis ad fuos regreffa eft. Poftero die Hebræi , caput Holofernis de fuperioribus o-
ftentantes , eruptione factâ, ad caftra hoftium pergunt. Tùm verò barbari fignum
pugnæ pofcentes , tabernaculum ducis frequentes adfiftunt. Ubi truncum corpus re- Judith. 15.
pertum, fœdâ formidine in fugam verfi, ter-   16
6 ga hoftibus præbuerunt. Judæi fugientes
perfecuti, cæfisque multis millibus, caftris
ac prædâ potiti. Judith fummis laudibus
celebrata, centum & quinque annos vixiffe
7 traditur. Hæc, Ocho rege, ut opinamur,
gefta funt, anno imperii ejus duodecimo.
A tempore Hierofolymæ reftitutæ , usque
in id bellum, fuerunt anni duo & viginti.
Ceterùm Ochus viginti tres annos regnavit. Ochus.
8 Fuit autem ultra omnes cruentus, & plus-
quam barbaro animo. Hunc Bagua fpado
ægrotantem venenis fuftulit. Poft eum

---

bus ipfum quoque verbum infinitum fubjiciatur-
Virgilius lib. I Georg. *Studium quibus arua tueri.*
Et Ecl. IX. *Nec fit mihi cura mederi.* Vide id ge-
nus plura à Vechnero notata pag. 129 Hellenol.

Ad Ducis tentorium per Baguam deducunt] legendum fine dubio *deducitur.*

8. *Hunc Bagua fpado ægrotantum fuftulit*] Supra cap. XIV *Quod Baguas fpado ejus morte regis
ultus eft.* Ælianus lib. VI var. hift. cap. 8 fcribit, Ba-
goam eunuchum, qui natione Ægyptius fuerit, non

O   Ar-

Arxes,
Darius,
reges Perf.
CAP.XVII.
Alexander
M.

Arxes, filius ejus, triennio imperium tenuit,
Darius annos quatuor.

Adversùm hunc Alexander Macedo acie 1
conflixit.   Eo victo, Persis imperium adem-
tum : quod ab initio Cyri steterat annos ducentos & quinquaginta.   Alexander victor 2
ferè omnium gentium, adiisse Hierosolymæ templum dicitur, ac dona intulisse:
edixitque per omne imperium, quod sui
juris effecerat, ut Judæis ibidem degenti-
bus liberum esset in patriam reverti.   Exacto duodecimo imperii anno, septimo posteaquam Darium devicerat, apud Babyloniam defunctus est.   Regnum amici ejus, 3

---

satis habuisse regem e medio sustulisse, sed ex femoribus ejus manubria gladiorum fecisse, ut animum ejus ad cædem propensum hoc modo repræ-
sentaret.

2. *Apud Babyloniam defunctus est*] pro *Babylone* vel *Babyloniæ defunctus est*.   Sic & cap. XI
scripsit.   Vide Notas ad illud. Primò dissuadente
mago quodam introire Babyloniam noluit, & in
Bursiam urbem concessit.   Deinde ab Anaxarcho
philosopho compulsus est magorum prædicta contemnere, atque ita Babyloniam intravit, ibíque mortuus est.   Vide Iustinum lib. XII cap. 13.

3. *Regnum amici ejus partiti sunt*] *Amicos* vocat primarios ministros & duces Alexandri: idque
imitatione optimorum quorumque Latinitatis Auctorum.   Nepos XVIII, 2. 4 *Neque verò hoc solum
fecit* [Eumenes]*sed ceteri quoque omnes, qui*

qui

qui fimul cum illo maxima illa bella geſſe-
rant, partiti ſunt.   Inde aliquanto tempore
ſine. uſurpatione regali ſuſceptas partes pro-
curaverunt, Arrideo quodam Philippo A- *Aridæus.*
lexandri fratre regnante , cui perimbecillo
verbo datum imperium videbatur : res autem penes eos erat, qui ſibi exercitum &
4 provincias diſtribuerant. Nec verò hic

Alexandri fuerunt amici. Iuſtinus XXXIV, 3. 3
Cum cunctari eum ꝟideret [Antiochum] *conſulta-*
tionémque ad amicos referre. Plura notata ſunt
in Indicibus Auctorum.

Cui perimbecillo ꝟerbo datum imperium ꝟideba-
tur, res autem penes eos erat, qui &c.] Gravitet
hic hallucinatus eſt Druſius, quod *perimbecillo* putavit caſus ſexti eſſe, & cum voce *ꝟerbo* conjungendum. Eſt enim manifeſte caſus tertii. Et *perimbe-*
cillum vocat Aridæum, quia, ut Iuſtinus lib. XIII
cap. 2 ait, *ꝟaletudinem majorem patiebatur.* Deinde in editione Amſtelod. malè conjectura facta de
voce *ꝟiro* pro *ꝟerbo* reponenda. Sed nec *ꝟerbote-*
nus, quo vox *ꝟerbo* ibidem explicatur, ſatis elegans
eſt. Id verò elegans, voces *ꝟerbum & res* ex adverſo poni, prioréque falſum nomen ac titulum ſignificari, Nepos XV. 5. 3 *Fallis ꝟerbo cives tuos, quòd*
hos à bello aꝟocas. Idem XIX, 3. 3 *Cauſam apud*
Philippum regem ꝟerbo, reipſâ quidem apud Poly-
perchontem juſſus eſt dicere Ceterùm quòd verbis
illis noſter ſibi voluit, id verbis Iuſtini dici posſit
ſic, *Aridæus nomen regis, alii imperium tene-*
bant. Vide lib. XIII cap. 2. Denique *ꝟidebatur*
eſt hic pro *erat.* Falſum nomen enim falſusque

Seleucus
Nic.

rerum ſtatus diu manſit, omnésque ſe reges
adpellari maluerunt.   Primus in Syriâ poſt
Alexandrum Seleucus rex fuit, ſubjectâ eidem Perſide ac Babylone.   Quâ tempeſta- 5
te Judæi annuum ſtipendium trecenta argenti talenta regi dabant : nec tamen per ternos magiſtratus, ſed per ſacerdotes ſuos re-
gebantur, patriôque ritu vivebant, donec
plerique eorum longâ rurſum pace corrupti, miſcere omnia ſeditionibus, & turbare
cœperant, adfectantes ſummum ſacerdotium libidine, avaritiâ, & dominandi cu-
pidine.

C A P.
XVIII.
Onias.

Namque primùm ſub rege Seleuco, An- 1
tiochi magni filio, Oniam ſacerdotem,
virum ſanctum atque integrum, Simon
quidam falſis apud regem criminibus inſi-

---

titulus jam voce *ſerbo* expreſſus erat.   Oſtendimus
autem jam ſupra, *ſideri* ſubinde pro *eſſe* poni.   Vide notas in cap. VII lib. I.

5. *Nec tamen per ternos magiſtratus*] Manifeſtum eſt legendum eſſe *externos magiſtratus*, ut
ſuspicatus eſt Sigonius.   Vocat autem *externos magiſtratus*, qui non ex ipſâ Judæorum gente, ſed
ex gentibus aliis lecti ac Iudæis præfecti eſſent.
Quòd autem tales noſter intelligat, adparet ex eo,
quod ſequitur, *ſed per ſacerdotes ſuos.*   Nimirum
externos & *ſuos* ex adverſo ponit.

1. *Oniam Simon quidam falſis apud regem criminibus inſimulatum exquirere nequiberat*] Pro

mula-

2 mulatum, exquirere nequiverat. Interjecto deinde tempore, Jason frater Oniæ,
Antiochum regem, qui Seleuco fratri successerat, adiit, augmentum stipendii polli-
cens, si sibi summum sacerdotium tradere-
3 tur.   Et quamquam insolitum, neque antè
permissum cuiquam erat perpetuo sacerdotio perfungi : solicitus tamen regis animus, atque æger avaritiâ, facilè superatus
est.   Ita depulso Onia, Jasoni sacerdotium

---

exquirere omnino aliter legendum.   Et Giselinus
quidem *excutere ;* Sigonius autem *exstinguere* reponendum putat.   Adludit sine dubio noster ad locum II Macc. III, 6 Καὶ νικῆσαι Ονίαν μὴ δυνάμενῷ
cum vincere Oniam non posset. Vnde Drusius apud
nostrum quoque legendum judicat *vincere nequiverat.*

2. *Antiochum regem adiit*] Qui Epiphanes cognomine dictus fuit, & in Judæos in primis
sæviit.

3. *Quamquam insolitum neque antè permissum cuiquam erat perpetuo sacerdotio perfungi*]
Facilè adparet esse hic mendum.   Quippe non permissum tantùm, sed omnino moris fuit sacerdotio
fungi perpetuo : insolens verò sacerdotio non perpetuo fungi.   Sigonius igitur & Drusius addi volunt voculam *non*, legique *non perpetuo sacerdotio
perfungi,* vel *perpetuo sacerdotio non fungi.*

3. *Iasoni sacerdotium est mandatum*] Summum puta, quod tùm temporis & principatum sibi
junctum habuit.

O 3

est

est mandatum. Is fœdè admodùm cives **4**
patriámque laceravit. Dein quum per Menelaum quendam, Simonis illius fratrem,
promiſſam regi pecuniam miſiſſet, patefactâ
femel ambitioni viâ, iisdem artibus, quibus
Jaſon prius, Menelaus quoque ſacerdotium
obtinuerat. Nec multò pòſt, quum is pro- **5**
miſſum argenti modum non reddidiſſet, loco pellitur: Lyſimachus ſubſtituitur. Inde inter Jaſonem & Menelaum fœda fuere
certamina, donec Jaſon profugus patriâ ex-
ceſſit. His initiis corruptis moribus, eo **6**
usque proceſſum, ut plerique popularium ab
Antiocho poſcerent, permitti ſibi more gentilium vivere. Quod quum rex petentibus
adnuiſſet, certatim peſſimus quisque delu-
bra extruere, idolis ſupplicare, legem profanare occœperat. Interea Antiochus redi- **7**

---

4. *Patefactâ ſemel ambitioni viâ*] ſimile ferè
illi, *Quantam feneſtram ad nequitiam patefeceris,*
quod Terentius Heaut. III 1, habet.

  Menelaus quoque ſacerdotium obtinuerat] Sigonius legendum cenſet *obtinuit*: quod Druſius
valdè probat.

  5. *Cum promiſſum argenti modum non reddidiſ-*
ſet] *Modus* pro eo quod vulgo quantitatem dicunt.
Ita dicunt *modus haſtæ, modus menſuræ, modus ju-*
geri. Vide Ind. Corn, Nepotis.

  7. *Rediens ab Alexandriâ*] Nominibus urbium

ens

ens ab Alexandriâ [namque tùm bellum.
regi Ægyptio intulerat, quod juſſu ſenatus
& populi Romani depoſuit, Paullo & Craſ-
ſo conſulibus] Hieroſolymam adiit, cùm 2 Mace. 5
diſcordantem ſuperſtitionibus ſuſceptis populum reperiſſet, legem Dei deſtruens, & his
favens, qui impia ſequebantur, omnia templi ornamenta detraxit, ac multâ cæde va-
8 ſtavit. Id geſtum ab exceſſu Alexandri anno centeſimo uno & quinquageſimo, Paul-

***

quoque præpoſitiones addi, nihil novum eſt. Quâ
de re deditâ operâ egimus in lib. de Latin. f. ſusp.
pag. 298 & ſeqq.

*Quod juſſu Senatus populique Romani depo-
ſuit*] Nimirum Senatus populúsque Rom. ad Antiochum miſit Popilium, qui illum abſtinere Ægypto, aut, ſi jam inceſſiſſet, excedere juberet. Hic cùm
cunctari eum, conſultationémque ad amicos referre
videret, virgâ, quam in manu gerebat, amplo circulo
incluſum, ut & amicos caperet, conſulere jubet; nec
priùs inde exire, quàm reſponſum Senatui daret, aut
pacem aut bellum cum Romanis habiturum. Adeó-
que hæc auſteritas animum regis fregit, ut paritu-
rum ſe Senatui reſponderet. Quæ ita totidem verbis Juſtinus lib. XXXIV ſcripſit.

Omnia templi ornamenta detraxit] Legendum fortaſſe, *Omnia templo ornam. detraxit.*

Ac multâ cæde 6aſtaßit] Druſius legendum
cenſet, *Multà cæde urbem 6aſtaßit:* quod ſanè
per eſt veroſimile. Non enim præcedit, ad quod illud *multa cæde 6aſtare* commodè referri poſſit.

O 4

le, ut diximus, Crassôque consulibus, post quinquennium ferè quàm Antiochus regnare cœperat.

CAP. XIX.
Reges Sy-
riæ post A-
lexandrum.

Sed ut temporum ordo confertus sit, ac liqueat evidentius, quis hic fuerit Antiochus, regum, qui post Alexandrum in Syriâ fuerunt, & nomina & tempora enumerabimus. Defuncto, ut supra retulimus, rege Alexandro, ab amicis ejus regnum omne divisum, ac regio nomine aliquamdiu administratum est. Seleucus post novem annos in Syriâ rex est adpellatus, regnavitque annos duos & triginta. Post eum Antiochus filius ejus, annos unum de viginti. Inde Antiochus, Antiochi filius, qui Etthæus cognominatus est, annos quindecim. Post hunc

Seleucus.

Seleucus filius, cognomine Callinicus, annos unum & viginti. Item Seleucus filius Callinici, annos tres. Hoc defuncto, Antiochus, frater Callinici, Asiam & Syriam tenuit, annos septem & triginta. Hic est Antio-

---

2. *Ab amicis ejus regnum omne diḃisum*] Sup. cap. vj *Regnum amici ejus partiti sunt.* Vide Notas ad illud.

Regio nomine aliquamdiu administratum est] Sup. cap. 17 *Sine usurpatione regali susceptas partes procuraḃerunt*, id est, non se pro regibus gesserunt, sed nomine regis Aridæi, Alexandri fratris, provincias gubernarunt.

                                        chus

elius, adversùs quem Scipio Africani frater
bellavit: quo bello victus, & imperii parte
multatus est.   Hic duos filios habuit, Seleu-
cum & Antiochum, quem obsidem Roma-
5 nis dederat.   Ita Antiocho magno mortuo,
Seleucus. ejus filius natu minor regnum adeptus est: sub quo Oniam sacerdotem à Simo-
ne insimulatum diximus.   Tùm Antiochus
à Romanis dimissus, datúsque in locum ejus
obses Demetrius Seleuci regis, qui eo tempore regnabat, filius.   Seleuco mortuo,
anno imperii duodecimo regnum frater An-   Antiochus
tiochus, qui Romæ obses fuerat, occupa-   Epiphanes.
6 vit.   Is post quinquennium, quàm regnare coeperat, ut supra docuimus, Hierosoly-

---

4. *Imperii parte multatus est*] Iustinus lib.
XXXI *Post hæc leges pacis dicuntur: ut Asia Romanis cederet, contentus Syriæ regno esset.* Ceterùm *multari parte imperii* talis phrasis est, quales
*pecuniâ damnari, agro multari, tergo & capite
puniri.* Livius lib. III *Qui plebem sine tribunis reliquisset, quique magistratum sine provocatione
creasset, tergo ac capite puniretur.* Item: *Toties
fusi fugatique castris exuti, agro multati, sub jugum missi & se & sos novere.*

6. *Post quinquennium quàm regnare coeperat,
Hierosolymam depopulatus est*] Paullò ante similiter, *post quinquennium fere quàm Antiochus regnare coeperat.* Ex quo adparet, voculam *ferè,* ut
sæpe, hic παρέλκειν. Porro *post quinquennium*

                    mam

riam depopulatus est.   Etenim grave Romanis stipendium pensitans, ipse immensis sumtibus penè necessariò cogebatur pecunias rapto quærere, neque ullam prædandi occasionem omittere.   Post biennium, 7 deinde, pari rursum clade adfectis Judæis, ne forte frequentibus malis compulsi bellum sumerent, præsidium arci imposuit.   Inde sacram legem evertere adgressus, mittit edictum, ut omnes relictis majorum suorum traditionibus gentilium ritu viverent.   Nec 8 defuere, qui profano imperio volentes parerent.   Tùm verò foedum spectaculum, per universum urbem palàm in plateis diis litabatur: sacra etiam legis & prophetarum volumina igni cremata.

---

quàm simile illi, quod observatum est supra, *ante quadriennium quàm.* Ita Nepos III, 3. *3 Post quartum annum quàm.* Varias formulas ἰσοδυναμύσας vide supra Notis in cap. X.

Grabe Romanis stipendium pensitans] Livius lib. XLII *Legatorum princeps Apollonius multis justisque causis regem* [Antiochum] *excusabit, quod stipendium seriùs quoad diem præstaret: id se omne adbexisse, ne cujus nisi temporis gratiâ regi fieret.   Dona præterea adferre basa aurea quingentum ponda.*

7. *Præsidium arci imposuit*] Hæc & cetera hujus capitis ex versiculo 35 & seqq. capitis I lib. I Maccab. depromta sunt.

E2

1 Eâ tempeſtate Mathathias, Johannis fi- **CAP. XX.**
lius, ſacerdos erat. hic quum à regiis coge- *Mathathias.*
retur edicto parere, egregiâ conſtantiâ pro- *1 Macc. 2.*
fana contemnens, Hebræum publicè pro-
2 fanantem in ore omnium jugulavit. Tùm
demum reperto duce facta ſeceſſio eſt. Mathathias oppido egreſſus, multis ad eum
confluentibus, ſpeciem juſti exercitûs effecerat: queis omnibus deſtinatum erat, adverſus profanum imperium ſe armis tueri,
& in bello potiùs occumbere, quàm impias
3 ceremonias exercere. Interea Antiochus
per Græcas quoque urbes, quæ in illius
imperio erant, repertos Judæos ſacrificare
cogebat, inauditisque cruciatibus reluctan-
4 tes adficiebat. Quâ tempeſtate inluſtris illa *2 Macc. 7.*
paſſio ſeptem fratrum, matrisque fuit: qui
omnes, cùm legem Dei & inſtituta majo-

---

1. *Hebræum publicè profanantem in ore omnium jugulaßit*] 1 Macc. II, 23 *Acceſſit quidam Iudæos in omnium oculis ſacrificare idolis ſuper aram
in cißitate Modin, ſecundùm juſſum regis. Et ßi-
dit Matathias & inſiliens trucidaßit eum ſuper
aram.* Ergo *profanare* hic intranſitivè poſitum pro
profana ſacra facere, idolis ſacrificare. Quod in
Græco eſt ἐν ὀφθαλμοῖς πάντων, & in verſione Latina *in oculis omnium*, pro eo noſter habet *in ore
omnium ;* & conjungit cum verbo *jugulaßit.*

2. *Mathathias oppido egreſſus*] Oppido Modin,
in quo habitavit. Vide I Macc. II, 1. 15. 28.

rum violare fuppliciis cogerentur , mori
maluerunt.   Ad extremum pœnas mortés-
que eorum comitata mater eft.

CAP. XXI.
Judas Mac-
cab.
1 Macc. 3
feqq.

Interea Mathathias moritur : vicarium 1
exercitui, quem paraverat ducem, Judam filium fubftituit.   Hujus ductu, adversùs regios, frequentibus præliis profperè pugnatum.   Nam primùm Apollonium ducem 2
hoftium, qui magnis copiis in conflictum
defcenderat, cum omni exercitu delevit.
Quod cùm Seron quidam, qui tùm Syriæ
præerat, comperiffet, multiplicatis legionibus Judam adgreffus, ferox: quia numero
præftabat, ubi in certamen defcenfum, fufus
ac fugatus, octingentis fermè amiffis in Syriam régreffus eft.   Id ubi compertum eft

---

2. *Qui magnis copiis in conflictum defcenderat*]
Legendum fortaffe *cum magn. cop.* Mox fimili
phrafi dixit, *In certamen defcenfum.*   Et cap. proximo, *Forti animo defcenderent in prælium.* Item,
In aciem defcenfum.   Sic Iuftinus lib. XXI cap. 2
A militibus prædam & urbis direptionem fperanti-
bus defcendere in prælium cogitur. Et lib. XV
cap. 1 *Negabit in ejus belli præmia focios admiffu-*
rum, in cujus periculum folus defcenderit.

2. *Multiplicatis legionibus Judam adgreffus*]Uti-
tur vocabulo *legiones ;* quafi de militiâ Romanâ loqueretur.   Sic & in libro I, cùm de manumisfione
fervorum Hebræorum ageret, vocabulo *bindicta* utebatur.

Antio-

Antiocho, irâ & dolore fuccenfus [quippe
angebatur duces fuos cum magnis exercitibus devictos] auxilium per omne regnum
contrahit; donativum militibus, exhauftis
4 penitùs thefauris, largitur.   Etenim tûm
præcipuè graviter pecuniæ inopiâ adfectus
erat. ' Nam deficientibus ab eo Judæis,qui
ei ultrà trecenta argenti talenta annua penfitaverant , præterea Græcis urbibus multisque regionibus perfecutionis malo turbatis,
ne gentilibus quidem pepercerat: quos deferere inveteratas fuperftitiones , & ad

---

4. *Qui ei ultra trecenta argenti talenta annua
penfitaverant.*] Eam ferè fummam jam Seleuci
Nicatoris, primi Syriæ regis , tempore pepende-
rant.   Supra cap. XVII. *Quâ tempeftate Judei
annum ftipendium, trecenta argenti talenta regi
dabant.*

4. *Ne gentilibus quidem pepercerat: quos deferere inveteratas fuperftitiones & ad unum ritum
deducere tentaverat.*] Hæc parenthefi circumfcri-
benda ac à ceteris feparanda effe, Sigonius docuit.
Quòd nifi fiat, intelligi ifta vix poffunt. Senfus autem eft, Antiochum ne gentilibus quidem fuas fuperftitiones reliquiffe, fed has deferere eos coëgiffe.
Sed annon putandum aliquam vocem hic excidiffe,
& legendum ferè effe, *Quos deferere inveteratas
fuperftitiones compulerat,vel coëgerat.* Sanè verbum *tentaverat* referri huc non poteft.   Quàm in-
eptum enim foret, *Quos deferere inveteratas fu-
perfti tentaverat ?* Drufius hîc monet , veteres
unum

unum ritum deducere tentaverat: illis quidem, ubi nihil sancti erat, facilè relinquen-
tibus: sed tamen omnibus metu ac clade adfectis, vectigalia cessaverant. Quibus rebus 5
æstuans [etenim ipse olim omnibus regibus opulentior, suomet scelere inopiam
persenserat]. copias cum Lysia partitur, eique Syriam & bellum adversus Judæos.
committit, ipse in Persas ad cogenda vectigalia profectus. Igitur Lysias duces bel-

---

Christianos maluisse dicere *gentiles*, quàm gentes, &
ethnicos quam ἔθνη. At scire licet, subinde & *gentes* adpellare, voce primitivâ, non derivatâ. Vt
ipsum nostrum cap. proximo: *Quod eßersum ab
Antiocho, profanatúmque à gentibus.* Quæ autem
adpellationis hujus sit ratio, supra ad cap. I libri I, &
ad X libri II exposuimus.

  *Illis quidem, ubi nihil sancti erat, facilè relin-
quentibus*] Scriptum ita pro *Illis quidèm,* Iudæis
puta, *eum, apud quem nihil sancti erat, facilè re-
linquentibus:* & quod sequitur, *Sed tamen o-
mnibus metu ac clade adfectis,* pro *Omnibus verò,*
[tam gentilibus puta, quàm Judæis] *metu &
clade adfectis.*

  5. *Ipse olim omnibus regibus opulentior*] Adludit ad illud I Maccab. III, 30 Επλεόνασεν ὑπὲρ
τὰς βασιλεῖς τὰς ἔμπροσθεν, Quod Interpres antiquus vertit, *Et abundaßerat super reges, qui ante
eum fuerant :* recentior Gastalio autem in aliam
sententiam, *Reges omnes superiores largitione su-
peraßeras.*

li delegit, Ptolemæum, Gorgiam, Doronem & Nicanorem: his xl millia peditum, se-
6 ptem equitum data. Ac primo impetu magnum Judæis terrorem intulerunt. Tùm Judas cunctis desperantibus suos adhortatus, forti animo descenderent in prælium: Deo fretis nihil invictum fore. Sæpe antea à paucioribus adversùm plures benè pugna-
7 tum. Jejunio indicto, celebratóque sacrificio, in aciem descensum, fusæ hostium copiæ, Judas castris potitus, multúmque ibi auri & Tyriarum opum repertum. Namque ex Syriâ negotiatores nihil de victoriâ dubitantes, regium exercitum sequuti, spe
8 captivos mercandi, prædæ fuere. Hæc ubi Lysiæ ex nunciis comperta, majore curâ copias parat: annóque pòst immani exercitu Judæos adgreditur: victus denuo Antiochiam se recepit.

1 Judas pulsis hostibus Hierosolymam re- CAP. XXII.
gressus, purgare templum; & restituere, 1 Macc. 4.
animum intendit, quod eversum ab Antio-

---

6. *Benè pugnatùm*] Vt *malè pugnare* dicunt pro *infeliciter pugnare:* ita *benè pugnare* pro *feliciter pugnare.* Superiore cap. dicit *prospere pugnatùm.* Contrarium *malè pugnare* habet Justinus lib. 32 cap. 3 Nepos id dicit *malè rem gerere.* Vide & Indicem in hunc voce *malè.*

cho,

cho, profanatúmque à gentibus, fœdam
sui speciem præbebat. Sed Syris arcem 2
tenentibus, quæ continua templo, & loci
naturâ superior, atque inexpugnabilis erat,
adiri subjecta non poterant, crebris eru-
ptionibus prohibentibus. Adversùm hos 3
Judas validissimam suorum aciem objecit.
Ita opus sacræ ædis curatum, templúmque
muro circumdatum, constitutíque, qui perpetuum præsidium armati agitarent. At 4
Lysias multiplicato exercitu in Judæam regressus, rursum vincitur, magnâ clade exercitus & auxiliorum, quæ ei à civitatibus
1 Macc. 6 missa in bellum conspiraverant. Interea 5
Antiochus, quem in Persidem profectum
supra memoravimus, oppidum Elimum,
regionis illius opulentissimum, fanúmque
ibi situm multo auro refertum, diripere
conatus, confluente undique ad defensio-
nem loci multitudine, fugatus: insuper nun-

---

2. *Arx continua templo*] Drusius suspicatur legendum esse *contigua*.

Adiri subjecta non poterant] Loca templo proxima, & per quæ eundum in templum erat.

5. *Oppidum Elymum, fanúmque ibi situm dirí-
pere conatus*] Hausit ex cap. VI libri I Maccab.
Sed oppidum ibi vocatur Ελυμαις: quomodo &
alii auctores vocant.

cium

cium accepit, res vel à Lyſia, vel à Lyſima-
6 cho improſperè geſtas.   Ita ex mœrore a-
nimi, corporis morbo incubuit.   Sed cùm
internis doloribus angeretur, reminiſcens
malorum, quibus populum Dei vexaverat,
meritò ſibi illa accidiſſe confitebatur.   Deinde poſt paucos dies moritùr, cùm regnaſſet
annos undecim.   Antiocho filio regnum reliquit, cui Eupator nomen fuit.

1   Eâ tempeſtate Judas Syros in arce poſitos
obſidebat.   Qui cùm fame atque inopiâ
adficerentur, miſſis ad regem nunciis, præſidium implorant.   Ita Eupator cum centum millibus, & equitum viginti millibus,
ſuis ſubſidio venit: præeuntibus aciem cum
2 ingenti terrore elephantis.   Tùm Judas la-
xatâ obſidione, regi obviam tendit, primô-
que prælio Syros fundit. Rex petit pacem:

C A P.
XXIII.

Antiochus
Eupator.

---

5. *Res Bel à Lyſia Bel à Lyſimacho improſperè
geſtas*] *Improſperè res geri* dicit, quod alii dicunt
malè rem geri, infeliciter pugnari: ſicut ſupra
proſperè pugnari pro *benè, feliciter pugnari.* Ceterùm Sigonius legendum putat *res à Lyſia improſperè geſtas;* Duplex *Bel* autem, & *à Lyſimacho* eſſe à gloſſemate, quod ex margine inrepſerit in
textum.

1. *Cum centum millibus & equitum Biginti millibus*] Excidit *peditum,* legendúmque ſine dubio
Cum centum millibus peditum.

P   quia

Demetrius
Soter.

quia infido ingenio malè ufus, perfidiam
confecuta ultio.   Nam Demetrius, Seleuci **3**
filius, quem Romanis obfidem datum fupra
memoravimus, ut audivit Antiochum de-
ceffiffe, petivit, ut fe in regnum remitte-
rent.   Quod cùm ei negatum fuiffet, clam
Romà profugit; in Syriam venit, regnúmque occupavit: Antiocho filio, qui annum

---

2. *Quia infido ingenio malè ufus*] Drufius opi-
natur legendum, *Quâ inf. ing. malè ufus*. Verùm
quia abeffe hinc non poteft. Vult enim, quia infido
ingenio Eupator malè ufus fit pace, perfidiam con-
fecutam effe ultionem.   Sed & *quâ* abeffe vix poteft: & referri id neceffe eft ad vocem, quæ præcedit, *pacem*. Quid fi ergo legamus, *Quâ* [pace puta] *quia infido ingenio malè ufus?* ut adeo utrumque, & *quâ*, & *quia* adpareat.

3. *Demetrins Seleuci filius*] Sic & fup. c. 19 *Da-*
tus in locum ejus obfes Demetrius Seleuci regis fili-
us. Confonat Epitome lib. XLVI Livii; quæ quidem fic habet : *Hunc Antiochum* [Eupatora] *pue-*
rum cum Lyfia tutore ejus Demetrius Seleuci filius,
qui Romam obfes miffus fuerat, clam, quia minimè
dimittebatur à Romanis, interemit; & ipfe in re-
gnum receptus. Neque difcrepat Appianus in Sy-
riacis. Quoniam igitur Demetrius ifte filius fuit Seleuci, non poteft verum effe, quod Iuftinus lib.
XXXIV fcribit, Antiochi Eupatoris eum patruum,
Epiphanis verò fratrem fuiffe. Seleucus enim Antiochus Epiphanes fratres, & Antiochi Magni filii fuere.

Antiocho filio interfecto] Drufius legendum putat *Antiocho puero*, vel *Antiocho Antiochi filio*. Et

unum

unum & menſes ſex regnaverat, uinterfecto.

4 Hoc regnante, primùm Judæi à populo
Romano amicitiam fœdúsque petiere: be- 1 Macc. 8
nignéque excepta legatio. decreto Senatûs,
ſocii atque amici adpellati.   Interim Demetrius adversùs Judam per duces ſuos bellum
5 gerebat. Ac primùm per Bacchidem quem- 1 Macc. 9.
dam & Alchimum Judæum ductus exerci-
tus : pòſt Nicanor bello præpoſitus, in.
prælio occubuit.   Tùm Bacchides & Alchimus reſumtis viribus, auctisque copiis,
adversùm Judam confligunt. in eâ pugnâ
victores Syri, cruentè admodum victoriâ
ſunt uſi.   Hebræi in locum Judæ Jonathan, Jonathan
6 fratrem ejus, deligunt.   Interea Alchimus dux.
cùm fœdè Hieroſolymam vaſtaſſet, moritur.   Bacchides ſocio deſtitutus, ad regem
redit.   Dein poſt biennium rurſus Bacchides bellum Judæis intulit, victus pacem petit.   Quæ propoſitis conditionibus data, ſi
perfugas captivósque & omnia bello rapta
redderet.

1   Dum hæc intra Judæam geruntur, ado- C A P.
leſcens quidam Rhodi educatus, nomine XXIV.

ſanè ſi *filio* genuinum ſit, ut videtur, quoniam rela-
tivum id eſt, omnino legi oportet *Antiochi*. præterea verò & *Antiocho* hic legi concinnum quidem;
ceterùm non æquè neceſſarium eſt tamen.

Alexander
Bala.

Alexander, Antiochi se esse filium dictitans,
[quod falsum erat] adjutus opibus Ptolemæi regis Alexandrini , in Syriam cum
exercitu venit: Demetrium bello superatum
occidit, cum regnasset annos XII.   Hic Ale-   2
xander, priusquam adversus Demetrium
configeret , fœdus cum Jonatha fecerat,
eúmque veste purpureâ & insignibus regiis
donaverat. ob quod eum Jonathas auxiliis
juverat: victôque Demetrio, primus omnium congratulatum occurrerat. Neque postea Alexander datam fidem violavit.   Ita   3
quinquennio, quo rerum potitus est, resJu-

Demetrius
Nic.

dæorum tranquillæ fuerunt.   Igitur Demetrii filius, qui post mortem patris Cretam

---

1. *Alexander, Antiochi se esse filium dictitans*]
Epitome lib. LII Livii : *Alexander homo ignotus,
& incertæ stirpis, occiso Demetrio rege in Syriâ regnabat.* Disertiùs adhuc Justinus lib. XXXV *An-
tiochenses subornant propalam quemdam sortis
extremæ juvenem, qui Syriæ regnum armis repete-
ret: & ne quid contumeliæ deesset, nomen ei Alexandri inditur, genitúsque ab Antiocho rege dicitur.* Vide ibidem & plúra.

3. *Igitur Demetrii filius*] Drusius excidisse putat *Demetrius*, & legendum esse *Demetrius Demetrii filius.* Nec temerè sanè. Epitome lib. LII Livii de hoc ipso Demetrio ita : *Hunc Demetrius, Demetrii filius, qui à patre quondam, ob incertos belli casus, ablegatus Gnidon fuerat, contemtâ socor-*

con-

cenfugerat, hortante Lafthene Cretenfium
duce, regnum patrium bello repetens, impar viribus, Ptolemæum Philometorem regem Ægypti, Alexandri focerum, jam tùm
genero infeftum, ut fibi fit auxilio, implorat.
4 Ille verò non tam fupplicis precibus, quam
fpe Syriæ occupandæ inlectus, copias cum
eo jungit: ac filiam Alexandro nuptam, dat
Demetrio. Adversùs hos Alexander acie
confligit. eo prælio vincitur Ptolemæus, ca-

1. Macc. 11.

---

*dià inertiàque ejus, adjuvante Ptolemæo Ægypti
rege, cujus filiam Cleopatram acceperat in matrimonium, bello interemit.*

4. *Eo prælio vincitur Ptolemæus, cadit Alexander. Vincitur Ptolemæus & paullò pòft interficitur*] Sigonius locum hunc, fine dubio corruptum,
ita reftituit: *Eo prælio vincitur Alexander, cadit
Ptolemæus. Vincitur Alexander & paullò pòft interficitur.* Atque id fanè ad fidem hiftoriæ. Nam
Alexander victus omnino eft, & paullò pòft interfectus eft à Zabelo, Arabum dynafta, ad quem confugerat, quique caput ejus ad Ptolemæum adhuc vivum mifit. Ptolemæus autem in ifto prælio non
quidem ita cecidit, ut ftatim exfpiraret, fed tamen
vulnus accepit, ex quo mortuus deinde eft. Prædicta Epit. Livii: *Ptolemæus in caput graviter vulneratus, inter curationem, dum offa medici terebrare contendunt, exfpiravit.* Ceterùm concinniùs ac fine ταυτολογίᾳ locus ifte Sulpicii emendari
fic posfit: *Eo prælio cadit Ptolemæus, vincitur
Alexander & paullò pòft interficitur.*

P 3   dit.

Ω

dit Alexander. Vincitur Ptolemæus, &paullò
pòst interficitur, cùm regnaſſet annos v, vel,
ut in plerisque auctoribus reperi, novem.

CAP. XXV.   Demetrius regnum indeptus, Jonathan   1
benignè habuit, fœdus cum eo fecit, Judæ-
os legibus suis reddidit.   Interea Tryphon,
qui partium Alexandri fuerat , præfectus
Syriæ regno , eum bello prohibiturus, contrà Jonathan in prælium deſcendit , terribilis xl millium exercitu.   Tryphon, ubi ſe   2
imparem cernit, pacem ſimulat : receptúmque in amicitiam, invitatúmque Ptolemai-

---

1. *Demetrius Iudæos legibus ſuis reddidit*] Id
factum jam antea fuerat à Demetrio patre, & qui
hunc occidit Alexandro Bala.

Tryphon , qui partium Alexandri fuerat, præ-
fectus Syriæ regno, eum bello prohibiturus] Excidit, aut ſubaudiendum eſt, *erat*.   Atque ita periodus puncto claudenda.   Tryphoni iſti nomen
fuit Diodotus : Tryphon autem cognomen. Epitome lib. LV Livii: *Alexandri filius rex Syriæ,*
decem annos admodum habens, à Diodoto , qui
Tryphon cognominabatur, tutore ſuo, per fraudem
occiſus eſt.

Contrà Ionathan in prælium deſcendit] Nomen
Ionathan hic non quarti, ſed primi casûs vim habet :
nec *contra* eſt præpoſitio, ſed adverbium.   Numerus ille XL millium, cum quibus in prælium deſcendit, expreſſus eſt in cap. XII lib. I Maccabæorum :
indéque noſter hauſit.

2. *Inſitatum Ptolemaidam*] Druſius legendum

dam,

dam, interfecit.   Póst Jonathan, summa rerum ad Simonem fratrem defertur.   Is funus fratris magnificè curavit : septémque illas pyramidas nobilissimi operis exstruxit, in quibus & fratrum & patris ossa condidit.

3 Tùm Demetrius, refecto cum Judæis fœdere, contemplatione cladis à Tryphone illatæ [nam post Jonathæ necem urbes eorum atque agros bello vastaverat] annua ejus vectigalia in perpetuum remittit. Etenim usque ad id tempus, regibus Syriæ, nisi cùm armis resisterent, stipendium pen-

4 sitaverant.   Id gestum Demetrii regis anno secundo, quod ideo signavimus, quia usque in hunc annum per tempora Asianorum regum cucurrimus, ut ratio temporum digesta luceret.   Nunc autem per tempora eo-

5 rum, qui Judæis vel pontifices vel reges fue-

Simon Dux

---

putat *Ptolemaïdem :* quod & verisimile videtur. Etsi enim ex adcusativo Græco quandoque novus nominativus Latinus fiat, non tamen est verisimile, urbis nomen in casu nominativo *Ptolemaida* fuisse.

3. *Contemplatione cladis à Tryphone illatæ*] Sic Justinus lib. VIII c. 3 *Non contemplatione justitiæ ejus.*

Annua ejus vectigalia in perpet. remittit] Legendum sine dubio, *annua eis vectigalia remittit,* ut jam Giselinus vidit. *Eis,* id est, Judæis : de quibus præmiserat, *Refecto cum Iudæis fœdere.*

5. *Qui Iudæis vel pontifices vel reges fuerunt*]

runt,

runt, usque ad Christi nativitatem rerum ordinem digeremus.

C A P.   Igitur post Jonathan, Simon frater ejus, 1
XXVI. ut supra dictum est, Hebræis præfuit jure
pontificis, id enim ei tum à suis, tùm & à
populo Romano honoris delatum. Hic
cùm secundo Demetrii regis anno civibus
præesse cœpisset, post octo annos insidiis
Johannes Ptolemæi circumventus occubuit. Huic 2
Hyrcanus Johannes filius successit, qui cùm adversùm
dux.

Drusius mallet, *Vel principes bel reges fuerunt.*
Et addit rationem; quia qui reges, & pontifices
fuerint. Nobis nihil mutandum videtur. Quamquam ἀκριβέστερον scripsisset noster, si scripsisset sic:
Qui Iudæis bel pontifices tantùm bel pontifices &
reges fuerunt. Sanè Simonem & Iohannem Hyrcanum noster non nisi pontifices adpellat: Aristobu-
lum verò primum nomen regium adsumsisse
scribit.

1. *Id ei tum à suis, tum à populo Romano hono-*
ris delatum] Mirum, unde id hauserit, quod Simon à populo quoque Romano Pontifex adpellatus
fuerit. Estne credibile, adlusisse eum ad versionem
Latinam I Maccab. XIV, 25, quæ *populus Romanus*
habet, cùm textus Græcus tantùm δῆμος habeat?
Ita quidem manifestum errorem errasset, siquidem
de populo ibi Iudaico agitur.

Insidiis Ptolemæi circumbentus occubuit] Ptolemæus ille gener fuit Simonis. Extat historia I
Macc. XVI.

2. *Cùm adberfùm Hyrcanos, gentem balidiss.*

Hyr-

Hyrcanos , gentem validiffimam, egregie
pugnaffet, Hyrcani cognomen accepit. Mortuus eft anno VI; & XX rerum potitus eft.

3 Poft hunc Ariftobulus pontifex fubftitutus, Ariftobulus
primus omnium poft captivitatem regium rex.
nomen adfumfit, capitique diadema impo-

4 fuit. Exacto anno, diem functus eft. Alexander deinde, filius ejus, rex pariter & pon- Alexander
tifex fuit: regnavit annos VII & viginti. in rex.
cujus actibus nihil, praeter crudelitatem, memoriâ dignum reperi. Hic, cùm Arifto-
bulum & Hyrcanum parvos filios reliquiffet,

---

egregii pugnaffet] In dubium revocat Drufius, an
Iohannes ifte, Simonis filius, adverfûs Hyrcanos
pugnaverit. indéque nomen nactus fuerit. Verifimile tamen redditur inde, quod Iofephus lib. XIII
cap. 16 fcribit, cum auxiliis fecutum eum fuiffe,
Antiochum Sideten regem Syriae, cùm is expeditionem in Parthos fufciperet: quódque in exercitu
Parthico & Hyrcani fuerunt. Si tamen verum eft,
quod Gorionides fcribit, maximum natu filiorum
Simonis habuiffe nomen Hyrcani, eóque interfecto alteri filiorum Simonis, Iohanni, idem nomen
à fenioribus tributum fuiffe: neceffum fuerit, rationem eam adpellationis, quam nofter tradit, fal-
fam effe.

4. *Alexander deinde filius ejus*] Non is filius
Ariftobuli, fed ejusdem frater fuit; filius autem
Iohannis Hyrcani. Manifeftum ex Jofephi lib.
XIII Antiq. Jud cap. 20, ubi & Ιανναῖος Αλέξαν-
δρος adpellatur.

cho, profanatúmque à gentibus, foedam
sui speciem præbebat. Sed Syris arcem, 2
tenentibus, quæ continua templo, & loci
naturâ superior, atque inexpugnabilis erat,
adiri subjecta non poterant, crebris eru-
ptionibus prohibentibus. Adversùm hos 3
Judas validissimam suorum aciem objecit:
Ita opus sacræ ædis curatum, templúmque
muro circumdatum, constitutíque, qui perpetuum præsidium armati agitarent. At 4
Lysias multiplicato exercitu in Judæam regressus, rursum vincitur, magnâ clade exercitus & auxiliorum, quæ ei à civitatibus
missa in bellum conspiraverant. Interea 5
Antiochus, quem in Persidem profectum
supra memoravimus, oppidum Elimum,
regionis illius opulentissimum, fanúmque,
ibi situm multo auro refertum, diripere
conatus, confluente undique ad defensio-
nem loci multitudine, fugatus: insuper nun-

1 Macc. 6

---

2. *Arx continua templo*] Drusius suspicatur legendum esse *contigua.*

Adiri subjecta non poterant] Loca templo proxima, & per quæ eundum in templum erat.

5. *Oppidum Elymum, fanúmque ibi situm diripere conatus*] Hausit ex cap. VI libri I Maccab.
Sed oppidum ibi vocatur Ελυμαΐς: quomodo &
alii auctores vocant.

cium

cium accepit, res vel à Lyfia, vel à Lyfima-

6 cho improfperè geftas. Ita ex mœrore a-
nimi, corporis morbo incubuit. Sed cùm
internis doloribus angeretur , reminifcens
malorum, quibus populum Dei vexaverat,
meritò fibi illa accidiffe confitebatur. Deinde poft paucos dies moritur, cùm regnaffet
annos undecim. Antiocho filio regnum reliquit, cui Eupator nomen fuit.

1 Eà tempeftate Judas Syros in arce pofitos
obfidebat. Qui cùm fame atque inopiâ
adficerentur, miffis ad regem nunciis, præ-
fidium implorant. Ita Eupator cum centum millibus, & equitum viginti millibus,
fuis fubfidio venit: præeuntibus aciem cum

2 ingenti terrore elephantis. Tùm Judas la-
xatâ obfidione, regi obviam tendit, primô-
que prælio Syros fundit. Rex petit pacem:

C A P.
XXIII.

Antiochus
Eupator.

---

5. *Res ßel à Lyfia ßel à Lyfimacho improfperè
geftas*] *Improfperè res geri* dicit, quod alii dicunt
malè rem geri, infeliciter pugnari: ficut fupra
profperè pugnari pro *benè, feliciter pugnari*. Ceterùm Sigonius legendum putat *res à Lyfia improfperè geftas;* Duplex *ßel* autem, & *à Lyfimacho* effe à gloffemate, quod ex margine inrepferit in
textum.

1. *Cum centum millibus & equitum ßiginti millibus*] Excidit *peditum*, legendúmque fine dubio
Cum centum millibus peditum

P   quia

Demetrius
Soter.

quia infido ingenio malè usus, perfidiam
consecuta ultio.   Nam Demetrius, Seleuci 3
filius, quem Romanis obsidem datum supra
memoravimus, ut audivit Antiochum decessisse, petivit, ut se in regnum remitte-
rent.   Quod cùm ei negatum fuisset, clam
Romà profugit; in Syriam venit, regnúmque occupavit: Antiocho filio, qui annum

---

2. *Quia infido ingenio malè usus*] Drusius opi-
natur legendum, *Quà inf. ing. malè usus.* Verùm
quia abesse hinc non potest. Vult enim, quia infido
ingenio Eupator malè usus sit pace, perfidiam con-
secutam esse ultionem.   Sed & *quà* abesse vix potest: & referri id necesse est ad vocem, quæ præcedit, *pacem.* Quid si ergo legamus, *Quà* [pace puta] *quia infido ingenio malè usus?* ut adeo utrumque, & *quà*, & *quia* adpareat.

3. *Demetrins Seleuci filius*] Sic & sup. c. 19 *Datus in locum ejus obses Demetrius Seleuci regis filius.* Confonat Epitome lib. XLVI Livii; quæ quidem sic habet : *Hunc Antiochum* [Eupatora] *puerum cum Lysia tutore ejus Demetrius Seleuti filius,
qui Romam obses missus fuerat, clam, quia minimè
dimittebatur à Romanis, interemit, & ipse in regnum receptus.* Neque discrepat Appianus in Sy-
riacis. Quoniam igitur Demetrius iste filius fuit Seleuci, non potest verum esse, quod Iustinus lib.
XXXIV scribit, Antiochi Eupatotis eum patruum,
Epiphanis verò fratrem fuisse. Seleucus enim Antiochus Epiphanes fratres,& Antiochi Magni filii fuere.

Antiocho filio interfecto] Drusius legendum putat *Antiocho puero,* vel *Antiocho Antiochi filio.* Et
                                                  unum

unum & menfes fex regnaverat ‚uinterfecto.

4 Hoc regnante , primùm Judæi à populo
Romano amicitiam fœdúsque petiere : be- *1 Macc. 8*
nignéque excepta legatio. decreto Senatûs,
focii atque amici adpellati.   Interim Demetrius adversùs Judam per duces fuos bellum
5 gerebat. Ac primùm per Bacchidem quem- *1 Macc. 9.*
dam & Alchimum Judæum ductus exerci-
tus : pòft Nicanor bello præpofitus , in-
prælio occubuit.   Tùm Bacchides & Alchimus refumtis viribus, auctisque copiis,
adversùm Judam confligunt. in eâ pugnâ
victores Syri, cruentè admodum victoriâ
funt ufi.   Hebræi in locum Judæ Jonathan, *Jonathan*
6 fratrem ejus, deligunt.   Interea Alchimus dux.
cùm fœdè Hierofolymam vaftaffet , moritur.   Bacchides focio deftitutus , ad regem
redit. Dein poft biennium rurfus Bacchides bellum Judæis intulit, victus pacem petit.   Quæ propofitis conditionibus data, fi
perfugas captivósque & omnia bello rapta
redderet.

1   Dum hæc intra Judæam geruntur, ado- C A P.
lefcens quidam Rhodi educatus , nomine XXIV.

---

fanè fi *filio* genuinum fit, ut videtur, quoniam rela-
tivum id eft, omnino legi oportet *Antiochi.* præterea verò & *Antiocho* hic legi concinnum quidem;
ceterùm non æquè neceffarium eft tamen.

P 2

Alci

Alexander
Bala.

Alexander, Antiochi se esse filium dictitans,
[quod falsum erat] adjutus opibus Ptolemæi regis Alexandrini , in Syriam cum
exercitu venit: Demetrium bello superatum
occidit, cum regnasset annos XII.   Hic Ale- 2
xander, priusquam adversus Demetrium
configeret , fœdus cum Jonatha fecerat,
eúmque veste purpureâ & insignibus regiis
donaverat. ob quod eum Jonathas auxiliis
juverat: victóque Demetrio, primus omnium congratulatum occurrerat. Neque postea Alexander datam fidem violavit.   Ita 3
quinquennio, quo rerum potitus est, resJu-
dæorum tranquillæ fuerunt.   Igitur Demetrii filius, qui post mortem patris Cretam

Demetrius
Nic.

---

1. *Alexander, Antiochi se esse filium dictitans*]
Epitome lib. LII Livii : *Alexander homo ignotus,
& incertæ stirpis, occiso Demetrio rege in Syriâ regnabat.* Disertiùs adhuc Justinus lib. XXXV *An-
tiochenses subornant propalam quemdam sortis
extremæ jubenem, qui Syriæ regnum armis repete-
ret : & ne quid contumeliæ deesset, nomen ei Alexandri inditur, genitúsque ab Antiocho rege dicitur.*   Vide ibidem & plùra.

3. *Igitur Demetrii filius*] Drusius excidisse putat *Demetrius*, & legendum esse *Demetrius Demetrii filius.* Nec temerè sanè. Epitome lib. LII Livii de hoc ipso Demetrio ita : *Hunc Demetrius, Demetrii filius, qui à patre quondam, ob incertos belli casus, ablegatus Gnidon fuerat , contemtâ socor-*

con-

confugerat, hortante Lasthene Cretensium duce, regnum patrium bello repetens, impar viribus, Ptolemæum Philometorem regem Ægypti, Alexandri socerum, jam tùm genero infestum, ut sibi sit auxilio, implorat. 4 Ille verò non tam supplicis precibus, quam spe Syriæ occupandæ inlectus, copias cum eo jungit: ac filiam Alexandro nuptam, dat Demetrio. Adversùs hos Alexander acie confligit. eo prælio vincitur Ptolemæus, ca-

1. Macc. II.

---

diâ inertiâque ejus, adjuvante Ptolemæo Ægypti rege, cujus filiam Cleopatram acceperat in matrimonium, bello interemit.

4. *Eo prælio vincitur Ptolemæus, cadit Alexander. Vincitur Ptolemæus & paullò pòst interficitur*] Sigonius locum hunc, sine dubio corruptum, ita restituit: *Eo prælio vincitur Alexander, cadit Ptolemæus. Vincitur Alexander & paullò pòst interficitur.* Atque id sanè ad fidem historiæ. Nam Alexander victus omnino est, & paullò pòst interfectus est à Zabelo, Arabum dynasta, ad quem confugerat, quique caput ejus ad Ptolemæum adhuc vivum misit. Ptolemæus autem in isto prælio non quidem ita cecidit, ut statim exspiraret, sed tamen vulnus accepit, ex quo mortuus deinde est. Prædicta Epit. Livii: *Ptolemæus in caput graviter vulneratus, inter curationem, dum ossa medici terebrare contendunt, exspiravit.* Ceterùm concinniùs ac sine ταυτολογία locus iste Sulpicii emendari sic possit: *Eo prælio cadit Ptolemæus, vincitur Alexander & paullò pòst interficitur.*

P 3

dit

dit Alexander. Vincitur Ptolemæus, &paullò pòst interficitur, cùm regnaffet annos v, vel, ut in plerisque auctoribus reperi, novem.

CAP. XXV.   Demetrius regnum indeptus, Jonathan 1 benignè habuit, fœdus cùm eo fecit, Judæos legibus fuis reddidit. Interea Tryphon, qui partium Alexandri fuerat, præfectus Syriæ regno, eum bello prohibiturus, contrà Jonathan in prælium defcendit, terribilis XL millium exercitu. Tryphon, ubi fe 2 imparem cernit, pacem fimulat : receptúmque in amicitiam, invitatúmque Ptolemai-

---

1. *Demetrius Iudæos legibus fuis reddidit*] Id factum jam antea fuerat à Demetrio patre, & qui hunc occidit Alexandro Bala.

    Tryphon, qui partium Alexandri fuerat, præfectus Syriæ regno, eum bello prohibiturus] Excidit, aut fubaudiendum eft, *erat*. Atque ita periodus puncto claudenda. Tryphoni ifti nomen fuit Diodotus : Tryphon autem cognomen. Epitome lib. LV Livii : *Alexandri filius rex Syriæ, decem annos admodum habens, à Diodoto, qui Tryphon cognominabatur, tutore fuo, per fraudem occifus eft.*

    Contrà Ionathan in prælium defcendit] Nomen *Ionathan* hic non quarti, fed primi casûs vim habet : nec *contra* eft præpofitio, fed adverbium. Numerus ille XL millium, cum quibus in prælium defcendit, expreffus eft in cap. XII lib. I Maccabæorum : indéque nofter haufit.

   2. *Invitatum Ptolemaidam*] Drufius legendum

dam,

dam, interfecit.   Poft Jonathan, fumma rerum ad Simonem fratrem defertur.   Is fu- Simon Dux
nus fratris magnificè curavit : feptémque
illas pyramidas nobiliffimi operis exftruxit,
in quibus & fratrum & patris offa condidit.

3 Tùm Demetrius, refecto cum Judæis fœdere, contemplatione cladis à Tryphone
illatæ [nam poft Jonathæ necem urbes
eorum atque agros bello vaftaverat] annua
ejus vectigalia in perpetuum remittit. Etenim usque ad id tempus , regibus Syriæ,
nifi cùm armis refifterent, ftipendium pen-

4 fitaverant.   Id geftum Demetrii regis anno
fecundo, quod ideo fignavimus, quia usque
in hunc annum per tempora Afianorum regum cucurrimus, ut ratio temporum dige-

5 fta luceret.   Nunc autem per tempora eorum, qui Judæis vel pontifices vel reges fue-

---

putat *Ptolemaidem :* quod & verifimile videtur. Etfi enim ex adcufativo Græco quandoque novus nominativus Latinus fiat, non tamen eft verifimile, urbis nomen in cafu nominativo *Ptolemaida* fuiffe.

3. *Contemplatione cladis à Tryphone illatæ*]
Sic Juftinus lib. VIII c. 3 *Non contemplatione juftitiæ ejus.*

Annua ejus vectigalia in perpet. remittit] Legendum fine dubio, *annua eis vectigalia remittit,*
ut jam Gifelinus vidit. *Eis,* id eft, Judæis : de quibus præmiferat, *Refecto cum Iudæis fœdere.*

5. *Qui Iudæis vel pontifices vel reges fuerunt*]

P 4   runt,

runt, usque ad Christi nativitatem rerum ordinem digeremus.

C A P.
X X V I.

Igitur post Jonathan, Simon frater ejus, 1
ut supra dictum est, Hebræis præfuit jure
pontificis, id enim ei tum à suis, tùm & à
populo Romano honoris delatum. Hic
cùm secundo Demetrii regis anno civibus
præesse cœpisset, post octo annos insidiis
Ptolemæi circumventus occubuit. Huic 2
Johannes filius successit, qui cùm adversùm

Johannes
Hyrcanus
dux.

Drusius mallet, *Vel principes bel reges fuerunt.*
Et addit rationem; quia qui reges, & pontifices
fuerint. Nobis nihil mutandum videtur. Quamquam ἀκριβέστερον scripsisset noster, si scripsisset sic:
Qui Iudæis bel pontifices tantùm bel pontifices &
reges fuerunt. Sanè Simonem & Iohannem Hyrcanum noster non nisi pontifices adpellat: Aristobu-
lum verò primum nomen regium adsumsisse
scribit.

1. *Id ei tum à suis, tum à populo Romano hono-*
ris delatum] Mirum, unde id hauserit, quod Simon à populo quoque Romano Pontifex adpellatus
fuerit. Estne credibile, adlusisse eum ad versionem
Latinam I Maccab. XIV, 25, quæ *populus Romanus*
habet, cùm textus Græcus tantùm δῆμος habeat?
Ita quidem manifestum errorem errasset, siquidem
de populo ibi Iudaico agitur.

Insidiis Ptolemæi circumbentus occubuit] Ptolemæus ille gener fuit Simonis. Extat historia I
Macc. XVI.

2. *Cùm adberfùm Hyrcanos, gentem balidiss.*

Hyr-

Hyrcanos, gentem validiſſimam, egregiè pugnaſſet, Hyrcani cognomen accepit. Mortuus eſt anno vi; & xx rerum potitus eſt.

3 Poſt hunc Ariſtobulus pontifex ſubſtitutus, primus omnium poſt captivitatem regium nomen adſumſit, capitique diadema impo- 4 ſuit. Exacto anno, diem functus eſt. Alexander deinde, filius ejus, rex pariter & pontifex fuit: regnavit annos vii & viginti. in cujus actibus nihil, præter crudelitatem, memoriâ dignum reperi. Hic, cùm Ariſtobulum & Hyrcanum parvos filios reliquiſſet,

Ariſtobulus rex.

Alexander rex.

---

egregiè pugnaſſet] In dubium revocat Druſius, an Iohannes iſte, Simonis filius, adverſùs Hyrcanos pugnaverit. indéque nomen nactus fuerit. Veriſimile tamen redditur inde, quod Ioſephus lib. XIH cap. 16 ſcribit, cum auxiliis ſecutum eum fuiſſe, Antiochum Sideten regem Syriæ, cùm is expeditionem in Parthos ſuſciperet: quódque in exercitu Parthico & Hyrcani fuerunt. Si tamen verum eſt, quod Gorionides ſcribit, maximum natu filiorum Simonis habuiſſe nomen Hyrcani, eóque interfecto alteri filiorum Simonis, Iohanni, idem nomen à ſenioribus tributum fuiſſe: neceſſum fuerit, rationem eam adpellationis, quam noſter tradit, falſam eſſe.

4. *Alexander deinde filius ejus*] Non is filius Ariſtobuli, ſed ejusdem frater fuit; filius autem Iohannis Hyrcani. Manifeſtum ex Joſephi lib. XIII Antiq. Jud cap. 20, ubi & ΙανναῖΘ ΑλέξανδρΘ adpellatur.

So-

Solina five Alexandra uxor ejus regnum per
novem annos tenuit. Poſt hujus obitum, 5
fœda inter fratres de regno certamina. Ac
primùm Hyrcanus imperium obtinebat.
mox ab Ariſtobulo fratre pulſus, confugit
ad Pompejum: qui tùm Mithridatico bello
confecto pacatàque Armeniâ & Ponto victor omnium gentium, quas adierat, ultror-
ſum pergere, & vicina quæque Romano
imperio adjungere cupiens, cauſas belli &
materiam incendii quærebat. Igitur Hyr- 6
canum libens excepit, ductúque ejus Judæos adgreditur: urbe captâ, atque arce,
templo pepercit: Ariſtobulum victum Romam mittit, Hyrcano jus pontificatûs reſtituit: impoſitôque Judæis ſtipendio, procurato-
rem eis Antipatrum quemdam Aſcalonitem
præpoſuit. Hyrcanus quatuor & triginta 7
annos rerum potitus, dum adversùm Parthos bella gerit, capitur.

Hyrcanus
rex.
Pompejus
M.

---

6. *Templo pepercit*] Ita quidem, ut theſauros,
qui in eo erant, non adtingeret: quod non Ioſephus tantùm lib. XIV antiq. cap. 8, ſed & Cicero in
Laelio prodidit.

Ariſtobulum victum Romam mittit] Legendum
videtur *vinctum*: quia Joſephus lib. XIV c. 8 ſcribit, Pompejum illum δεδεμένον unà cum familiâ ſecum duxiſſe Romam.

Tum

1 Tùm Herodes alienigena, Antipatri A- **C A P.**
fcalonitæ filius, regnum Judææ à Senatu & **XXVII.**
populo Romano petiit, accepitque.   Hunc Herodes
primum Judæi externum regem cœperunt rex.
habere.   Etenim jam adventante Chrifto,
necefle erat, fecundùm vaticinia prophetarum, fuis eos ducibus privari, ne quid ultra
2 Chriftum expectarent.   Sub hoc Herode,
anno imperii ejus tertio & xxx, CHRISTUS Chriftus
natus eft Sabino & Rufino confulibus, VIII natus.
3 Kalend. Januarias.   Verùm hæc, quæ Evangeliis ac deinceps Apoftolorum actibus
continentur, adtingere non aufus, ne quid
forma præcifi operis rerum dignitatibus di-
4 minueret, reliqua exfequar.   Herodes poft
nativitatem Domini regnavit annos III. Nam
omne imperii ejus tempus VII & xxx anni
fuerunt.   Poft quem Archelaus tetrarcha

---

1. *Herodes alienigena*] Cui confonum, quod
mox fequitur, *Hunc primum externum regem.* Pari modo Origenes, Eufebius aliique veteres Hero-
dem ἀλλόφυλον atque alienigenam adpellant. Contra quam fententiam fufè difputat Cafaubonus Exercit. I ad Adparat. Annal. Baron.

*Necefle erat fecundùm vaticinia prophetarum
fuis eos ducibus privari*] Intelligit fie dubio vati-
cinium Iacobi, *Non recedet fceptrum à Juda:* quo
de peculiari Diatribâ aliquando egimus.

4. *Archelaus tetrarcha*] S. Matthæus cap. II
annis

annis IX, Herodes annos XX & IIII. Hoc re- **5**
gnante, anno regni octavo & decimo, D O M I-
N U S crucifixus eft. Fufio Gemino & Rebellio
Gemino confulibus. A quo tempore usque in
Stiliconem confulem, funt anni CCCXXII.

C A P.   Apoftolorum actûs Lucas edidit, usque **I**
X X V I I I. in tempus, quo Paulus Romam deductus eft,
Nero Imp. Nerone imperante: qui non dicam regum,
fed omnium hominum, & vel immanium
beftiarum fordidiffimus, dignus extitit, qui
perfecutionem in Chriftianos primus inci-
peret: nefcio an & poftremus explerit. fi-

---

fcribit, eum βεβασιλευκέναι ἐπὶ τῆς Ἰυδαίας ἀντὶ
Ἡρώδε τῦ πατρὸς ἀυτῦ. At ex Iofephi lib. XVII
cap. 13 fcimus, Cæfarem Archelaum non feciffe
regem, fed dimidiâ parte terrarum, quas pater Herodes tenuerat, ei conceffâ, ἐθνάρχην eum confti-
tuiffe; regnum autem pollicitum fuiffe, cùm tali
honore fe dignum reddidiffet. Quòd igitur Matthæus fcribit, eum βεβασιλευκέναι, vocabulo παχυ-
λῶς utitur de quocunque imperio, fatis quidem
amplo illo, fed non regio tamen & ἀνυπευθύνω.

1. *Nefcio an & poftremus explerit*] Pro *Fortaffe & poftremus expleturus eft.* Nam *Nefcio an*
& *Haud fcio an* dicunt eleganter pro *fortaffe.* Valerius Max. lib IV cap. 34 *Quorum e numero nefcio
an in primis Paufanias debeat referri.* Et lib. V
cap. 7 *Sed nefcio an Octabius Balbus concitatioris
& ardentioris erga filium benebolentiæ fuerit.* Ipfe
Cicero Bruto: *Et nefcio an reliquis in rebus omni-*
qui-

quidem opinione multorum receptum fit,
2 ipfum Antichriftum venturum. Hujus vitia
ut plenius exponerem, res admonebat, nifi
non effet hujus operis tam vafta ingredi : id
tantum adnotaffe contentus fum, hunc per
omnia fœdiffima & crudeliffima eò procef-
fiffe, ut matrem interficeret : poft etiam_,
Pythagoræ cuidam, in modum folemnium
conjugiorum nuberet, inditúmque Imperatori flammeum, dos & genialis thorus, & fa-

---

bus idem eveniat. Item : *Eloquentiâ quidem nefcio
an habuiffet parem neminem.* Vide & Turfellinum
de partic. L. L. *in Haud fcio.* Ceterùm quòd Neronem perfecutionem in Chriftianos poftremum ex-
pleturum conjicit, ei confonum eft, quòd c. XXIX
fcribit, *Neronem credi fub feculi fine mittendum,
ut myfterium iniquitatis exerceat :* Item quòd
Dial. II c.14. fcribit, cùm ex S. Martino de fine feculi
quæfitum fuerit, refpondiffe eum, Neronem &
Antichriftum priùs venturos effe. Vide ibi &
cetera.

2. *Pythagoræ cuidam nuberet*] Suetonius *Dory-
phorum* vocat. Cujus verba funt: *Suam pudicitiam ufque adeo proftituit, ut conficeretur à Dory-
phoro liberto, cui etiam, ficut ipfi Sporus, ita ipfe
denupfit, voces quoque & ejulatus vim patientium
virginum imitatus.*

Inditúmque Imperatori flammeum] Vt nubentibus fœminis folebat. Fuit autem *flammeum* integumentum capitis, quo novæ nuptæ uti folebant.
Suetonius : *Puerum Sporum cum dote & flammeo*

ces nuptiales: cuncta denique quæ vel in fœminis non sine verecundiâ conspiciuntur,
spectata. Reliqua verò ejus, incertum pigeat
an pudeat magis disserere. Hic primus Christianum nomen tollere adgressus est: quippe
semper inimica virtutibus vitia sunt, & o-
ptimi quique ab improbis quasi exprobran-
tes adspiciuntur.   Namque eo tempore divina apud urbem religio invaluerat, Petro i-
bi episcopatum gerente: & Paulo, posteaquam ab injusto præsulis judicio Cæsarem
adpellaverat, Romam deducto, ad quem
tùm audiendum plures conveniebant: qui
veritate intellectâ, virtutibúsque Apostolo-

per solemne nuptiarum celeberrimo officio, dedu-
ctum ad se pro uxore habuit.

4. *Divina apud urbem religio invaluerit*] *apud*
urbem, Romam puta, pro *in urbe*. Sic supra lib. I
Apud Carras diversatus est pro *Carris* : & in hoc
libro, *Apud Babyloniam* pro *Babyloniæ* , vel
Babylone.

Petro ibi episcopatum gerente] Ita veteres magno consensu: quorum testimonia singulari curâ
congesfit Conr. Hornejus in Hist. ecclesiasticâ. Sed
nostræ ætatis tamen plurimi non accedunt: inter
quos præcipuè est Cl. Salmasius.

Ab injusto Præsulis judicio] intelligitur Festus: cujus Act. XXVI fit mentio. Is verò non præ-
sul, sed præses fuit. Vnde Drusius legi malit *Præsi-*
dis; præsertim cùm paullò pòst Gessium Florum
noster non præsulem, sed præsidem vocet.

rum,

rum, quas tùm crebrò ediderunt, permo-
5 ti, ad cultum Dei sese conferebant.   Etenim tùm inluſtris illa adversùs Simonem, Petri ac Pauli congreſſio fuit.   Qui cùm magicis artibus, ut se Deum probaret, duobus suf-
fultus dæmoniis evolaſſet, orationibus Apo-
ſtolorum fugatis dæmonibus, delapsus in terram, populo inſpectante disruptus eſt.

1   Interea abundante jam Chriſtianorum
multitudine, accidit, ut Roma incendio
conflagraret, Nerone apud Antium conſti-
tuto.   Sed opinio omnium invidiam incendii in Principem retorquebat, credebatúrque
Imperator gloriam innovandæ urbis quæ-
2 siſſe.   Neque ullâ re Nero efficiebat, quin
ab eo juſſum incendium putaretur.   Igitur
vertit invidiam in Chriſtianos, actæque in
innoxios crudeliſſimæ quæſtiones: quin &
novæ mortes excogitatæ, ut ferarum ter-
gis contecti, laniatu canum interirent.   Multi crucibus adfixi, aut flammâ uſti.   Plerique
in id reservati, ut cùm defeciſſet dies, in
3 usum nocturni luminis urerentur.   Hoc initio in Chriſtianos sæviri cœptum.   Pòſt

C A P.
XXIX.

---

1. *Credebătur imperator glòriam innoßandæ urbis quæsiſſe*] Hæc & proxima sequentia ex Taciti lib. XV Annal. depromſit, ipſis quoque Taciti phraſibus servatis.

etiam

etiam datis legibus religio vetabatur: palám-
que edictis propositis, Christianum esse non
licebat.   Tùm Paulus ac Petrus capitis damnati: quorum uni cervix gladio defecta,
Petrus in crucem sublatus est.   Dum hæc 4
Romæ geruntur, Judæi, præsidis sui Festi
Flori injurias non ferentes, rebellare cœperunt.   Adversùs eos Vespasianus procon-
sulari imperio à Nerone missus, multis gravibúsque præliis devictos, coëgit intra muros Hierosolymæ confugere.   Interim Ne- 5
ro jam etiam sibi pro conscientiâ scelerum
invisus, humanis rebus eximitur: incertum
an ipse sibi mortem consciverit.   Certè corpus illius interemtum.   Unde creditur, 6
etiamsi se gladio ipse transfixerit, curato vulnere ejus servatus; secundùm illud, quod
do eo scriptum est: Et plaga mortis ejus cu-

Judæorum
rebellio.

---

3. *Datis legibus*] Sigonius legendum censet
latis leg.

   4. *Præsidis sui Festi Flori injurias*] Iosephus
lib. XX Antiq. cap. 9 vocat Γέσσιον Φλῶρον. sed scripsit fortasse noster *Cestii Flori* [Ita enim vocat Eusebius, cujus Chronica multùm trivit, ac subinde &
citat noster] & ex *Cestii* factum deinde *Festi*.

   6. *Secundùm illud, quod de eo scriptum est*] Adludit ad verba Apoc. XIII, 3. *Et plaga mortis ejus
sanata est:* quæ nonnulli veterum de Nerone in-
terpretati sunt.

rata

rata est; sub seculi fine mittendus, ut mysterium iniquitatis exerceat.

1 Igitur post excessum Neronis, Galba imperium rapuit: mox Otho, Galba interfecto, 2 occupavit.   Tunc Vitellius in Gallias, fretus exercitibus, quibus præerat, urbem ingressus, Othone interfecto, summam rerum usurpavit. quæ posteaquam ad Vespasianum delata, licet malo exemplo, bono tamen adfectu Reip. ab improbis vindicandæ, cùm Hierosolymam obsideret, sumit imperium: &, ut mos est, diademate capiti imposito, ab exercitu Imperator consalutatus, Titum filium Cæsarem facit; eidem pars copiarum, & obsidendæ Hierosoly- 3 mæ negotium datum.   VespasianusRomam profectus, summo favore senatus & populi receptus, cùm se Vitellius interfecisset, im-

CAP. XXX.
Galba, O-
tho, Vitel-
lius, Impe-
ratores.

Vespasianus
Imp.

Creditur sub seculi fine mittendus, ut mysterium iniquitatis exerceat] i. e. Creditur, Neronem sub finem mundi missum iri.   Nam *seculum* est pro mundo, ut sæpe apud nostrum; & *mittendus* notione temporis futuri est positum.   Ceterùm verbis istis postremis alludit ad verba Pauli II Thess. II, 7 *Mysterium iniquitatis jam operatur.* Hunc enim de Nerone, futuro Antichristo, acceperunt veteres.   Vnde infra Dial. II c. 14 *Neronem & Antichristum prius esse venturos.*

2. *Vitellius in Gallias urbem ingressus*] Legendum ex *Gallis*, ut Sigonius monuit.

Q   perium

perium confirmavit.   Interea Iudæi obfidione claufi, quia nulla neque pacis neque
deditionis copia dabatur, ad extremum fame interibant, paffimque viæ oppleri cada-
veribus cœpere, victo jam officio humani-
di: quin omnia nefanda infuper aufi, ne
humanis quidem corporibus pepercerunt,
nifi quæ ejusmodi alimentis tabes præri-
puerat.   Igitur defeffis defenforibus inrupe- 4
re Romani.   Ac tùm forte in diem Pafchæ
omnis ex agris aliisque Iudææ oppidis multitudo convenerat: nimirum ita Deo placi-
tum, ut eo tempore, quo Dominum cruci
adfixerat, gens impia internecioni daretur.
Pharifæi aliquantifper pro templo acerrimè 5
Excidium   reftiterunt: donec obftinatis ad mortem.

---

3. *Nulla neque pacis neque deditionis copia da-*
batur] Refpicit, credo , ad ipfos Judæos iftos, qui
quò minùs urbs dederetur, impediverunt.   Neque
ênim verifimile eft, nefcivifse noftrum, quam
promtus Titus ad pacem Judæis dandam fuerit;
quódque. ἀυ7ονοuίαν quoque & ἀμνησίαι τῶν 7ε7ολ-
μημένων illis obtulerit.   Quæ de re in cap. VIII
lib. VII Aλώσ. Jofephi legere eft.

Ne humanis quidem corporibus pepercerunt]
Vti his non vefcerentur, ac famem iis explerent.
Sed falfus hic eft nofter.   Jofephus lib. VII Aλώσ.
c. 14 fcribit, nifi ab excidio præventi fuiffent, etiam
cadavera voraturos fuiffe. Ex quo non voraffe tamen, intelligi poteft.

nun-

6 animis, ultro se subjectis ignibus intulerunt. *Hierosoly-*
Numerus peremtorum ad undecies cente- *morum.*
na millia refertur: capta vero c millia, ac ve-
nundata. Fertur Titus adhibito consilio priùs deliberasse, an templum tanti operis everteret. Etenim nonnullis videbatur, ædem
7 sacratam, ultra omnia mortalia inlustrem,
non deberi deleri: quæ servata modestiæ
Romanæ testimonium, diruta perennem
crudelitatis notam præberet. At contrà a-
lii, & Titus ipse, evertendum templum in primis censebant, quò pleniùs Iudæorum &
Christianorum religio tolleretur. Quippe
8 has religiones, licet contrarias sibi, iisdem
tamen auctoribus profectas. Christianos ex
Iudæis exstitisse: radice sublatà, stirpem fa- *Templi*
cilè perituram. Ita Dei nutu, accensis o- *Hierofo-*
mnium animis, templum dirutum, ab hinc *lym. exci-*
annos trecentos triginta & unum. Atque hæc *dium.*
ultima templi eversio, & postrema Iudæorum captivitas, quà extorres patriâ, per
orbem terrarum dispersi cernuntur, quotidie mundo testimonio sunt, non ob aliud
eos, quàm ob inlatas Christo impias manûs,

---

7. *Iisdem auctoribus profectas*] Sigonius legendum putat *ab iisdem auctoribus.*

8. *Templum dirutum*] Rectiùs exustum, con-
crematum.

Q 2 fuisse

fuiſſe punitos, nam ſæpe aliàs, cùm propter peccata captivitatibus traderentur, nunquam tamen ultra ſeptuaginta annos ſervitutis pœnam pependerunt.

C A P.
XXXI.
Domitianus
Imp.

Interjecto deinde tempore, Domitianus, 1 Veſpaſiani filius, perſecutus eſt Chriſtianos. Quo tempore Ioannem Apoſtolum atque Evangeliſtam, in Pathmum inſulam relegavit: ubi ille arcanis ſibi myſteriis revelatis, librum ſacræ Apocalypſis [qui quidem à plerisque aut ſtultè aut impiè non recipitur] conſcriptum edidit.

Trajanus
Imp.

Non multo deinde 2 intervallo, tertia perſecutio per Trajanum fuit. qui cùm tormentis & quæſtionibus nihil in Chriſtianis morte aut pœnâ dignum reperiſſet, ſæviri in eos ultrà vetuit. Sub 3

---

2. *Non multo deinde interßallo*] pro *Non diu pòſt, non longo tempore pòſt*. Vt Cicero *longo interßallo* pro *diu pòſt, longo tempore pòſt*. Vt in Orat. pro Flacc. *Longo interßallo Romam ßenis*. Et in Or. pro Arch. *Interim ſatis longo interßallo ßenit Heracleam*. In Or. pro Cluent. addit *ſt* quod alibi ſubauditur; dicitque, *Satis longo interßallo pòſt iterum adßocantur*.

Nihil in Chriſtianis morte aut pœnâ dignum reperiſſet] Id adparet ex epiſt. XCVII. lib. X. Plinii, ubi ſcribit, *ſe non dubitaſſe, qualecunque eſſet, quod faterentur, perßicaciam certè & inflexibilem obſtinationem* [ſic ille perſeverantiam Chriſtianorum in verâ fide adpellat] *debere puniri*.

Adria-

Adriano deinde Judæi rebellare voluerunt, Adrianus
Syriam ac Palæstinam diripere conati :   mis- Imp.
sôque exercitu subacti sunt.   Quâ tempestate Adrianus, existimans se Christianam
fidem loci injuriâ peremturum, & in templo ac loco Dominicæ passionis dæmonum
4 simulacra constituit.   Et quia Christiani ex
Iudæis potissimùm putabantnr [namque
tùm Hierosolymæ non nisi ex circumcisione
habebat Ecclesia sacerdotem] militum co-
hortem custodias in perpetuum agitare jussit, quæ Iudæos omnes Hierosolymæ adi-
5 tu arceret.   Quod quidem Christianæ fidei
proficiebat : quia tùm penè omnes Christum Deum, sub legis observatione credebant.   Nimirum id Domino ordinante dis-

---

4. *Non nisi ex circumcisione habebat Eccl. sacer-*
dotem] Quòd Iudæos *circumcisionem* vocat, utitur
Hebraismo ; sed quem mutuatus est ab Apostolo.
Hic enim Judæos περιτομὴν *circumcisionem* vocat.
De quo genere Hebraismi in cap. VIII nostri de Hebraismis N. T. Commentarii egimus. Porro *sacer-*
dotem nunc vocat, quem cum Apostolo *Episco-*
pum potuisset; & quem mox quoque eo nomine
adpellat.

5. *Quod Christianæ fidei proficiebat*] Ita quidem, ut illi, qui cum fide Christianâ, quam susceperant, legem ceremonialem conjunxerant, cùm pulsi
Hierosolymis essent, jugum legis ceremonialis faciliùs excuterent.

positum, ut legis servitus à libertate fidei
atque Ecclesiæ tolleretur.   Ita tùm primùm 6
Marcus ex gentibus , apud Hierofolymam
episcopus fuit.   Quarta sub Adriano persecutio numeratur, quam tamen pòst exer-
ceri prohibuit, injustum esse pronuncians, ut
quisquam sine crimine reus constitueretur.

C A P.   Post Adrianum, Antonino Pio imperante, 1
XXXII.   pax Ecclesiis fuit. Sub Aurelio deinde, An-
Antoninus   tonini filio, persecutio quinta agitata.   Ac
Pius & Au-   tùm primùm intra Gallias martyria visa,
relius Imp.   seriùs trans Alpes Dei religione susceptâ.
Severus   Sexta deinde Severo imperante, Christiano-
Imp.   rum vexatio fuit.   Quo tempore Leoni- 2
             das, Origenis pater, sacrum in martyrio san-
             guinem fudit, Interjectis deinde annis VIII

---

6. *Apud Hierofolymam episcopus fuit*] pro *Hierofolymæ* vel *Hierofolymis.* Sic supra *apud Carras*
pro *Carris,* & *apud Babyloniam* pro *Babyloniæ.*

1. *Sexta deinde Christianorum sexatio*] Quod
hactenus *persecutionem* dixit, nunc *sexationem*
vocat, vocabulo satis commodo. Sic sup. lib. I cap. I
Vexationes populi Christiani.

2. *Sacrum in martyrio sanguinem fudit*] *Martyrium* Græco vocabulo dicitur ipsa passio & mors,
quæ propter confessionem veritatis Evangelicæ sub-
itur.   Sic & paullò antè, *Tùm primùm intra Gallias martyria visa. Fundere sanguinem* satis Latinè nunc dicit eum, qui interficitur. Quòd autem
supra in lib. I *effundere sanguinem* dicebat eum,

&

& xxx, pax Christianis fuit: nisi quòd medio tempore Maximinus nonnullarum Ecclesiarum clericos vexavit. Mox Decio imperante, jàm tùm septimâ persecutione sævitum in Christianos. Inde Valerianus octavus sanctorum hostis fuit. Post eum, interjectis annis ferè quinquaginta, Diocletiano & Maximiniano imperantibus, acerbissima persecutio exorta, quæ per x continuos annos plebem Dei depopulata est, quâ tempestate omnis ferè sacro martyrum cruore orbis infectus est: quippe certatim gloriosa in

Maximinus Imp.

Diocletianus & Maximinianus Impp.

---

qui alterum interficit, id ad Hebraismos referendum.

Maximinus nonnullarum Eccelsiarum clericos vexavit] Eusebius lib. VI Hist. eccl. cap. 28 *Maximinus irâ adversus domum Alexandri, complures fideles habentem, incensus persequutionem movit, & præsides duntaxat Ecclesiarum tamquam Evangelicæ doctrinæ auctores occidi præcepit.* Porro *clericos* vocabulo ecclesiastico vocat omnes, qui ad ordinem ecclesiasticum pertinent. Nota enim ex canonibus aliisque libris ecclesiasticis distinctio Christianorum in κληρικοὺς & λαϊκούς. Sed totus ille ordo vocabulo primitivo & κλῆρος adpellatur. Concilium Nic. I Can. III *Vetuit magna synodus, ne liceat Episcopo, nec presbytero, nec diacono, nec ulli penitus τῶν ἐν κλήρῳ, eorum qui sunt in clero, subintroductam habere mulierem,* &c. Alteram quoque vocem *laici* usurpat noster tum alibi, tum infra cap. XLVII.

Q 4

cer-

certamina ruebatur, multóque avidiùs tùm
martyria gloriosis mortibus quærebantur,
quàm nunc episcopatûs pravis ambitionibus
adpetuntur.   Nullis unquam magis bellis 5
mundus exhauſtus eſt:neque majore unquam
triumpho vicimus, quàm cùm decem annorum ſtragibus vinci non potuimus. Exſtant 6
etiam mandatæ litteris præclaræ ejus temporis martyrum paſſiones: quas connectendas
non putavi, ne modum operis excederem.

CAP.
XXXIII.

Conſtanti-
nus Imp.

Sed finis perſecutionis illius fuit, abhinc 1
annos IX & LXXX, à quo tempore Chriſtiani
imperatores eſſe cœperunt. Namque tùm
Conſtantinus rerum potiebatur, qui primus
omnium Romanorum principum Chriſti-
anus fuit. Sanè tùm Licinius, quia adver- 2
sùm Conſtantinum de imperio certavit, milites ſuos litare præceperat: abnuentes, militiâ rejiciebat. Sed id inter perſecutiones
non computatur; adeò res levioris negotii
fuit, quàm ut ad Eccleſiarum vulnera perve-
niret. Exinde tranquillis rebus pace per- 3
fruimur: neque ulteriùs perſecutionem fore
credimus, niſi eam quam ſub fine jàm ſeculi
Antichriſtus exercebit. Etenim ſacris voci-

---

3. *Niſi eam, quam ſub fine jàm ſeculi Antichri-*
ſtus exercebit] Supra cap. 29 *Vnde creditur* [Nero
Antichriſtus] *ſub ſeculi fine mittendus, ut myſte-*
bus,

bus, x plagis mundum adficiendum, pronun-
ciatum eſt : ita cùm jàm ix fuerint, quæ ſuper-
4 eſt, ultima erit.   Hoc temporum tractu, mirum eſt, quantum invaluerit religio Chriſtia-
na. Tùm ſiquidem Hieroſolyma horrens ruinis, frequentiſſimis ac magnificentiſſimis
5 Eccleſiis eſt adornata. Namque Helena, ma-   **Helena.**
ter principis Conſtantini, quæ Auguſta cum
filio conregnabat, cùm Hieroſolymam a-
gnoſcere concupiſceret, reperta ibi idola ac
templa protrivit : mox ſa regni viribus,
baſilicam in loco Dominicæ paſſionis & re-
6 ſurrectionis & aſcenſionis conſtituit.   Illud
mirum, quòd locus ille, in quo poſtremùm
inſtiterant divina veſtigia, cùm in cœlùm
Dominus nube ſublatus eſt, continuari pa-

---

rium iniquitatis exerceat. Vide notas ad eum
locum.

4. *Hieroſolyma magnificentiſſ. Eccleſiis eſt ador-*
nata] Non modò ipſum cœtum fidelium ſcriptoribus canonicis *Eccleſiam* vocabant, ſed & locum
atque ædificium, in quo conveniebatur, ita adpel-
labant : cujus rei paſſim non in hoc tantùm, ſed &
in ceteris ſcriptoribus eccleſiaſticis exempla obſervare licet.

5. *Baſilicam in loco Dominica paſſ conſtituit*]
id eſt, templum majus atque auguſtius, quod ad
domum regiam prope accederet. Inf. cap. 38 *In*
baſilicâ martyrum extra oppidum ſitâ diverſa-
tus eſt.

Q 5

vi-

vimento cum reliquâ ſtratorum parte non
potuit.   Siquidem quæcunque adplicaban- 7
tur, inſolens humana ſuſcipere terra reſpue-
ret, excuſſis in ora adponentium ſæpe mar-
moribus. quin etiam calcati Deo pulveris
adeò perenne documentum eſt, ut veſtigia
impreſſa cernantur.   Et cùm quotidie con- 8
fluentium fides certatim Domino calcata di-
ripiat, damnum tamen arena non ſentiat : &
eadem adhuc ſui ſpeciem, vel ut impreſſis ſi-
gnata veſtigiis, terra cuſtodit.

C A P.
XXXIV.
Crux Do-
mini re-
perta.

Ejusdem reginæ beneficio crux Domini 1
tùm reperta : quæ neque in principio obſiſtentibus Iudæis potuerat conſecrari,& poſtea dirutæ civitatis oppreſſa ruderibus, non
niſi tam fideliter requirenti meruit oſtendi.
Igitur Helena primùm dè loco paſſionis cer- 2
tior facta, admotâ militari manu, atque o-
mnium provincialium multitudine in ſtudia
reginæ certantium, effodi terram & contigua quæque ac vaſtiſſima ruinarum purgari jubet: mox pretium fidei & laboris tres
pariter cruces, ſicut olim Domino ac latro-
nibus duobus fixæ fuerant, reperiuntur.
Hic verò major dignoſcendi patibuli,in quo 3
Dominus pependerat, difficultas omnium
animos mentésque turbaverat, ne errore
mortalium forſitan pro cruce Domini latro-
                                                nis

4 nis patibulum confecrarent. Capiunt diende confilium, ut aliquem recens mortuum crucibus admoverent. Nec mora, quafi Dei nutu funeris exftincti folemnibus exfequiis deferebatur, concurfûque omniùm feretro corpus eripitur. Duabus priùs fruftra crucibus admotis, ubi Chrifti patibulo adtactum eft, dictu mirabile, trepidantibus cunctis, funus excuffum, & inter fpectatores fuos adftitit: Crux reperta, dignôque ambitu confecrata.

I His per Helenam geftis, principe Chriftiano libertatem atque exemplum fidei mundus acceperat: fed longè atrocius periculum cunctisEcclefiis illâ pace generatum. namque

CAP.
XXXV.

---

4. *Funeris exftincti folemnibus exfequiis deferebatur*] Legendum fine dubio, ut Sigonius monuit, *funus exftincti,* id eft, mortui cujusdam hominis.

5. *Funus excuffum, & inter fpectatores fuos adftitit*] id eft, homo mortuus refufcitatus eft. An verò res omnino fic fe habeat, dubium redditur inde, quòd alii fcribunt, crucem Domini deprehenfam atque agnitam fuiffe ex titulo.

Crux reperta & digno ambitu confecrata] *Ambitum* vocare videtur, quod alii *ambitionem,* id eft, ftudium, contentionem. Nepos Dione: *Magnâ eum ambitione Syracufas perduxit.* Iuftinus lib. 1 cap. 3 *Cùm admitti magnâ ambitione ægrè obtinuiffet.* Inde *ambitiofus* pro eo, qui magno ftudio aliquid facit.

tùm

Hæresis Ar- tùm hæresis Arrii prorupit, totúmque orbem
riana. invecto errore turbaverat.   Etenim duobus 2
Arriis, acerrimis perfidiæ hujus auctoribus,
Imperator etiam depravatur: dúmque sibi
religionis officium videtur implere, vim per-
secutionis exercuit: actíque in exilium episcopi, sævitum in clericos, animadversum in laicos, qui se ab Arrianorum communione se-
creverant. Quæ autem Arriani prædicabant, 3
erant hújuscemodi: patrem Domini instītu-
endi orbis caussâ genuisse filium; eo pro po-

---

2. *Duobus Arriis acerrimis perfidie hujus auctoribus*] Duorum illorum unus fuit primarius,
alter ab ejus partibus stetit. Alexander, Episcopus
Alexandrinus, in epist. apud Socratem lib. I cap. 6.
cùm unius Arii mentionem fecisset, subjicit deinde
ὁ ἄλλ☉ Ἄρει☉ *alter Arius.* Sic & Sozomenus
lib. I cap. 15 scribit, Ario adhæsisse tum alios quosdam, tum quoque τοὺ ἄλλον Ἄρειον.

Sævitum in clericos, animadversum in laicas]
Distinctio Christianorum in *clericos* & *laicos* satis
antiqua, & jàm tempore Concilii Nicæni obtinuit.
Canon V ejus Concilii: *De iis qui communione
privantur,* εἴτε τῶν ἐν κλήρῳ, εἴτε τῶν ἐν λαϊκῷ τάγ-
ματι, *sive sint ex clero, sive ex laico ordine.* Ita
passim & alibi.

3. *Instituendi orbis caussâ genuisse filium*] Cre-
andi mundi, interque cetera creandorum hominum,
caussâ.

Eo pro potestate sui] Eo pro inde, eam ob caus-
sam. Sic infra cap. 40 *Quod eo mirum atque in-*
teſtate

teſtate ſui ex nihilo, in ſubſtantiam novam atque alteram,factum Dominum novum, alterúmque: fuiſſe autem tempus, quo filius non fuiſſet.   Igitur hujus mali cauſsâ Syno-dus apud Nicæam ex toto orbe contrahitur. ccc ſiquidem & duodeviginti Epiſcopis congregatis,fides plena conſcribitur: hæreſis Arriana damnatur,Imperator decretum Epiſcopale complectitur.   Arriani nihil contra ſanam fidem retractare auſi, ſe quoque tanquam adquieſcentes,ne aliud ſentientes,Ecclefiis miſcuerunt: manebat tamen in pectoribus eorum inſitum in catholicos viros odium : & adversùm quos de fide diſceptare non poterant,eos ſubornatis adcuſatoribus, fictisque criminibus adpetebant.

Synodus Nicæna.

---

credibile videtur, quia. Deinde legendum fortaſſe *pro poteſtate ſuâ :* ut ſcriptum hoc ſit pro *pro poteſtate ejus,* patris puta.   Pronomen reciprocum pro demonſtrativo quandoque & meliores poñunt: cujus rei exempla in lib. de Latinit. f. ſuſp. pag. 46 & 47 congeſta ſunt.

  4. *Synodus apud Nicæam contrahitur*] pro *Nicææ.*   ſic ſupra *Apud Carras, apud Babyloniam, apud Hieroſolymam,* pro *Carris, Babylonic, Hieroſolyma ;* pro more iſtius ſeculi.

  5. *Eos ſubornatis adcuſatoribus, fictisque criminibus adpetebant*] Ita meliores *adpetere aliquem inſidiis, gladio :* poniturque ita *adpetere* pro ſimplici *petere.*

Itaque

CAP.
XXXVI.
Athana-
sius.

Itaque primùm Athanasium Alexandriæ **1**
Episcopum, juris consultum, qui apud Nicænam synodum Diaconus adfuerat, ad-
grediuntur, absentémque condemnant. Et- **2**
enim ad crimina, quæ falsi testes congesse-
rant, adgregabant, quòd Marcellum atque
Photinum hæreticos sacerdotes, Synodi
judicio condemnatos, pravo studio recepisset. Sed de Photino dubium non erat, me- **3**
ritò fuisse damnatum: in Marcello nihil tùm
damnatione dignum repertum videbatur,

---

1. *Qui apud Nicænam synodum Diaconus adfue-*
rat] pro *in Nicenâ synodo.* Sic &, cùm scribit
apud Babylonem, apud Hierosolymam, voculam
apud pro *in* ponit.

2. *Ad crimina adgregabant, quòd Marcellum*
atque Photinum] Qui historiam legerit, observa-
bit, malè conjuncta esse à nostro, quæ separatis temporibus acciderunt. Depositus fuit Athanasius ab
Episcopis, qui Tyri convenerant ob crimina quædam, quæ falsò ei impacta fuerant, & mox deinde ab
Imperatore Constantino M. in Gallias relegatus;
neque ab eodem, sed ab ejus filio demum inde revocatus fuit. Quod Marcellum atque Photinum recepisset, id objici ei non tunc potuit, cùm depone-
retur. quippe Photinus post mortem demum
Constantini hæresin suam prodidit; Marcellus verò post Synodum Sardicensem demum, diu post excessum Constantini mandato Constantii habitam, &
per quam Marcellus absolutus fuit, ab Athanasio in
communionem receptus est.

maxi-

maximéque ei ſtudium partium innocentum
accefferat, quòd eosdem illos judices, à quibus fuerat condemnatus, hæreticos eſſe
4 nemo dubitabat. Ceterùm Arriani non hos
potiùs, quàam Athanaſium, removere cupiebant. Itaque Imperatorem eò usque compellunt, ut Athanaſius exulatum ad Gallias
5 mitteretur. Mox in Ægypto octoginta epiſcopi congregati, Athanaſium injuſtè con-
demnatum eſſe pronunciant. Res ad Conſtantinum refertur. Iubet ex toto orbe apud
Sardicam epiſcopos congregari : atque o: Synodus Sardicen-
mne judicium, quo Athanaſius damnatus
6 fuerat, retractari. Inter hæc Conſtanti- ſis,
nus moritur : Synodus congregata jam
Conſtantio Imperatore, Athanaſium abſolvit : Marcellus quoque epiſcopatui redditur.
Nam de Photino Syrmienſi non eſt reſciſſa
ſententia, quia etiam noſtrorum judicio
hæreticus probabatur. Et tamen hoc i-
pſum Marcellum gravabat, quia Photinus
auditor ejus fuiſſe in adoleſcentiâ videbatur.

---

5. *Iubet ex toto orbe apud Sardicam Epiſcopos
congregari*] Falſo hoc Conſtantino patri tribuitur
à noſtro. Factum eſt à Conſtantino, monitu ac ro-
gatu fratris Conſtantis: Vide Theodoret. lib. II
Hiſt. Eccl. cap. 4 *Apud Sardicam* ſcribit more ſuo
pro *Sardicæ*: quomodo *apud Babyloniam, apud
Niceam* ſupra.

Verum-

Verumtamen ad Athanasii absolutionem et- 7
iam illud accesserat, quod Vrsatius & Valens, principes Arrianorum, cùm post Synodum Sardicensem viderentur à communione secreti, coràm positi, à Julio Romanæ urbis episcopo veniam popofcerunt,
quod innoxium condemnaffent : meritó-
que eum sententiâ concilii Sardicensis abso-
lutum professi sunt.

C A P.　　　Interjecto deinde tempore Athanasius, 1
XXXVII.　cùm Marcellum parùm sanæ fidei esse penitùs comperisset, à communione suspendit,
habuitque ille hanc verecundiam, vt tanti
viri judicio notatus, sponte concederet.
Ceterùm antea innocens, postea deprava- 2
tus, videri poterat jàm tùm nocens fuisse,
cùm de eo fuerat judicatum. Nacti ergo Arriani istiusmodi·occasionem, conspirant penitùs Sardicensis Synodi decreta subvertere.

1. *A communione suspendit*] Eadem phrasi &
infra usus est. Ceterùm cap. 45 dicit, *se à communione ejus secernere.* Contrarium ei, quòd superiore capite scribit *recipere*: pro quo alibi plenè
scribit *in communionem recipere*: Infra cap. 41 dicit, *communionem cum aliquo inire.*　Quò perti-
nebant κανονικὰ ἤτοι κοινωνικὰ γράμματα, *epistolæ
canonicæ*, *communicatoriæ*, *formatæ*: de quibus vide Iustellum Notis in Cod. Can. Eccl. univ.
pag. 182.

　　　　　　　　　　　　　　　　　　Etenim

3 Etenim eis color quidam suppetere videbatur, quòd tam injustè fuisset pro Athanasio judicatum, quàm Marcellus fuerat absolutus, qui nunc etiam Athanasii judicio hæreticus
4 esse probaretur. Namque Marcellus Sabellianæ hæresis adsertor exstiterat: Photinus Photini hæresis. verò novam hæresin jam antè protulerat, à Sabellio quidem in unione dissentiens, sed
5 initium Christi ex Mariâ prædicabat. Igitur Arriani astuto consilio miscent innoxium criminosis, damnationémque Photini & Marcelli & Athanasii eâdem sententiâ comprehendunt: illud nimirum apud Imperatorum animos præstruentes, ut non putarentur de Athanasio perperam judicasse, qui de Mar-
6 cello atque Photino vera sensissent. Verumtamen eâ tempestate Arriani perfidiam suam occultabant, non ausi palàm erroris sui dog-

----

3. *Eis color quidam suppetere videbatur*] Color pro specie, prætextu. Quinctilian. lib. II cap. I *Quod si nulla contingit excusatio, sola colorem habet pœnitentia.* Inde verbum *colorare* pro prætextu, titulo uti. Valerius Max. lib. VIII c. 2 *Libidinosam liberalitatem debiti nomine colorando.*

4. *Marcellus Sabellianæ hæresis adsertor*] Non mirum ergo, quòd nec Arriani eum probarunt. Hi enim Filium Dei à Patre adeò diversum statuerunt, ut eum κτίσμα *creaturam* esse putarent, cùm Sabellius Patrem, Filium & Spiritum S. unius substantiæ

R   gmata

mata prædicare: catholicos fe gerebant, nihil fibi priùs agendum rati, quàm ut Athanafium Ecclefiâ fubmoverent, qui femper eis velut murus obftiterat: quo remoto, reliquos in libidinem fuam cefturos fperabant. Sed pars Epifcoporum, quæ Arrium fequebatur, damnationem Athanafii cupitam accepit: pars coacti metu & factione, in ftudia partium concefferant. pauci, quibus fides chara, & veritas potior erat, injuftum judicium non receperunt: inter quos Paulinus,

---

diverfas modò nomenclaturas effe contenderit. Sed alii eum hærefi Paulli Samofateni addictum fuifle fcribunt. Vide Socratis Hift. Eccl. lib. I cap. 36, & Sozomeni Hift. Eccl. lib. II cap. 33. Cui confentaneum eft, quòd difcipulum habuit Photinum, qui ipfam Paulli Samofateni hærefin recoxit; videlicet Chriftum non antè extitifle quàm ex Mariâ nafceretur. Auguftinus lib. de hæref. *Ifta hærefis aliquando cujusdam Artemonis fuit: fed cùm defecifſet, inftaurata eft à Paullo: & poſtea fic à Photino confirmata, ut Photiniani quàm Paulliani celebriùs adpellentur.* Si igitur Paulli Samofateni hærefin habuit Marcellus, difcrepavit itidem ab Arrianis, neque ab his probari potuit. Arriani enim Chriftum creatum quidem, fed ante mundum tamen creatum effe putarunt.

6. *Reliquos in libidinem fuam cefſuros fperabant*] Mox, *In ftudia partium concefſerant.* Et fortaſſe pro fimplici *cefſuros* quoque legendum *conceſſuros.*

epifco-

episcopus Treverorum, oblatâ sibi epistolâ
ita subscripsisse traditur, se in Photini atque
Marcelli damnationem præbere consensum,
de Athanasio non probare.

1 Tùm verò Arriani, ubi doli parùm processerant, vi agere decernunt. Nam quod-
libet audere atque agere facilè erat, regis
amicitiâ subnixis, quem sibi pravis adulatio-
2 nibus devinxerant. Quin etiam ex consen-
sione multorum inexpugnabiles erant. nam
omnes ferè duarum Pannoniarum Episcopi,
multique Orientalium, ac tota Asia in per-
3 fidia eorum conjuraverant. Sed principes
mali istius habebantur, à Singiduno Vrsatius,
Valens à Mursiâ, ab Heracliâ Theodorus,

CAP.
XXXVIII.

---

7. *De Athanasio non probare*] Giselinus vix du-
bitat, Sulpicium scripsisse *non præbere*: quod idem
& nobis valde verisimile sit.

1. *Regis amicitiâ subnixis*] Constantii puta. Imperatores Romanos noster subinde *reges* vocat, quòd
reverâ tales & essent; quemadmodum Græci non
tantum αὐτοκράτορας, sed & βασιλεῖς eos adpella-
bant.

2. *In perfidiâ eorum conjuraverant*] Fortasse *in
perfidiam* legendum. Certè alii passim dicunt *Con-
jurare in aliquid*: ut *in perniciem alicujus, in arma, in ruinam alicujus*. Si genuina est lectio vulgata, referendum id in censum eorum, de quibus in
Notis in cap. X Vitæ Mart. egimus.

3. *A Singiduno Vrsatius*] Promiscuè præpositio-

R 2

Ste-

Stephanus Antiochenus, Acatius à Cæfareâ, Menophanes Ephefo, Georgius Laodiceâ, Narciffus à Neapoli. Hi ita palatium occu- 4 paverant, ut nihil fine eorum nutu ageret Imperator : obnoxius quidem omnibus, fed præcipuè Valenti deditus. Nam eo tempore, quo apud Morfam contra Magnentium *Conftantius Imp.* armis certatum, Conftantius defcendere in confpectum pugnæ non aufus, in bafilicâ martyrum extra oppidum fitâ, Valente tùm ejus loci epifcopo in folatium adfumto, diverfatus eft. Ceterùm Valens callidè per 5 fuos difpofuerat, ut quis prælii fuiffet eventus, primus cognofceret: vel gratiam regis captans, fi prior bonum nuncium detuliffet: vel vitæ confulens, antè capturus fugiendi fpatium, fi quid contra accidiffet. Itaque 6 paucis, qui circa regem erant, metu trepidis,

___

tionem vel adjicit, vel omittit, Sequitur enim, *Valens à Murfiâ, ab Heracliâ Theodorus :* & mox, *Menophanes Ephefo, Georgius Laodiceâ.* Et fanè ipfi quoque meliores præpofitionem adjiciunt, dicúntque *Paftor ab Amphryfo, Principes à Corâ.* Vide lib. noftrum de Latinit. f. fusp. pag. 203.

3. *Narciffus à Neapoli*] Drufius legendum putat *Neropoli;* quod valdè probo. Conftare enim ex Athanafio & ex Socrate poteft. Narciffum illum urbis cujusdam Ciliciæ, cui nomen *Neronias* & *Neropolis* fuit, Epifcopum fuiffe.

Im-

Imperatore anxio, primus nunciat hostes fugere. Cùm ille indicem ipfum intromitti
pofceret, Valens ut reverentiam fui adderet,
7 angelum fibi fuiffe nuncium refpondit. Facilis ad credendum Imperator, palàm poftea
dicere eft folitus, fe Valentis meritis, non virtute exercitûs viciffe.

1   Ab hoc initio inlecti principis, extulere **C A P.**
animos Arriani, poteftate regis ufuri, ubi **XXXIX.**
auctoritate fuâ parùm valuiffent. Igitur
cùm fententiam eorum, quam de Athanafio
dederant, noftri non reciperent, edictum ab
imperatore proponitur, ut qui in damnationem Athanafii non fubfcriberent, in exilium
2 pellerentur. Ceterùm à noftris tùm apud **Concilium**
Arelatum ac Buteras oppida Galliarum, epi- **Arelatenfe**
fcoporum concilia fuere. Petebatur, ut pri- **& Buteren-**
usquam in Athanafium fubfcribere cogeren- **fe.**
tur, de fide potiùs difceptarent : nec tùm
demum de re cognofcendum, cùm de per-
3 fonâ judicium conftitiffet. Sed Valens, fo-
ciique ejus, priùs Athanafii damnationem

---

1. *Qui in damnationem Athanafii non fubfcri-*
berent] Mox, *In Athanafium fubfcribere*. Item, *In*
Athanafii damnationem fe confentire fubfcripfit.

2. *Apud Arelatum ac Buteras epifcoporum con-*
cilia fuere] Scribit pro folemni fuo *apud Arela-*
tum pro *Arelati*. Oppidum ipfum frequentius *Are-*
late dicitur : fuitque fedes præfecti prætorio Gal-

extorquere cupiebant, de fide certare non
aufi.   Ab hoc partium conflictu agitur in
exilium Paulinus.   Interea Mediolanum
convenitur, ubi tùm aderat Imperator, eadem illa contentio nihil invicem relaxabat.
Tum Eufebius Vercellenfium, & Lucifer, 4
à Caralis Sardiniæ, epifcopi relegati.   Ceterùm Dionyfius, Mediolanenfium facerdos,
in Athanafii damnationem fe confentire fubfcripfit. dummodo de fide inter epifcopos
quæreretur.   Sed Valens & Vrfatius, ceterique, metù plebis, quæ catholicam fidem
egregio ftudio confervabat, non aufi piacula profiteri, intra palatium congregantur.
Illinc epiftolam fub Imperatoris nomine 5
emittunt, omni pravitate refertam : eo nimirum confilio, ut, fi ea æquis auribus po-

---

liarum. Pro *Buteras*, quod in editione Colonienfi,
aliisque eft, Sigonius *Biterras* legendum putat.

4. *Eufebius Vercellenfium epifc.*] Vt mox, *Dio-*
nyfius Mediolanenfium facerdos, & *Hilarius Picta-*
vorum epifcopus. Potuit autem & *epifcopum Ver-*
cellenfem dicere.   ·

4. *Lucifer à Caralis Sardiniæ*] Ita legendum
videtur; non *à Carnalis* vel *à Caranalis,* ut Colonienfis allæque editiones habent. Vulgo *Lucifer*
Caralitanus dicitur; cujus & opufcula aliquot fu-
perfunt.

5. *Etiam tùm catechumenus*] Nondum bapti-
pu-

pulus recepiffet, publicâ auctoritate cupita proferrent. Sin aliter fuiffet excepta, omnis invidia effet in rege, & ipfa venialis : quia etiam tùm catechumenus, facramentum fidei meritò videretur potuiffe nefcire. Igitur

6 lectam in Ecclefiâ epiftolam, populus averfatur. Dionyfius, quia non effet adfenfus, urbe pellitur : ftatimque ejus in locum epi-

7 fcopus fubrogatur. Liberius quoque urbis Romæ, & Hilarius Pictavorum epifcopus, dantur exilio. Rhodanium quoque, & Dofanum antiftitem [qui naturâ lenior, non tam fuis viribus, quàm Hilarii focietate non cefferat] Arrianis eadem conditio implicuit:

---

zatus. Nam catechumeni dicebantur, donec baptizati effent.

6. *In ejus locum epifcopus fubrogatur*] Sigonius fufpicatur deeffe nomen *Auxentius*, & legendum effe, *In ejus locum Auxentius epifc. fubrogatur*. Et fanè in locum Dionyfii fubrogatum effe Auxentium Arrianum, ex hiftoriâ notum eft.

7. *Dantur exilio*] Vt *dare morti, dare neci, dare internecioni, dare leto, dare captivitati;* quibus phrafibus nofter fæpè utitur.

Dofanum antiftitem] Sigonius fufpicatur legendum effe *Hofium*. Quod & verifimile eft. Hofium enim, Cordubenfem epifcopum, inter eos fuiffe, qui in exilium tùm pulfi fuerunt, ex Athanafio & ejus ætatis Hiftoricis fciri poteft. Deinde, quòd hic additur, naturâ leniorem fuiffe, & non tam fuis

cùm

cùm tamen homines parati essent Athanasi-
à communione suspendere, modò ut de fide
inter Episcopos quæreretur.   Sed Arrianis **8**
optimum visum, præstantissimos viros à certamine submovere.   Ita pulsi in exilium,
quos supra memoravimus, abhinc annos
quinque & quadraginta, Arbitione & Lol-
liano consulibus.   Sed Liberius paullò pòst
urbi redditur, ob seditiones Romanas. Ce- **9**
terùm exules satis constat totius orbis studiis
celebratos, pecuniásque eis in sumtum adfa-
tim congestas, legationibus quoque eos plebis catholicæ ex omnibus ferè provinciis
frequentatos.

---

viribus, quàm Hilarii societate non cessisse Arrianis,
id Hosio sere congruit.   Capite prox. *Osium quoque
ab Hispaniâ in eamdem persidiam concessisse opinio fuit.*

Non cesserat] Conjungenda cum his proximè
sequens vox *Arrianis ;* túmque comma ponendum,
quo eadem vox à sequentibus separatur : ut rectè
suspicatus est, ac Drusium monuit, Theod. Cante-
rus.   Parenthesi autem nihil opus hîc est.

*Cùm tamen homines parati essent Athanasium
à communione suspendere, modò ut de fide inter
Episcopos quæreretur*] Pro *homines* legendum videtur *omnes.*   Etiam de Dionysio, Episcopo Me-
diolanensi, supra scriptum est, illum subscripsisse in
damnationem Athanasii se consentire, dummodo
de fide inter Episcopos quæreretur.

Inter-

1 Interea Arriani non occultè, ut antea, sed palàm ac publicè hæresis piacula prædicabant : quin etiam Synodum Nicænam pro se interpretantes, quam unius litteræ adjectione corruperant, caliginem quamdam in- 2 jecerant veritati.   Nam ubi ὁμοȣσιον erat scriptum, quod unius est substantiæ : illi ὁμοιȣσιον, quod est similis substantiæ, scriptum esse dicebant : concedentes similitudinem, dum adimerent unitatem : quia multùm ab unitate similitudo distaret. ut, verbi gratià, pictura humani corporis esset homini similis, nec tamen haberet hominis veri- 3 tatem.   Sed quidam ex his ultra processerant, Anomœusiam, id est, dissimilem sub-

CAP. XL.
Concilii
Nic. depra-
vatio ab Ar-
rianis facta.

---

2. *Quod unius est substantiæ*] *Substantiam* pro essentiâ dixit. Alii quòd tres divinitatis substantias dixere, aliter vocem acceperunt.

Nec tamen haberet hominis ϐeritatem] Ita omnino legendum, non, ut quidam volunt, *hominis unitatem.* Pictura non habet hominis veritatem, id est, non est verus homo.   Ceterùm comparatio ista nihil est, & ne mentem quidem Arrianorum satis exprimit.   Voluerunt illi, Christum non esse unius ejusdémque substantiæ seu essentiæ cum Patre; sed esse similis modo substantiæ.   At pictura hominis neque ejusdem substantiæ cum homine, neque similis substantiæ est.   Similis quidem pictura hominis est homini : sed non est similis substantiæ, seu essentiæ.   Potiùs illa cum picturâ compara-

R 5   stan-

ſtantiam, eonfirmantes.   Eóque his certa-
minibus proceſſum, ut iſtiusmodi piaculis
orbis terrarum implicaretur.   Nam Italian, 4
Illyricum atque Orientem Valens & Vrſa-
tius, ceterique, quorum nomina edidimus,
infecerant. Gallias noſtras Saturninus Arelatenſium epiſcopus, homo impotens & fa-
ctioſus, premebat.   Oſium quoque ab Hi- 5
ſpaniâ in eandem perfidiam conceſſiſſe, opinio fuit: quod eò mirum atque incredibile
videtur, quia omni ferè ætatis ſuæ tempore
conſtantiſſimus noſtrarum partium, & Nicæna Synodus auctore illo confecta habebatur: niſi fatiſcente ævo [etenim major cen-
tenario fuit, ut ſanctus Hilarius in epiſtolis
refert] deliraverit. quibus rebus perturbato 6
orbe terrarum, & morbo quodam Eccleſiis
languentibus, ſegnior quidem, ſed non minùs gravis cura Principem exercebat: quòd
licet Arriani, quibus favebat, ſuperiores viderentur, necdum tamen de fide inter Epiſcopos conveniret.

tio ad opinionem pertinet eorum, qui ἀνομοιοσίαν,
id eſt diſſimilem ſubſtantiam, Patris & Filii ſtatuerunt. De quibus noſter mox ſubjicit: *Sed quidam
ex his ultra proceſſerant, Anomœuſiam, id eſt, diſſimilem ſubſtantiam, confirmantes.*

   3. *Iſtiuſmodi piaculis*] Ita hæreſin Arrianam vocat. Paullò antè quoque *hæreſis piacula* dixit.

                                              Igi-

1 Igitur apud Ariminum, urbem Italiæ, CAP. XLI.
Synodum congregari jubet : idque Tauro Synodus
Præfecto imperat, ut conlectos in unum non Ariminen-
ante dimitteret, quàm in unam fidem con- sis.
sentirent: promiſſo eidem Conſulatu, ſi rem
2 effectui tradidiſſet. Ita miſſis per Illyricum,
Italiam, Aphricam, Hiſpanias Galliásque magiſtris officialibus, acciti numerative quadringenti & aliquantò ampliùs Occidentales Epiſcopi, Ariminum convenere: quibus
omnibus annonas & cellaria dare Imperator
3 præceperat. ſed id noſtris, id eſt, Aquitanis,
Gallis ac Britannis, indecens viſum: repudiatis fiſcalibus, propriis ſumtibus vivere maluerunt. Tres tantùm ex Britanniâ, inopiâ
proprii, publico uſi ſunt, cùm oblatam à ce-

---

1. *Apud Ariminum*] Pro *Arimini* ſcribit rurſus
pro ſolemni ſuo.

2. *Acciti numeratiße quadringenti*] Sigonius
conjicit legendum eſſe *Acciti aut coaßi;* ut prius
ad Arrianos, poſterius ad Catholicos referatur. Illud
numeratiße nihil eſt.

*Quibus omnibus annonas aut cellaria dare Im-
perator præceperat*] Sigonius legendum putat *dari.*
Qui idem & per annonam τὰ ἰδώδιμα ſeu eſculen-
ta; per cellaria autem potulenta, intelligenda eſſe
credit.

3. *Sed id noſtris, id eſt, Aquitanis, Gallis & Britannis, indecens ßiſum*] Rectè conjicit Sigonius,
verba illa, *id eſt, Aquitanis, Gallis & Britannis,* gloſ-
teris

teris conlationem refpuiffent: fanctiùs pu-
tantes fifcum gravare, quàm fingulos. Hoc 4
ego Gavidium epifcopum noftrum, quafi ob-
trectantem, referre folitum audivi. fed longè aliter fenferim: laudique adtribuo epifcopis, tam pauperes fuiffe, ut nihil proprium
haberent, neque ab aliis potiùs quàm fifco fumerent, ubi neminem gravabant, ita in utriusque egregium exemplum. De reliquis
nihil memoriâ dignum traditur. Sed redeo 5
ad ordinem. Pofteaquam omneis, ut fupra dictum, in unum conlecti funt, fit parti-

---

fema effe, atque ex margine inrepfiffe in textum.
Vocabulo *noftri* nofter ad religionem adludere, &
Catholicos defignare folet. Vt fupra cap. XXXIX
A noftris tùm apud Arelatum ac Buteras epifcopa-
rum concilia fuere. Et inf. hoc cap. *Ecclefiam no-*
ftri obtinent.

Repudiatis fifcalibus] id eft, ex fifco, & publico,
fumendis. Mox, *Tres tantùm publico ufi funt.* Infra
Dial. II cap. 3 *Rheda fifcalis.*

4. *Ita in utriusque egregium exemplum*] Legendum videtur, *Ita in utrisque egregium exemplum.*
Dicit Epifcopos, qui nihil proprium habuerunt, unde vivere poffent, & ex fifco fumere maluerunt quàm
ab aliis, in utroque egregium fuiffe exemplum; quod
fcilicet alii imitentur. *In utrisque* dicit pro *in utro-*
que, id eft, in utraque re. Ita Nepos *utrique Diony-*
fii pro *uterque Dionyfius;* & *utrosque profligabit*
pro *utrumque.* Vide & Indices in Florum & in Nepotem.

um

um feceffio. Ecclefiam noftri obtinent, Arriani tam Edentum de induftriâ vacantem, orationis loco capiunt: fed hi non amplius quàm octoginta. Reliqui nôftrarum
6 partium erant. Igitur frequentibus conciliis nihil actum, noftris in fide manentibus, illis de perfidiâ non cedentibus. Ad poftremum placuit, decem legatos mitti ad imperatorem, ut quæ effent partium fides & fententia, cognofceret, fcirétque pacem cum
7 hæreticis effe non poffe. Idem Arriani faciunt, mittúntque numero pari legatos, qui adversùm noftros coram Imperatore confligerent. fed ex parte noftrorum leguntur homines adolefcentes, parùm dòcti, & parùm cauti: ab Arrianis autem miffi, fenes, callidi & ingenio valentes, veterno perfidiæ imbuti, qui apud règem facilè fuperiores ex-
8 ftiterunt. Sed noftris mandatum, ne quo modo cum Arrianis communionem inirent, omniáque integra Synodo refervarent.

---

5. *Ecclefiam noftri obtinent, Arriani tam Edentum de induftria ɓacantem orationis loco capiunt*] Templum rurfus *ecclefiam* vocat pro more ejus feculi. Pro *tam Edentum* legendum videtur *edem tum:* ut ferè & Sigonio vifum. Porro *orationis loco* pro *in locum orationis.* Nimirum Arriani tunc temporis feparatim orare foliti funt, cùm antea conjunctim id factum fuiffet cum aliis.

Inte-

CAP. XLII.
Synodus
Seleucien-
sis.

Interim in Oriente exemplo Occidentalium, Imperator jubet cunctos ferè Episcopos
apud Seleuciam Isauriæ oppidum congregari.   Quâ tempeſtate Hilarius, quartum jàm
exilii annum in Phrygiâ agens, inter reliquos
epiſcopos , per vicarium ac præſidem datâ
evectionis copiâ, adeſſe compellitur: cùm
tamen nihil de eo ſpecialiter mandaſſet Imperator, judices tantùm generalem juſſionem

1

2

---

2. *Per Vicarium & Præſidem*] Hos ſcilicet ma-
giſtratûs duæ Phrygiæ, Pacatiana & Salutaris, ubi
Hilarius tunc agebat, habuere, ut ex Notitiâ Imperii
conſtare poteſt.

Datâ evectionis copiâ] id eſt, datâ curſus publici
copiâ. Nam curſum publicum iſto ævo & *evectionem* dicebant. Savaro ad ep. XX lib. V Sidonii A-
pollinaris notat, evectiones eſſe ipſas litteras & diplomata, quibus jus & copia curſus publici uſurpandi datur.   In quam ſententiam & Buchnerus in
Additionibus ad Fabrum ſcripſit.   Iam non nego
quidem, ipſa quoque diplomata & litteras, quibus
curſus publici uſurpandi copia dabatur, *evectiones*
dictas fuiſſe [id enim ex phraſi *evectionem inſpicere*
& id genus aliis, quæ lib. XII Cod. Iuſtinianei, tit.
XXIII & alibi leguntur, facilè adparet] ſed propriè
tamen ea vox ipſum curſum publicum ſignificat : idque vel ex phraſi *evectionis copiam alicui dare,* intelligi poteſt.   *Copia* ſine dubio eſt pro poteſtate, &
copiam dare pro poteſtatem dare.   Non autem di-
plomatis copia ſeu poteſtas datur, ſed rei alicujus,
quæ diplomate conceditur. Libri XII Cod. Iuſtinianei Tit. LI. *Evectionum copiam Senatui, cum pro-*
ſequu-

sequuti, quâ omnes episcopos ad concilium cogere jubebantur, hunc quoque inter reliquos volentes miscere, ut ego conjicio : Dei nutu ita gestum, ut vir divinarum rerum instructissimus,cùm de fide disceptandum erat, interesset.Is ubi Seleuciam venit,magno cum favore exceptus,omnium in se animos & studia converterat. ac primùm quæsitum ab eo, quæ esset Gallorum fides : quia tùm, Arrianis prava de nobis vulgantibus, suspecti ab Orientalibus habebamur,trionymam solitariiDei uniónem secundùm Sabellium credidisse, sed expositâ fide suâ, juxta ea, quæ Nicææ erant à patribus conscripta, Occidentalibus perhibuit testimonium.   Ita absolutis omnium animis , intra conscientiam communionis,

---

ficiscendi ad nos necessitas fuerit, Serenitas nostra largita est.   Item : *Iudicibus faciendæ ebectionis copiam denegamus.*   Vbi *facere copiam ebectionis* nihil aliud est, quàm dare potestatem cursus publici usurpandæ

4. Trionymam solitarii Dei unionem secundùm Sabellium credidisse] Sabellianæ hæresis & supra mentionem fecit cap. 37, scribens, *Marcellum Sabellianæ hæresis adsertorem extitisse,* & *Photinum à Sabellio in unione dissensisse.* Ceterùm trionymam illam solitarii Dei unionem, quam Sabellius credidit, Hieronymus exprimit sic, ut dicat, Sabellium credidisse, in tribus vocabulis trinominem Deum esse.

nec

nec non etiam in focietatem receptus, cen-
cilióque adfcitus eft.   Agi deinde cœptum:
repertique pravæ hærefis auctores, atque ab
Ecclefiæ corpore avulfi.   In eo numero fue- 6
re, Georgius ab Alexandriâ, Acatius, Eudo-
xius, Vranius, Leontius, Theodofius, Evagrius, Theodulus.   Sed confectâ Synodo,
decreta ad Imperatorem legatio, quæ gefta
infinuaret. damnati quoque ad regem profecti, fatis freti fociorum viribus, & Principis focietate.

C A P.
XLIII.   Interea legatos Ariminenfis concilii ex 1
parte noftrorum compellit Imperator uniri
hæreticorum communioni: eisdémque con-
fcriptam ab improbis fidem tradit, verbis fal-

---

5. *Abfolutis omnium animis*] Pro *folutis*; compofitum ponit pro fimplici, ut & lib. I factum.

Intra confcientiam communionis, nec non etiam
in focietatem receptus] Supra cap. 36 *Quòd Mar-*
cellum atque Photinum prabo ftudio recepiffet.
Ibi ergo folo verbo *recipere* ufus tantumdem dicit.
Capite 41 dicit *communionem cum aliquo inire.* Et
cap. 43 *communioni alicujus uniri.*

6. *Legatio, quæ gefta infinuaret*] Vfus ille vocabuli *infinuare* antiquioribus ignotus fuiffe videtur.

1. *Legatos Ariminenfis concilii ex parte noftro-*
rum compellit Imperator uniri hereticorum unio-
ni] De his fupra cap. XLI fcripferat, homines fuiffe
adolefcentes, parùm doctos, parùmque cautos.

lenti-

lentibus involutam, quæ Catholicam difci-

2 plinam, perfidiâ latente, loqueretur. Namque Vſiæ verbum tamquam ambiguum, &
temere à patribus uſurpatum, neque ex auctoritate ſcripturarum profectum, ſub ſpecie
falſæ rationis abolebat, ne unius cum patre
ſubſtantiæ filius crederetur. Eadem fides ſimilem patri filium fatebatur. ſed interiùs aderat fraus parata, ut eſſet ſimilis, non eſſet

3 æqualis.   Ita dimiſſis legatis, præfecto mandatum, ut Synodum non antè laxaret, quàm
conſentire ſe omnes ſubſcriptionibus profi-
terentur.   Ac, ſi qui pertinaciùs obſiſterent,
dummodo is numerus intra quindecim eſſet,

4 in exilium pellerentur.   Sed regreſſis legatis, licet vim regiam deprecantibus, negata
communio.   Enimvero compertis quæ de-

Conſcriptum ab improbis fidem tradit] *Fides*
pro expoſitione fidei. de quâ mox additur, quòd Catholicam diſciplinam perfidiâ latente locuta fuerit;
Vſiæ verbum ſub ſpecie falſæ rationis aboleverit,
ne unius cum Patre ſubſtantiæ filius crederetur; ſimilem denique Patri filium faſſa fuerit.

4. *Regreſſis legatis negata communio*] Quod ſupra cap. 37 dicit à communione ſuſpendere & cap. 45,
à communione alicujus ſe ſecernere; id nunc *communionem negare* dicit.   Contrarium eſt, *communionem dare, in communionem recipere, communionem cum aliquo inire.*

S

creta erant, major rerum & confiliorum per-
turbatio : dein paullatim plerique noftrorum, partim imbecillitate ingenii, partim tæ-
dio peregrinationis evicti, dedere fe adverfariis, jam poft reditum legatorum fuperioribus, & Ecclefiam noftris inde detrufis obti-
nentibus factâque femel inclinatione animorum, catervatim in partem alteram conceffum : donec ad viginti usque noftrorum
numerus imminutus eft.

CAP. XLIV. Fœbadius.　Sed hi quantò pauciores, tantò validiores **1**
erant. conftantiffimúsque inter eos habeba-
tur, nofter Fægadius, & Servatio Tungrorum epifcopus. hos, quia minis & terriculis
non cefferant, Taurus precibus adgreditur,
ac lacrimans obteftatur, mitiora uti confulerent. claufos intra unam urbem epifcopos
jam feptimum menfem agere : injuriâ hie-
mis & inopiâ confectis, nullam fpem rever-
fionis dari. quis tandem effet finis? feque- **2**
rentur plurium exemplum, auctoritatem
faltem ex numero fumerent. Etenim verò
Fægadius paratum fe exilio; atque ad omne
fupplicium, in quod depofceretur, profiteri :

———————————————————————

1. *Nofter Fægadius*] Legendum videtur *Fœbadius* vel *Phœbadius*. Fuit autem Aginnenfis in
Aquitaniâ epifcopus, cujus elegans contra Arrianos
extat libellus.

fe ab

se ab Arrianis conceptam fidem non receptu-
3 rum.   Ita in hoc certamine aliquot dies tra-
cti, ubi parùm ad pacem proficiebant, paullatim & ipse infractior, ad extremum propo-
4 sitâ conditione evincitur.   Namque Valens
& Vrsatius adfirmantes, præsentem fidem
Catholicâ ratione conceptam, ab Orientalibus Imperatore auctore prolatam, cum piaculo repudiari, ut quis discordiarum finis foret, si, quæ Orientalibus placuisset, Occiden-
5 talibus displiceret.   Postremò si quid minùs
plenè præsenti fide editum videretur, ipsi
adderent, quæ addenda putarent: præbitu-
ros se, in his quæ essent adjecta, consensum.
Favorabilis professio pronis omnium animis
excepta, nec ultrà nostri repugnare ausi, jam
quoquo modo finem rebus imponere cupi-

---

1. *Vbi parùm ad pacem proficiebant, paullatim
& ipse infractior*] Legendum *proficiebat,* monente Sigonio. Videtur autem non de Tauro præfecto, ut quidem volunt, sed de Fœbadio loqui. Porro
infractum dicit non pro *non fracto,* sed pro *fracto ;*
ut antiquiores ad unum omnes, & noster quoque suprà non semel vocem usurpavit.

4. *Præsentem fidem*] id est, præsentiam fidei ex-
positionem. Sic cap. superiore, *Conscriptam ab
inprobis fidem.*

Vt quis discordiarum finis foret] Sigonius legendum putat, *ecquis discord. f. f.*

entes. Dein conceptæ à Fægadio & Serva- 6
tione profeſſiones ædi cœpere: in quìs primùm damnatur Arrius, totáque ejus perfidia:
ceterùm non etiam patri æqualis, & ſine initio, ſine tempore, Dei filius pronunciatur.
Tùm Valens tamquam noſtros adjuvans, 7
ſubjecit ſententiam, cui inerat occultus dolus; filium Dei non eſſe creaturam ſicut ceteras creaturas : fefellitque audientes fraus
profeſſionis. Etenim his verbis, quibus ſimilis eſſe ceteris creaturis filius negabatur,
creatura tamen, potior tantùm ceteris, pro-
nunciabatur. Ita neutra pars viciſſe ſe pe- 8
nitùs, aut victam putare poterat: quia fides
ipſa pro Arrianis, profeſſiones verò poſteà
adjectæ pro noſtris erant : præter illam,
quam Valens ſubjunxerat, quæ tùm non intellecta, ſerò demum animadverſa eſt. Hoc
verò modo concilium dimiſſum, bono initio,
fœdo exitu eſt conſummatum.

CAP. XLV. Igitur Arriani rebus nimiùm proſperè & 1
ſecundùm vota fluentibus, Conſtantinopo-
lim ad Imperatorem concurrunt: ibi repertos Seleucienſis Synodi legatos, vi regià compellunt, exemplo Occidentalium, pravàm
illam fidem recipere. Plerique abnuentes 2
injuriosà cuſtodià ac fame vexati, captivam
conſcientiam dedere. Multi conſtantiùs

reti-

retinentes, ademto Epifcopatu in exilium detrufi, atque in eorum locum alii dati. Ita optimis facerdotibus aut metu territis, aut exilio deductis, perfidiæ paucorum cuncti

3 concefferant. Aderat ibi tùm Hilarius, à Seleuciâ legatos fecutus, nullis certis de fe Hilarius. mandatis opperiens Imperatoris volunta-tem, fi forfitan redire ad exilium juberetur. Is ubi extremum fidei periculum animad-vertit, Occidentalibus deceptis, Orientales per fcelus vinci: tribus libellis publicè datis audientiam regis popofcit, ut de fide coram

4 adverfariis difceptaret. Id verò Arriani maximopere abnuere. Poftremò quafi dis-cordiæ feminarium & perturbator Orientis, redire ad Gallias jubetur, absque exilii indul-

---

2. *Multi conftantiæ retinentes*] Legendum fine dubio *renitentes*, uti Drufius conjecit. Id enim συνάφεια verborum requirit; & verbo reniti nofter fæpe ufus deprehenditur. Vt Dial.I *Adverfùm hæc Epifcopi obftinatiùs renitentes.*

4. *Redire ad Gallias jubetur absque exilii indulgentiâ*] Infra in lib. de Vita Mart. cap. 6 *Cùm fanéto Hilario comperiffet regis pœnitentiâ poteftatem indultam fuiffe, redeundi Romæ, ei tentabit adcurrere.* Quod cum illo altero nonnihil difcrepat. Cùm enim hic fcribat, regis pœnitentiâ poteftatem indultam fuiffe Hilario in Gallias redeundi, in altero loco fcribit, quafi difcordiæ feminarium & perturbatorem Orientis ad Gallias redire juffum effe.

 gentiâ

gentiâ. Verùm ubi permenſus eſt orbem 5
penè terrarum, malo perfidiæ infectum, dubius animi, & magnâ curarum mole æſtuans,
cùm plerisque videretur non ineundam cum
his communionem, qui Ariminenſem Synodum recepiſſent, optimum factu arbitratus,
revocare cunctos ad emendationem & pœnitentiam frequentibus intra Gallias conciliis, atque omnibus ferè epiſtolis de errore
profitentibus, apud Ariminum geſta condemnant, & in ſtatum priſtinum Eccleſiarum
fidem reformant.   Reſiſtebat ſanis conſiliis 6
Saturninus Arelatenſium epiſcopus, vir ſanè

Ceterùm ſive permiſſum ei fuerit Gallias repetere,
ſive id facere omnino juſſus fuerit à Conſtantio, ad
Eccleſiam Pictavienſem certè non antè rediit, quàm
Conſtantius deceſſiſſet inque locum ejus ſucceſſiſſet
Iulianus. Diſertè enim Hieronymus in l. c. Lucif.
Tunc omnes epiſcopi, qui de propriis ſedibus fue-
rant exterminati, per indulgentiam noſtri Princi-
pis [Iuliani puta] *ad Eccleſias revertuntur.   Tunc*
Hilarium ſuum de prælio revertentem, Galliarum
Eccleſia complexa eſt. Atque hoc illud eſt, quod noſter dicit, Hilarium ad Gallias redire juſſum fuiſſe,
absque exilii indulgentiâ ſeu remiſſione, id eſt, ut
in ipſis Galliis tamen ab Eccleſiâ ſuâ exſularet.

5. *Omnibus ferè epiſtolis de errore profitentibus*]
Giſelinus pro *epiſtolis* reſtituendum putat *epiſcopis:*
id quod valdè probo.

Apud Ariminum geſta condemnant] Scribit pro
more ſui ævi *apud Ariminum* pro *Arimini.*   Pro

peſſi-

peffimus, & ingenio malo, pravôque. Verùm etiam præter hæresis infamiam, multis atque infandis criminibus convictus, Ecclesiâ
7 ejectus est. Ita partium vires amisso duce infractæ. Paternus etiam à Petrocoris æquè vecors, nec detrectans perfidiam profiteri, facerdotio pulfus: ceteris venia data. Illud apud omnes conftitit, unius Hilarii beneficio
8 Gallias noftras piaculo hærefis liberatas. Ceterùm Lucifer tum Antiochiæ longè diverâ fententiâ fuit. Nam in tantum eos, qui Arimini fuerant, condemnavit, ut fe etiam ab eorum communione fecreverit, qui eos fub
9 fatisfactione vel pœnitentiâ recepiffent. Id rectè, an perperam conftituerit, dicere non aufim. Paulinus & Rhodanius in Phrygiâ defuncti. Hilarius fexto anno, poftquam redierat, in patriâ obiit.

1 Sequuntur tempora ætatis noftræ gravia & periculofa, quibus non ufitato malo pollutæ Ecclefiæ, & perturbata omnia. Namque tùm primùm infamis illa Gnofticorum hærefis intra Hifpanias deprehenfa, fuperftitio exi-

CAP.
XLVI.
Gnofticorum hærefis

---

condemnant, próque eo, quod fequitur reformant, legendum videtur condemnat & reformat; ut ad unum Hilarium id pertineat. Non enim cafus rectus numeri pluralis antecedit; fed tantùm numeri fingularis arbitratus.

tiabi-

tiabilis arcanis occultata secretis. Origo
istius mali, oriens ab Ægyptiis. Sed quibus 2
ibi initiis coaluerit, haud facilè est disserere.
Primus eam intra Hispanias Marcus intulit,
Ægypto profectus, Memphis ortus. hujus
auditores fuere, Agape quædam non ignobilis mulier, & rhetor Helpidius. Ab his 3
Priscillianus est institutus, familiâ nobilis,
prædives opibus, acer, inquies, facundus,
multâ lectione eruditus, disserendi ac dispu-
tandi promtissimus. Felix profecto, si non 4
pravo studio corrupisset optimum ingenium; prorsus multa in eo animi & corporis bona cerneres. vigilare multum, famem
ac sitim ferre poterat, habendi minimè
cupidus, utendi parcissimus. Sed idem 5
vanissimus, & plus justo inflatior profanarum rerum scientiâ: quin & magicas artes ab adolescentiâ eum exer-
cuisse creditum est. Is ubi doctrinam exitiabilem adgressus est, multos nobilium, plurésque populares auctoritate persuadendi &
arte blandiendi adlicuit in societatem. Ad 6

---

2. *Marcus Memphis ortus*] Galesinius legendum
censet *Memphi*. Verùm nihil est opus. Nam &
infra cap. XV Dial. I scribit, *Deserto quod est Mem-*
phis contiguum. Deinde in cap. XVI ejusdem Dialogi similiter scribit *Syenis,* numero itidem plurali.

hoc

hoc mulieres novarum rerum cupidæ, fluxâ
fide, & ad omnia curioso ingenio, catervatim ad eum confluebant.   Quippe humilitatis speciem ore & habitu prætendens, honorem sui & reverentiam cunctis injecerat.
7 Iámque paullatim perfidiæ istius tabes, pleraque Hispaniæ pervaserat: quin & nonmulli
episcoporum depravati, inter quos Instantius
& Salvianus, Priscillianum non solùm con-
sensione, sed sub quâdam etiam conjuratio-
8 ne susceperant.   Quo Adyginus, episcopus
Cordubensis, ex vicino agens, comperto, ad
9 Idatium emeritæ ætatis sacerdotem refert. Is
verò sine modo, & ultra quàm oportuit, In-
stantium sociósque ejus lacessens, facem
quamdam nascenti incendio subdidit : ut
exasperaverit malos potiùs, quàm compres-
serit.

---

8. *Adyginus episcopus*] Drusius legendum censet *Hyginus*. Quod verisimile sit ex eo, quòd idem
& infra cap. proximo vocari videtur *Iginus;* pro
quo tamen itidem *Hyginus* legendum fuerit.

8. *Emeritæ ætatis sacerdotem*] Quidam legendum putant *Emeritæ civitatis*, ut *Emerita* sit nomen proprium loci.   Et constat sanè, in Lusitaniâ
fuisse urbem nomine *Emeritam:* cujus episcopus
& Metropolitanus fuit.   Porro *sacerdotem* dicit
pro episcopo, ut sæpè.

S 5

Igitur

CAP.
XLVII.
Synodus
Cæsarau-
guſtana.

Igitur poſt multa inter eos, & digna memoratu certamina, apud Cæſarauguſtam Synodus congregatur : cui tùm etiam Aquitani Epiſcopi interfuere. Verùm hæretici committere ſe judicio non auſi, in abſentes tùm lata ſententia, damnatique Inſtantius & Salvianus epiſcopus, Helpidius & Priſcillianus laici. Additum etiam, ut, ſi quis damnatos in communionem recepiſſet, ſciret in ſe eamdem ſententiam promendam. Atque id Ithacio Soſſubenſi epiſcopo negotium datum, ut decretum Epiſcoporum in omnium notitiam deferret, maximéque Iginum extra communionem faceret: qui, cùm pri-

1 2 3

---

1. *Apud Ceſarauguſtam*] Pro *Ceſarauguſtæ*, Vt jam adpareat, noſtrum ferè perpetuò ita ſcribere.

2. *Inſtantius & Salbianus epiſcopus*] Legendum ſine dubio *epiſcopi*, ut Druſius monuit. Quippe *Inſtantium* quoque epiſcopum fuiſſe, ex ſequentibus intelligi poteſt.

3. *Iginum extra communionem faceret*] Pro *Iginus* legendum, ut dixi, *Hyginus*. Eſtque idem ille epiſcopus Cordubenſis, de quo cap. ſuperiore ſcribit, quòd comperto, Inſtantium & Salvianum ſub conjuratione quadam ſuſcepiſſe Priſcillianum, rem ad Idacium, epiſcopum Emeritenſem, atque adeo Metropolitanum Luſitaniæ, retulerit. Porro *extra communionem facere* concisè edictum pro *facere ut eſſet extra communionem, facere ut communia ei negaretur.*

mus,

mus omnium infectari palàm hæreticos coe-
piffet, poftea turpiter depravatus, in com-
4 munionem eos recepiffet.   Interim Inftantius & Salvianus damnati judicio facerdo-
tum Prifcillianum etiam laicum, fed principem malorum omnium, unà fecum Cæfar-
auguftanâ Synodo notatum, ad confirman-
das vires fuas Epifcopum Labinenfi oppido
conftituunt : rati nimirum, fi hominem
acrem & callidum facerdotali auctoritate
5 armaffent, tutiores fore fefe.   Tùm verò
Idacius atque Ithacius acriùs inftare, arbi-
trantes poffe inter initia malum comprimi :
fed parùm fanis confiliis, feculares judices
adeunt, ut eorum decretis atque exfecutioni-
6 bus hæretici urbibus pellerentur.   Igitur
poft multa & fœda Idacio fupplicante, elici-
tur à Gratiano tùm Imperatore refcriptum, Gratianus
quo univerfi hæretici excedere non Ecclefiis Imp.
tantùm aut urbibus, fed extra omnes terras
7 propelli jubebantur.   Quo comperto, Gno-

---

4. *Prifcillanum epifcopum in Labinenfi oppido
conftituunt*] Pro *Labinenfi* legendum fine dubio
Abilenfi, ut Sigonius cenfet: quia *Labinum* nomen
planè ignotum eft; Hieronymus autem in lib. de
Script. eccl. Prifcillianum epifcopum Abilæ vocat.

5. *Seculares judices adeunt*] De novâ vocabuli
fecularis notione, hujúsque origine, monui fupra in
Notis ad cap. XIV hujus, & ad cap. III fuperioris libri.

ftici

ftici diffifi rebus fuis, non aufi judicio certare,
fponte ceffere, qui Epifcopi videbantur: ceteros metus difperfit.

<table><tr><td>CAP.
XLVIII.</td><td>

At tùm Inftantius, Salvianus & Prifcilli-
nusRomam profecti,ut apudDamafum urbis
eâ tempeftate epifcopum objecta purgarent.
Sed iter eis præter interiorem Aquitaniam
fuit: ubi dum ab imperitis magnificè fufce-
pti, fparfere perfidiæ femina. maximéque
Elufanam plebem, fanè tùm bonam & reli-
gioni ftudentem, pravis prædicationibus per-
vertere. à Burdigalâ per Delphinum repulfi,
tamen in agro Euchrociæ aliquantisper mo-
rati, infecere nonnullos fuis erroribus. Inde
iter cœptum ingreffi, turpi fanè pudibundô-
que comitatu, cùm uxoribus atque alienis
etiam fœminis, in quis erat Euchrocia, ac filia
ejus Procula: de quâ fuit in fermone homi-
num, Prifcilliani ftupro gravidam, partum
fibi graminibus abegiffe. Hi ubi Romam
pervenere, Damafo fe purgare cupientes, ne
in confpectum quidem ejus admiffi funt.
Regreffi Mediolanum, æquè adverfantem
fibi Ambrofium repererunt. Tùm vertere
confilia, ut, quia duobus Epifcopis, quorum
eâ tempeftate fumma auctoritas erat, non</td><td>1

2

3

4

5</td></tr></table>

---

2. *Elufanam plebem*] Ab Elufone, oppido Gal-
liæ fic dictam.

illu-

illuferant, largiendo & ambiendo ab Imperatore cupita extorquerent. ita corrupto Macedonio, cum Magiftro officiorum, refcriptum eliciunt, quo calcatis, quæ priùs decreta erant, reftitui Ecclefiis jubebantur. Hoc freti Inftantius & Prifcillianus, repetivere Hi-

6 fpanias. Nam Salvianus in urbe obierat: ac tùm fine ullo certamine Ecclefias, quibus præfuerant, recepere.

I Verùm Trachio ad refiftendum non ani- CAP. mus, fed facultas defuit: quia hæretici cor- XLIX. rupto Volventio proconfule, vires fuas con-

---

5. *Cum Magiftro officiorum*] Legendum, ut Sigonius monuit, *tùm Magiftro officiorum*: ut intelligatur, Macedonium, cujus mentio antè facta, magiftrum officiorum tùm temporis fuiffe. Fuit autem *Magifter officiorum*, ut ex Notitiâ Imperii Orientalis & Occidentalis adparet, magnæ dignationis vir; cui non tantum multæ Scholæ, fed & varia fcrinia ac fabricæ commiffæ fuere.

1. *Trachio ad refiftendum non animus, fed facultas defuit*] Pro *Trachio* refcribendum fine dubio *Idacio*, ut Sigonius monuit. De hoc nimirum in cap. proximo fuperiore fcripferat, quod eo fupplicante refcriptum elicitum fuerit ab Imperatore, quo univerfi hæretici excedere non ecclefiis tantùm aut urbibus, fed extra omnes terras propelli juffi fuerint. Idem igitur Idacius, qui refcriptum iftud elicuerat, cùm refcriptum aliud elicitum effet, quo hæretici Ecclefiis reftitui juberentur, nihil ampliùs efficere potuit.

fir-

firmaverant.   Quin etiam Ithacius, ab his 2
quasi perturbator Ecclesiarum reus postula-
tus, jussúsque per atrocem exsecutionem deduci, trepidus profugit ad Gallias: ibi Gre-
gorium præfectum adiit. Qui compertis quæ
gesta erant, rapi ad se turbarum auctorem
jubet, ac de omnibus ad Imperatorem refert,
ut hæreticis viam ambiendi præcluderet.
Sed id frustra fuit : quia per libidinem & 3
potentiam paucorum , cuncta ibi venalia
erant.   Igitur hæretici suis artibus, grandi
pecuniâ Macedonio datâ, obtinent, ut Imperiali auctoritate præfecto erepta cognitio,
Hispaniarum vicario.   Nam jàm proconsu- 4
lem habere desierant: missíque à magistro
officiales, qui Ithacium tùm in Treveris agen-

---

2. *Quin etiam Ithacius*] Si pro *Trachio* recte legitur *Idacio*, ut videtur : hic quoque *Idacius* legendum fuerit.   Quamquam cognata nomina sunt
Idacius & *Ithacius*; & supra cap. XLVII Idacius
& Ithacius, ut eamdem rem agentes, conjunguntur.

3. *Vt Imperiali auctoritate præfecto erepta cognitio Hispaniarum vicario*] Hic vox aliqua ad
complendum sensum desideratur.   Et Galesinius
quidem adjiciendum putat *deferatur*; ut intelligatur, Imperatoris Gratiani mandato cognitionem
causæ præfecto prætorio Galliarum Gregorio ereptam, & vicario Hispaniarum delatam fuisse.

4. *Tùm Treveris agentem*] Editio Coloniensis
tùm in ære feris agentem. Gisclinus igitur *ære*
tem

tem ad Hispanias retraherent.   Quos ille
callidè frustratur: ac postea, per Pritannium
5 episcopum defensus, inlusit.   Iàm rumor
incesserat, Clementem Maximum intra Britannias sumsisse imperium, ac brevi in Gallias erupturum.   Ita tùm Ithacius statuit,
licet rebus dubiis, novi Imperatoris adventum exspectare :   interim sibi nihil agitan-
6 dum.   Igitur ubi Maximus oppidum Tre- Maximus
verorum victor ingressus est, ingerit preces Imperator.
plenas in Priscillianum ac socios ejus invidiæ
7 atque criminum.   Quibus permotus Imperator, datis ad præfectum Galliarum atque ad
vicarium Hispaniarum litteris, omnes omni-
no, quos labes illa involuerat, deduci ad Syn- Synodus
8 odum Burdegalensem jubet. Ita deducti In- Burdega-
stantius & Priscillianus :   quorum Instantius lensis.
prior jussq causam dicere, postquam se parùm
expurgabat, indignus esse episcopatu pronun-
9 ciatus est.   Priscillianus verò, ne ab episcopis
audiretur, ad Principem provocavit. permis-
sûmque id nostrorum inconstantiâ, quia aut

---

beris ex conjectura restituit *Treberis.*   Galesinius
autem maluit *Arbernis.*

9. *Aut sibi ipsi suspecti habebantur*] Ita editiones Coloniensis & aliæ.   At manifestum est, excidisse *si,* & legendum esse *Aut, si sibi ipsi.*   Deinde
reciprocum *sibi* videtur esse pro demonstrativo *ei*
sen-

gentiâ. Verùm ubi permensus est orbem 5
penè terrarum, malo perfidiæ infectum, dubius animi, & magnâ curarum mole æstuans,
cùm plerisque videretur non ineundam cum
his communionem, qui Ariminensem Synodum recepissent, optimum factu arbitratus,
revocare cunctos ad emendationem & pœnitentiam frequentibus intra Gallias conciliis, atque omnibus ferè epistolis de errore
profitentibus, apud Ariminum gesta condemnant, & in statum pristinum Ecclesiarum
fidem reformant.   Resistebat sanis consiliis 6
Saturninus Arelatensium episcopus, vir sanè

Ceterùm sive permissum ei fuerit Gallias repetere,
sive id facere omnino jussus fuerit à Constantio, ad
Ecclesiam Pictaviensem certè non ante rediit, quàm
Constantius decessisset inque locum ejus successisset
Iulianus. Disertè enim Hieronymus in l. c. Lucif.
Tunc omnes episcopi, qui de propriis sedibus fue-
rant exterminati, per indulgentiam nobi Princi-
pis [Iuliani puta] *ad Ecclesias revertuntur.   Tunc*
Hilarium suum de prælio revertentem, Galliarum
Ecclesia complexa est. Atque hoc illud est, quod noster dicit, Hilarium ad Gallias redire jussum fuisse,
absque exilii indulgentiâ seu remissione, id est, ut
in ipsis Galliis tamen ab Ecclesiâ suâ exsularet.

5. *Omnibus ferè epistolis de errore profitentibus*]
Giselinus pro *epistolis* restituendum putat *episcopis:*
id quod valdè probo.

Apud Ariminum gesta condemnant] Scribit pro
more sui ævi *apud Ariminum* pro *Arimini.*   Pro

pessi-

peſſimus, & ingenio malo, pravóque. Verùm etiam præter hæreſis infamiam, multis atque infandis criminibus convictus, Eccleſiâ

7 ejectus eſt. Ita partium vires amiſſo duce infractæ. Paternus etiam à Petrocoris æquè vecors, nec detrectans perfidiam profiteri, ſacerdotio pulſus: ceteris venia data. Illud apud omnes conſtitit, unius Hilarii beneficio

8 Gallias noſtras piaculo hæreſis liberatas. Ceterùm Lucifer tum Antiochiæ longè diverâ ſententiâ fuit. Nam in tantum eos, qui Arimini fuerant, condemnavit, ut ſe etiam ab eorum communione ſecreverit, qui eos ſub

9 ſatisfactione vel pœnitentiâ recepiſſent. Id rectè, an perperam conſtituerit, dicere non auſim. Paulinus & Rhodanius in Phrygiâ defuncti. Hilarius ſexto anno, poſtquam redierat, in patriâ obiit.

1 Sequuntur tempora ætatis noſtræ gravia & periculoſa, quibus non uſitato malo pollutæ Eccleſiæ, & perturbata omnia. Namque tùm primùm infamis illa Gnoſticorum hæreſis intra Hiſpanias deprehenſa, ſuperſtitio exi-

CAP.
XLVI.
Gnoſticorum hæreſis

---

condemnant, próque eo, quod ſequitur *reſormant*, legendum videtur *condemnat* & *reformat*; ut ad unum Hilarium id pertineat. Non enim caſus rectus numeri pluralis antecedit; ſed tantùm numeri ſingularis *arbitratus.*

S 4

tiabi-

tiabilis arcanis occultata secretis. Origo
istius mali, oriens ab Ægyptiis. Sed quibus 2
ibi initiis coaluerit, haud facilè est disserere.
Primus eam intra Hispanias Marcus intulit,
Ægypto profectus, Memphis ortus. hujus
auditores fuere, Agape quædam non ignobilis mulier, & rhetor Helpidius. Ab his 3
Priscillianus est institutus, familiâ nobilis,
prædives opibus, acer, inquies, facundus,
multâ lectione eruditus, disserendi ac dispu-
tandi promtissimus. Felix profecto, si non 4
pravo studio corrupisset optimum ingenium; prorsus multa in eo animi & corporis bona cerneres. vigilare multum, famem
ac sitim ferre poterat, habendi minimè
cupidus, utendi parcissimus. Sed idem 5
vanissimus, & plus justo inflatior profanarum rerum scientiâ: quin & magicas artes ab adolescentiâ eum exer-
cuisse creditum est. Is ubi doctrinam exitiabilem adgressus est, multos nobilium, plurésque populares auctoritate persuadendi &
arte blandiendi adlicuit in societatem. Ad 6

---

2. *Marcus Memphis ortus*] Galesinius legendum
censet *Memphi.* Verùm nihil est opus. Nam &
infra cap. XV Dial. I scribit, *Deserto quod est Mem-*
phis contiguum. Deinde in cap. XVI ejusdem Dialogi similiter scribit *Syenis,* numero itidem plurali.

hoc

hoc mulieres novarum rerum cupidæ, fluxâ
fide, & ad omnia curiofo ingenio, catervæ-
tim ad eum confluebant.   Quippe humilitatis fpeciem ore & hàbitu prætendens, honorem fui & reverentiam cunctis injecerat.
7 Iámque paullatim perfidiæ iftius tabes, pleraque Hifpaniæ pervaferat: quin & nonmulli
epifcoporum depravati, inter quos Inftantius
& Salvianus, Prifcillianum non folùm con-
fenfione, fed fub quâdam etiam conjuratio-
8 ne fufceperant.   Quo Adyginus, epifcopus
Cordubenfis, ex vicino agens, comperto, ad
9 Idatium emeritæ ætatis facerdotem refert. Is
verò fine modo, & ultra quàm oportuit, In-
ftantium fociófque ejus laceffens, facem
quamdam nafcenti incendio fubdidit: ut
exafperaverit malos potiùs, quàm compres-
ferit.

---

8. *Adyginus epifcopus*] Drufius legendum cenfet *Hyginus*. Quod verifimile fit ex eo, quòd idem
& infra cap. proximo vocari videtur *Iginus*; pro
quo tamen itidem *Hyginus* legendum fuerit.

8. *Emeritæ ætatis facerdotem*] Quidam legendum putant *Emeritæ civitatis*, ut *Emerita* fit nomen proprium loci.   Et conftat fanè, in Lufitaniâ
fuiffe urbem nomine *Emeritam*: cujus epifcopus
& Metropolitanus fuit.   Porro *facerdotem* dicit
pro epifcopo, ut fæpè.

S 5

Igitur

Igitur poſt multa inter eos, & digna me- **1**
moratu certamina, apud Cæfarauguſtam
Synodus congregatur : cui tùm etiam A-
quitani Epiſcopi interfuere. Verùm hære- **2**
tici committere ſe judicio non auſi, in abſentes tùm lata ſententia, damnatique Inſtantius
& Salvianus epiſcopus, Helpidius & Priſcillianus laici. Additum etiam, ut, ſi quis da- **3**
mnatos in communionem recepiſſet, ſciret
in ſe eamdem ſententiam promendam. Atque id Ithacio Soſſubenſi epiſcopo negotium
datum, ut decretum Epiſcoporum in omnium notitiam deferret, maximéque Iginum
extra communionem faceret: qui, cùm pri-

---

1. *Apud Cæſarauguſtam*] Pro *Cæſarauguſtæ,*
Vt jam adpareat, noſtrum ferè perpetuò ita ſcribere.

2. *Inſtantius & Salbianus epiſcopus*] Legendum
ſine dubio *epiſcopi,* ut Druſius monuit. Quippe
Inſtantium quoque epiſcopum fuiſſe, ex ſequentibus intelligi poteſt.

3. *Iginum extra communionem faceret* } Pro
Iginus legendum, ut dixi, *Hyginus.* Eſtque idem
ille epiſcopus Cordubenſis, de quo cap. ſuperiore
ſcribit, quòd comperto, Inſtantium & Salvianum ſub
conjuratione quadam ſuſcepiſſe Priſcillianum, rem
ad Idacium, epiſcopum Emeritenſem, atque adeo
Metropolitanum Luſitaniæ, retulerit. Porro *extra
communionem facere* conciſè edictum pro *facere ut
eſſet extra communionem, facere ut communia ei
negaretur.*

mus.

mus omnium infectari palàm hæreticos cœpisset, postea turpiter depravatus, in com-
4 munionem eos recepisset.   Interim Instantius & Salvianus damnati judicio sacerdotum Priscillianum etiam laicum, sed principem malorum omnium, unà secum Cæsar-
augustanâ Synodo notatum, ad confirman-
das vires suas Episcopum Labinensi oppido
constituunt : rati nimirum, si hominem
acrem & callidum sacerdotali auctoritate
5 armassent, tutiores fore sese.   Tùm verò
Idacius atque Ithacius acriùs instare, arbi-
trantes posse inter initia malum comprimi:
sed parùm sanis consiliis, seculares judices
adeunt, ut eorum decretis atque exsecutioni-
6 bus hæretici urbibus pellerentur.   Igitur
post multa & fœda Idacio supplicante, elici-
tur à Gratiano tùm Imperatore rescriptum, **Gratianus**
quo universi hæretici excedere non Ecclesiis **Imp.**
tantùm aut urbibus, sed extra omnes terras
7 propelli jubebantur.   Quo comperto, Gno-

---

4. *Priscillianum episcopum in Labinensi oppido
constituunt*] Pro *Labinensi* legendum sine dubio
Abilensi, ut Sigonius censet: quia *Labinum* nomen
planè ignotum est; Hieronymus autem in lib. de
Script. eccl. Priscillianum episcopum Abilæ vocat.

5. *Seculares judices adeunt*] De novâ vocabuli
secularis notione, hujúsque origine, monui supra in
Notis ad cap. XIV hujus, & ad cap. III superioris libri.

stici

stici diffifi rebus fuis, non aufi judicio certare,
fponte ceffere, qui Epifcopi videbantur: ceteros metus difperfit.

CAP.
XLVIII.

At tùm Inftantius, Salvianus & Prifcillia- 1
nusRomam profecti,ut apudDamafum urbis
eâ tempeftate epifcopum objecta purgarent.
Sed iter eis præter interiorem Aquitaniam 2
fuit: ubi dum ab imperitis magnificè fufcepti, fparfere perfidiæ femina. maximéque
Elufanam plebem, fanè tùm bonam & religioni ftudentem, pravis prædicationibus per-
vertere. à Burdigalâ per Delphinum repulfi,
tamen in agro Euchrociæ aliquantisper mo-
rati, infecere nonnullos fuis erroribus. Inde 3
iter cœptum ingreffi, turpi fanè pudibundô-
que comitatu, cum uxoribus atque alienis
etiam fœminis, in quis erat Euchrocia, ac filia
ejus Procula: de quâ fuit in fermone hominum, Prifcilliani ftupro gravidam, partum
fibi graminibus abegiffe. Hi ubi Romam 4
pervenere, Damafo fe purgare cupientes, ne
in confpectum quidem ejus admiffi funt.
Regreffi Mediolanum, æquè adverfantem
fibi Ambrofium repererunt. Tùm vertere 5
confilia, ut, quia duobus Epifcopis, quorum
eâ tempeftate fumma auctoritas erat, non

---

2. *Elufanam plebem*] Ab Elufone, oppido Gal-
liæ fic dictam.

illu-

illuserant, largiendo & ambiendo ab Imperatore cupita extorquerent. ita corrupto Macedonio, cum Magistro officiorum, rescriptum eliciunt, quo calcatis, quæ priùs decreta erant, restitui Ecclesiis jubebantur. Hoc freti Instantius & Priscillianus, repetivere Hispanias. Nam Salvianus in urbe obierat: ac tùm sine ullo certamine Ecclesias, quibus præfuerant, recepere.

Verùm Trachio ad resistendum non animus, sed facultas defuit: quia hæretici corrupto Volventio proconsule, vires suas con-

6

I

CAP. XLIX.

---

5. *Cum Magistro officiorum*] Legendum, ut Sigonius monuit, *tùm Magistro officiorum*: ut intelligatur, Macedonium, cujus mentio antè facta, magistrum officiorum tùm temporis fuisse. Fuit autem *Magister officiorum*, ut ex Notitiâ Imperii Orientalis & Occidentalis adparet, magnæ dignationis vir; cui non tantum multæ Scholæ, sed & varia scrinia ac fabricæ commissæ fuere.

1. *Trachio ad resistendum non animus, sed facultas defuit*] Pro *Trachio* rescribendum sine dubio *Idacio*, ut Sigonius monuit. De hoc nimirum in cap. proximo superiore scripserat, quod eo supplicante rescriptum elicitum fuerit ab Imperatore, quo universi hæretici excedere non ecclesiis tantùm aut urbibus, sed extra omnes terras propelli jussi fuerint. Idem igitur Idacius, qui rescriptum istud elicuerat, cùm rescriptum aliud elicitum esset, quo hæretici Ecclesiis restitui juberentur, nihil ampliùs efficere potuit.

fir-

firmaverant. Quin etiam Ithacius, ab his 2
quasi perturbator Ecclesiarum reus postula-
tus, jussúsque per atrocem exsecutionem deduci, trepidus profugit ad Gallias: ibi Gre-
gorium præfectum adiit. Qui compertis quæ
gesta erant, rapi ad se turbarum auctorem
jubet, ac de omnibus ad Imperatorem refert,
ut hæreticis viam ambiendi præcluderet.
Sed id frustra fuit: quia per libidinem & 3
potentiam paucorum, cuncta ibi venalia
erant. Igitur hæretici suis artibus, grandi
pecuniâ Macedonio datâ, obtinent, ut Imperiali auctoritate præfecto erepta cognitio,
Hispaniarum vicario. Nam jàm proconsu- 4
lem habere desierant: missíque à magistro
officiales, qui Ithacium tùm in Treveris agen-

---

2. *Quin etiam Ithacius*] Si pro *Trachio* recte legitur *Idacio*, ut videtur: hic quoque *Idacius* legendum fuerit. Quamquam cognata nomina sunt
Idacius & *Ithacius*; & supra cap. XLVII Idacius
& Ithacius, ut eamdem rem agentes, conjunguntur.

3. *Vt Imperiali auctoritate præfecto erepta cognitio Hispaniarum Bicario*] Hic vox aliqua ad
complendum sensum desideratur. Et Galesinius
quidem adjiciendum putat *deferatur;* ut intelligatur, Imperatoris Gratiani mandato cognitionem
causæ præfecto prætorio Galliarum Gregorio ereptam, & vicario Hispaniarum delatam fuisse.

4. *Tùm Treberis Agentem*] Editio Coloniensis
tùm in ære Beris agentem. Giselinus igitur *ære*
                                        tem

   tem ad Hiſpanias retraherent. Quos ille
callidè fruſtratur: ac poſtea, per Pritannium
5 epiſcopum defenſus, inluſit. Iàm rumor
inceſſerat, Clementem Maximum intra Britannias ſumſiſſe imperium, ac brevi in Gallias erupturum. Ita tùm Ithacius ſtatuit,
licet rebus dubiis, novi Imperatoris adventum exſpectare: interim ſibi nihil agitan-
6 dum. Igitur ubi Maximus oppidum Tre- Maximus
verorum victor ingreſſus eſt, ingerit preces Imperator.
plenas in Priſcillianum ac ſocios ejus invidiæ
7 atque criminum. Quibus permotus Imperator, datis ad præfectum Galliarum atque ad
vicarium Hiſpaniarum litteris, omnes omni-
no, quos labes illa involuerat, deduci ad Syn- Synodus
8 odum Burdegalenſem jubet. Ita deducti In- Burdega-
ſtantius & Priſcillianus: quorum Inſtantius lenſis.
prior juſſo cauſam dicere, poſtquam ſe parùm
expurgabat, indignus eſſe epiſcopatu pronun-
9 ciatus eſt. Priſcillianus verò, ne ab epiſcopis
audiretur, ad Principem provocavit. permiſ-
ſùmque id noſtrorum inconſtantiâ, quia aut

ßeris ex conjectura reſtituit *Treßeris.* Galeſinius
autem maluit *Arßernis.*

   9. *Aut ſibi ipſi ſuſpecti habebantur*] Ita editiones Colonienſis & aliæ. At manifeſtum eſt, exci-
diſſe *ſi*, & legendum eſſe *Aut, ſi ſibi ipſi.* Deinde
reciprocum *ſibi* videtur eſſe pro demonſtrativo *ei*
                       ſen-

fententiam in refragantem ferre debuerant,
aut fibi ipfi fufpecti habebantur, aliis epifcopis audientiam refervare, non caufam Imperatori de tam manifeftis criminibus permittere.

CAP. L.   Ita omnes, quos caufa involverat, ad re-   1
gem deducti.   Secuti etiam adcufatores,
Idacius & Ithacius epifcopi: quorum ftudium in expugnandis hæreticis non reprehen-
derem, fi non ftudio vincendi plus quàm
oportuit certaffent.   Ac mea quidem fen-   2
tentia eft, mihi tam reos quàm adcufatores
difplicere.   Certè Ithacium nihil penfi, nihil
fancti habuiffe definio.   Fuit enim audax,
loquax, impudens, fumtuofus, ventri & gulæ
plurimùm impertiens.   Hic ftultitiæ eò us-   3

---

vel *illi;* ut ad Prifcillianum hoc pertineat.   Quem
pronominis *fibi* ufum & fupra in cap. II hujus lib.
obfervavimus.

    2. *Mihi tam reos quàm adcufatores difplicere*]
Sigonius legit, *Mihi non tam reos quàm adcufat.
difplicere.*

    Nihil penfi, nihil fancti habuiffe] Putant qui-
dam noftrum præcipuè Salluftium imitatum effe.
Quod fi ita eft, hanc quoque phrafin *nihil penfi habere,* à Salluftio mutuatum eum effe dicendum fuerit.   Certè Salluftius in Bello Catil. fic non femel loquitur.   Sed non addit ille *nihil fancti.*   Addit vero alicubi, *neque moderati:* ut plenum fit,
nil fancti, neque moderati habere.

    5 *Quibus ftudium inerat lectionis*] Ad hunc
                                            que

que proceſſerat, ut omnes etiam ſanctos viros, quibus aut ſtudium inerat lectionis, aut
propoſitum erat certare jejuniis, tamquam
Priſcilliani ſocios aut diſcipulos, in crimen
4 arceſſeret. Auſus etiam miſer eſt, eâ tempeſtate Martino epiſcopo, viro planè Apoſtolis conferendo, palàm objectare hæreſis infa-
5 miam.   Namque tùm Martinus apud Tre-
veros conſtitutus, non definebat increpare
Ithacium, ut ab accuſatione deſiſteret: Maximum orare, ut ſangvine infelicium abſtineret: ſatis ſupérque ſufficere, ut Epiſcopali
ſententiâ hæretici judicati Eccleſiis pellerentur: novum eſſe & inauditum nefas, ut cau-
6 ſam Eccleſiæ judex ſeculi judicaret. Denique quoad usque Martinus Treveris fuit, di-

Martinus
epiſc.

---

modum quoque antiquiores. Salluſtius B. Catil.
Huic homini non minor ɓanitas inerat quàm au-
dacia. Vide & Ind. in Nep. v. *ineſſe.*

5. *Martinus apud Treɓiros conſtitutus*] Mox
Martinus Treɓiris fuit. Ergo tandem aliquando
more ſcribendi antiquiore utitur. Illud *apud Tre-*
ɓiros tale eſt, qualia ſunt ſuperiora *apud Babyloni-*
am, apud Ariminum, apud Cæſarauguſtam.

Iudex ſeculi] Supra cap. XLVII *Iudices ſecu-*
lares. Seculum noſtro idem quod *mundus* ; & *ſecu-*
laris idem quod *mundanus,* vel, ut itidem noſter
habet *mundialis:* Cujus rei cauſa & origo ſupra
tradita.

T   lata

lata cognitio est. & mox discessurus, egregiâ
auctoritate à Maximo elicuit sponsionem,
nihil cruentum in reos constituendum. Sed 7
postea Imperator per Magnum & Rufum
episcopos depravatus, & à mitioribus consiliis deflexus, causam præfecto Evodio permisit, viro acri & severo. Qui Priscillianum 8
gemino judicio auditum, convictúmque ma-
leficii, nec diffitentem obscœnis se studuisse
doctrinis, nocturnos etiam turpium feminarum egisse conventus, nudúmque orare solitum, nocentem pronunciavit, redegitque
in custodiam, donec ad principem referret.
Gestis ad palatium delatis, censuit Imperator,
Priscillianum sociósque ejus capitis damnari
oportere.

CAP. LI.   Ceterùm Ithacius videns, quàm invidio- 1
sum sibi apud Episcopos foret, si adcusato
etiam postremis rerum capitalium judiciis
adstitisset [etenim iterari judicium necesse
erat] subtrahit se cognitioni frustra, callido
jàm scelere perfecto.   At tùm per Maxi- 2
mum adcusator adponitur Patricius quidam,

---

1. *Ithacius videns quàm insidiosum sibi apud*
Episcopos foret] Quæ hoc & superiore capite de
Ithacio episcopo & Maximo imperatore commemo-
rantur, ea utile fuerit cum his, quæ infra in cap. XI,
XII & XIII Dialogi III de eisdem personis perscri-
pta sunt, conferre.

fisci

fisci patronus. Ita eo insistente, Priscillianus capitis damnatus est, unáque cum eo
Felicissimus & Armenius, qui nuper à Ca-
tholicis, clerici Priscillianum secuti, descive-
3 rant. Latronianus quoque, & Euchrocia,
gladio peremti. Instantius, quem superiùs
ab episcopis damnatum diximus, in Sylinam
insulam, quæ ultra Britanniam sita est, depor-
4 tatus. Itum deinde in reliquos sequentibus judiciis, damnatique Asarinus & Aurelius
diaconus gladio. Tiberianus ademtis bonis,
in Sylinam insulam datus. Tertullus, Po-
tamius, & Iohannes, tamquam viliores personæ, & digni misericordiâ, quia ante quæ-
stionèm se ac socios prodidissent, tempora-
5 rio exsilio intra Gallias relegati. Hoc ferè
modo homines luce indignissimi, pessimo
exemplo necati, aut exiliis multati : quod
initio jure judiciorum & egregio publico
defensum, postea Ithacius in jurgiis solitus,
ad postremum convictus, in eos retorque-

---

3. *Latronianus quoque*] Ita & Prosper in Chronico eum vocat. At Hieronymus in lib. de Scriptoribus eccl. *Matronianum* adpellat.

5. *Egregio publico defensum*] *Egregio publico*
pro *bono publico*, imitatione Taciti, qui lib. III
Annal. ad eum modum scripsit. Livius lib. II con-
trárium simili formâ dicit *pessimo publico*. Cete-

T 2

bat,

bat, quorum id mandato & confiliis effecerat; folus tamen omnium epifcopatu detru-
fus.   Nardacius, licet minùs nocens, fpon- 6
te fe epifcopatu abdicaverat.   Sapienter id,
& verecundè, nifi poftea amiffum locum repetere tentaffet.   Ceterùm Prifcilliano oc- 7
cifo, non folùm non repreffa eft hærefis, quæ
illo auctore proruperat, fed confirmata, latiùs propagata eft. namque fectatores ejus,
qui eum priùs ut fanctum honoraverant,
poftea ut martyrem colere cœperunt. Per- 8
emtorum corpora ad Hifpanias relata, magnisque obfequiis celebrata eorum funera.
Quin & jurare per Prifcillianum fumma religio putabatur, ac inter noftros perpetuum
difcordiarum bellum exarferat: quod jàm
per quindecim annos fœdis diffenfionibus
agitatum, nullo modo fopiri poterat.   Et 9
nunc, cùm maximè difcordiis Epifcoporum
turbari aut mifceri omnia cernerentur, cun-
ctáque per eos odio aut gratiâ, metu, inconftantiâ, invidiâ, factione, libidine, avaritiâ,
adrogantiâ, defidiâ, effent depravata: po-

____

rùm *malum publicum* & *bonum publicum* Auctor
Orationis I de rep. ord. habet.

   6. *Nardacius, licet minùs nocens*] Sigonius legendum putat *Nam Idacius:* ut intelligatur Idacius
ille, quem fupra non femel cum Ithacio conjungit.

remò

ſtremò plures adversùm paucos benè con-
ſulentes inſanis conſiliis & pertinacibus ſtudiis certabant: inter hæc plebs Dei, & opti-
mus quiſque probro atque ludibrio habebatur.

SVLPICII SEVERI
DE
B. MARTINI VITA
LIBER.
AD DESIDERIVM PRÆFATIO.

I *SEverus Deſiderio fratri cariſſimo ſalu-*
tem. Ego quidem, frater unanimis, li-
bellum, quem de vitâ ſancti Martini ſcri-
pſeram, ſchedâ ſuâ premere, & intra do-
meſticos parietes cohibere decreveram:
quia, ut ſum naturâ infirmus, judicia hu-
mana vitabam, ne (quod fore arbitror) ſer-
mo incultior legentibus diſpliceret, omni-

---

1. *Seberus*] MS. Bibliothecæ Electoralis Bran-
deburgenſis, quæ Coloniæ ad Spream eſt, inſcriptio-
nem libri talem habet: *In nomine Sancta & indi-*
bidue Trinitatis incipit Prefatio Seberi Sulpicii de
bita ſancti Martini epiſcopi; ut *Seberus* præcedat,
Sulpicius ſequatur. In quam ſententiam & Gennadius: *Seberus cognomento Sulpicius.*

Schedâ ſuâ premere] MS. *ſchedâ ſuâ non promere.*

um-

*umque reprehensione dignissimus judicarer,
qui materiam disertis meritò scriptoribus
reservandam, impudens occupassem. sed
petenti tibi sæpiùs, negare non potui. Quid
enim esset, quod non amori tuo, vel cum de-
trimento m'i pudoris impenderem? Verumtamen eâ tibi fiduciâ libellum edidi, quâ
nulli à te prodendum reor, quia id spopon-
disti. Sed vereor, ne tu ei janua sis futurus: & emissus semel, non queat revocari.
Quod si acciderit, & ab aliquibus eum legi
videris: bonâ id veniâ à lectoribus postu-
labis, ut res potiùs quàm verba perpendant,
& aquo animo ferant, si aures eorum vi-
tiosus forsitan sermo perculerit: quia regnum Dei non in eloquensiâ, sed in fide
constat. Meminerint etiam, salutem seculo non ab oratoribus, sed à piscatoribus
prædicatam: cùm utique, si utile fuisset,*

2. *Quâ nulli à te prodendum reor*] Scribit pro
solemni suo *prodendum esse* pro *proditum iri.* Cujus
generis plurima notata sunt supra.

4. *Salutem seculo prædicatam*] Seculum pro
mundo, Hebraismus: de quo supra ad cap. IV lib. I
Hist. Sacr. Deinde *mundus* pro hominibus tropus
& quidem metonymia, est loci pro incolis, Scriptoribus sacris familiaris. Vsurpant & alii vocem *seculum* pro hominibus. Verùm aliud genus meto-
nymiæ id est, temporis puta, pro his, qui in tempore vivunt.

id quo-

id quoque Dominus præstare potuisset.
5 *Ego enim, cùm primùm animum ad scri-*
bendum adpuli, quia nefas putarem, tanti
viri latere virtutes, apud me ipse didici, ut
solæcismis non erubescerem: quia nec ma-
gnam istarum unquam rerum scientiam
contigissem: & si quid ex his studiis olim
fortasse libassem, totum id desitudine tanti
6 *temporis perdidissem. Sed tamen ne nos*
maneat tam malesta defensio, suppresso, si
tibi videtur, nomine, libellus edatur. Quod
ut fieri valeat, titulum frontis erade, ut
muta sit pagina: & quod sufficit, loqua-
tur materiam, non loquatur auctorem.

5. *Desitudine tanti temporis*] Vocem *Desitudo*
novam & fortasse alibi non lectam, Giselinus nostro
restituere voluit, ex MS. Trudonensi. Sed vereor,
me unum codicem in vocabulo novo sequi, vocém-
que *desuetudo*, quam codices ceteri habent, e textu
eliminare temerarium sit. Sane MS. cujus modò
mentionem feci, habet *dissuetudine*; idque, ut facile adparet, pro *desuetudine*.

6. *Suppresso, si tibi videtur, nomine*] MS. *Sup-*
presso, si tibi videtur, auctoris nomine. Et sanè
vox *auctoris* vix abesse hinc posse videtur.

CAP. I.

1   Lerique mortales studio gloriæ secularis inaniter dediti, exinde perennem, ut putabant, memoriam nominis sui quæsiverunt, si vitas clarorum virorum stilo illustrassent. 2 Quæ res utique non perennem quidem, sed aliquantulum tamen conceptæ spei fructum adferebat: quia & sui memoriam, licet incassum, propagabant: & propositis magnorum virorum exemplis, non parva æmulatio legentibus excitabatur. sed tamen nihil ad beatam illam æternámque vitam hæc eorum cura pertinuit. 3 Quid enim aut ipsis occasura cum seculo scriptorum suorum gloria profuit? aut quid posteritas emolumenti tulit, legendo Hectorem pugnantem, aut Socratem philosophantem?

---

1. *Plerique mortales*] MS. *Plerique mortalium.*

Gloriæ secularis] *Secularis* pro mundano; ut *seculum* pro mundo.

Vitas clarorum virorum] Nepos Præf. *In hoc exponemus libro vitas excellentium Imperatorum.* Et Epam. *Vno hoc volumine vitas excellentium virorum concludere constituimus.* Sed monent Viri docti, MSS. Nepotis utrobique habere *vitam.*

3. *Occasura cum seculo*] Rursus *seculum* pro mundo.

cùm

cùm eos non folùm imitari ftultitia fit, fed
non acerrimè etiam impugnare, dementia:
quippe qui humanam vitam præfentibus tantùm actibus æftimantes, fpes fuas fabulis,
4 animas fuas fepulcris dederint.   Siquidem
ad folam hominum memoriam fe perpetuandos crediderunt: cùm hominis officium
fit, perennem potiùs vitam, quàm perennem
memoriam, quærere, non fcribendo, aut
pugnando, vel philofophando, fed piè, fan-
5 ctè, religioféque vivendo.   Qui quidem error humanus, litteris traditus, in tantum valuit, ut multos planè æmulos vel inanis phi-

---

Quid pofteritas emolumenti tulit] *Ferre* pro *referre, adipifci*, ut optimi quique.   Nepos Attico:
Quo facto tulit pietatis fructum.

Animas fuas] In MS. abeft *fuas*. Et rectè: quia
præcedit *fpes fuas.*

 4. *Perpetuandos*] Verbo *perpetuare* ipfe.quo-
que Cicero ufus. Vt in lib. III de Orat. *Vt fi cui fit
infinitus fpiritus datus, tamen eum perpetuare verba nolimus.*   Nofter infra quoque Dial. II c. 5 éo
verbo utitur.

 5. *In tantum valuit*] *In tantum* pro eo, quod frequentius *tantum.* Virgilius: *Nec puer Iliaca quisquam de gente Latinos In tantum fpe tollet avos.*
Livius lib. XXII *In tantum fuam virtutem enituiffe.*
Et docet Scioppius in Grammaticis & alibi, voces
tantum, quantum, & id genus alias, regulariter cum
præpofitione *Ad* vel *In;* figuratè vero fine præpofitione, poni.

T 5

lofo-

Iofophiæ vel ftultæ illius virtutis invenerit.
Vnde facturus mihi operæ pretium videor, 6
fi vitam fanctiffimi viri, exemplo aliis mox
futuram, perfcripfero: quo utique ad veram
fapientiam, & cœleftem militiam, divinám-
que virtutem legentes incitabuntur. in quo
ita noftri quoque rationem commodi ducimus, ut non inanem ab hominibus memoriam, fed æternum à Deo præmium exfpe-
ctemus. quia etfi ipfi non viximus, ut aliis
exemplo effe poffimus: dedimus tamen
operam, ne is lateret, qui effet imitandus.
Igitur S. Martini vitam fcribere exordiar, &, 7
quæ vel ante epifcopatum, vel in epifcopatu
gefferit. quamvis nequaquam ad omnia illius
potuerim pervenire: adeo ea, in quibus ipfe
tantùm fibi confcius fuit, nefciuntur: quia
laudem ab hominibus non requirens, quantum in ipfo fuit, omnes virtutes fuas latere
voluiffet.   Quamquam etiam ex his, quæ 8

Vt multos plani emulos] MS. *Vt multos tamen
emulos.*   Nec malè illud.

6. *Noftri rationem commodi ducimus*] Non tantum *rationem habere,* fed & *rationem ducere alicujus rei,* elegantiores dicunt. Cicero in Orat. pro
Rofc. Am. *Non laborat de pecuniâ, non ullius rationem fui commodi ducit.*

Quia etfi ipfi non viximus] MS. *Quia etfi ipfi
non ita viximus.*

com-

comperta nobis erant, plura omifimus: quia
fufficere credidimus, fi tantùm excellentiora
notarentur. Simul & legentibus confulen-
dum fuit, ne quod his pareret copia corge-
9 fta faftidium. Obfecro autem eos, qui le-
cturi funt, ut fidèm dictis adhibeant: neque
me quidquam nifi compertum & probatum
fcripfiffe, arbitrentur: alioquin tacere, quàm
falfa dicere, maluiffem.

1 Igitur MARTINVS Sabariæ Pannonia- CAP. II.
rum oriundus fuit, fed intra Itáliam Ticini al-
tus eft, parentibus fecundùm feculi dignitá-

---

8. *Excellentiora*] MS. *excellentia.* Sed præferendum *excellentiora.* Solemne enim eft noftro
comparativis uti pro pofitivis; idque eleganter, quomodo meliores omnes folent. Supra Præf. *Sermo
incultior* pro *incultus.*

9. *Fidem dictis adhibeant*] *Adhibere fidem alicui.*
pro *habere fidem alicui* minimè placet Scioppio,
qui paffim in fcriptis fuis illud rejicit. Vide præcipuè epift. V Paradox. lit. Et fanè antiquiores ita
locutos ipfe vix crediderim. At Severi ævo fic locutos fuiffe, non tantùm ex his & aliis noftri verbis,
fed & ex Hieronymo, Aufonio & aliis intelligi poteft. Nofter infra cap. XI *Martinus non temerè
adhibens incertis fidem.* Et cap. XXIII *Cùm fidem nullus adhiberet.*

1. *Secundum feculi dignitatem*] *Seculum* rurfus
pro mundo per Hebraifmum, ut ad cap. IV lib. I
Hift. S. monuimus.

tem

tem non infimis, gentilibus tamen.　Pater 2
ejus miles primùm, pòst tribunus militum
fuit.　Ipse armatam militiam in adolescentiâ secutus, inter scholares alas sub rege Constantino, deinde sub Iuliano Cæsare militavit: non tamen sponte: quia à primis ferè
annis divinâ potiùs servitute, sacra inlustris
pueri spiravit infantia.　Nam cùm esset an- 3
norum decem, invitis parentibus ad ecclesiam confugit, séque catechumenum fieri
postulavit.　Mox mirum in modum totus 4
in Dei opere conversus, cùm esset annorum
duodecim, eremum concupivit: fecissétque
votis satis, si ætatis infirmitas non obstitisset.
animus tamen circa monasteria, aut circa

---

a. Inter scholares alas] MS. perperam habet *sca-
lares alas.* Sed in imâ paginâ notam adjectam habet non contemnendam : *Rodolphus Langius non
minimæ eruditionis vir hic legendum censet,* scholares alas. *nam adolescentes olim solitos fuisse figere
palos in terris, eosque hastâ invadere, lædere, per-
forare, ac si hostes essent, e quibus legiones lacera-
tæ vel diminutæ instaurabantur.*

*Divinâ potius servitute, sacra inlustris pueri
spiravit infantia*] MS. habet, *Divinam potius servitutem :* quod & genuinum videtur.

4. *In Dei opere conversus*] Pro *In Dei opus conversus.* .Cui simile illud cap. X hujus libri : *Omnia
in medio conferebantur*, pro *in medium.* Item
illud lib. I Hist.Sac. cap.35 *In primo speluncæ aditu
successerat*, pro *in primum aditum.*

eccle-

ecclefiam femper intentus, meditabatur adhuc in ætate puerili, quod poftea devotus
5 implevit. Sed cùm edictum effet à regibus,
ut veteranorum filii ad militiam fcriberen-
tur, prodente patre, qui felicibus ejus actibus
invidebat, cùm effet annorum quindecim,
raptus & catenatus, facramentis militaribus
implicatus eft, uno tantùm fervo comite
contentus': cui tamen versâ vice dominus
ferviebat: adeo ut plerumque ei & calcea-
menta detraheret, & ipfe detergeret: cibum
unâ caperent, hic tamen fæpius miniftraret.
6 Triennium ferè ante baptisma in armis fuit,
integer tamen ab iis vitiis, quibus illud homi-
7num genus implicari folet. Multa illi circa
commilitones benignitas, mira caritas: patientia verò atque humilitas ultra humanum

B. Martini
militia.

---

5. *Edictum effet à regibus*] Qui vulgò Imperatores Romani dicebantur, à noftro & *reges* dicuntur;
quomodo & à Græcis βασιλεῖς dicebantur: quod
quidem revera & erant.

7. *Multa illi circa commil. benignitas*] *Multa
illi benignitas* fcil. *fuit*, pro *multa in eo benignitas
fuit*. Quod proximum loquendi genus Auctori-
bus folemne eft. Cicero in ep. ad Tir. *Vide quanta in te fit fuavitas.* Iuftinus lib. VI *In quo non im-
peratorie tantùm, verùm & oratorie artes fuere.*
Vide & Indicem in Corn. Nepotem, voce *eft*. Ceterùm fi cafum tertium ufurpare velint, utuntur verbo compofito *ineffe*. Salluftius B. Catil. *Huic ho-
mo-*

modum. Nam frugalitatem in eo laudare non est necesse, quâ ita usus est, ut jàm illo tempore non miles, sed monachus putaretur. Quibus rebus ita sibi omnes commilitones suos devinxerat, ut eum miro adfectu venerarentur. Necdum tamen regeneratus **8** in Christo, agebat quemdam bonis operibus baptismatis candidatum : adsistere scilicet laborantibus, opem ferre miseris, alere egen-

---

mini non minor *sanitas inerat quàm audacia.* Nepos Epam. *Inest genti ingenium.*

7. *Humilitas ultra humanum modum*] scil. *illi fuit.* Ceterùm vox *humilitas* aliâ notione à nostro, & ab aliis quoque scriptoribus ecclesiasticis, usurpatur, quàm à profanis. Hi quidem humilitatem non in virtutibus ponunt, sed ad fortunam, aut genus, referunt. Curtius IV. l. 24 *Ditissimus quisque humilitatem inopiámque ejus* [Abdolomini] *apud amicos Alexandri criminabatur.* Vide & Ind. Freishemii in Curtium.

Quâ ita usus est] Frugalitate scilicet. Sic dicunt, *uti prudentiâ, fortitudine, liberalitate, moderatione, crudelitate.* Quibus phrasibus ipsæ secundùm virtutes aut vitia actiones significantur. Exempla eorum notata sunt in Indice in Corn. Nepotem, voce *uti.*

8. *Nec dum tamen regeneratus in Christo*] *Regenerari in Christo* quid sit, ἴσασιν οἱ μεμυημένοι. Vult autem, nondum fuisse baptizatum. Quod & adparet ex eo, quod sequitur, *Agebat quemdam baptismatis candidatum.* Ceterùm quòd regeneratio non ante baptismum fiat, quódque baptismus

tes,

tes, veſtire nudos, nihil ſibi ex militiæ ſtipendiis præter quotidianum victum reſervans: jàm tùm evangelii non ſurdus auditor, de craſtino non cogitabat.

1 Quodam itaque tempore, cùm jàm nihil præter arma & ſimplicem militiæ veſtem haberet, mediâ hieme, quæ ſolito aſperior inhorruerat, adeo ut pleroſque vis algoris exſtingueret, obvium habet in portâ Ambianenſium civitatis pauperem nudum : qui cùm prætereuntes, ut ſui miſererentur, oraret, omnéſque miſerum præterirent : intellexit vir Deo plenus, ſibi illum, aliis miſericordiam non præſtantibus, reſervari. Quid

2 tamen ageret? nihil præter chlamydem, quâ indutus erat, habebat: jàm enim reliqua in opus ſimile conſumſerat. Arrepto itaque ferro, quo accinctus erat, mediam dividit,

C A P. III.
Pauperem veſtit apud Ambianenſes.

---

ad regenerationem planè neceſſarius ſit, alii quoque veterum ſtatuerunt. Manifeſtè Ambroſius c. IV libri de his, qui initiantur myſteriis: *Credit catechumenus: ſed niſi baptizetur, remiſſionem peccatorum non poteſt obtinere.*

  8. *Baptismatis candidatum*] Qui nondum baptizatus eſſet, ſed baptismum jàm ambiret atque expeteret. Candidati antea dicti fuerant, qui magiſtratum peterent; quòd tales, quò magis conſpicui eſſent, candidâ veſte uterentur, Et commodè ſanè vox huc translata eſt; quoniam qui baptizabantur, & ipſi albâ veſte induti fuerunt.

par-

partémque ejus pauperi tribuit, reliquâ rurfus induitur. Interea de circumftantibus
ridere nonnulli, quia deformis effet, & trun-
catus habitu videretur: multi tamen, quibus erat mens fanior, altiùs gemere, quòd
nihil fimile feciffent: cùm utique plus habentes, veftire pauperem fine fuâ nuditate
potuiffent. Nocte igitur infecutâ, cum fe 3
fopori dediffet, vidit Chriftum chlamydis
fuæ, quâ pauperem texerat, parte veftitum.
Intueri diligentiffimè Dominum, veftémque,
quam dederat, jubetur agnofcere. mox ad
angelorum circumftantium multitudinem,
audit Iefum clarâ voce dicentem: Martinus
adhuc catechumenus, hâc me vefte contexit.
Verè memor Dominus dictorum fuorum, 4
[qui antè prædixerat: Quamdiu feciftis hæc

Martino
adparet
Chriftus.

---

2. *De circumftantibus ridere nonnulli*] MS. *ri-
fere.* Ceterùm *de circumftantibus* eft pro *circumftantium.* Nimirum *DE* infervit hic partitioni:
quomodo apud alios quoque paffim.

Altiùs gemere] MS. *Altiùs ingemere.*

3. *Adhuc catechumenus*] Necdum baptizatus.
Nam catechumeni dicebantur, donec effent bapti-
zati; quòd fcripturas audirent, capita doctrinæ
Chriftianæ docerentur.

4. *Quamdiu feciftis hæc uni ex minimis*] Sic
planè & verfio Latina vetus Matth. XXV *Quamdiu feciftis uni ex his fratribus meis minimis.* Ex
uni

uni ex minimis iftis, mihi feciftis] fe in paupere profeffus eft fuiffe veftitum : & ad con-
firmandum tam boni operis teftimonium,
in eodem fe habitu, quem pauper acceperat,
5 eft dignatus oftendere.   Quo vifo, vir bea- Quo temtus non in gloriam eft elatus humanam, fed pore bapti-
bonitatem Dei in fuo opere cognofcens, zatus fit.
cùm effet annorum duodeviginti, ad baptismum convolavit.   Nec tamen ftatim militiæ renunciavit, tribuni fui precibus evictus,
cui contubernium familiare præftabat. etenim transacto tribunatûs fui tempore, re-
6 nunciaturum fe feculo pollicebatur.   Quà
Martinus exfpectatione fufpenfus, per biennium ferè, pofteaquam eft baptisma confecutus, folo licet nomine, militavit.

quo verfionis ejus antiquitas adparet. Ceterùm voce
Quamdiu Interpres exprimere voluit Græcū ἐφ ὅσον.
   4. *Se in paupere fuiſſe βeſtitum*] Ita fæpe loquuntur Veteres. Paulinus epift. XXXIII *Intelli-
gis in omni paupere & egeno Chriſtum cibari, po-
tari, contegi, βiſitari.* Cujus generis plura in lib.
Differt. Sacr. p. 248 congefta reperies.
   5. *Ad baptismum conβolaβit*] MS. *Ad baptisma:*
quomodo & mox, *baptisma confecutus.*
   Renunciaβit militiæ] Sic & paullo poft, *Renun-
ciaturum fe feculo.* ubi *renunciare* eft nuncium re-
mittere. Quà notione ipfe quoque Cicero vocabulo
ufus eft. Ceterùm *feculo* rurfus eft pro *mundo*: cujus fignificationis quæ fit ratio, fæpe dictum.

U   Inter-

CAP. IV.   Interea inruentibus intra Gallias Barbaris, **1**
Iulianus Cæfar, coacto in unum exercitu
apud Vangionum civitatem, donativum
cœpit erogare militibus: ut eft confuetudinis, finguli citabantur, donec ad Martinum
ventum eft.   Tùm verò opportunum tem- **2**
pus exiftimans, quo peteret miffionem, [ne-
que enim integrum fibi fore arbitrabatur, fi

Militiam
mundi
deferit,
ut Chri-
ftum fe-
quatur.

donativum non militaturus acciperet:] Ha- **3**
cterius, inquit ad Cæfarem, militavi tibi: patere ut nunc militem Deo: donativum tuum, militaturus accipiat: Chrifti ego miles
fum. pugnare mihi non licet.   Tùm verò **4**
adverfus hanc vocem tyrannus infremuit,
dicens, eum metu pugnæ, quæ poftera die
erat futura, non religionis gratiâ, detrectare
militiam.   At Martinus intrepidus, immo **5**
inlato fibi terrore conftantior: Si hoc, inquit, ignaviæ adfcribitur, non fidei, craftinâ
die ante aciem inermis adftabo: & in nomine Domini Iefu, figno crucis, non clypeo

---

3. *Militaturus accipiat*] MS. *pugnaturus accipiat alter :* quomodo mox, *pugnare mihi non licet.*

5. *Si hoc ignaßie adfcribitur*] Alii dicunt etiam
tribuere aliquid, adfignare aliquid ignaßie : ad-
dúntque & Dativum perfonæ, aut hujus loco Geni-
tivum, dicúntque *tribuere aliquid alicui ignaßie,
adfignare aliquid ignaßie alicujus.* Vide Ind. in
Nep. à nobis locuplet. v. *tribuere.*

pro-

protectus, aut galeâ, hostium cuneos pene-
6 trabo securus. Retrudi ergo in custodiam
jubetur, facturus fidem dictis, ut inermis bar-
7 baris objiceretur. Posterâ die hostes legatos de pace miserunt, sua omnia seseque de-
dentes. Vnde quis dubitet, hanc verè beati
viri fuisse victoriam, cui præstitum sit, ne in-
8 ermis ad prælium mitteretur. Et quamvis
pius Dominus servare militem suum, licet
inter hostium gladios & tela, potuisset: tamen
ne vel aliorum morte sancti violarentur ob-
9 tutûs, exemit pugnæ necessitatem. Neque
enim aliam pro milite suo Christus debuit
præstare victoriam, quàm ut subactis sine
sanguine hostibus, nemo moreretur.

1 Exinde relictâ militiâ, sanctum Hilarium
Pictavæ episcopum civitatis, cujus tunc in
Dei rebus spectata & cognita fides habebatur, expetivit: & aliquamdiu apud eum
2 commoratus est. Tentavit autem idem
Hilarius, impolito diaconii officio, sibi eum
arctiùs implicare, & ministerio vincire divino. sed cùm sæpissimè restitisset, indignum
se esse vociferans: intellexit vir altioris ingenii, hoc eum modo posse constringi, si.

C A P. V.
Ejus cum
S. Hilario
conversa-
tio.

---

8. *Ne aliorum morte sancti violarentur obtu-*
tûs] Virgilius lib. II Æn.

— — — *Nati me cernere letum,*
Fecisti, & patrios fœdasti sanguine vultus.

                                        id

id ei, officii imponeret, in quo quidam locus
injuriæ videretur. Itaque exorciftam eum
effe præcepit. Quam ille ordinationem, ne
defpexiffe tamquam humiliorem videretur,
non repudiavit. Nec multò pòft admoni- 3
tus per foporem, ut patriam parentésque,
quos adhuc gentilitas detinebat, religiosâ
follicitudine vifitaret, ex voluntate fancti
Hilarii profectus eft, multisque ab eo adftrictus precibus & lacrimis ut rediret, moe-
ftus, ut ferunt, peregrinationem illam adgreffus eft, conteftatus fratres, multa fe ad-
versè paffurum. Quod poftea probavit
eventus. Ac primùm inter Alpes devia 4
fecutus, incidit in latrones. Cúmque unus
fecurim elevatam in caput ejus libraffet,

Parentes
B. Martini
gentiles.

A latroni-
bus capi-
tur.

---

2. *Exorciftam eum effe præcepit*] Inter clericos
& *Exorciftæ* erant: quos Ifidorus Latine *adjuran-
tes* dici poffe fcribit indéque nomen acceptiffe quòd
fuper catechumenos, vel fuper eos, qui fpiritu immundo torquerentur, nomen Chrifti invocarent, ad-
jurantes per eum, ut ab eis egrederetur. De Exor-
cismo, ipfisque Exorciftis, varia congeffit Briffonius
in Comm. ad l. *Dominico.*

3. *Quos adhuc gentilitas detinebat*] Vox *gentilitas* hic ipfum errorem, ipfas falfas opiniones gentilium, fignificat. Proximo fequente cap. pro eo
dicitur *gentilitatis error.*

Multis ab eo adftrictus precibus] MS. *obftrictus.*

ictum

ictum ferientis dexterâ suftinuit alter: vin-
ctis tamen poft tergum manibus, uni fer-
vandus & fpoliandus traditur. Qui cùm
eum ad remotiora duxiffet, percontari ab eo
coepit, quisnam effet? Refpondit, Chriftia-
5 num fe effe. Quærebat etiam ab eo, an
timeret. Tùm verò conftantiffimè profitetur, numquam fe fuiffe tam fecurum, quia
fciret mifericordiam Domini maximè in ten- Latronem
tationibus adfuturam: fe magis illi dolere, convertit
qui Chrifti mifericordiâ, utpote latrocinia ad fidem.
6 exercens, effet indignus. Ingrefsúsque Evangelicam difputationem, verbum Dei latro-
ni prædicabat. Quid longiùs morer? La-
tro credidit, profecutúsque Martinum viæ
reddidit, orans, ut pro fe Dominum precare-
tur. idémque poftea religiofam agens vitam vifus eft, ut hæc, quæ fuprà retulimus,
ab ipfo audita dicantur.

1 Igitur Martinus inde progreffus, cùm CAP. VI.
Mediolanum præteriffet, diabolus in itinere, Diabolus
humanâ fpecie adfumtâ, fe ei obvium tulit, occurrit
Quò tenderet, quærens. Cúmque id à Mar- illi.
tino refponfi accepiffet, fe, quò Dominus vo-
2 caret, intendere: ait ad eum, Quocumque

---

5. *Se magis dolere illi*] MS. *Se magis illi condo-*
lere. Sed *dolere illi* ferri etiam poteft. Et dictum
eft ita, ut infrà in epift. III *Lætandum potiùs illi effe.*

                                    ieris,

ieris, vel quæcumque tentaveris, diabolus
tibi adverſabitur.   Tunc ei propheticâ voce reſpondit : Dominus mihi adjutor eſt,
non timebo, quid faciat mihi homo.   Statimque è conſpectu ejus inimicus evanuit.
Itaqueaut animo ac mente conceperat, ma- 3
trem gentilitatis abſolvit errore, patre in malis perſeverante : plures tamen ſuo ſalvavit
exemplo.   Deinde cùm hæreſis Arriana per 4
totum orbem & maximè intrà Illyricum
pullulaſſet, cùm adversùs perfidiam ſacerdotum ſolus pænè acerrimè pugnaret, multisque ſuppliciis eſſet adfectus [nam publicè
virgis cæſus eſt, & ad extremum de civita-

Arrianis
reſiſtens
virgis cæ-
ditur.

---

3. *Matrem gentilitatis abſolſit errore*] *Abſol-*
ſit poſuit pro *ſolſit* : quomodo & in Hiſtoriâ ſacrâ
verbum iſtud compoſitum pro ſimplice bis poſuit.
Ipſam phraſin *abſolſere errore* & infrà cap. XI u-
ſurpavit. Nomine *gentilitatis* ipſum errorem, ipſam
falſam opinionem deſignat : quódque dicitur *error*
gentilitatis, nomini quaſi ſpeciei additum nomen
generis : ut *cibus mamæ* apud noſtrum in Hiſt. ſacra;
& apud alios *herba lapathi, arbor palmæ*.   Porro
gentiles, quî factum ſit, ut dicerentur illi, qui veri
cultûs divini expertes ſunt, dictum ſupra eſt ad cap. I
libri I, & ad cap. X lib. II Hiſt. S.

4. *Intrà Illyricum pullulaſſet*] pro *In Illyrico.*
Ita paullò pòſt, *Cum intrà Gallias turbatam eccl.*
comperiſſet, pro *in Gallia*. Atque ita pro more ſui
ævi planè frequenter ſcribit.

te

te exire compulsus] Italiam repetens, cùm
intra Gallias quoque discessu sancti Hilarii,
quem ad exilium hæreticorum vis coegerat,
turbatam ecclesiam comperisset, Mediolani Monasterium Mediosibi monasterium statuit. ibi quoque eum lani statuit.
Auxentius, auctor & princeps Arrianorum,
graviſſimè infectatus eſt : multisque adfe-
5 ctum injuriis, de civitate exturbavit. Ce-
dendum itaque tempori arbitratus, ad insulam Gallinariam nomine seceſſit: comite
quodam presbytero, magnarum virtutum
viro. Hic aliquamdiu radicibus vixis her- Radicibus
barum: quo tempore elleborum, venena- & hellebo-
6 tum, ut ferunt, gramen, in cibum sumſit. Sed ro veſcitur,
cùm vim veneni in se graſſantis vicina jam
morte senſiſſet, imminens periculum oratione
repulit, statimque omnis dolor fugatus eſt.
7 Nec multò pòſt, cùm sancto Hilario comperiſſet regis pœnitentiâ poteſtatem indul-

---

Auxentius auctor & princeps Arianorum] Is in
locum Dionyſii, Mediolanenſis epiſcopi, quòd hæ-
reſi Arrianæ non adſenſus fuerat, urbe pulſi ſubro-
gatus fuit. Vide cap. XXXVII lib. II Hiſt. S. & in
illud Notas.

  6. *Imminens periculum oratione repulit*] MS.
depulit.

  7. *Hilario regis pœnitentiâ poteſtatem indultam fuſſe redeundi*] Supra lib. II Hiſt. Eccl. c. 44
Quaſi diſcordiæ ſeminarium & perturbator Orien-

tam fuiffe redeundi, Romæ ei tentavit occurrere, profectúsque ad urbem eft.

CAP. VII   Cùm jàm Hilarius præteriffet, ita eum eft **1**
veftigiis profecutus: cúmque ab eo gratiffi-
mè fuiffet fufceptus, haud longè fibi ab oppido monafterium collocavit. quo tempore
fe ei quidam catechumenus junxit, cupiens
fanctisfimi viri inftitui difciplinis: paucis-
que interpofitis diebus languore correptus,
vi febrium laborabat. ac tùm Martinus for- **2**
tè difcefferat: & cùm per triduûm defuis-
fet, regreffus corpus exanime invenit : ita
fubita mors fuerat, ut absque baptismate humanis rebus excederet. corpus in medio
pofitum trifti mœrentium fratrum frequentabatur officio, cùm Martinus flens & ejulans
adcurrit. tùm verò fanctum fpiritum totâ **3**
mente concipiens, egredi cellulam, in quâ
corpus jacebat, ceteros jubet : ac foribus ob-
feratis, fuper exanimata defuncti fratris mem-

---

tis, redire ad Gallias jubetur absque exilii indul-
gentiâ : Vlde & Notas ad eum locum.

1. *It a eum eft ßeftigiis profecutus*] MS. *e. ßeftigio*
profecutus : quod & melius.

Sanctiffimi ßiri inftitui difciplinis] MS. *inftrui*
difciplinis.

Vi febrium laborabat] MS. *ßi febrium urge-*
batur. Et fanè verbo *urgeri* noftrum planè frequenter ufum obfervare licet.

bra

bra prosternitur : & cùm aliquamdiu orationi incubuisset, sensissétque per spiritum
Domini adesse virtutem, erectus paullulùm,
& in defuncti ora defixus, orationis suæ ac
misericordiæ Domini intrepidus exspectabat Catechu-
eventum : vixque duarum ferè horarum menum
spatium intercesserat : vidit defunctum paul-in vitam
latim membris omnibus commoveri, & la-revocat.
xatis in usum videndi palpitare luminibus.
4 Tùm verò magnâ ad Dominum voce conversus gratias agens, cellulam clamore com-
pleverat : quo audito, qui pro foribus adsti-
terant, statim inruunt. Mirum spectaculum,
quòd videbant vivere, quem mortuum reli-
5 quissent. Ita redditus vitæ, statim baptisma
consecutus, plures postea vixit annos : pri-
músque apud nos Martini virtutum vel
6 materia vel testimonium fuit. Idem tamen
referre erat solitus, se corpore exutum ad
tribunal judicis ductum, deputatúmque obscuris locis & vulgaribus turbis tristem ex-

----

6. *Se corpore exutum ad tribunal judicis du-*
ctum deputatúmque obscuris locis] Paullò antè dixit, *absque baptismate humanis rebus eum excessis-*
se. Atqui tales, quamvis instituti jàm essent, atque
crederent, nec regeneratos tamen esse, nec salvari
posse putabant. Ambrosius cap. IV lib. de his, qui
myst. initiantur : *Credit catechumenus : sed nisi*
baptizetur, remissionem peccatorum non potest ob-

 cepis-

cepiſſe ſententiam: tùm per duos angelos judici fuiſſe ſuggeſtum, hunc eſſe, pro quo Martinus oraret: ita per eosdem angelos ſe juſſum reduci, & Martino redditum, vitæque priſtinæ reſtitutum. Ab hoc primo 7 tempore beati viri nomen enituit, ut qui ſanctus jàm ab omnibus habebatur, potens etiam & verè Apoſtolicus haberetur.

CAP.VIII Nec multò pòſt, dum agrum Lupicini 1 cujusdam honorati ſecundùm ſeculum viri præteriret: clamore & luctu turbæ plangentis excipitur. ad quam ſollicitus cùm adſti- 2 tiſſet, & quis eſſet hic fletus, inquireret, indi-

Suffocatum à mortuis ſuſcitat. catur, unum é familiâ ſervulum laqueo ſibi vitam extorſiſſe: quo cognito, cellulam, in

---

tinert. Si tamen baptiſma ſanguinis, id eſt, martyrium, accederet, credebant ſalvari poſſe. Fulgentius de fide ad Petrum eap. III *Absque ſacramento baptismatis præter eos, qui in Eccleſià ſine baptismate pro Chriſto ſanguinem fundunt, nec regnum cælorum poteſt quiſquam accipere, nec vitam æternam.* Auguſtinus ep. CVII ſcribit, *ſacerdotem exhortari populum Dei, orare pro catechumenis, ut eis deſiderium regenerationis inſpiret.* Ergo catechumeni, quamdiu tales erant, nondum regenerati credebantur.

1. *Honorati ſecundùm ſeculum viri*] *Seculum* pró mundo, ut ſæpe.

2. *Vnum é familiâ ſervulum*] Satis Latinè *unus* pro *quidam:* ut plurimis exemplis oſtendimus p.

quâ

quâ corpus jacebat, ingreditur: exclusisque
omnibus turbis, superstratus corpori, ali-
3 quantisper oravit: mox viviscente vultu,
marcescentibus oculis in ora illius defunctus
erigitur: lentôque conamine enisus adsurgere, adprehensâ beati viri dexterâ, in pedes
constitit: atque ita cum eo usque ad vesti-
bulum domûs, turbâ omni inspectante,
processit.

1 Sub idem ferè tempus ad episcopatum C A P. IX.
Turonicæ ecclesiæ petebatur: sed cùm erui
à monasterio suo facilè non posset, Ruricius quidam, unus è civibus, uxoris languore
simulato, ad genua illius provolutus, ut egre-
2 deretur obtinuit. Ita dispositis jàm in itinere civium turbis, sub quâdam custodiâ ad

---

41 & 42 libri de Latinit. f. susp. Quibus adde illud
Ciceronis lib. VII ep. 20 *Rufio ita desiderabatur, ut
si esset unus è nobis.* Item illud Nepotis XXIII, 12
Accidit ut ex legatis unus diceret. Et Senecæ lib.
II de Benef. *Leonem in amphitheatro spectabimus,
qui unum è bestiariis agnitum, cùm quondam ejus
fuisset magister, protexit ab impetu bestiarum.*
Iustinus quoque lib. XLII cap. 3 *Armenius unus de
numero ducum Iasonis.* Et lib. XI c. 4 *Cleadas unus
ex captivis.* Non erat igitur, quòd Cl. Vossio mi-
nus Latinum videretur, quòd Interpres vetus Matth.
VIII vertit, *Accedens unus scriba ait:* quâ de re
& Scioppius in Animadversionibus in lib. Vossii de
Vit. L. serm. monuit.

civi-

civitatem usque deducitur. mirum in modum incredibilis multitudo non solùm ex illo oppido, sed etiam ex vicinis urbibus ad suffragia ferenda convenerat. Vna omnium voluntas, eadem vota, eadémque sententia, Martinum episcopatu esse dignisfimum, felicem fore tali Ecclesiam sacerdote. pauci tamen, & nonnulli ex Episcopis, qui ad constituendum antistitem fuerant evocati, impiè repugnabant, dicentes scilicet, contemtibilem esse personam, indignum esse episcopatu, hominem vultu despicabilem, veste sordidum crine deformem. Ita à populo sententiæ sanioris hæc illorum irrisa dementia est, qui inlustrem virum dum vituperare cupiunt, prædicabant. Nec verò aliud his facere licuit, quàm quod populus Domino volente cogebat. inter Episcopos tamen qui adfuerant, præcipuè Defensor quidam no-

---

2. *Incredibilis multitudo ad suffragia ferenda convenerat*] MS. addit *Martino*; habétque *ad suffragia ferenda Martino.* Adparet autem ex hoc antiquus mos suffragiorum ferendorum à populo, cùm episcopus constituendus esset.

3. *Contemtibilem esse personam*] *Contemtibilis* vox istius ævi: pro quâ antiquiores dixerunt *contemtus:* quomodo & pro *despicabilis*, quod mox sequitur, dixerunt *despicatus.*

4. *Qui inlustrem virum, dum vituperare cupiunt, predicabant*] MS. *predicant.*

mine, dicitur reſtitiſſe: unde animadverſum
eſt, graviter illum lectione prophetica tunc
5 notatum. Nam cùm fortuitò lector, cui le-
gendi eo die officium erat, intercluſus à populo defuiſſet, turbatis miniſtris, dum ex-
ſpectatur qui non aderat, unus è circumſtan-
tibus ſumito pſalterio, quem primum ver-
6 ſum invenit, adripuit. Pſalmus autem erat:
Ex ore infantium & lactentium perfeciſti
laudem propter inimicos tuos, ut deſtruas
inimicum & defenſorem. quo lecto clamor
populi tollitur, pars diverſa confunditur.
7 Atque ita habitum eſt, divino nutu pſalmum
hunc lectum fuiſſe, ut teſtimonium operis
ſui Defenſor audiret, quia ex ore infantium
atque lactentium in Martino Domini laude

---

6. *Vt deſtruas inimicum & defenſorem*] Pro *de-*
fenſorem verſio Pſalmi VIII antiqua hodie habet
ultorem: cetera verò eadem planè ſunt cum his, quæ
in vulgaribus verſionis iſtius codicibus leguntur.

Pars diverſa confunditur] *Confundi* pro rubore
ſuffundi, iſto ævo multùm frequentatum fuit: &
plurima ejus exempla apud antiquum Interpretem
Scripturæ S. & noſtrum itidem Auctorem, exſtant.
Plinius, ejúsque æquales adhibent ad aliud genus
adfectûs, & quidem triſtitiam ac luctum, ſigniſican-
dum. Plinius lib. III ep. 20 *Veritus ſum, ne eos*
feſtis diebus confunderem, ſi in memoriam gra-
tiſſimi luctûs reduxiſſem. Vide & Henr. Stephani
Præf. in Epp. Plin. & Buchneri Additiones ad Fabrum.

per-

perfectâ, & oftenfus pariter & deftructus eft
inimicus.

CAP. X.
Epifcopus Turonenfis creatur.

Iàm verò fumto epifcopatu, qualem fe 1
quantúmque præftiterit , non eft noftræ
facultatis evolvere.   Idem enim conftantiffimè perfeverabat, qui priùs fuerat.   Ea- 2
dem in corde ejus humilitas, eadem in ve-
ftitu ejus vilitas erat : atque ita plenus au-
ctoritatis & gratiæ, implebat epifcopi dignitatem, ut non tamen propofitum monachi,
virtutémque defereret.   Aliquamdiu ergo 3
adhærente ad Ecclefiam cellulâ ufus eft : deinde cùm inquietudinem frequentantium
ferre non poffet, duobus ferè extra civitatem

Monafterium ftatuit apud Ligerim.

millibus monafterium fibi ftatuit. Qui locus 4
tam fecretus & remotus erat, ut eremi folitu-
dinem non defideraret.   Ex uno enim latere,
præcisâ montis excelsâ rupe ambiebatur : re-
liquam planitiem Liger fluvius reducto paullulùm finu clauferat : unâ tantùm eadémque
arctâ admodùm viâ adiri poterat : ipfe ex
lignis contextam cellulam habebat. Multi 5
quidem è fratribus in eumdem modum, plerique faxo fuperjecti montis cavato, recepta-
cula fibi fecerant.   Difcipuli vero octoginta

Monafti-cæ vitæ ratio.

erant, qui ad exemplum beati magiftri infti-
tuebantur.   Nemo ibi quidquam proprium 6
habe-

habebat : omnia in medio conferebantur.
Non emere, aut vendere, ut plerisque monachis moris eſt, quidquam licebat. Ars ibi,
exceptis ſcriptoribus, nulla habebatur: cui
tamen operi minor ætas deputabatur : ma-
7 jores orationi vacabant. Rarus cuiquam
extra cellulam fuit egreſſus, niſi cùm ad locum orationis conveniebant. Cibum unà
omnes poſt horam jejunii accipiebant. vinum nemo noverat, niſi quem infirmitas
8 coëgiſſet. Plerique camelorum ſetis veſtie-
bantur. mollior ibi habitus pro crimine
erat quod eò magis ſit mirum neceſſe eſt,

---

6. *Omnia in medio conferebantur*] Pro *in medium*. Sic ſup. cap. 2 *In Dei opere converſus* pro *in
Dei opus*. Et Hiſt. S. lib. I c. 35 *In primo ſpelunca
aditu ſucceſſerat* pro *in primum aditum*. Atque
ita adducor ut credam, Sulpicium ſcripſiſſe quoque
in matrimonio accipere : id quod ſupra ferè dubi-
tabam. Vide Notas in cap. XLIII lib. I Hiſt. S.

Cui operi minor ætas deputabatur] De iſto verbi *deputare* uſu monuimus ſuprà ad cap. LIII lib. I
Hiſt. S.

7. *Cibum unà omnes accipiebant*] MS. *percipie-
bant.* Quod non diſplicet. Memini enim alios
quoque ejus ævi ſcriptores ita loqui, & dicere exempli gratià *percipere euchariſtiam.* Hieronymus
ep. LXX *Nuper tuæ beatitudinis percepi ſcripta,
emendantia ſetus ſilentium.*

8. *Mollior habitus*] Vt in Evangelio τὰ μαλακά.
quòd

quòd multi inter eos nobiles habebantur,
qui longè aliter educati, ad hanc se humilitatem & patientiam coëgerant: plurésque
ex his postea episcopos vidimus. Quæ enim 9
esset civitas, aut ecclesia, quæ non se de Martini monasterio cuperet habere sacerdotes?

CAP. XI.   Sed ut reliquas virtutes ejus, quas in epi- I
scopatu egit, adgrediar, erat haud longè ab
oppido proximus monasterii locus, quem
falsa hominum opinio, velut consepultis ibi
martyribus, sacraverat. nam & altare ibi à
superioribus episcopis constitutum habeba-

---

*9. Quæ non se de Martini monasterio cuperet
habere sacerdotes*] Monachi inter laicos numera-
bantur.   Cùm verò sacerdotes, id est, episcopi, fierent, fiebant clerici.   *Cuperet se habere* pro *cuperet habere*, melioribus quoque frequentatum. Vide
Indicem in Nepotem à nobis locupletatum, *v.cupere.*

1. Proximus monasterii locus] MS. *Proximus
monasterio.*

*Quem falsa hominum opinio velut consepultis
ibi martyribus sacraverat*] Martyribus solebant
loca sacrare, ita ut ossibus eorum altare imponerent:
idque in memoriam sanctorum illorum. Concilium
V Carthag. can. XIV *Placuit ut altaria, quæ passim per agros aut vias tamquam memoriæ martyrum constituuntur, in quibus nullum corpus, aut
reliquiæ martyrum conditæ probantur, ab episcopis, qui eisdem locis præsunt, [si fieri potest] ever-
tantur.* Ergo Martinus fecit, ut Canone isto san-
citum est.

tur.

tur. sed Martinus non temere adhibens incertis fidem, ab his, qui majores natu erant,
presbyteris, vel clericis, flagitabat sibi nomen
martyris, vel tempora passionis ostendi:
grandi se scrupulo permoveri, quòd nihil
certi constans sibi majorum memoria tradi-
3 disset. Cùm aliquamdiu ergo à loco illo se
abstinuisset, nec derogans religioni, quia in-
certus erat: nec auctoritatem suam vulgo
adcommodans, ne superstitio convalesceret;
quodam die paucis secum adhibitis fratri-
4 bus, ad locum pergit. Deinde super sepulcrum ipsum adstans, oravit ad Dominum, ut
quis esset, vel cujus meriti sepultus, ostende-
ret. Tùm conversus ad lævam, vidit propè
adsistere umbram sordidam, trucem. imperat, nomen meritúmque ut loqueretur. no-

2. *Adhibens incertis fidem*] De eâ phrasi dictum suprà ad cap. I. Antiquioribus *adhibere fidem* sine casu tertio idem fuit, quod *fide uti, fideliter agere*; quomodo dicunt *adhibere diligentiam.* Plautus Rud. IV, 2 *Quamquam ad ignotum ar-
bitrum me adpellis, si adhibebit fidem, etsi est ignotus, notus est: si non notus, ignotissimus est.*

3. *Ne superstitio convalesceret*] *Convalescere*
pro vires adquirere, confirmari. Sic & inf. cap. 13
Quod adeo virtutibus illius, exemplôque convaluit.
Antiquiores quoque eâ notione usurparunt. Vt
Ovidius: *Cùm mala per longas convaluere moras.*
Iustinus quoque non semel vocabulo ita utitur.

                    men

men edicit, de crimine confitetur, latronem
se fuisse, ob scelera percussum, vulgi errore
celebratum, sibi nihil cum Martyribus esse
commune; cùm illos gloria, se poena reti-
Aram la- neret.   Mirum in modum vocem loquen-   5
troni con- tis, qui aderant, audiebant: personam ta-
secretam men non videbant.   Tùm Martinus, quid
demolitur. vidisset, exposuit: jussitque ex eo loco altare,
quod ibi fuerat, submoveri: atque ita po-
pulum superstitionis illius absolvit errore.

CAP. XII.   Accidit autem insequenti tempore, dum   1
iter ageret, ut gentilis cujusdam corpus, quod
ad sepulcrum cum superstitioso funere deferebatur, obvium haberet: conspicatúsque
eminùs venientium turbam, quidnam id esset
ignarus, paullulùm stetit: nam ferè quin-
gentorum passuum intervallum erat, ut difficile fuerit, dignoscere quid videret. tamen   2
quia rusticam manum cerneret, & agente
vento linteamina corpori superjecta volita-
rent, profanos sacrificiorum ritûs agi credi-
Obvios dit: quia esset hæc Gallorum rusticis consue-
subsistere tudo, simulacra dæmonum candido tecta
& ornus velamine miserâ per agros suos circumferre
deponere dementiâ.   Elevato ergo in adverso signo
cogit.

---

2. *Dum iter ageret*] Sic & in Hist. S. est locutus,
& quidem lib. II c. XI; Item in Dial. II c. 3.

3. *Elevato in adverso signo crucis*] *In adverso*
cru-

crucis, imperat turbæ non moveri loco, onús-
que deponere. híc vero mirum in modum
videres miseros primùm velut saxa riguisse.
4 dein, cùm promovere se summo conamine
niterentur, ultrà accedere non valentes, ridi-
culam in vertiginem rotabantur: donec vi-
ĉti pondere, corporis onus deponunt: ad-
toniti & semet invicem adspectantes, quid-
5 nam sibi accidisset, taciti cogitabant. Sed
beatus vir cùm comperisset, exsequiarum esse
illam frequentiam, non sacrorum, elevatâ
rursum manu, dat eis abeundi & tollendi corporis potestatem. Ita eos & cùm voluit,
stare compulit: & cùm libuit, abire permisit.

1 Item, dum in vico quodam templum an- CAP. XIII.
tiquissimum diruisset, & arborem pinum,
quæ fano erat proxima, esset adgressus exci-

---

pro *in adversum.* non raro enim pro quarto posuit
sextum casum. Vide supra Notas ad cap. X. Deinde *elevato signo crucis* scribit pro *elevatâ manu
signo crucis facto.* Infra cap. proximo: *Elevatâ obviam manu signum salutis opponit.*

4. *Donec victi pondere corporis onus deponunt*]
MS. vocem *pondere* non habet. Et rectiùs sanè
videtur abesse: Neque enim mens Auctoris videtur esse, rusticos istos defuncti corporis pondere vi-
ĉtos, ipsum deposuisse; sed potiùs verbis Martini,
signôque crucis ab eo facto, victos id fecisse.

1. *Arborem esset adgressus excidere*] MS. *incidere.*

 dere,

dere, tùm verò antistes loci illius, ceteráque
gentilium turba cœpit obsistere. & cùm 2
iidem illi, dum templum evertitur, imperante Domino quievissent, succidi arborem non
patiebantur. ille eos sedulò commonere,
nihil esse religionis in stipite : Deum potiùs,
cui serviret ipse, sequerentur. arborem illam
excidi oportere, quia esset dæmoni dedicata.
Tùm ex illis unus, qui erat audacior ceteris : 3
Si habes, inquit, aliquam de Deo tuo, quem
dicis te colere, fiduciam, nosmet ipsi succide-
mus hanc arborem, tu ruentem excipe : & si
tecum est tuus, ut dicis, Dominus, evades.
Tùm ille intrepide confisus in Domino, fa- 4
cturum se pollicetur. Hìc verò ad istiusmodi conditionem omnis illa gentilium turba consentit : facilémque arboris suæ habuere jacturam, si inimicum sacrorum casu
illius obruissent. Itaque cùm unam in par- 5
tem pinus illa esset adclinis, ut non esset dubium, quam in partem succisa corrueret, eo

---

5. *Cùm unam in partem pinus esset adclinis*]
MS. perperam *acclibis*. Quæ quidem vox non in
hunc tantùm, sed & in alios Auctores irrepsit pro
adclinis. Vt quod Virgilius lib. X Æn. scripsit,
Corpùsque leßabat Arboris adclinis trunco ; & Horatius lib. II Sat. II *Adclinis falsis animus meliora
recusat*, in iis itidem *acclibis* apparuit pro *adclinis*,
antequam viri docti Turnebus & Lambinus de men-
loco

loco vinctus statuitur pro arbitrio rustico-
rum, quò arborem esse casuram nemo dubi-
6 tabat. Succidere igitur ipsi suam pinum
cum ingenti gaudio lætitiáque cœperunt.
aderat eminùs turba mirantium. jámque
paullatim nutare pinus, & ruinam suam ca-
7 sura minitari. Pallebant eminùs monachi,
& periculo jàm propiore conterriti, spem
omnem fidémque perdiderant, solam Mar-
8 tini mortem exspectantes. At ille confisus *Ruentem*
in Domino, intrepidus opperiens, cùm *arborem*
jàm fragorem sui pinus concidens edidisset, *excipit nec*
jàm cadenti, jàm super se ruenti, elevatâ ob- *ab eâ lædi-*
viam manu, signum salutis opponit. tùm *tur.*
verò turbinis modo [retroactam putares]
diversam in partem ruit: adeo, ut rusticos,
qui tuto loco steterant, pænè prostraverit.
9 Tùm verò in cœlum clamore sublato, gentiles stupere miraculo: monachi flere præ
gaudio: Christi nomen in commune ab
omnibus prædicari: satisque constitit, eo die

---

do monerent. Interim *acclivis* satis proba vox est,
quomodo & *declivis.* tantum huc ea non pertinet.

8. *Intrepidus opperiens*] MS. addit *arboris ca-*
sum: quod fanè nec abesse posse videtur.

Elevatâ obviam manu signum salutis opponit]
MS. sic: *Elevat obviam manum: signum salutis*
opponit.

                    salu-

salutem illi veniffe regioni.　Nam nemo
ferè ex immani illâ multitudine gentilium
fuit, qui non impofitione manûs defideratâ,
Dominum Iefum, relicto impietatis errore,
crediderit.　Et verè ante Martinum pauci
admodum, imò pænè nulli in illis regionibus
Chrifti nomen receperant: quod adeo virtutibus illius, exemplôque convaluit, ut jam
ibi nullus locus fit, qui non aut ecclefiis fre-
quentisfimis , aut monafteriis fit repletus.
Nam ubi fana deftruxerat, ftatim ibi aut ecclefias, aut monafteria conftruebat.

*Templa
& mona-
fteria ex-
ftruit.*

CAP. XIV.　Nec minorem fub idem ferè tempus eo- **1**
dem in opere virtutem edidit.　Nam cùm,
in vico quodam, fano antiquiffimo & celeberrimo ignem inmififfet, in proximam, imò
adhærentem domum agente vento, flammarum globi ferebantur.　Quod ubi Mar- **2**
tinus advertit, rapido cùrfu tectum domûs

*Flammas
compe-
fcit.*

fcandit, obvium fe advenientibus flammis
inferens. tùm verò mirum in modum cerneres contra vim venti ignem retorqueri,
ut compugnantium inter fe elementorum
quidam conflictus videretur.　Ita virtute

---

9. *Qui non impofitione manûs defideratâ*] Nimirum, qui Chriftiani fieri vellent, dum adhuc erant
catechumeni, ftatìm iis manus imponebatur. Nofter
infra in Dialogo II cap. 4: *Cunctos impofitâ univerfis manu catechumenos fecit.*

Mar-

Martini ibi tantùm ignis est operatus, ubi
3 juſſus est. In vico autem, cui Leproſum
nomen est, cùm idem templum opulentiſſi-
mum ſuperſtitione religionis voluiſſet evertere, reſtitit ei multitudo gentilium, adeo ut
4 non absque injuriâ ſit repulſus. Itaque ſeceſſit ad proxima loca, ibique per triduum
cilicio tectus & cinere, jejunans ſemper atque
orans, precabatur à Domino, ut, quia templum illud evertere humanâ manu non po-
5 tuiſſet, virtus illud divina dirueret. Tum
ſubitò ei duo angeli haſtati atque ſcutati
inſtar militiæ cœleſtis ſe obtulerunt, dicentes,
miſſos ſe à Domino, ut ruſticam multitudinem fugarent, præſidiúmque Martino fer-
rent, ne quis, dum templum dirueretur, obſi-

Ab angelis
juvatur in
diruendo
fano.

---

3. *In vico, cui Leproſum nomen eſt*] MS. *Lebro-*
ſum. Quod convenit ferè eum eo, quod Iuretus in
vetuſtâ quadam editione reperit, *cui Libroſo nomen*
eſt; & quod in alio quadam vetere codice *Libroſſo.*

4. *Precabatur à Domino*] MS. *precabatur Do-*
minum: quæ quidem conſtructio eſt uſitatior.

5. *Duo angeli inſtar militiæ cœleſtis*] Scioppius
novè à Famiano Strada ſcriptum ait, *Exercitam ha-*
beat in hâc Belgicâ ſcholâ militiam; item, *Bellum*
geri adversùs militiam ſuam; quòd videlicet *mi-*
litia poſuit pro militum copiâ, exercitu. Sed noſter manifeſte *militia cœleſtis* dicit pro *exercitus*
cœleſtis. Sed & antiquior noſtro Iuſtinus eâ notione vocem uſurpat. Nimirum lib. XXXII c 2 ſic

　　　　　ſteret.

fleret. rediret ergo, & opus cœptum devo-
tum impleret. Ita regreſſus ad vicum, in- 6
ſpectantibus gentilium turbis, & quieſcentibus, dum profanam ædem usque ad fundamentum dirueret , aras omnes atque
ſimulacra redégit in puluerem. quo viſo ru- 7
ſtici, cùm ſe intelligerent divino nutu obſtu-
pefactos atque perterritos , ne Epiſcopo re-
pugnarent, omnes ferè in Ieſum Dominum
crediderunt. clamantes palàm, & confitentes, Deum Martini colendum , idola negligenda, quæ ſibi adeſſe non poſſent.

CAP. XV.   Quid etiam in pago Æduorum geſtum 1
fit, referam.   Vbi dum templum itidem
everteret, furens gentilium ruſticorum in
eum inruit multitudo. Cùmque unus audacior ceteris, ſtricto eum gladio peteret, re-
Percuſſori jecto pallio nudam cervicem percuſſori præ-
cervicem buit. Nec cunctatus ferire gentilis ; ſed 2
præbet.

---

habet, *Quâ re prodit à concurſu inſularium cum
omni militiâ interficitur.*

6. *Inſpectantibus gentilium turbis & quieſcentibus, dum profanam ædem dirueret*] Sic cap. ſup.
*Cùm iidem illi, dum templum evertitur, imperante
Domino quieviſſent.* Vtrobique imperavit, id eſt,
movit gentiles, Dominus, ut quieſcerent, dum templum dirueretur.

7. *Confitentes Deum Martini colendum, idola
negligenda*] MS. *ideoque idola negligenda.*

                     cùm

cùm dexteram altiùs extuliſſet, reſupinus
ruit: conſternatúsque divino metu, veniam
3 precabatur. Nec diſſimile huic fuit illud,
cùm eum idola deſtruentem cultro quidam
ferire voluiſſet, in ipſo ictu ferrum ei de ma-
4 nibus excuſſum, non comparuit. Plerumque autem contradicentibus ſibi ruſticis, ne
fana eorum deſtrueret, ita prædicatione ſan-
ctâ gentilium animos mitigabat, ut luce eïs
veritatis oſtensâ, ipſi ſua templa ſubverterent.

1 Curationum vero tam potens in eo gratia CAP. XVI.
erat, ut nullus ferè ad eum ægrotus acceſſerit, Curatio-
qui non continuo receperit ſanitatem: quod nes ejus.
2 vel ex conſequenti liquebit exemplo. Treveris puella quædam dirâ paralyſis ægritudine tenebatur, ita ut jàm per multum tempus
nullo ad humanos uſus corporis officio fun-
geretur, omni ex parte præmortua, vix tenui
3 ſpiritu palpitabat. Triſtes ad ſolam funeris
exſpectationem adſiſtebant propinqui; cùm

---

4. *Contradicentibus ſibi ruſticis*] Reciprocum
ſibi pro demonſtrativo *ei* vel *illi*. Sic ſuprà cap.
II lib. II Hiſt. S. *Iam revelato ſibi per Dominum
myſterio, viſio regis refertur.* Sed & plura ejus exempla obſervare licet. Pari modo *ſuus* ſubinde dici pro *illius* plurimis exemplis in libello de Latinit.
f. ſup. p. 46 oſtendimus.

3. *Triſtes ad ſolam funeris exſpectationem adſiſtebant*] Sic ſup. c. XIII, *Solam Martini mortem
exſpectantes.*

X 5

ſub-

subitò nunciatur, ad civitatem illam veniſſe
Martinum.   Quod ubi pater puellæ comperit, cucurrit, exanimi pro filiâ rogaturus.
Et fortè Martinus jam Eccleſiam fuerat in-   4
greſſus.   Ibi inſpectante populo, multisque
aliis Epiſcopis præſentibus, ejulans ſenex, genua ejus amplectitur, dicens : Filia mea
moritur miſero genere languoris, & quod
ipsâ eſt morte crudelius, ſolo ſpiritu vivit,
jam carne præmortuâ. rogo ut eam adeas,
atque benedicas : confido enim, quòd per te
reddenda ſit ſanitati.   Quâ ille voce con-   5
fuſus obſtupuit, & refugit dicens, hoc ſuæ
non eſſe virtutis, ſenem errare judicio, non
eſſe ſe dignum, per quem Dominus ſignum

Cucurrit, exanimi pro filiâ rogaturus] MS. *Cur-*
*rit exanimis, pro filiâ rog.*Sed alterum magis placet :
quia ſequitur, *Orare ut exanimem viſitaret.*

   4. *Confido, quòd per te reddenda ſit ſanitati*]
Pro *confido per te ſanitati redditum iri.* Illud
non inſolens, voculam *Quòd* poni poſt verba intel-
lectûs, ſenſuum, dicendi : qua de re dedita operâ
egimus in cap. XXIV libri de Latin. f. fuſp. Quòd
verò participium paſſ. in Dus non modò officium &
debitum, ſed & tempus futurum notet, id paullò rariùs.   Potuiſſet autem pro more ſuo & ſic, *Confido*
per te reddendam eſſe ſanitati.

   5. *Quâ ille voce confuſus obſtupuit & refugit*]
Confundi prò perturbari, adfici triſtitiâ, pudore aut
ſimili adfectione animi. Vide ſupra Notas ad cap. XI

virtutis oftenderet. Perftare vehementiùs
flens pater, & orare ut exanimem vifitaret.
6 Poftremò à circumftantibus epifcopis ire
compulfus, defcendit ad domum puellæ.
Ingens turba pro foribus exfpectabat, quid-
7 nam Dei fervus effet facturus. Ac primùm, Oleo puel-
quæ erant illius familiaria in iftiusmodi re- lam fanat.
bus arma, folo proftratus oravit. Deinde
ægram intuens, dari fibi oleum poftulat.
quod cùm benedixiffet, in os puellæ vim
fancti liquoris infudit, ftatimque vox reddita
eft. Tunc paullatim fingula contactu ejus
cœperunt membra vivifcere, donec firmatis
greffibus, populo tefte, furrexit.

1 Eodem tempore Tetradii cujusdam pro- C A P
confularis viri fervus dæmonio correptus XVII.
dolendo exitu cruciabatur. Rogatus ergo
Martinus, ut ei manum imponeret, deduci

---

7. *Solo proftratus*] Sic fupra lib. II Hift. S. *Solo
fternere.*

Quod cùm benedixiffet] De origine iftius verbi
conftructionis dictum fupra in Notis ad lib. I. Hift.
S. Ceterùm quod de Martino nofter fcribit, idem de
Hilarione Hieronymus in ejus vitâ; quòd videlicet
oleum benedixerit, ejusque unctione ægrotos fana-
verit, aut mortuos in vitam revocaverit. Verba
ejus funt : *Conftantia quædam, fancta fœmina,
cujus generum & filiam de morte liberaverat unctione olei.* Vide & infra Dial. III. cap. 3.

eum

eum ad se jubet: sed nequam spiritus nullo
proferri modo ex cellâ, in quâ erat, potuit.
ita in advenientes rabidis dentibus sæviebat.
Tùm Tetradius ad genua beati viri advolvi- 2
tur, orans ut ad domum, in quâ dæmoniacus
habebatur, ipse descenderet.   Tùm verò
Martinus negare, se profani & gentilis domum adire posse.   Nam Tetradius eodem 3
tempore adhuc gentilitatis errore implici-
tus tenebatur.   Spondet igitur se, si de puero dæmon fuisset exactus, Christianum fore.

Diabolum ejicit ex puero. Ita Martinus impositâ manu puero, immun- 4
dum ab eo spiritum ejecit. quo viso, Tetra-
dius Dominum Iesum credidit: statimque
catechumenus factus, nec multo post baptizatus est, sempérque Martinum salutis suæ
auctorem miro coluit adfectu.   Per idem 5
tempus in eodem oppido ingressus patrisfamiliâs cujusdam domum, in limine ipso
restitit, dicens: Horribile in atrio domûs dæ-
monium se videre.   Cui cùm, ut discede-
ret, imperaret, quemdam è familiâ, qui in in-

---

4. *Nec multò pòst baptizatus est*] MS. *Nec
multùm pòst.*   Atque ita in lib. I quoque Hist. §.
scripsisse memini.

5. *Quemdam è familiâ*] Iuretus in vetusto codice legit *Coquum patrisfamiliâs.* Quoniam igitur ex Paullino quoque & Fortunato constare potest,

terio-

teriore parte ædium morabatur, adripuit:
ſævire dentibus miſer cœpit, & obvios quoscunque laniare.   Commota domus, fami-
6 lia turbata, populus in fugam verſus. Martinus ſe furenti objecit, ac primùm ſtare ei imperat.   Sed cùm dentibus fremeret, hianti-
que ore morſum minaretur, digitos ei Martinus in os intulit: Si habes, inquit, aliquid   Item ex
7 poteſtatis, hos devora.   Tùm verò, ac ſi can-   alio.
dens ferrum faucibus accepiſſet, longè redu-
ctis dentibus digitos beati viri vitabat adtingere: & cùm fugere de obſeſſo corpore pœ-
nis & cruciatibus cogeretur, nec tamen exire ei per os liceret, fœda relinquens veſtigia
fluxu ventris egeſtus eſt.

1   Interea cùm de motu atque impetu bar-   CAP.
barorum ſubita civitatem fama turbaſſet,   XXIII.
dæmoniacum ad ſe exhiberi jubet: imperat,
2 ut, an verus eſſet hic nuncius, fateretur. Tunc   Diabolo-
confeſſus eſt, ſedecim dæmones fuiſſe, qui   rum do-
rumorem hunc per populum diſſeminaſſent,   lum elu-
ut hoc ſaltem metu ex illo Martinus oppido   dit.
fugaretur, barbaros nihil minùs quàm inru-

coquum fuiſſe, ex quo Martinus diabolum ejecit,
ipſum Sulpicium Iuretùs emendandum putat.

Et obßios quoscunque laniare] MS. *obßios
quosque.*

2. *Vt hoc ſaltem metu ex illo Martinus oppido
fugar .. r*] MS. *ſaltim.* Quomodo & in antiquis-
ptio-

ptionem cogitare. ita cùm hæc immundus
spiritus mediâ in ecclesiâ fateretur, metu &
turbatione præsenti civitas liberata est. Apud   3
Parisios verò, dùm portam civitatis illius
magnis secum turbis euntibus introiret, le-
prosum miserabili facie horrentibus cunctis
osculatus est, atque benedixit, statimque

Osculo le-
prosum sa-
nat.

---

simis membranis Plauti scriptum se reperisse testatur Paræus.   Et volunt quidam, *saltim* esse à supi-
no *saltum,* quomodo à *cursum* est *cursim,* & à *raptu*
est *raptim.*   Ipse Priscianus lib. XV sic habet: *In*
IM & denominatiba inbeniuntur & berbalia &
participialia, ut à parte partim: à biro biritim:
à bice biciffim: à statu statim: à raptis raptim:
à saltu saltim & saltuatim.   Scio tamen, alios ex
adcusativo *salutem* eam vocem ortam velle.

Cùm hæc immundus spiritus mediâ in ecclesiâ
fateretur] *Ecclesia* rursus pro templo: ut sæpe.
Augustinus lib. III Quæst. LVII in Levit. *Ecclesia*
dicitur locus, quo Ecclesia congregatur. Et hoc quo-
tidanus loquendi usus obtinuit, ut ad Ecclesiam pro-
dire, & ad Ecclesiam confugere, nihil aliud nisi
quod ad locum ipsum parietésque prodierit bel
confugerit, quibus Ecclesia congregatio continetur.
Satis adparet, illum agnoscere, vocabuli significationem minùs propriam esse, & significare propriâ
ipsam Ecclesiæ congregationem; deinde verò ad
significandum locum, in quo congregatio illa est,
traductum esse; idque sequiore ævo.

   3. *Apud Parisios*] scribit rursus pro solemni
suo pro *Parisiis.*

                                        omni

4 omni malo emundatus est. Postero die ad Ecclesiam veniens nitenti cute, gratias pro sanitate, quam receperat, agebat. Sed nec hoc praetereundum est, quod fimbriae vestimenti ejus, cilicióque detractae, crebras super
5 infirmantibus egere virtutes. Nam aut digitis inligatae, aut collo inditae persaepe ab aegrotantibus morbos effugaverunt.

1 Arborius autem, vir praefectorius, sancti CAP.XIX. admodum & fidelis ingenii, cùm filia ejus gravissimis quartanae febribus ureretur, epi- Epistola stolam Martini, quae casu ad eum delata fue- ejus curat rat, pectori puellae in ipso accessu ardoris in- quartanam.

---

4. *Fimbriae vestimenti ejus crebras super infirmantibus egere virtutes*] Ergo talis fimbriarum ejus efficacia fuit, qualis fimbriarum ipsius Christi, & sudariorum Apostolicorum. Simile exemplum in alio ejus aevi sancto viro notavit infra Dial. I c. 20. Porro aegrotos *infirmos* dici, Auctoribus notum est. Plinius lib. VII ep, 26 *Tales esse sani perse-veremus, quales nos futuros profitemur infirmi.* At eosdem dici *infirmantes,* novum est, & à sequiore aevo.

1. *Vir praefectorius*] Infra Dial. III c. X *Arborius ex praefecto.* Adparet praefectorium cum dici, quia praefectus fuisset, & quidem praetorio.

In ipso accessu ardoris] Ipsam quoque febrim *accedere* & *decedere* dicunt; & quidem meliores quoque. Cicero lib. VII epist. 2 ad Att. *Alteram quartanam Pamphilus tùm mihi dixit decessisse, & alteram leviorem accedere.*

se-

feruit, ſtatimque fugata febris eſt.   Quæ
res apud Arborium in tantum valuit, ut ſtatim puellam Deo voverit, & perpetuæ virginitati dicarit: profectúsque ad Martinum,
puellam ei, præſens virtutum ejus teſtimonium, quæ per abſentem licet curata eſſet,
obtulit: neque ab alio eam, quam à Martino, habitu virginitatis impoſito, paſſus eſt
conſecrari.   Paullinus verò, vir magni poſt-
modum futurus exempli, cùm oculum graviter dolere cœpiſſet, & jàm pupillam ejus
craſſior nubes ſuperducta texiſſet, oculum
ei Martinus peniculo contigit, priſtinamque
ei ſanitatem ſublato omni dolore reſtituit.
Ipſe autem cùm caſu quodam eſſet de cœ-
naculo devolutus, & per confragoſos ſcalæ
gradus decidens, multis vulneribus eſſet adfectus, cum exanimis jaceret in cellulâ, & immodicis doloribus cruciaretur, nocte ei angelus viſus eſt eluere vulnera, & ſalubri ungui-

2

3

Oculum
ſanat rectu
peniculi.

4

Ipſe caſu
vulnera-
tus ab an-
gelo cura-
tur.

---

2. *In tantum ſaluit*] Ita ſæpe noſter. Et monuimus, antiquiores quoque *in tantum, in quantum* dicere.

*Vt ſtatim puellam Deo ſoſerit, & perpetua
ſirginitati dicarit*] MS. *ſoſeret, dicaret.*

4. *Cum exanimis jaceret in cellulâ*] MS. *ac
tum.* Quod & rectiùs videtur. Vocula *cum* enim
jàm præceſſerat, & hic otioſa videtur.

*Salubri unguine contuſi corporis membra con-
ne*

ne contufi corporis membra contingere:
atque ita poftero die reftitutus eft fanitati, ut
nihil unquam pertuliffe incommodi putare-
5 tur.   Sed quia longum eft ire per fingula,
fufficiant hæc vel pauca de plùrimis: fatisque fit, nos & in excellentibus non fubtra-
here veritatem,& in multis vitare faftidium.

1   Atque ut minora tantis inferam [quam- **CAP. XX.**
vis, ut eft noftrorum ætas temporum, qui-
bus jam depravata omnia atque corrupta
funt, pænè præcipuum fit, adulationi regiæ
facerdotalem non ceffiffe conftantiam] cùm
ad Imperatorem Maximum, ferocis ingenii
virum, & bellorum civilium victoriâ elatum,
plures ex diverfis partibus epifcopi convenis-
fent, & fœda circa principem omnium adu-
latio notaretûr, féque degeneri inconftantiâ
regiæ clientelæ facerdotalis dignitas fubdi-

---

tingere] Iureti vetus codex pro *membra contingere*
habuit *fuperlinire dolores:* quæ lectio Iureto valde
& adrifit.   *Vnguen* pro unguento & antiquiores dixere.   Virgilius III Georg. *Ideásque pices & pin-*
gues unguine ceras.   Modi iftius curationis à viris
fanctis ufurpati multa in Hift. ecclefiafticâ exempla.
Hieronymus in vitâ Hilarionis: *Conftantia quæ-*
dam, fanɛta fœmina, cujus generum & filiam de
morte liberaɓerat unɛtione olei.

  1. *Degeneri inconftantiâ*] Virgilius IV Æn.
Degeneres animos timor arguit.

·Y

dif-

Erga Ma-
ximum
Imp. quo-
modo se
gesserit.

diſſet, in ſolo Martino Apoſtolica auctoritas permanebat. Nam & ſi pro aliquibus   2
ſupplicandum regi fuit, imperavit potiùs
quàm rogavit : & à convivio ejus frequenter rogatus abſtinuit, dicens, ſe menſæ ejus
participem eſſe non poſſe, qui duos Imperatores unum regno, alterum vitâ expuliſſet.
Poſtremò, cùm Maximus ſe non ſponte ſum-   3
ſiſſe imperium adfirmaret, ſed impoſitum
ſibi à militibus divino nutu regni neceſſitatem armis defendiſſe, & non alienam ab eo
Dei voluntatem videri, penes quem tam incredibili eventu victoria fuiſſet, nullúmque ex
adverſariis niſi in acie occubuiſſe, tandem vi-

---

*In ſolo Martino Apoſtolica auctoritas perma-
nebat*] Supra lib. II Hiſt. Sacr. c. 50 *Martino epiſcopo, viro planè Apoſtolis conferendo.* Et infra
Ep. I *O beatum, & per omnia ſimilem Apoſtolis, etiam in his conſitiis, virum!* Idem ep. II *Vt eſt con-
ſertus Apoſtolis & Prophetis.*

2. *Qui duos imperatores unum regno, alterum
vitâ expuliſſet*] Gratianum vitâ, Valentinianum
regno; non omni quidem, ſed magnâ tamen ejus
parte, quam ille uſurpabat.

3. *Impoſitam ſibi à militibus divino nutu regni
neceſſitatem armis defendiſſe*] Infra Dial. II c. 6
*Maximus vir omni vita merito prædicandus, ſi eò
vel diadema non legitimè, tumultuante milite, impoſitum repudiare, vel armis civilibus abſtinere licuiſſet.*

ctus

étus vel ratione vel precibus, ad convivium venit : mirum in modum gaudente rege, quòd id impetraffet. Convivæ autem aderant, veluti ad diem feftum evocati, fummi atque inluftres viri, præfectus, idémque conful Evodius, vir quo nihil unquam juftiùs fuit; comites duo fummâ poteftate præditi, frater regis & patruus: medius inter hos Martini presbyter adcubuerat : ipfe autem fellulâ juxtà regem pofitâ confederat. Ad medium ferè convivium, ut moris eft, pateram regi minifter obtulit. ille fancto admodum epifcopo potiùs dari jubet, exípectans atque ambíens, ut ab illius dexterâ poculum fumeret. Sed Martinus ubi ebibit, pateram presbytero fuo tradidit, nullum fcilicet exiftimans digniorem, qui poft fe biberet: nec

---

4. *Evodius vir, quo nihil unquam juftiùs*] Ita de perfonis in genere neutro loqui & antiquiores folent. Nepos VII, 1, 1 *Nihil illo fuiffe excellentiùs vel in vitiis, vel in virtutibus.* Evodium iftum fupra lib. II Hift. S. c. 50 *virum acrem* & *feverum vocat.*

5. *Exfpectans atque ambiens, ut ab illius dexterâ poc. fumeret*] *Ambire* abfolutè & fine cafu, pro defiderare, contendere, niti. Suetonius Cæf. c. XVIII *Ambienti ut legibus folueretur.* Et Auguft. c. XXXI *Ambiréntque multi, ne filias in fortem darent.*

6. *Nullum exiftimans digniorem, qui poft fe bi-*

inte-

integrum sibi fore, si aut regem ipsum, aut eos, qui à rege erant proximi, presbytero praetulisset. Quod factum Imperator, o- 7 mnésque qui tunc aderant, ita admirati sunt, ut hoc ipsum eis, in quo contemti fuerant, placeret. celeberrimúmque per omne palatium fuit, fecisse Martinum in regis prandio, quod in infimorum judicum conviviis episcoporum nemo fecisset. eidémque Maxi- 8 mo longè ante praedixit futurum, ut, si ad Italiam pergeret, quò ire cupiebat, bellum Valentiniano Imperatori inferens, sciret se primo quidem impetu futurum esse victorem, sed parvo pòst tempore esse periturum. Quod quidem ita vidimus. Nam primo 9 adventu ejus Valentinianus in fugam versus est: deinde post annum ferè resumtis viribus, captum intra Aquilejae muros Maximum interfecit.

C A P.
X X I.
Angelorum consortio saepe est usus.

Constat autem etiam, angelos ab eo ple- 1 rumque visos, ita ut conserto invicem apud eum sermone loquerentur. Diabolum verò tam conspicabilem & subjectum oculis habebat, ut sive se in propriâ substantiâ con-

---

beret] MS. *Qui post se prior biberet.* Ceteri digni sanè fuerunt, qui post Martinum biberent: ceterùm nemo dignior, qui post Martinum prior biberet, quàm presbyter ejus.

tine-

tineret, five in diverſas figuras ſpiritualésque
nequitias tranſtuliſſet, qualibet ab eo ſub ima-
2 gine videretur.   Quod cùm diabolus ſciret
ſe effugere non poſſe, conviciis eum urgebat frequenter, quia fallere non poſſet inſidiis.   Quodam autem tempore cornu bovis
cruentum in manu tenens, cum ingenti fremitu cellulam ejus inrupit, cruentámque
oſtentans dexteram, & admiſſo recens ſcelere congaudens: Vbi eſt, inquit, Martine,
virtus tua? unum de tuis modo interfeci.
3 Tunc ille convocatis fratribus refert, quid
diabolus indicaſſet: ſollicitos eſſe præcepit
per cellulas ſingulorum, quisnam hoc caſu

Cellam
ejus in-
rumpit
diabolus.

----

1. *Siße in dißerſas figuras ſpiritualésque nequi-*
tias [ſc] tranſtuliſſet] Verbis *ſpirituales nequitias*
adludere videtur ad verſionem Latinam veterem
Eph. VI 12 *Eſt nobis colluctatio contra ſpiritua-*
lia nequitiæ; ita tamen, ut leviter immutarit. In
Græco eſt πιευμαλικα τῆς πορνείας.   Quod quidem poſitum pro πνέυμαλα τῆς πονηρίας; vel potiùs pro πνεύμαλα τὰ πονηρά.

2. *Vbi eſt, Martine, ßirtus tua?*] Talis modus
loquendi frequens in ſarcasmis & inſultationibus.
Virgilius lib. X Æneid. *Vbi nunc Mezentius acer,*
& illa Effera ßis animi? Phædrus Fab. IX *Vbi per-*
nicitas nota illa eſt? Quid ita ceſſarunt pedes?
Petronius in Satyrico: *Vbi nunc eſt iracundia tua?*
ubi impotentia? Nempe piſcibus belluisque expo-
ſitus es &c.

Y 3 fuiſſet

fuiſſet adfectus. Neminem quidem deeſſe
de monachis, ſed unum ruſticum mercede
conductum, ut vehiculo ligna deferret, iſſe ad
ſilvam nunciant. Jubet igitur aliquos ire
ei obviam. Itaque haud longè à monaſterio jam pænè exanimis invenitur. extremum tamen ſpiritum trahens, indicat fratribus caſum mortis & vulneris: junctis ſcilicet bubus dum diſſoluta arctiùs lora con-
ſtringit, bovem ſibi excuſſo capite inter in-
guina cornu injeciſſe. nec multò pòſt vitam
reddidit. Videtis, quo judicio Domini diabolo data fuerit hæc poteſtas. In Martino 5
illud mirabile erat, quod non ſolùm hoc,
quod ſuprà retulimus, ſed multa iſtiusmodi,

---

3. *Vnum ruſticum mercede conductum*] *Vnum*
pro *quemdam.* Quod non pro barbaro habendum.
Multa id genus memini congeſſiſſe ſuprà.

4. *Indicat fratribus caſum mortis & vulneris*]
Iureti codex habuit *cauſam mortis:* quod adprimè
quadrat.

Nec multò pòſt vitam reddidit] Nepos XXI, 1. 5
Morbo naturæ debitum reddiderunt. Ex quâ
phraſi vis verbi *reddere* rectiùs hic intelligitur.
Natura dat homini vitam, eadémque & repetit: ipſe
homo reddit ut debitum. Quò egregiè pertinent
illa Ciceronis ex Quæſt. Tuſc. *Natura dedit uſu-
ram vitæ, tamquam pecuniæ, præſtitutâ die. Quid
eſt igitur, quod querare, ſi repetit cùm vult? eâ
enim conditione acceperas.*

quo-

quoties accidissent, longè antè prævidebat, &
sibi nunciata fratribus indicabat.

1   Frequenter autem diabolus, dum mille
nocendi artibus sanctum virum conabatur
inludere, visibilem se ei formis diversissimis
ingerebat. nam interdum in Jovis personam, plerumque Mercurii, persæpe etiam se
Veneris ac Minervæ transfiguratum vultibus
offerebat. adversùs quem semper interri-
tus, signo se crucis & orationis auxilio pro-
2 tegebat.   Audiebantur etiam plerumque
convicia, quibus illum turba dæmonum
protervis vocibus increpabat. sed omnia
falsa & vana cognoscens, non movebatur
3 objectis.   Testabantur etiam aliqui ex fratribus, audisse se dæmonem protervis Martinum vocibus increpantem, cur intra monasterium aliquos ex fratribus, qui olim baptismum diversis erroribus perdidissent, con-
versos postea recepisset, exponentem crimi-
4 na singulorum: Martinum diabolo repu-
gnantem respondisse constanter, antiqua delicta melioris vitæ conversatione purgari;

CAP.
XXII.
Diabolus
variis for-
mis ei ad-
paruit.

---

3. *Intra monasterium aliquos ex fratribus*] Pro
in monasterio aliquos. Sic sæpe *intra* pro *in* ponit more sui ævi. Vt lib. II Hist. S. c. 49 *Maximum
intra Britannias sumsisse imperium.*

4. *Antiqua delicta melioris vitæ conversatione*

         & per

& per mifericordiam Domini abfolvendos
effe peccatis, qui peccare definerent. con-
tradicente diabolo, non pertinere ad veniam criminofos, & femel lapfis nullam à Domino clementiam præftari, tunc in hanc vocem fertur exclamaffe Martinus: Si tu ipfe, 5
o miferabilis, ab hominum infectatione defi-
fteres, & te factorum tuorum vel hoc tempore, cùm dies judicii in proximo eft, pœniteret, ego tibi verè confifus in Domino,
Chrifti mifericordiam pollicerer. O quàm
fancta de Domini pietate præfumtio, in quâ
etfi auctoritatem præftare non potuit, oftendit adfectum. Et quia de diabolo, ejusdém- 6
que artibus fermo exortus eft, non ab re videtur, licet extrinfecus, referre quod geftum
eft: quia & quædam in eo Martini virtutum

---

purgari] MS. *Melioris vite converfione.* Quod
cuipiam non incongruum videri poffit. Ego tamen alterum prætulerim. *Converfatio* illa vox
eft, quâ Interpres vetus N. T. Græcam ἀναϛροφὴ
exprimit. Vt I Pet. III, 2 *Confiderantes in timore
fanctam converfationem veftram.* Et v. 16 *Qui
calumniantur veftram bonam in Chrifto converfationem.*

6. *Non ab re videtur*] Ita rectè; non ut multi
hodie fcribunt *Non abs re.* Perpetuò ita Cicero,
Livius aliique veteres, ut in lib. de Latinit. merito
fufp. ampliùs dicturi fumus.

por-

portio eft, & res digna miraculo recte memoriae mandabitur, in exemplum cavendi, fi quid deinceps ufpiam tale contigerit.

1 Clarus quidam nomine, adolefcens nobiliffimus, mox presbyter, nunc felici beatus exceffu, cùm relictis omnibus fe ad Martinum contuliffet, brevi tempore ad fummum fidei virtutúmque omnium culmen enituit.

2 Itaque cùm haud longè fibi ab epifcopi monafterio tabernaculum conftituiffet, multique apud eum fratres commorarentur, juvenis quidam ad eum Anatolius nomine, fub profeffione monachi omnem humilitatem atque innocentiam mentitus acceffit, habitavitque aliquamdiu in commune cum

3 ceteris. Dein procedente tempore, angelos apud fe loqui folere dicebat. cùm fidem nullus adhiberet, fignis quibusdam plerosque ad credendum cohortabatur. Poftremò eò usque proceffit, ut inter fe ac Deum angelos discurrere praedicaret: jámque fe

4 unum ex prophetis haberi volebat. Clarus tamen nequaquam ad credendum cogi po-

C A P. XXIII.

---

3. *Dein procedente tempore*] Ita quoque MS. In quibusdam editionibus perperam eft *procedenti tempore.*

Cùm fidem nullus adhiberet] De hâc phrafi dictum fuprà ad cap. I.

terat.

terat. ille ei iram Domini & præfentes plagas,
cur fancto non crederet, comminari. Poftre- 5
mò in hanc vocem erupiffe fertur: Ecce
hàc nocte veftem mihi candidam Dominus
de cœlo dabit, quâ indutus in medio veftrum
diverfabor: idque vobis fignum erit, me
Dei effe virtutem, qùi Dei vefte donatus fim.
Tùm verò grandis omnium ad hanc pro- 6
feffionem exfpectatio. Itaque ad mediam
ferè noctem fremitu infultantium commoveri omne monafterium loco vifum eft.
cellulam autem, in quâ idem adolefcens
continebatur, crebris cerneres micare luminibus, fremitûsque in eâ difcurrentium, &
murmur quoddam multarum vocum audie-
batur. Deinde facto filentio egreffus, unum 7
de fratribus, Sabatium nomine, ad fe vocat,
tunicámque ei, quâ erat indutus, oftendit.
Obftupefactus ille convocat ceteros, ipfe 8
etiam Clarus adcurrit: adhibitôque lumine,
veftem omnes diligenter infpiciunt. erat
autem fummâ mollitie, candore eximio, mi-
canti purpurâ, nec tamen, cujus effet generis aut velleris, poterat agnofci. curiofius ta-

---

    5. *Id vobis fignum erit, me Dei effe virtutem*]
MS. *in me Dei effe virtutem.* Si altera lectio vera,
fimilis ea eft verbis Samaritanorum, quæ Act. VIII,
10 leguntur, *Hic eft virtus Dei.*

                       men

men oculis aut digitis adtrectata, non aliud quàm veſtis videbatur. Interea Clarus fratres admonet orationi inſtare, ut manife-

9 ſtiùs eis Dominus, quidnam eſſet, oſtenderet. Itaque reliquum noctis hymnis pſalmisque conſumitur. At ubi inluxit dies, adprehenſum dexterâ trahere ad Martinum volebat, bene conſcius, inludi illum diaboli arte

Præſtigiæ diabòlicæ virtute Martini discuſſæ.

10 non poſſe. Tùm verò reniti ac reclamare miſer cœpit, interdictúmque ſibi eſſe dicebat, ne ſe Martino oſtenderet. Cúmque invitum ire compellerent, inter trahentium

11 manûs veſtis evanuit. Vnde quis dubitet hanc etiam Martini fuiſſe virtutem, ut phantaſiam ſuam diabolus, cùm erat Martini oculis ingerendà, diſſimulare diutiùs, aut tegere non poſſet.

1 Animadverſum eſt tamen, eodem ferè tempore fuiſſe in Hiſpaniis juvenem, qui,

CAP XXIV

---

10. *Reniti ac reclamare miſer cœpit*] Vocem *miſer* ſubinde uſurpat de inepto, ſtolido, indigno. Vt lib. II Hiſt. S. c. 50 *Auſus etiam miſer eſt Martino epiſcopo palàm obtrectare.* Et Ep. I O *iſtum, quisquis eſt, miſerum!* Item cap. 25 hujus libri de ſeipſo: *Miſerum me, cùm me ſancto conſiſio ſuo dignatus eſt adhiberi.*

11. *Cùm erat Martini oculis ingeremda*] Pro *Cùm futurum eſſet, ut Martini oculis ingereretur.* Participio in Dus rurſus notione temporis futuri utitur.

cùm

cùm sibi multis signis auctoritatem paravis-
set, eò usque elatus est, ut se Heliam profite-
retur.　Quod cùm plerique temerè credi- 2
dissent, addidit, ut se Christum esse diceret:
in quo etiam adeò inlusit, ut eum quidam
episcopus, nomine Rufus, ut Dominum adoraret: propter quod eum postea ab episcopatu dejectum vidimus.　Plerique etiam 3
nobis è fratribus retulerunt, eodem tempore in Oriente quemdam exstitisse, qui se Ioannem esse jactitaret. ex quo conjicere possumus, istiusmodi pseudoprophetis existen-
tibus, Antichristi adventum imminere, qui
jam in istis mysterium iniquitatis operatur.
Neque enim prætereundum videtur, quan- 4
tà Martinum sub iisdem diebus diabolus arte
Diaboli tentaverit.　Quodam enim die præmissâ
arte tenta-
tur B.Mar- præ se, & circumjectus ipse luce purpureâ,
tinus.

---

1. *Multis signis auctoritatem parabisset*] id est,
multis miraculis, multis miraculosis operibus.　De
quà vocabuli *signum* significatione, ejusque origine, dictum suprà in Notis ad lib. I Hist. S.

3. *Antichristi adbentum imminere, qui jam in*
istis mysterium iniquitatis operatur] Antichristum
illum putavit Neronem fore; eúmque mysterium
iniquitatis exerciturum scripsit suprà lib. II Hist. S.
c. 29. Vide & Notas ad eum locum.　Ipsam phrasin
mysterium iniquitatis operari mutuatus est ex versione vetere H Thess. II, 7.

quò

quò faciliùs claritate adfumti fulgoris inlu-
deret, vefte etiam regiâ indutus, diademate
ex gemmis auróque redimitus, calceis auro
inlitis, fereno ore, lætâ facie, ut nihil minùs
quàm diabolus putaretur, oranti in cellulâ
5 adftitit. Cúmque Martinus primo adfpectu
ejus fuiffet hebetatus, diu multúmque filentium ambo tenuerunt. Tunc prior diabolus: Agnofce, inquit, Martine, quem cernis.
Chriftus ego fum: defcenfurus ad terram
6 priùs me manifeftare tibi volui. Ad hæc
cùm Martinus taceret, nec quidquam refponfi referret, iterare aufus eft diabolus profes-
fionis audaciam. Martine, quid dubitas
credere, cùm videas? Chriftus ego fum.
7 Tùm ille, revelante fibi fpiritu, ut intelligeret
diabolum effe, non Deum: Non fe, inquit,
Iefus Dominus purpuratum & diademate
renitentem venturum effe prædixit. Ego
Chriftum, nifi in eo habitu formâque, quâ
paffus eft, nifi crucis ftigmata proferentem,
8 veniffe non credam. Ad hanc ille vocem
ftatim ut fumus evanuit, & cellulam tanto

---

5. *Diu multúmque filentium ambo tenuerunt*]
Phrafi *filentium tenere* antiquiores quoque, & nominatim quidem Livius & Ovidius, funt ufi. Plinius
autem pro eo dicit *intra filentium fe tenere*: ut &
in lib. de Latinit. f. fufp. p. 93 monuimus.

foetore complevit, ut indubia indicia relinqueret, diabolum se fuisse. Hoc ita gestum, ut suprà retulimus, ex ipsius Martini ore cognovi, ne quis fortè existimet fabulosum.

CAP. XXV.

Nam cùm olim auditâ fide ejus, vitâ atque virtutibus, desiderio illius æstuaremus, gratam nobis ad eum videndum peregrinationem suscepimus. simul quia jàm ardebat animus vitam illius scribere: partim ab ipso, in quantum ille interrogari potuit, sciscitati sumus: partim ab his, qui interfuerant, vel sciebant, cognovimus. **1**

Sulp. Severi cum Martino converfatio.

Quo quidem tempore credi non potest, quâ me humilitate, quâ benignitate susceperit: congratulatus plurimùm, & gavifus in Domino, quòd tanti esset habitus à nobis, quem peregrinatione susceptâ expetissemus. **2** Miserum me [pænè non audeo confiteri] cùm me sancto convivio suo dignatus est adhiberi: aquam manibus nostris ipse obtulit, ad vesperam autem ipse nobis pedes abluit: nec reniti ad hoc aut contraire constantia fuit. ita auctoritate illius oppressus sum, ut nefas putarem, si non adquievissem. **3** Sermo autem illius non alius apud nos fuit, quàm mundi hujus inlecebras, & seculi onera relinquenda, ut Dominum Iesum liberi expeditique sequeremur: præ- **4**

---

3. *Nec reniti ad hoc aut contraire constantia fuit*] MS. omittit *ad hoc :* &, ut videtur, non male.

stan-

ftantiffimúmque nobis præfentium tempo- Paullini ex-
rum inluftris viri Paullini, cujus fuprà men- emplum ad
tionem fecimus, exemplum ingerebat, qui imitandum
fummis opibus abjectis, Chriftum fecutus, propofitum.
folus pænè his temporibus Evangelica præ-
5 cepta compleffet: illum nobis fequendum,
illum clamabat imitandum : beatúmque
effe præfens feculum, tantæ fidei virtutisque
documento, cùm· fecundùm fententiam Domini dives & poffidens multa, vendendo o-
mnia & dando pauperibus, quod erat factu
6 impoffibile, poffibile feciffet exemplo. Jam
verò in verbis & confabulatione ejus quanta
gravitas, quanta dignitas erat! quàm alacer,
quàm efficax,& quàm in exfolvendis fcriptu-
7 rarum quæftionibus promtus & facilis! Et
quia multos ad hanc partem incredulos fcio,
quippe quos viderim, me ipfo etiam referente, non credere: Iefum teftor, fpémque communem, me ex nullius unquam ore tantum

---

6. *Quàm in exfoluendis fcripturarum quæftionibus promtus*] MS. *in abfolßendis fcripturarum
quæftionibus.* Quod & ftylo Sulpicii valde convenit. Solet enim compofitum *abfoluere* pro fimplici *foluere* ufurpare. Vt lib. I Hift. S. c. 11 *Quod*
[fomnium] *cùm à prudentibus Ægyptiorum non
poffet abfolßi.* Et lib. II c. 42 *Ita abfolutis omnium animis.*

7. *Me ex nullius unquam ore tantum fcientia,*
fci-

scientiæ, tantum ingenii, tam boni & tam puri sermonis audisse.   Quamquam in Martini virtutibus quantula est ista laudatio? nisi quòd mirum est, homini illiterato ne hanc quidem gratiam defuisse.

CAP. XXVI. Sed jam finem liber postulat, sermo claudendus est: non quòd omnia, quæ de Martino fuerant dicenda, defecerint; sed quia nos, ut inertes poëtæ, extremo in opere negligentes, victi materiæ mole succumbimus. Nam etsi facta illius explicari verbis utcumque potuerunt: interiorem vitam illius, & quotidianam conversationem, & animum cœlo semper intentum nulla unquam [verè profiteor] explicabit oratio, illam scilicet perseverantiam & temperamentum in abstinentiâ & jejuniis, potentiam in vigiliis & orationibus : noctésque ab eo perinde ac dies actas, nullúmque va-

---

tantum ingenii, tam boni & tam puri sermonis audisse] MS. *Tantum boni & tam puri sermonis.* Et videtur sanè *tantum* & tertiò ponendum fuisse. Ita verò alterum quoque *tam* omittendum fuerit.

1. *Extremo in opere*] Meliorem more, pro *in extremâ parte operis.* Cujus generis varia in Indice in Nepotem v. *pars,* congessimus.

2. *Nam etsi facta illius explicari verbis utcumque potuerunt*] MS. *utcumque poterunt.*

cuum

ctum ab opere Dei tempus, quo vel otio
indulserit, vel negotio. Sed nec cibo aut
somno quidem, nisi in quantum naturæ
3 necessitas cogebat. Vere fatebor, non si
ipse, ut ajunt, ab inferis Homerus emerge-
ret, posset exponere: adeo omnia majora in
Martino sunt, quàm ut verbis concipi que-
ant. Nunquam hora ulla momentúmqúe
præteriit, quo non aut orationi incumberet;
aut si quid aliud forte agebat, nunquam ani-
4 mum ab oratione laxabat. Nimirum ut
fabris ferrariis moris est, qui inter operandum pro quodam laboris levamine incu-
dem suam feriunt: ita Martinus etiam, dum
5 aliud agere videretur, semper orabat. O verè beatus, in quo dolus non fuit: neminem

Martini res gestas verbis exprimi non posse.

---

2. *Nisi in quantum naturæ necessitas cogebat*] *In
quantum* & *in tantum* pro *quantum* & *tantum*
sæpe ponit noster. Capite superiore, *In quantum ille interrogari potuit.* Cujus generis quædam suprà in Notis ad Hist. S. & ex aliis Auctoribus
congerere meminimus.

3. *Quo non aut orationi incumberet, aut si
quid aliud forte agebat, nunquam animum ab oratione laxabat*] MS. sic, *Quo non aut orationi
incumberet, aut insisteret lectioni. quamquam etiam inter legendum, aut si quid aliud forte agebat,
nunquam animum ab oratione laxabat.* Quæ
sanè admodum concinna sunt: & quæ in alteris illis
desunt, non abesse posse videntur.

Z   judi-

judicans, neminem condemnans, nulli malum pro malo reddens! Tantam quippe adversùm omnes injurias patientiam adsumserat, ut, cùm esset summus sacerdos, impunè etiam ab infimis clericis læderetur: nec propter id eos aut loco unquam amoverit, aut à suâ, quantum in ipso fuit, caritate repulerit.

CAP. XXVII. Nemo unquam illum vidit iratum, nemo commotum, nemo mœrentem, nemo ridentem: unus idémque semper, cœlestem quodammodo lætitiam vultu præferens, extra naturam hominis videbatur. Nunquam in illius ore nisi Christus, nunquam in illius corde nisi pietas, nisi pax, nisi misericordia inerat. Plerumque etiam pro eorum, qui obtrectatores illius videbantur, solebat flere peccatis, qui remotum & quietum venenatis linguis & vipereo ore carpebant. Et

1

2

3

---

5. *Vt cùm esset summus sacerdos, impuni etiam ab infimis clericis lederetur*] Episcopos noster & *sacerdotes* adpellare solet. Nunc verò Martinum, qui Episcopus fuit, *summum sacerdotem* vocat. Vbi tamen vox *summus* non διαλεκτικῇ, sed ἐξηγητικῇ tantùm est. *Infimos clericos* autem vocat *Ostiarios, Lectores, Acoluthos.* Nam clericorum ordo non tantum Episcopos & Presbyteros, sed & Diaconos, Subdiaconos, Acoluthos, Exorcistas, Lectores, Ostiarios, habebat.

verè

verè nonnullos experti fumus invidos virtutibus vitæque ejus, qui in illo oderant,
quod in fe non videbant, & quod imitari
non valebant.   Atque, o nefas dolendum
& ingemifcendum, non alii fuere infectatores ejus, licet pauci admodum, non alii ta-
4 men quàm epifcopi ferebantur.   Nec verò
quemquam nominare necefle eft, licc nosmet ipfos plerique circumlatrent, fufficit,
ut fi quis ex his hæc legerit, & agnoverit,
erubefcat. nam fi irafcitur, de fe ipfe dictum
fatebitur, cùm fortaffe nos de alio fenferi-
5 mus. ' Non refugimus autem, ut, fi qui ejus-

---

3. *Non alii tamen quàm epifcopi ferebantur*]
Sic & MS. At vetus codex Jureti pro *ferebantur*
habuit *fidebantur* : quod & concinniùs videtur.
Pofitum autem ita foret *fideri* pro *effe*; quomodo
& meliores nonnunquam folent: ex quibus & exempla produximus in Notis ad Hift. S. Sed ita pleonafmus hic fuerit.   Præceffit enim, *Non alii fuere
infectatores ejus*; ut ipfum *fuere* hîc adparet.

4. *Nec verò quemquam nominare necefle eft*]
MS. *nominari necefle eft.*   Quod fimile foret illi,
quòd verbo *licet* quoque fubinde verbum infinitum
paffivæ vocis adjicit.   Vt lib. I. Hift. S. c.16 *Sexto
tamen die, quia fabbatho colligi non liceret, duplum præfumerent.*

Cùm fortaffe nos de alio fenferimus] MS. *de
aliis.*   Quod fanè & placet; cùm non unum, fed
plures notare voluerit.

Z 2

modi

modi funt, nos quoque cum tali viro ode-
rint.   Illud facilè confido, omnibus fanctis
opufculum iftud gratum fore. de cetero fi
quis hæc infideliter legerit, ipfe peccabit.
Ego mihi confcius fum, me rerum fide, & 7
amore Chrifti impulfum, ut hæc fcriberem,
manifefta expofuiffe, vera dixiffe : paratúm-
que, ut fpero, habebit à Deo præmium, non
quicunque legerit, fed quicunque crediderit.

SVLPICII SEVERI
EPISTOLÆ

Ad Enfebium Presbyterum, contra æmu-
los virtutum B. Martini.

EPISTOLA I.

ESTERNA die, cùm
ad me plerique Mona-
chi veniffent, inter fa-
bulas juges, longúm-
que fermonem, men-
tio incidit libelli mei,
quem de vitâ B. viri
Martini edidi, ftudioféque eùm à multis legi,

---

7. *Vt hæc fcriberem*] MS. *ut fcriberem.*

liben-

2 libentissimè audiebam. Interea indicatur mihi, dixisse quemdam malo spiritu suscitatum, cur Martinus, qui mortuos suscitasset, flammas domibus depulisset, ipse nuper adustus incendio, periculosæ fuisset obno-
3 xius passioni. O istum, quisquis est, miserum! Judæorum in verbis ejus perfidiam & dicta cognoscimus, qui in cruce positum Dominum his verbis increpabant: Alios salvos fecit, se ipsum salvum facere non potest.
4 Verè planè iste, quicunque est, si illis temporibus natus est, & in Dominum hâc voce dicere potuisset, qui simili sanctum Domini
5 blasphemat exemplo. Quid ergo, quisquis es? Martinus ideo non potens, ideo non sanctus, quia est periclitatus incendio? O beatum, & per omnia similem Apostolis, etiam in his conviciis, virum! Nempe hoc & de Paullo gentiles illi, cùm eum vipera momordisset, sensisse referuntur: Hic homo debet homicida esse, quem salvum factum de mari,

---

3. *Alios salvos fecit, seipsum salvum facere non potest*] Totidem verbis in versione antiquâ, quàm vulgatam dicunt, hæc leguntur.

5. *Hic homo debet homicida esse*] Versio vetus sic, *Vtique homicida est homo hic, qui cum evaserit de mari, ultio non sinit eum vivere.* Græca verba sunt: πάντως φονεύς ἐστιν ὁ ἄνθρωπος οὗτος.

fata

fata vivere non finunt.   At ille, excufsâ vi-
perâ in ignem, nihil mali patiebatur.   Illi
autem fubitò cafurum, & repente moritu-
rum eum putabant: fed cùm viderent, nihil mali contingere ei, convertentes fe, dicebant eum Deum effe.   Alioquin, vel horum exemplo, omnium mortalium infeli-
ciffime, perfidiam tuam coarguere ipfe debueras: ut fi tibi fcandalum moverat, quòd
Martinus flammâ ignis videbatur adtactus,
hunc rurfum adtactum ad merita illius &
virtutem referres, quòd circumfeptus ignibus non periffet.   Agnofce enim mifer, **6**
agnofce quod nefcis, omnes ferè fanctos
magis infignes periculorum fuorum fuiffe

Fata Bibere non finunt] Gifelinus emendare
velit *finerunt*, quia veteres etiam dixerint *fini* pro
fibi.   Quafi verbo temporis præteriti omnino hic
fit opus.   In textu Græco eft quidem *εἴασε*: Verùm omnes norunt; præterita & aoriftos fubinde
fignificationem temporis præfentis involvere. Vnde & Interpres vetus vertit, *Vltio non finit eum
Bibere.*

 5. *Si tibi fcandalum moßerat*] Vox *fcandalum* ex textu Græco N. T. in hujus verfionem Latinam derivata eft, & ex hac porro in ejus ævi alia
fcripta.   Ceterùm de vi & fignificatione vocabuli
egimus in parte I Commentarii de Hebraismis N. T.
p.87 & feqq. Eft autem *fcandalum moßere* nihil aliud
quàm *offendere, non placere.*

vir-

7 virtutibus. Video quidem Petrum fide potentem, rerum obstante naturà mare pedibus supergreffum, & instabiles aquas corporeo preffiffe vestigio. sed non ideo minor mihi videtur gentium prædicator, quem fluctus àbsorbuit, & post triduum totidémque noctes emergentem è profundo unda restituit. atque haud scio, an pænè plus fuerit vixiffe in profundo, an supra maris profunda transiffe. Sed hæc tu, ut arbitror, stulte, non legeras, aut lecta non audieras. Neque enim absque divino confilio istius-

---

6. *Gentium prædicator*] Intelligit S. Paulum, qui ἐθνῶν ἀπόστολος Rom. XI, 13. & διδάσκαλος ἐθνῶν I Tim. II, 7. & II Tim. I, 11 seipsum vocat. Quòd autem ait, S. Paulum fluctûs abforbuiffe, & post triduum totidémque noctes emergentem è profundo undam eum restituiffe, id collegit ex verbis ejusdem Pauli II Cor. XI, 15 Νυχθήμερον ἐν τῷ βυθῷ πεποίηκα. Sed perperam sine dubio.

Atque haud scio an pænè plus fuerit vixiffe in profundo, an supra maris profunda transiiffe] De vi phrasium *haud scio an*, & *nescio an*, dixi supra; quòd videlicet qui dicit, haud scire se an res ita se habeat, id velit, rem fortaffe ita se habere. Cicero lib. IX ep. 14 *Contigit tibi, quod haud scio an nemini*, id est, *Quod fortaffe nemini contigit*. Valerius Max. lib. IV c. 14 *Quorum è numero nescio an in primis Pausanias debeat referri*. Curtius lib. VI *Plures provincias complexus sum, quàm alii urbes ceperunt: & nescio an enumeranti mihi quas-*

Z 4   modi

modi exemplum beatus Evangelista sacris
litteris protulisset, nisi ut ex his humana
mens erudiretur naufragiorum atque ser-
pentium casus : &, sicut Apostolus refert,
qui nuditate, fame latronúmque periculis
gloriatur, omnia hæc sanctis hominibus,
atque omnibus ad perpetiendum quidem
esse communia : sed his tolerandis atque
vincendis præcipuam semper justorum fuisse virtutem, dum per omnia tentamenta
patientes, semper invicti, tantò fortiùs vince-
rent, quantò graviùs pertulissent. Vnde 8
hoc, quod ad Martini infirmitatem vocatur, plenum est dignitatis & gloriæ: siquidem periculosissimo casu tentatus, evicerit.
Ceterùm id omissum à me in libello illo,

---

dam ipsarum multitudo subduxerit. Pari modo
igitur, quod noster dicit, haud scire se an pænè plus
fuerit vixisse in profundo, quàm supra maris profunda transiisse, sensus est, plus fortasse esse, plus videri esse in profundo vixisse, quàm supra maris profunda transiisse. Sed vocalam *an* ille bis ponit.
Atque haud scio, an pro altero *an* ille scripserit
quàm : ut verba initio sic habuerint, *Atque haud
scio, an pænè plus fuerit vixisse in profundo,* [quod
scil. Paulus fecit] *quàm supra maris profunda
transiisse* [quod sc. fecit Petrus.]

   8. *Vnde hoc, quod ad Martini infirmitatem vocatur*] MS. pro *vocatur* habet *revocatur.* Non malè, mea quidem sententia.

quem

quem de vitâ illius fcripfimus, nemo miretur : cùm ibidem fim profeffus, me non
omnia illius facta complexum: quia fi perfequi univerfa voluiffem, immenfum volumen legentibus edidiffem. Neque funt
tam parva, quæ geffit, ut omnia potuerint
9 comprehendi. Sed tamen hoc, de quo
quæftio incidit, latere non patiar, & rem
omnem, ut gefta eft, referam, ne forté inconfultum hoc, quod ad vituperationem
beati viri poterat opponi, prætermififfe vi-
10deamur. Cùm ad diœcefim quandam pro
folemni confuetudine [ficut Epifcopis vifitare Ecclefias fuas moris eft] mediâ ferè
hieme Martinus veniffet, manfionem ei in
fecretario Ecclefiæ clerici paraverunt, mul-

---

9. *Ne forte inconfultum, hoc quod ad vituperationem beati poterat opponi, prætermififfe videamur*] Inconfultum pro *confultò* pofitum: aut
hoc pro illo reponendum.

10. *Pro folemni confuetudine*] Dicunt etiam *pro
folemni*, fubaudito *confuetudine*. Sed nofter id,
quod fubaudiri folet, difertè addidit: quomodo
idem & in aliis quibusdam fecit.

In fecretario ecclefiæ] Infra Dial. II, 1 *Secretarium ingreffus, cùm folus, ut illi erat confuetudo,
refideret, cùm quidem in alio fecretario presbyteri
federent.* Ex quo adparet, in unâ eademque ecclefiâ, id eft, templo, duo aut plura fecretaria
fuiffe.

 tumtúmque ignem scabro jam & pertenui pavimento subdiderunt, lectúmque ei plurimo stramine exstruxerunt. Dein, cùm se Martinus cubitum conlocasset, insuetam mollitiem strati malè blandientis horrescit: quippe qui nudâ humo, uno tantùm cilicio superjecto, cubare consüeverat. Itaque 11 quasi acceptâ permotus injuriâ stramentum omne projecit. Casu super fornaculam partem paleæ illius, quam removerat, adgessit. Ipse, ut erat moris, nudâ humo, lassitudine itineris urgente requievit. Ad mediam fere noctem per interruptum, ut supra diximus, pavimentum ignis æstuans, arescentes paleas adprehendit. Martinus 12 somno excitus, re inopinatâ, ancipiti periculo, & maximè, ut referebat, diabolo insidiante atque urgente præventus, tardiùs

---

Multum ignem scabro jam & pertenui pavimento subdiderunt] Mox, *Per interruptum pavimentum ignis æstuans arescentes paleas adprehendit.* Ergo pavimentum, quod scabrum & pertenue dixerat, nunc interruptum dicit. Adparet autem, per pavimentum intelligendum hic esse fornacem. Præcedit enim, *Casu super fornaculam partem paleæ illius, quam removerant, adgessit.* Ergo pavimentum hic fuerit pavita & complanata terra, ut Plinius loquitur, in modum fornacis exstructa, ut ignis ei subdi possit.

quàm

quàm debuit ad orationis confugit auxilium. Nam erumpere foras cupiens, cum
peſſulo, quem oſtio obdiderat, diu multúmque luctatus, graviſſimum circa ſe ſenſit incendium: adeo ut veſtem, quâ indutus erat, *Martinus*
13 ignis adſumſerit.   Tandem in ſe reverſus, *mediis*
non in fugâ, ſed in Domino eſſe præſidium; *flammis*
ſcutum fidei & orationis adripiens, mediis *incumbit,*
flammis totus ad Dominum converſus, in- *nec lædi-*
cubuit.   Tùm verò divinitus igne ſubmoto, *tur.*
innoxio ſibi orbe flammarum, orabat. Monachi autem, qui pro foribus erant, cre-
pitante & conluctante incendii ſono, ob-
ſeratas effringunt fores: dimotôque igne,
mediis flammis Martinum auferunt, cùm
jam penitùs eſſe conſumtus tam diuturno
14 incendio putaretur.   Ceterùm, ut verbis
meis Dominus eſt teſtis, mihi ipſe referebat,
& non ſine gemitu fatebatur, in hoc ſe dia-

---

12. *Vt veſtem, quâ indutus erat, ignis adſum-*
ſerit] MS. *abſumſerit:* quomodo & codex Langii,
ut Giſelinus teſtatur, habuit.   Sed eidem Giſelino
hoc non placet: quia ſi tota veſtis abſumta fuiſſet,
ipſe Martinus propiùs ſenſiſſet.   Vult autem, *ad.*
ſumſerit eſſe pro *adprehenderit.*   Quæ vocabuli
ſignificatio ſi exemplis aliis comprobari poſſet, benè
eſſet.

13. *Monachi qui pro foribus erant*] MS. *Qui*
pro foribus excubabant.

boli

boli arte deceptum , ut exceſſus é ſomno
conſilium non haberet, quo per fidem &
orationem periculo repugnaret : denique
tamdiu circa ſe ſæviſſe ignem, quamdiu
erumpere oſtium turbatus mente tentaverit.
Vbi verò auxilium crucis & orationis arma 15
repetiſſet, medias ceſliſſe flammas : ſéque
tunc ſenſiſſe rorantes, quas malè eſſet expertus urentes.   Vnde intelligat, quisquis hæc
legerit, tentatum quidem illo Martinum
periculo, ſed probatum.

EPISTOLA II.

Ad Aurelium Diaconum,

De obitu & adparitione B. Martini.

Vlpicius Severus Aure-
lio diacono, Salutem.
Poſteaquam à me ma-
nè digreſſus es, eram
reſidens ſolus in cellu-
là, ſubierátque me illa,
quæ ſæpiùs occupat,
ſpes futurorum, præſentiúmque faſtidium,

I

---

1. *Subierátque illa, quæ me ſæpiùs occupat, ſpes*
futurorum] MS. adjicit *cogitatio*, & habet ſic,
ju-

judicii metus, formido pœnarum, &, quod
consequens erat, atque unde cogitatio tota
descenderat, peccatorum meorum recorda-
tio, triftem me confectúmque reddiderat.

2 Deinde cùm fatigata angore animi in lectu-
lo membra posuissem, ut plerumque ex mœ-
ftitudine solet, somnus obrepsit: qui ut semper matutinis horis levior incertúsque, ita
fuspensus & dubius per membra diffunditur: ut, quod in alio sopore non evenit,

3 pænè vigilans dormire te sentias. Cùm repente sanctum Martinum episcopum vide-
re mihi videor, prætextum togâ candidâ, *Sulpicius*
vultu igneo, ftellantibus oculis, crine pur- *per quie-*
pureo: atque ita mihi in eâ habitudine cor- *tem videt*
poris, formâque, quam noveram, videba- *Martinum.*
tur, ut, quod eloqui nobis pænè difficile eft,
non poffet adfpici, cùm poffet agnofci. Ad-
ridénsque mihi paullulùm, libellum, quem
de vitâ illius fcripferam, dextrâ præferebat.

4 Ego sancta genua ejus amplexus, benedictionem pro confuetudine flagitabam: fu-
perpofitámque capiti meo manum tactu

Quæ me fæpius occupat cogitatio, spes futurorum:
ut ita generale vocabulum præmittatur, quod ea,
quæ sequuntur, id eft, spem futurorum, faftidium
præfentium, metum judicii, formidinem pœnarum,
comprehendat.

blan-

blandiſſimo ſentiebam, cùm inter benedictionis verba ſolemnia familiare illud ori
ſuo crucis nomen iteraret. mox in eum luminibus intentis, cùm exſatiari vultu illius
conſpectúque non poſſem, ſubitò mihi in
ſublime ſublatus eripitur : donec emensâ
aëris iſtius vaſtitate, cùm tamen rapidâ nube
ſubvectum acie ſequeremur oculorum, pa-
tenti cœlo receptus, videri ultra non potuit.

Clarus di- Nec multò pòſt presbyterum ſanctum Cla- 5
ſcipulus   rum, diſcipulum illius, qui nuper exceſſerat,
Martini.   video eamdem, quam magiſtrum, viam
ſcandere.   Ego impudens ſequi cupiens,
dum altos greſſus molior & connitor, evi-
gilo: ſomnôque excitus, congratulari cœ-
peram viſioni, cùm ad me puer familiaris ingreditur, ſolito triſtior vultu loquentis pariter & dolentis.   Quid tu tam triſtis loqui 6
geſtis? Duo, inquit, monachi modò à Tu-

---

4. *Acie ſequeremur oculorum*] MS. *ſequerer.*
Præcedunt multa numeri ſing. vocabula, *flagita-*
bam, ſentiebam, poſſem.

5. *Nec multò pòſt presbyterum ſanctum Clarum*]
MS. rurſus *nec multùm pòſt :* ut lib. I Hiſt. S. c. 7.
De Claro presbytero ſunt nonnulla & ſupra in cap.
XXIII libri de vitâ Martini.

Dum altos greſſus molior & connitor.] Ita
& MS. Giſelinus & alii legunt *conitor.*

6. *Quid tu tam triſtis loqui geſtis ?*] MS. *Quid*
ronis

ronis adfuerunt: Dominum Martinum ob-
iffe nunciant.   Concidi fateor, obortisque
lacrymis flevi uberrimè. quin etiam dum
hæc ad te frater fcribimus, fluunt lacrymæ,
nec ullum impatientiffimi doloris admitto
folatium. Te verò, ubi hoc nunciatum eft,
participem effe volui luctûs mei, qui eras
7 focius amoris.   Veni ergo ad me ftatim, ut
pariter lugeamus, quem pariter amamus:
quamquam fciam virum illum non effe lu-
gendum, cui poft evictum triumphatúmque
feculum, nunc demum reddita eft corona
juftitiæ.   Sed tamen ego non poffum mihi
8 imperare, quin doleam. Præmifi quidem
patronum, fed folatium vitæ præfentis amifi:
& fi rationem ullam dolor admitteret, gaudere deberem.   Eft enim ille, ut eft
confertus apoftolis ac prophetis, &,
quod pace fanctorum omnium dixerim,

---

tu tam triftis, inquam, loqui geftis? Et fanè vox
inquam abeffe hinc non poteft, fed neceffaria planè
eft ad perfonas, quæ loquentes inducuntur, difcer-
nendas.

7. *Poft evictum triumphatúmque feculum*] Seculum rurfus pro mundo.   Ceterùm ut *trium-
phatum feculum* nofter, ita Virgilius lib. IV Georg.
triumphatas gentes dixit.   Et *triumphare aliquem*
pro *triumphare de aliquo* dicitur, ut Græce θριαμ-
βεύειν τινά. Vide Gatakeri librum de ftylo N.T. p.50.

in

in illo justorum grege nulli secundus, ut
spero, credo, confido, illis potissimùm, qui
stolas suas in sanguine agni laverunt, adgre-
gatus: agnum ducem ab omni integer labe
comitatur.   Nam licet ei ratio temporis non   **9**
potuerit præstare martyrium, gloriâ tamen
martyris non carebit, quia voto atque virtutibus & potuit esse martyr, & voluit. Quod
si ei Neronianis Decianisque temporibus, in
illâ, quæ tunc exstitit, dimicare congressione
licuisset, testor Deum cœli atque terræ, sponte equuleum adscendisset, ultro se ignibus
intulisset: Hebræisque pueris æquandus, inter flammarum globos mediâ licet hymnum
Domini in fornáce cantasset.   Quod si E-10
saianum illud supplicium persecutori fortè
placuisset, nunquam profecto impar prophetæ, ferris & laminis dissecari membra ti-

Gloriam martyris Martino deberi.

---

8. *In illo justorum grege nulli secundus*] Vocabulum *justus* eâ notione usurpavit, quâ in versione
Scripturæ sacræ usurpatum videmus; ut videlicet
omnem pietatem & sanctimoniam comprehendat.
Quâ de significatione vocabuli, ejusque origine dictum est suprà in Notis ad cap. II lib. I Hist. S.

9. *Licet ei ratio temporis non potuerit præstare
martyrium*] Quia scilicet non sub ethnicis, sed
Christianis principibus vixit.   *Martyrium* pro passione & adflictione, quam propter testimonium veritatis Christianæ aliquis subit.

muis-

muiffet. ac fi præcifis rupibus, abruptisque
montibus agere felicem furor impius ma-
luiffet, perhibeo confifus teftimonium veritatis, fponte cecidiffet.   Si verò gentium
doctoris exemplo gladio deputatus inter
alias, ut fæpe provenit, victimas duceretur,
primus omnium carnifice compulfo, pal-
11mam fanguinis occupaffet.   Jam verò adversùs omnes pœnas atque fupplicia, quibus
plerumque humana ceffit infirmitas, ita à
confeffione Domini non recedens, immobilis ftetiffet, ut lætus ulceribus congaudéns-
que cruciatibus quælibet inter tórmenta
12rififfet.   Sed quamquam ifta non tulerit,
implevit tamen etiam fine cruore martyrium. nam quas ille pro fpe æternitatis humanorum dolorum non pertulit paffiones,
fame, vigiliis, nuditate, jejuniis, opprobriis
invidorum, infectationibus improborum,
curâ pro infirmantibus, follicitudine pro pe-
13riclitantibus? Quo enim ille dolente non
doluit? quo fcandalizante non uftus eft?
quo pereunte non gemuit? præter illa quo-

---

10. *Gladio deputatus*] De eâ vocabuli *deputare*
fignificatione dictum eft fupra ad lib. II Hift. S.

12. *Curâ pro infirmantibus*] Iftam verbi *infir-
mare* fignificationem itidem fupra obfervavimus.

13. *Quo fcandalizante non uftus eft*] Imitatus

tidianæ illius adversùm humanæ spiritalisque nequitiæ diversa certamina, dum in eo
variis tentationibus adpetito, semper exsu-
perat fortitudo vincendi, patientia exspe-
ctandi, æquanimitas sustinendi.   O veré in-14
effabilem virum, pietate, misericordià, caritate, quæ quotidie etiam in sanctis viris seculo frigente frigescit: in illo tamen usque ad
finem aucta, in dies perseveravit! quo ego
illius bono vel specialiter fruitus sum, cùm
me indignum & non merentem unicé dili-
gebat.   Et rursus lacrymæ fluunt, imóque 15
de pectore gemitus erumpit.   in quo mihi

---

videtur Interpretem veterem, qui II Cor. XI, 29 vertit: *Quis scandalizatur, & ego non uror?* Posuit
autem participium activum significatione passivâ.
Græca Apostoli sunt, τίς σκανδαλίζεται, καὶ οὐκ ἐγὼ
πυροῦμαι; De vi vocabuli σκανδαλίζεσθαι egimus in
parte I Comm. de Hebraismis N. T. p. 87 & seqq.

*Adversùm humanæ spiritalisque nequitiæ diver-
sa*] Supra cap. XXI Vitæ Mart. *Sibe in diversas
figuras spirituálesque nequitias transtulisset.* Ad
quem locum & diximus, unde ἴσως istam *spirituales nequitias* videatur mutuatus esse. Hic verò
simili formâ dicit etiam *humanâ nequitiâ.* Intelligit autem per humanam spiritulémque nequitiam malos tum homines tum angelos. Quòd in
altero loco legitur *spirituales;* in hoc verò litterâ V
omissâ *spiritalis,* ea discrepantia profecta videtur à
librariis. Quamquam Scriptores Ecclesiastici passim tum *spiritualis* tum *spiritalis* dicunt.

post-

posthæc homine similis requies? in cujus
erit caritate solatium? Me miserum, me infelicem; poterone unquam, si diutiùs vixero,
non dolere, quòd Martino superstes sum?
Erit mihi posthæc vita jucunda, erit dies aut
hora sine lacrymis: aut tecum, frater dile-
ctissime, potero illius mentionem habere sine
fletu: aut unquam loquens apud te aliud
16 quàm de illo loqui potero? Sed quid te in
lacrymas fletûsque commoveo? ecce nunc
consolatum esse te cupio, qui me consolari
ipse non possum. non deerit nobis ille, mihi
crede, non, non deerit, intererit de se sermo-
cinantibus, adstabit orantibus: quódque jàm
hodie præstare dignatus est, videndum se in
gloriâ suâ sæpe præbebit, & adsiduâ, sicut
antè pauliulùm fecit, benedictione nos pro-
17 teget. Inde secundum ordinem visionis,
quâ cœlum sequentibus se patere monstravit, quò sequendus esset, edocuit: quò spes
nostra tendenda, quò animus dirigendus, instruxit: Quid tamen fiet frater? quod mihi

---

16. *Ecce nunc te cupio consolatum esse*] Ita lo-
quti ejus ævi scriptores. Hieronymus in vita Hilarionis: *Quo incredibiliter consolato tanti viri
præsentiâ.* Interpres vetus Matth. V, 5 *Beati qui
lugent: quoniam ipsi consolabuntur.*

*Non deerit nobis ille, mihi crede, non, non de-
erit*] MS. medium *Non* omittit.

ipse sum conscius, conscendere arduum illud, ac penetrare non potero. ita sarcina
molesta me prægravat, & peccati mole de-
pressum negato in astra conscensu, sæva mi-
serabilem ducit in tartara.   Spes tamen su-[18]
perest, illa sola, illa postrema, ut quod per
nos obtinere non possumus, saltem pro nobis
orante Martino mereamur.   Sed quid te
frater diutiùs occupo epistolâ tam loquaci,
demorórque venturum? simul jam pagina
impleta non recipit.   Mihi tamen hæc fuit[19]
ratio, sermonem istum longiùs proferendi,
ut quia doloris nuncium epistola deferebat,
eadem tibi ex quadam nostri confabulatione præstaret charta solatium.

EPISTOLA III.

Ad Bassulam Socrum suam.

Quomodo B. Martinus ex hâc vitâ ad immortalem transierit.

SVLPICIVS Severus Bassulæ [1]
parenti venerabili salutem.
Si parentes vocari in jus liceret, te planè expilationis
furtique ream, ad prætoris
tribunal justo loro traheremus. Quid enim
non

non conquerar, quam à te patior injuriam?
Nullam mihi domi chartulam, nullum libellum, nullam epiftolam reliquifti: ita furaris
2 omnia, ita univerfa divulgas.   Si quid ad
amicum familiariter fcripfi, fi quid fortè dum
ludimus, quod velim tamen occultum effe,
dictavi, omnia ad te priùs pænè, quàm fuerint fcripta, aut dictata, perveniunt. nimirum obæratos habes notarios meos, per quos
tibi noftræ ineptiæ publicantur.   Nec tamen adversùm eos poffum moveri, fi tibi
parent, qui in jus noftrum ex tuâ potiffimùm
liberalitate venerunt, féque adhuc tuos
3 quàm meos effe meminerunt.   Tu fola es
rea, tu fola culpabilis, quæ & mihi infidiaris,
& illos fraude circumvenis, ut fine delicto
ullo familiariter fcripta, aut negligenter
emiffa, inlucubrata tibi penitus atque impo-

---

2. *Obæratos habes notarios meos*] MS. *obar-*
ratos.   Sed alterum magis placet.   *Ærati & obæ-*
rati dicuntur, qui ære alieno quafi obducti funt.
Notarii erant, qui per notas & vocabulorum com-
pendia celeriter fcribebant.   Græci vocant σημειο-
γράφυς & ταχυγράφυς.   De quibus vide Lipfium
Cent. I ep. XXVII ad Belg.

   Séque adhuc tuos quàm meos effe meminerunt]
Subaudiendum reliquit *magis* vel *potiùs.*   Cujus
generis ellipfes ex Auctoribus collegit Vechnerus
lib. I de Hellenol. c. 5.

                          lita

lita tradantur.   Nam ut de reliquis taceam, 4
rogo quemadmodum tam cito ad te epiſtola illa potuit pervenire, quam nuper ad Aurelium Diaconum ſcripſeramus.   Ego enim
Toloſæ poſitus, tu Treveris conſtituta, &
tam longè à patriâ filio inquietante divulſa,
quâ tandem familiarem illam epiſtolam oc-
caſione furata es?   Namque accepi litteras
tuas, quibus ſcribis, in eâdem epiſtolâ, quâ de
obitu Domini Martini fecerim mentionem,
ipſum beati viri tranſitum exponere debuiſſe.
Quaſi verò ego illam epiſtolam aut legen-
dam alii, præterquam ipſi, ad quem miſſa
videtur, ediderim: aut ego tanto ſim operi,
deſtinatus, ut omnia, quæ de Martino co-
gnoſci oportet, me potiſſimùm ſcribente
noteſcant.   Itaque, ſi quæ de obitu ſancti 5
epiſcopi audire deſideras, ab illis potiùs, qui
interfuere, cognoſce.   ego tibi ſtatui nihil
ſcribere, ne ubique me publices.   tamen ſi
das fidem, nulli te eſſe lecturam, paucis tuæ
ſatisfaciam voluntati.   itaque præſtabo te his,
quæ mihi ſunt comperta, participem.   Martis 6

---

5. *Præſtabo te his, quæ mihi ſunt comperta, par-*
ticipem] Alii dicunt *participem eſſe alicujus rei,*
participem aliquem facere, vel *præſtare alicujus*
rei.   Noſter quod dicit *participem aliquem præ-*
ſtare alicui rei, id conſentaneum eſt ei, quod ſupra
nus

nus igitur obitum suum longe ante præsci‑ Mortem
vit, dixitque fratribus dissolutionem sui cor‑ suam præ‑
poris imminere. Interea caussa exstitit, quâ scivit Mar‑
Condatensem diœcesim visitaret. nam cle‑ tinus.
ricis inter se ecclesiæ illius discordantibus,
pacem cupiens reformare, licet finem dierum
suorum non ignoraret, proficisci tamen isti‑
usmodi ob caussam non recusavit: bonam
hanc virtutum suarum consummationem
existimans, si pacem ecclesiæ redditam reli‑
7 quisset. Ita profectus cum suo illo, ut sem‑
per frequentissimo discipulorum sanctissi‑
môque comitatu, mergos in flumine conspi‑
catur piscium prædam sequi, & rapacem in‑
gluviem adsiduis urgere capturis. Forma,
inquit, hæc dæmonum est, insidiantur incau‑
tis, capiunt nescientes: captos devorant, ex‑
8 faturarique non queunt devoratis. Impe‑ Imperat
rat deinde potenti virtute verborum, ut avibus.

---

lib. II Hist. S. c. 1 scribit, *gentilium cibis participare.*
Ad quem locum Notas vide. *Participare* hic idem
est, quod *participem fieri:* Et construitur cum ca‑
su tertio rei. Pari modo igitur ipsam quoque no‑
men *particeps* construitur.

6. *Dissolutionem sui corporis imminere*] Allu‑
dere videtur ad illud Phil. I, 23 *Desiderium habens
dissolvi.* Vbi Græcum ἀναλῦσαι Latino *dissolvi*
effertur. Eamdem rem in hac ipsâ epist. & altera
verbo composito *resolvi* exprimit.

Aa 4   cum

eum, cui innatabant, gurgitem relinquentes,
aridas peterent, defertásque regiones: eo
nimirum circa aves illas ufus imperio, quo
dæmones fugare confueverat.   Ita grege
facto, omnes in unum illæ volucres congre-
gatæ, relicto flumine, montes filuásque petie-
runt, non fine admiratione multorum, qui
tantam in Martino virtutem viderent, ut etiam avibus imperaret.   Aliquamdiu ergo in 9
vico illo, vel in ecclefiâ, ad quam ierat, commoratus, pace inter clericos reftitutâ, cùm
jàm regredi ad monafterium cogitaret, viribus corporis cœpit repente deftitui: convocatisque difcipulis, indicat fe jam refolvi.
Tùm verò mœror & luctus omnium, vox 10
una plangentium : Cur nos pater deferis ?
aut cui nos defolatos relinquis ? invadent
gregem tuum lupi rapaces : & quis eos à
morfibus noftris, percuffo paftore, prohibe-
bit ? Scimus quidem defiderare te Chriftum :
fed falva tibi funt tua præmia : nec dilata mi-
nuentur: noftri potiùs miferere, quos deferis.   Tunc ille motus his fletibus, ut totus 11
femper in Domino mifericordiæ vifceribus
adfluebat, lacrymaffe perhibetur: conver-

---

11. *Mifericordiæ Bifceribus adfluebat*] id eft, mifericordiæ plenus erat. *Mifericordiæ Bifcera* nihil
ampliùs quàm mifericordia. Eft autem Latinitas
                                          fúsque

fúsque ad Dominum, hâc tantùm flentibus Nec mor-
voce respondit: Domine, si adhuc populo tem nec
tuo sum necessarius, non recuso laborem: laborem in
vitâ recusat.
12 fiat voluntas tua.   Nimirum inter spem
amorémque positus, dubitavit pænè quid
mallet: quia nec hos deserere, nec à Christo volebat diutiùs separari: nihil tamen in
voto suo ponens, aut voluntati relinquens,
totum se Domini arbitrio potestatique cóm-
13 mittens.   Nonne tibi his paucissimis verbis
dicere videtur: Gravis quidem est, Domine,
corporeæ pugna militiæ, & jam satis est,
quod hucusque certavi; sed si adhuc in eodem labore pro castris tuorum stare me præcipis, non recuso, nec fatiscentem caussabor
ætatem.   Munia tua devotus implebo, sub
signis tuis, quod ipse tu jusseris, militabo. &
quamvis optata sit seni missio post laborem,
est tamen animus victor annorum, & cedere
nescius senectuti. ac si jam parcis ætati, bonum est mihi Domine voluntas tua: hos ve-
14 rò, quibus timeo, ipse custodies.   O virum

Interpretis veteris Scripturæ sacræ, quâ ille Græcum
σπλάγχνα οἰκτιρμῶν effert Col. III, 12. De locutione Græcâ egimus p. 35 partis I Comm. de Hebraismis N. T.

13. *Sub signis tuis, quod ipse tu jusseris, militabo*]
MS. *quoad ipse tu jusseris.* Et rectè.

. Aa 5   inef-

ineffabilem, nec labore victum, nec morte
vincendum, qui in nullam se partem pronior
inclinaverat, nec mori timuit, nec vivere recusavit.   Itaque cùm jam per aliquot dies vi
febrium teneretur, non tamen à Dei opere
cessabat : pernox in orationibus & vigiliis,
fatiscentes artus serviri spiritui cogebat, nobili illo stratu suo, in cinere & cilicio recu-
bans.   Et cùm à discipulis rogaretur, ut sal- 15
tem vilia sibi fineret stramenta supponi : Non
decet, inquit, filii, Christianum, nisi in cinere
mori. Ego si aliud vobis exemplum relinquo,
ipse peccavi.   Oculis igitur ac manibus in
coelum semper intentus, invictum ab oratione spiritum non relaxabat. & cùm à presbyteris, qui tùm ad eum confluxerant, rogaretur,
ut corpusculum lateris mutatione relevaret:
Sinite, inquit, sinite me fratres, coelum potiùs
respicere, quàm terram, ut suo jam itinere
iturus ad Dominum spiritus dirigatur. Hæc 16
locutus, diabolum vidit propè adsistere:
Quid hîc, inquit, adstas cruenta bestia? nihil
in me, funeste, reperies. Abrahæ me sinus
recipit. Cum hâc ergo voce flagitantem di-

Alloquitur
diabolum
moriturus.

---

14. *Nobili illo stratu suo*] Ita & MS. Sed nescio
an legendum potiùs sit *strata.* Sanè alibi ita scripsisse nostrum observare licet. Sed & alii ita loquuntur. Virgilius. III Æn. *Corripit à strato corpus.*

vinis

vinis operibus spiritum cœlo reddidit: testa- Obitus
tique nobis sunt, qui adfuerant, jam exani- B.Martini.
mo corpore glorificati hominis vidisse se
17 gloriam. Vultus luce clarior renitebat, cùm
membra cetera ne tenuis quidem macula fu-
scaret. in aliis etiam, & in illo tantùm artu-
bus non pudendis, septennis quodammodo
pueri gratia videbatur. Quis istum unquam
cilicio tectum, quis cineribus crederet invo-
lutum? ita vitro purior, lacte candidior, jam
in quadam futuræ resurrectionis gloriâ, &
18 naturâ demutatæ carnis, ostensus est. Jam
verò in obsequium funeris, credi non potest,
quanta hominum multitudo convenerit.
tota civitas obviam corpori ruit, cuncti ex
agris atque vicis, multique ex vicinis etiam
urbibus adfuerant. O quantus luctus omnium! quanta præcipuè mœrentium lamenta
monachorum! qui eo die ferè ad duo millia
convenisse dicuntur, specialis Martini gloria.
ejus exemplo in Domini servitutem stirps
19 tanta fructificaverat. Agebat nimirum ante
se pastor exstinctus greges suos, sanctæ illius
multitudinis pallidas turbas, agmina palliata,
& aut emeritorum laborum senes, aut jura-
tos Christi in sacramenta tirones. Tùm virginum chorus, fletu abstinens præ pudore,
                                    cùm

cùm lætandum potiùs illi effe fentiret,
quem jam fuo Dominus gremio confo-
veret,quàm fancto diffimulabat gaudio quod
dolebat! fiquidem fides flere prohiberet, ge-
mitum extorqueret adfectus.   Etenim tam
erat fancta de illius gloriâ exfultatio, quàm
pia de morte confufio.   Ignofceres flenti-20
bus, gratularere gaudentibus: quia & pium
eft gaudere Martino, & pium eft flere Martinum, dum unusquisque & fibi præftat, ut
doleat: & illi debet, ut gaudeat.   Hoc igitur beati viri corpus usque ad locum fepulcri,
hymnis canora cœleftibus turba profequi-
Exfequiæ   tur.   Comparetur, fi placet fecularis illa21
Martini.   pompa, non dicam funeris, fed triumphi:
quid fimile Martini exfequiis conferetur?
Ducant illi præ curribus fuis vinctos poft terga captivos: Martini corpus, hi, qui mundum ductu illius vicerant,profequuntur.Illos
confufis plaufibus populorum honoret infa-
nia: Martino divinis plauditur pfalmis: Martinus hymnis cœleftibus honoratur. Illi poft

---

19. *Cùm lætandum potiùs illi effe fentiret*] Pari
modo mox, *Gaudere Martino.* Et fupra Vitæ Mart.
c. V *Se magis dolere illi.*

Pia de morte [illius] *confufio*] *Confufio* pro mœrore, triftitiâ. Quam fignificationem & fupra in Notis ad cap. IX Vitæ Mart. ex Plinio notavimus.

21. *Martinus hymnis cœleftibus honoratur*] MS.
tri-

triumphos fuos in tartara fæva truduntur,
Martinus Abrahæ finu lætus excipitur; Martinus hic pauper & modicus, cœlum dives ingreditur: illinc nos, ut fpero, cuftodiens me
hæc fcribentem refpicit, te legentem.

SVLPICII SEVERI
DIALOGI TRES,
DIALOGVS I.
De virtutibus Monachorum Orientalium.

I Vm in unum locum ego CAP. I
& Gallus nofter conve-
niffemus, vir mihi &
propter Martini memo-
riam [ex illius enim dif-
cipulis erat] & propter
fua merita cariffimus,
intervenit nobis Poftumianus meus, noftri

addit, atque his præmittit, *Martino dißinis plaudi-*
tur pfalmis.

Martinus hîc pauper & modicus] *Modicus* pro
parvo, exiguo: de quâ vocis notione fuprà in Notis
ad Hift. S. ex Voffio dicere meminimus. Nunc addo,
eam vocis fignificationem & in Juftino obfervari.
Ejus verba lib. XXII c. 5 funt: *Nec in repentino Pœ-*
norum metu modicum momentum Giftoriæ fore.

1. *Noftri caufsâ*] Sic & in cap. II Antiquiores dixerunt *noftrâ caufsâ*

caufsâ

caufsâ ab Oriente, quò fe ante triennium patriam relinquens contulerat, regreffus. Com-
plexi hominem amantiffimum, exofculati-
que genua & pedes ejus, cùm uno atque altero fpatio quafi obftupefacti, invicem flentes
gaudio, deambulaffemus, jactis in terram ci-
liciis confedimus. Tùm prior Poftumianus
me intuens: Cùm effem, inquit, in remotis
Ægypti, libuit ut ad mare usque procederem.
navim illinc onerariam offendi, quæ cum
mercibus Narbonam petens, folvere parabat.
Eâdem nocte adftare in fomnis mihi vifus es,
& injectâ me manu trahere, ut navim illam
confcenderem; mox tenebras rumpente di-
luculo, cùm eo loco, in quo quieveram, fur-
rexiffem, fomnium meum ipfe mecum reputans, tanto tui defiderio fubitò correptus
fum, ut nihil cunctatus, navim confcenderem: tricefimo die Maffiliam adpulfus, inde

---

3. *Naŝim illinc onerariam offendi, quæ Narbonam petens folŝere parabat*] MS. *Naŝim ibi one-
rar. offendi.* Actiones hominum, qui navi vehun-
tur, ipfi navi tribui, nihil novi eft.

Tricefimo die Maffiliam adpulfus] MS. *Trige-
fimôque die.* Et fanè copulativa fyllaba abeffe hinc
vix poteft. Notat Voffius eos, qui dicunt, *naŝim adpuliffe.* hominem enim aut ventum dici *adpellere,*
vel *adpuliffe:* at navem *adpelli* vel *adpulfam effe.*
Vide cap. XXXIV lib. I de Vit. Serm. Jam verum
quidem illud, navem non *adpellere* aut *adpuliffe,*

huc

huc decimo pervenerim. Adeo profpera navigatio piæ adfuit voluntati. Tu modò, propter quem tot maria transnavigavimus, tantum terræ transcurrimus, complecten-dum perfruendúmque te, remotis omnibus, trade. Ego verò, inquam, etiam cùm tu in Ægypto morareris, totus tecum femper ani-mo,& cogitatione verfabar: méque de te dies ac noctes cogitantem, totum tua caritas pos-fidebat: nedum modò me tibi æftimes pun-cto temporis defuturum, quò minùs amore tuo pendens, te intuear, te audiam, tecum loquar: nullo penitùs in fecretum noftrum, quod nobis hæc remotior cellula præftat, ad-miffo. Nam hujus noftri, ut arbitror, Galli præfentiam non molefté feres: quia hoc ad-ventu tuo, ut vides, perinde atque ego ipfe, triumphat gaudio. Recté planè, inquit Po-ftumianus, in focietate noftrâ Gallus ifte re-tinebitur: quia etfi mihi parùm cognitus eft, pro eo tamen, quod tibi eft cariffimus, non poteft mihi non effe carus, maximè cùm ex

---

fed *adpelli* vel *adpulfam effe* dici: verumtamen ne-que hoc negandum, ipfum quoque hominem recté dici adpelli, vel adpulfum effe. Nautæ quidem na-vem adpellere recté dicuntur: at vectores, quomodo navis ipfa, rectiùs adpelli dicentur.

4. In fecretum noftrum, quòd hæc remotior cellula præftat] MS. *Quod nobis hæc remotior cell. præft.*

Mar-

Martini sit disciplinâ. Neque gravabor quamlibet confertè vobiscum, ut poscitis, fabulari :
quippe cùm huc propter hoc venerim, ut me
hujus Sulpicii mei [me autem utrâque manu
complectebatur] desiderio etiam verbosus
impenderem.

CAP. II.   Enimvero, inquam, satis probasti, quan- 1
tum pius amor póssit, qui nostri caussâ tot
maria, tantúmque terrarum emensus, à summo, ut ita dicam, solis egressu, usque in ejus
occidua venisti.   Age ergo, quia & secreti 2
inter nos, nec occupati sumus, & sermoni
tuo vacare debemus, edisseras nobis velim
omnem peregrinationis tuæ historiam, qualiter in Oriente fides Christi floreat, quæ sit sanctorum quies, quæ instituta monàchorum,
quantisque signis ac virtutibus in servis suis
Christus operetur. Nam certè, quia in his
regionibus, inter ista quæ vivimus, ipsa nobis
vita fastidio est: libenter ex te audiemus, si
vel in eremo vivere Christianis licet. Ad hæc 3
Postumianus: Faciam, inquit, ut desiderare

---

2. *Ex te audiemus, si vel in eremo vivere Chri-*
stianis licet] *Si* pro *an* isto ævo multum frequentatum fuit. Sed & antiquiores sic locuti. Terentius
Heaut. I, 1 *Visam, si domi est.* Plura id genus con-
gessit Vechnerus lib. II Hellenol. c. 3 : qui & in Græcismis rectè numerat. Sed sciendum, Græcismum
istum ab antiquioribus non promiscuè usurpatum
te vi-

te video. Sed quæso, priùs ex te audiam, an
isti omnes, quos hic reliqueram sacerdotes,
tales sint, quales eos, antequam proficiscerer,
4 noveramus. Tùm ego: Absit, te, inquam,
ista quærere, quæ aut unà mecum, ut puto,
nosti, aut si ignoras, non audire sit melius.
Illud reticere non possum, non solùm illos,
de quibus interrogas, nihil meliores quàm
noveras factos: sed unum illum nostri quondam amantem, in quo respirare ab istorum
infectationibus solebamus, asperiorem nobis
fuisse, quàm debuit. Nec verò quidquam
in illum inclementiùs dicam, quia & amicum

---

fuisse; sed ferè in oratione ligatâ tantùm. At ævo
Sulpicii promiscuè tam in soluta quam in ligatâ u-
surpatus fuit.

4. *Absit te ista quærere*] Scioppius Scal. hypobo-
lim. p. 239 reprehendit, quod Scaliger scripserat *Absit
ut putemus.* etsi enim Apuleius ad istum modum
scripserit, antiquiores tamen vel aliis verbis usos fuisse, vel, si verbo *absit* uti vellent, casum huic nominativum præmisisse: id quod exemplis quoque confirmat. Si igitur omninò casus nominativus requi-
ratur, sunt apud nostrum verba *te ista quærere* loco
nominativi: súntque eadem enunciationis subjectum. Sed & quòd Scaliger Apuleium imitatus dicit
Absit ut putemus, in eo verba *ut putemus* loco nominativi posita censeri possunt: & *absit ut putemus,*
dictum idem est, ac si dicatur *absit nos putare,* vel *putare nos, absit.*

colui, & tunc etiam amavi, cùm putabatur
inimicus. Me autem hæc tacitis cogitationi-   5
bus revolventem, admodum dolor iste compungit, pænè nos sapientis & religiosi viri
amicitiâ destitutos, illum quondam tam amicum nobis, tam amarum in nos esse potuisse.
Verùm hæc, quæ mœroris plena sunt, relinquamus: te potiùs, ut dudum spoponderas,
audiamus.   Ita, inquit, fiat, Postumianus.
Quod cùm dixisset, paullulùm omnes conti-   6
cuimus. dein cilicium, cui insederat, ad me
propiùs admovit, atque ita exorsus est.

· Ante hoc triennium, quo tempore tibi,   I
Sulpici, hinc abiens valedixi, ubi Narbonâ
navim solvimus, quinto die portum Africæ
intravimus: adeo prospera Dei nutu navi-   2
gatio fuit. libuit animo adire Carthaginem,
loca visitare sanctorum, & præcipuè ad sepulcrum Cypriani Martyris adorare.   Quinto-
decimo die ad portum regressi, provectique
in altum, Alexandriam petentes, reluctante
Austro, pænè in Syrtes inlati sumus: quod
providi nautæ caventes, jactis navem ancho-

I. *Quo tempore tibi hinc abiens valedixi*] Antiquiores dixerunt *valere jubere*, vel certè divisis
vocibus *vale dicere*. Suetonius Aug. c. LIII *Vale
singulis dicere in Senatu.*   Vide Vossium lib. IV.
de vit. Serm. c. 29.

rie

3 risfiftunt. Sub oculis autem terra continens Regionis
  erat, in quam scaphis egressi cùm vacua ab cujusdam
  humano cultu omnia cerneremus, ego stu- Africanæ
  diosius explorandorum locorum gratiâ lon- descriptio.
  giùs procelli, tribus ferè millibus à littore
  parvum tugurium inter arenas conspicio:
  cujus tectum, sicut Salluftius ait, quasi carina
  navis erat, contiguum terræ, satis firmis tabulis conftratum, non quòd ibi vis imbrium
  ulla timeatur, [fuisse autem illic pluviam, nequando quidem auditum eft:] sed quòd ventorum ea vis eft, ut si quando vel clementiori
  cœlo aliquantulus spirare flatus cœperit, majus in illis terris, quàm in ullo mari naufra-
4 gium sit.   Nulla ibi femina, germina nulla
  proveniunt; quippe inftabili loco arentibus
  arenis, ad omnem motum ventorum ceden-
5 tibus.   Verùm ubi aversa quædam à mari
  promontoria ventis resiftunt, terra aliquan-

---

   3. *Satis firmis tabulis conftratum*] MS. *Satis
firmis tabulatis conftr.*

   Clementiori cœlo] MS. *clementiore cœlo.*

   *Majus in illis terris quàm in ullo mari naufra-
gium sit*] Ob arenas, quæ à ventis agitatæ homines
obruunt. Mox enim sequitur: *Quippe inftabili
loco arentibus arenis, & ad omnem motum vente-
rum cedentibus.*

   4. *Nulla ibi femina, germina nulla proveniunt*]
MS. *Nulla ibi germina, fata nulla prob.*

tulùm folidior, herbam raram atque hifpi-
dam gignit. ea ovibus eft pabulum fatis
utile. incolæ lacte vivunt. qui follertiores
funt, vel, ut ita dixerim, ditiores, hordeaceo
pane utuntur. ea ibi fola meffis eft, quæ ce-
leritate proventus , per naturam folis five
aëris ventorum casûs evadere folet.   Quip- 6
pe fertur à die jacti feminis, tricefimo die
maturefcere. Confiftere autem ibi homines
non alia ratio facit, quàm quòd omnes tri-
buto liberi funt. extrema fiquidem Cyre-
norum ora eft, deferto illi contigua, quod
inter Ægyptum & Africam interiacet, per
quod olim Cato, Cæfarem fugiens, duxit
exercitum.

CAP. IV.   Ergo ut ad tugurium illud, quod eminùs I
confpexeram, pertendi, invenio fenem in vefte pelliceâ, molam manu vertentem. Con- 2
folatus accepit nos benignè : ejectos nos in
illud litus exponimus, & ne ftatim repetere

---

2. *Confolatus accepit nos benignè*] MS. *Confa-*
lutatus acc. n. b. quomodo & in Vitis Patrum hæc
leguntur.

Ne ftatim repetere curfum poffimus] *Curfus*
de profectione maritimâ fæpe ufurpatur, etiam à
melioribus. Nepos I, 1. 6 *Curfum direxit quo ten-*
debat. Plura id genus in lib. de Lat. f. fufp. p. 22
congeffimus.   Nofter quoque rurfus infra cap. 6
profpero curfu Alexandriam pervenimus.

                                        cur-

cursum poffimus, maris mollitie adtineri:
egreffos in terram [ut eft mos humani in-
genii] naturam locorum, cultúmque habitantium voluiffe cognoscere : Chriftianos
nos effe: id præcipuè quærere, an effent aliqui inter illas folitudines Chriftiani. Tùm
verò ille flens gaudio, ad genua noftra pro-
volvitur: iterum nos ac fæpiùs exofculatos
invitat ad orationem: deinde impofitis in
terram vervecum pellibus facit nos difcum-
bere. Adponit prandium fanè locuple-
tiffimum, dimidium panem hordeaceum.
Eramus autem nos quatuor: ipfe erat quintus. Facifculum etiam herbæ intulit, cujus
nomen excidit, quæ mentæ fimilis, exuberans foliis, faporem mellis præftabat: hujus
prædulci admodum fuavitate delectati atque
exfatiati fumus. Ad hæc fubridens ego, ad
Gallum meum: Quid, inquam, Galle, pla-
cétne tibi prandium, fafciculus herbarum, &
panis dimidius viris quinque? Tùm ille, ficut
eft verecundiffimus, aliquantulùm erube-
fcens, dum fatigationem meam accepit:

Prandium
opimum
quinque
conviva-
rum.

Maris molitie adtineri] MS. *Maris moll. detineri.*

3. *Flens gaudio*] Sup. in Vit. Mart. c. 13 *Monachi flere præ gaudio.*

5. *Dum fatigationem meam accepit*] Crebros
jocos fuper edacitate *fatigationem* vocat. Mox:
Nullam occafionem omittis, quin nos edacitatis fa-

Cùm hominum, mores quærerentur, illud 5
præclarum animadvertimus, nihil eos neque emere, neque vendere. quid sit fraus
aut furtum, nesciunt. Aurum atque argentum, quæ prima mortales putant, neque habent, neque habere cupiunt. Nam 6
cùm ego presbytero illi decem nummos
aureos obtulissem, refugit, altiore consilio
protestatus, Ecclesiam auro non strui, sed
potiùs destrui. aliquantulum ei vestimentorum indulsimus.

CAP. VI.   Quod cùm ille benigne accepisset, re- 1
vocantibus nos ad mare nautis, discessimus, prosperóque cursu septimo die Alexandriam pervenimus, ubi foeda inter episcopos atque monachos certamina gerebantur, ex eâ occasione, quia congregati in
Lites Epi-   unum saepius Sacerdotes frequentibus de-
scoporum   crevisse Synodis videbantur, ne quis Orige-
& Mona-   nis libros legeret, aut haberet: qui tracta-
chorum de tor sacrarum scripturarum peritissimus ha-
scriptis O-
rigenis.

In quibus *ambitiosa* dicitur, quæ multùm de aliquâ re laborat. *Ambitio* quoque pro magno studio & contentione, non ignotum est. Et memini ejus exempla notare supra ad cap. XXXIV lib. II Hist. S.

1. *Tractator sacrarum scripturarum peritissimus*] Qui sacras litteras interpretarentur, earum

beba-

2 bebatur. Sed episcopi quædam in libris
ipsius insaniùs scripta memorabant, quæ ad-
sertores ejus defendere non ausi, ab hæreticis potiùs fraudulenter inserta, dicebant:
& ideo non propter illa, quæ in reprehensionem meritò vocarentur, etiam reliqua
esse damnanda, cùm legentium fides facilè
possit habere discrimen, ne falsata sequeretur, & tamen catholicè disputata retineret.
Non esse autem mirum, si in libris neotericis
& recens scriptis fraus hæretica fuisset ope-
rata, quæ in quibusdam locis non timu-
3 isset incidere Evangelicam veritatem. Adversùm hæc episcopi obstinatiùs renitentes
pro potestate cogebant recta etiam universa cum pravis & cum ipso auctore damnare : quia satis supérque sufficerent libri,
quos ecclesia recepisset: respuendam esse
penitùs lectionem, quæ plus esset nocitu-
ra insipientibus, quàm profutura sapienti-
4 bus. Mihi autem ex illius libris quædam
curiosiùs indaganti, admodum multa plá-

---

tractatores dicebantur; & interpretationes ipsæ,
tractatûs.

2. *Cùm legentium fides facilè possit habere discrimen*] Habere *discrimen* pro *discernere.* Dicunt etiam *facere discrimen.* Plinius lib. XXXVII
Nat. Hist. c. 13 *Discrimen quoddam rerum ipsarum atque terrarum facere consuevit.*

Bb 5   cueeuerunt: sed nonnulla deprehendi, in quibus illum prava sensisse non dubium est, quae defensores ejus falsata contendunt. Ego miror unum eumdemque hominem 5 tam diversum à se esse potuisse, ut in eâ parte, quâ probatur, neminem post Apostolos habeat aequalem: in eâ vero, quae jure reprehenditur, nemo deformius doceatur errasse.

Errores Origenis deformes.

CAP. VII. Nam cùm ab episcopis excerpta in libris 1 illius multa legerentur, quae contra catholicam fidem scripta constaret, locus ille vel maximam parabat invidiam, in quo editum legebatur, quia Dominus Iesus, sicut pro re-

5. *In eâ quae jure reprehenditur*] MS. *quâ jure repreb.* Atque ita congruit ei quod praecedit, *in eâ parte, quâ probatur.*

1. *Locus ille vel maximam parabat invidiam*] Invidia pro odio, ut saepe. Opinionem illam de Diabolo salvando habuit ferè & Martinus: ut ex cap. XXII libri de vitâ ejus adparet. Sed dixit tamen Martinus cum conditione: *Si tu ipse ab hominum infestatione desisteres, & te factorum tuorum paeniteret.* Quam conditionem quia non impletum iri scivit, Diabolum salvatum iri nec liquidò adserere voluisse putandus erit.

In qua editum legebatur, quia Dominus Iesus esset etiam diabolum redemturus] *Quia* positum pro *quòd;* ut isto aevo scribere solebant. Estque inter Graecismos ejus aevi numerandum. Quo deni-

demtione hominis in carne veniſſet, crucem
pro hominis ſalute perpeſſus, mortem pro
hominis æternitate guſtaſſet, ita eſſet eodem
ordine paſſionis etiam diabolum redemturus: quia hoc bonitati illius pietatique con-
grueret, ut, qui perditum hominem refor-
maſſet, prolapſum quoque angelum libera-
2 ret. Cùm hæc atque alia iſtiusmodi ab
epiſcopis proderentur, ex ſtudiis partium
orta eſt ſeditio. Quæ cùm reprimi ſacer-

---

niam ὅτι duabus Latinis vocibus *quòd* & *quia* reſpondet, atque ita vim habet duplicem: una itidem Latina vocula *quia* duplicem vim habere cœpit, ut non tantùm eſſet cauſalis, ſed & pro vocula
quòd poneretur. Atque iſtiusmodi Græciſmi ἐπ
εγω non pauci fuere. Et pertinet ad eum cenſum
vocula *ſi* quoque, de quâ ſuprà ad cap. II hujus Dial.
diximus.

Sicut pro redemtione hominis in carne ϐeniſſet]
MS. *in carnem ϐeniſſet.* Eſt autem phraſis de-
ſumta ex c. IV ep. I Iohannis, ubi legitur ſic: *Omnis
ſpiritus, qui confitetur, Ieſum Chriſtum in carne
ϐeniſſe.* Textus Græcus habet ἐ ϐαρϰί.

Mortem pro hominis æternitate guſtaſſet] i. e.
Mortuus eſſet, ut homo æternitatem, id eſt, æternam
vitam conſequeretur. Phraſin *mortem guſtare*
mutuatus itidem eſt ex ſacris. Ceterùm tam Latina iſta, quàm ipſa Græca γεύεσϑαι ϑανάτυ,
numeranda eſt in Hebraismis. Et egimus de
hâc in Parte II Comment. de Hebraismis N. T.
pag. 275.

dotum

dotum auctoritate non poffit, ſcævo exemplo ad regendam ecclefiæ diſciplinam præfectus adſumitur, cujus terrore diſperſi fratres, ac per diverſas oras monachi ſunt fu-
gati, ita ut propoſitis edictis in nullâ conſiſtere ſede ſinerentur. Illud me admodum 3
permovebat, quòd Hieronymus vir maximè catholicus, & ſacræ legis peritiſſimus,
Origenem ſecutus primo tempore putabatur, quem nunc idem præcipuè, vel omnia
illius ſcripta damnaret. nec verò auſus ſum
de quoquam temere judicare: præſtantiſ-
ſimi tamen viri & doctiſſimi ferebantur in
hoc certamine diſſidere. Sed tamen ſive 4
illud error eſt, ut ego ſentio, ſive hærefis,
ut putatur, non ſolùm reprimi non potuit
multis animadverſionibus ſacerdotum, ſed
nequaqum tam latè ſe potuiſſet effundere,

---

2. *Scævo exemplo ad regendam ecclefiæ diſci-*
plinam præfectus adſumitur] Præfectum prætorio Ægypti intelligit. Sic & ſuprà præfectos prætorio non ſemel *præfectos* dixit.

3. *Quem nunc idem præcipuè, vel omnia ejus*
ſcripta, damnaret] Quòd Hieronymus Origenem ejúsque ſectatores damnaverit; Theophili verò Epiſcopi Alexandrini contra hos opera laudaverit, adparet ex epiſtolis ejus LXX & LXXI. *Bre-*
viter ſcribimus, inquit, *quòd totus mundus exul-*
tet, & in tuis victoriis glorietur.

nifi

5 nisi contentione creviffet. Iftiusmodi ergo
turbatione cùm veni Alexandriam, fluctua-
bat. me quidem epifcopus illius civitatis
benigne admodum, & meliùs, quàm opina-
bar, excepit, & fecum tenere tentavit. Sed
non fuit animus ibi confiftere, ubi recens
fraternæ cladis fervebat invidia. nam etfi
fortaffe videantur parere epifcopis debuiffe,
non ob hanc tamen cauffam multitudinem
tantam fub Chrifti confeffione viventem,
præfertim ab epifcopis oportuiffet adfligi.

1 Igitur inde digreffus, Bethleem oppidum CAP. VIII.
petii, quod ab Hierofolymis fex millibus
difparâtur, ab Alexandriâ autem fedecim
2 manfionibus abeft. Ecclefiam loci illius
Hieronymus presbyter regit: nam paro- S. Hiero-
chia eft Epifcopi, qui Hierofolymam tenet. nymi laus.

---

1. *Quod ab Hierofolymus fex millibus difpara-*
tur] MS. *fex millibus feparatur.* Sed Dial. III
c. 6 itidem fcripfit, *Duobus à civitate erat millibus*
difparatum.

Ab Alexandriâ fedecim manfionibus abeff] Man-
fio dicitur locus, ubi confecto itinere diurno per
noctem quiefcebant. Plinius lib. XII c. 14 *A quo*
octo manfionibus diftat regio eorum thurifera. Iuftinus lib. XIII c. 8 *Continuatis manfionibus* dicit pro continuatis itineribus: quoniam itinera per
manfiones diftinguebantur.

2. *Nam parochia eft epifcopi, qui Hierofoly-*
mam tenet] *Parochia* corrupte dicit pro *parœtia.*

mihi

mihi jam pridem Hieronymus superiore illâ
peregrinatione compertus, facilè obtinuerat, ut nullum mihi expetendum rectiùs ar-
bitrarer. Vir enim, præter fidei meritum, 3
dotémque virtutum, non solùm Latinis atque Græcis, sed & Hebræis etiam ita litteris institutus est, ut se illi in omni scientiâ
nemo audeat comparare. Miror autem,
si non & vobis per multa, quæ scripsit, opera compertus est, cùm per totum orbem legatur. Nobis verò, Gallus inquit, nimiùm 4
nimiúmque compertus est. nam ante hoc
quinquennium, quendam illius libellum legi, in quo tota nostrorum natio monachorum ab eo vehementissimè vexatur, & car-
pitur. Vnde, interdum Belgicus noster 5
valdè irasci solet, quòd dixerit, nos usque
ad vomitum solere satiari. Ego autem illi

Et adparet hinc, ea vocis corruptio quam antiqua
sit. Est autem origine Græca vox, & Græcè scribi-
tur παροικία. Quâ voce dictæ initio sunt Ecde-
siæ particulares hujus vel illius oppidi; & quidem
περὶ τὸ παροικεῖν, quòd scil. hunc vel illum locum, ubi cives plerique adhuc gentiles erant, unà
cum his incolerent. Postea vox & aliter accepta
fuit, ut totam aliquam diœcesin significaret. Alibi
noster *diœcesin* vocat. Vt Dial. II c. 3 *Consequen-*
ti itidem tempore iter cum eo, dum diœceses βisi-
tas, agebamus.

viro ignofco; atque ita fentio, de Orientalibus illum potiùs monachis, quàm de
Occidentalibus disputaffe.   Nam edacitas
6 in Græcis gula eft, in Gallis natura.   Tùm
ego: Scholaftiçè, inquam, Galle defendis
gentem tuam : fed quæfo te, liber ifte
numquid hoc folum vitium damnat in monachis? Immò verò, inquit, nihil penitùs
omifit, quod non carperet, lacerarqt, exponeret : præcipuè avaritiam, nec minùs
vanitatem infectatus eft.   Multa de fuper-
biâ, non pauca de fuperftitione differuit:
verè fatebor, pinxiffe mihi videtur vitia
multorum.

1 ·   Ceterùm de familiaritatibus virginum & C A P. IX.
monachorum, atque etiam clericorum,
quàm vera, quàm fortia difputavit! unde
à quibusdam, quos nominare nolo, dici-
2 tur non amari. Nam ficut Belgicus nofter
irafcitur, edacitatis nimiæ nos notatos:
ita illi fremere dicuntur, cùm in illo opufculo fcriptum legunt: Cælibem fpernit
virgo germanum fratrem, quærit extra-
3 neum. Ad hæc ego; Nimiùm, inquam,
Galle, progrederis : cave ne & te aliquis,
qui hæc fortaffis agnofcit, exaudiat, teque
unà cum Hieronymo incipiat non amare.

nam quia fcholafticus es, non immeritò te
verfu Comici illius admonebo : Obfequium amicos, veritas odium parit. Tua
nobis potiùs, ut cœperas, Poftumiane,
repetatur Orientalis oratio. Ego, inquit,
ut dicere inftitueram, apud Hieronymum
fex menfibus fui: cui jugis adversùm malos pugna, perpetuúmque certamen con-
civit odia perditorum. oderunt eum hæretici, quia eos impugnare non definit:
oderunt clerici, quia vitam eorum infecta-
tur, & crimina. Sed planè eum boni
omnes admirantur, & diligunt: nam qui
eum hæreticum effe arbitrantur, infaniunt.
Verè dixerim, catholica hominis fcientia,
fana doctrina eft. Totus femper in lectione, totus in libris eft: non die, non nocte requiefcit : aut legit aliquid femper,
aut fcribit. quod nifi mihi fuiffet fixum,
animo, & promiffum, Deo tefte, propo-

---

3. *Quia fcholafticus es*] id eft, eruditus & bonorum Auctorum non expers, Sic & paullò antè:
Scholaftici defendis gentem tuam. Hinc qui proximis fuperioribus feculis unà cum Theologiâ
Philofophiæ operam dederunt, Scholaftici funt
adpellati.

5. *Planè eum boni omnes admirantur*] MS
Boni homines.

Et promiffum, Deo tefte, propofitam eremum
              fitam

situm eremum adire, vel exigui temporis
punctum à tanto viro discedere noluissem.
6 Huic ergo traditis atque commissis omnibus meis, omnique familiâ, quæ me contra voluntatem animi mei secuta tenebat
implicitum, exoneratus quodammodo gravi fasce penitùs, ac liber regressus Alexandriam, visitatis ibi fratribus, ad superiorem inde Thebaida, id est, ad Ægypti ex-
7 trema contendi.　Ibi enim vastæ patentis
eremi solitudines plurimum ferebantur habere monachorum.　Longum est, si omnia
cupiam referre, quæ vidi: tamen pauca
perstringam e pluribus.

1　Haud longè ab eremo contiguâ Nilo, C A P. X.
multa sunt monasteria. habitant uno loco *Multa mo-*
plerumque centeni: quibus summum jus *nasteria in*
est, sub abbatis imperio vivere, nihil arbi- *Ægypto.*
trio suo agere, per omnia ad nutum illius po-
testatémque pendere. ex his, si qui majorem virtutem mente conceperint, ut acturi

---

adire] MS. *Et promissum, Deo teste, propositum*
eremum adire.　Quod sine dubio & melius. *Pro-*
positum frequens vox est nostro infra c. 12 *Depo-*
sito propositi rigore. Item: *Fortissimi vincula*
propositi laxavit.

　6. *Ad superiorem inde Thebaida contendi*] MS.
tetendi.

Cùm hominum mores quæreremus, illud
præclarum animadvertimus, nihil eos neque emere, neque vendere. quid sit fraus
aut furtum, nesciunt. Aurum atque argentum, quæ prima mortales putant, neque habent, neque habere cupiunt. Nam
cùm ego presbytero illi decem nummos
aureos obtulissem, refugit, altiore consilio
protestatus, Ecclesiam auro non strui, sed
potiùs destrui. aliquantulum ei vestimentorum indulsimus.

CAP. VI.

Lites Epi-
scoporum
& Mona-
chorum de
scriptis O-
rigenis.

Quod cùm ille benigne accepisset, re-
vocantibus nos ad mare nautis, discessimus, prosperóque cursu septimo die Alexandriam pervenimus, ubi fœda inter episcopos atque monachos certamina gerebantur, ex eâ occasione, quia congregati in
unum sæpiùs Sacerdotes frequentibus de-
crevisse Synodis videbantur, ne quis Origenis libros legeret, aut haberet: qui tractator sacrarum scripturarum peritissimus ha-

---

In quibus *ambitiosa* dicitur, quæ multùm de aliquâ re laborat. *Ambitio* quoque pro magno studio & contentione, non ignotum est. Et memini
ejus exempla notare supra ad cap. XXXIV lib. II
Hist. S.

1. *Tractator sacrarum scripturarum peritissimus*] Qui sacras litteras interpretarentur, earum

beba-

2 bebatur. Sed episcopi quædam in libris
ipsius insanius scripta memorabant, quæ ad-
sertores ejus defendere non ausi, ab hæreticis potius fraudulenter inserta, dicebant:
& ideo non propter illa, quæ in reprehensionem merito vocarentur, etiam reliqua
esse damnanda, cùm legentium fides facilè
possit habere discrimen, ne falsata sequeretur, & tamen catholicè disputata retineret.
Non esse autem mirum, si in libris neotericis
& recens scriptis fraus hæretica fuisset ope-
rata, quæ in quibusdam locis non timu-
3 isset incidere Evangelicam veritatem. Adversùm hæc episcopi obstinatiùs renitentes
pro potestate cogebant recta etiam universa cum pravis & cum ipso auctore damnare: quia satis supérque sufficerent libri,
quos ecclesia recepisset: respuendam esse
penitùs lectionem, quæ plus esset nocitu-
ra insipientibus, quàm profutura sapienti-
4 bus. Mihi autem ex illius libris quædam
curiosiùs indaganti, admodum multa plá-

---

tractatores dicebantur; & interpretationes ipsæ,
tractatûs.

2. *Cùm legentium fides facilè possit habere discrimen*] *Habere discrimen* pro *discernere.* Dicunt etiam *facere discrimen.* Plinius lib. XXXVII
Nat. Hist. c. 13 *Discrimen quoddam rerum ipsarum atque terrarum facere consevit.*

cuerunt: sed nonnulla deprehendi, in quibus illum prava sensisse non dubium est,
quæ defensores ejus falsata contendunt.
Errores O- Ego miror unum eumdemque hominem 5
rigenis de- tam diversum à se esse potuisse, ut in eâ
formes. parte, quâ probatur, neminem post Apostolos habeat æqualem: in eâ verò, quæ jure reprehenditur, nemo deformiùs doceatur errasse.

CAP. VII. Nam cùm ab episcopis excerpta in libris 1
illius multa legerentur, quæ contra catholicam fidem scripta constaret, locus ille vel
maximam parabat invidiam, in quo editum
legebatur, quia Dominus Iesus, sicut pro re-

---

5. *In eâ quæ jure reprehenditur*] MS. *quâ jure repreh.* Atque ita congruit ei quod præcedit,
in eâ parte, quâ probatur.

1. *Locus ille vel maximam parabat insidiam*]
Insidia pro odio, ut sæpe. Opinionem illam de
Diabolo salvando habuit ferè & Martinus: ut ex
cap. XXII libri de vitâ ejus adparet. Sed dixit tamen Martinus cum conditione: *Si tu ipse ab hominum insectatione desisteres, & te factorum
tuorum pæniteret.* Quam conditionem quia non
impletum iri scivit, Diabolum salvatum iri nec liquidò adserere voluisse putandus erit.

*In qua editum legebatur, quia Dominus Iesus
esset etiam diabolum redemturus*] *Quia* positum
pro *quòd*; ut isto ævo scribere solebant. Estque
inter Græcismos ejus ævi numerandum. Quo-
dem-

demtione hominis in carne veniſſet, crucem
pro hominis ſalute perpeſſus, mortem pro
hominis æternitate guſtaſſet, ita eſſet eodem
ordine paſſionis etiam diabolum redemturus: quia hoc bonitati illius pietatique con-
grueret, ut, qui perditum hominem refor-
maſſet, prolapſum quoque angelum libera-
2 ret. Cùm hæc atque alia iſtiusmodi ab
epiſcopis proderentur, ex ſtudiis partium
orta eſt ſeditio. Quæ cùm reprimi ſacer-

---

niam ὅτι duabus Latinis vocibus *quòd* & *quia* reſpondet, atque ita vim habet duplicem: una itidem Latina vocula *quia* duplicem vim habere cœpit, ut non tantùm eſſet cauſalis, ſed & pro vocula
quòd poneretur. Atque iſtiusmodi Græciſmi, εν
εγω non pauci fuere. Et pertinet ad eum cenſum
vocula *ſi* quoque, de quâ ſuprà ad cap. II hujus Dial.
diximus.

Sicut pro redemtione hominis in carne βενιſſεt]
MS. *in carnem βενiſſet*. Eſt autem phraſis de-
ſumta ex c. IV ep. I Iohannis, ubi legitur ſic: *Omnis
ſpiritus, qui confitetur, Ieſum Chriſtum in carne
βενiſſe*. Textus Græcus habet ἐν σαρκι.

Mortem pro hominis æternitate guſtaſſet] i.e.
Mortuus eſſet, ut homo æternitatem, id eſt, æternam
vitam conſequeretur. Phraſin *mortem guſtare*
mutuatus itidem eſt ex ſacris. Ceterùm tam Latina iſta, quàm ipſa Græca γευσεσθαι θανατε,
numeranda eſt in Hebraismis. Et egimus de
hâc in Parte II Comment. de Hebraismis N. T.
pag. 275.

dotum

dotum auctoritate, non posset, sed vno exemplo ad regendam ecclesiæ disciplinam præfectus adsumitur, cujus terrore dispersi fratres, ac per diversas oras monachi sunt fu-
gati, ita ut propositis edictis in nullâ consistere sede sinerentur. Illud me admodum 3
permovebat, quòd Hieronymus vir maximè catholicus, & sacræ legis peritissimus,
Origenem secutus primo tempore putabatur, quem nunc idem præcipuè, vel omnia
illius scripta damnaret. nec verò ausus sum
de quoquam temerè judicare: præstantis-
simi tamen viri & doctissimi ferebantur in
hoc certamine dissidere. Sed tamen sive 4
illud error est, ut ego sentio, sive hæresis,
ut putatur, non solùm reprimi non potuit
multis animadversionibus sacerdotum, sed
nequaqum tam latè se potuisset effundere,

---

2. *Scævo exemplo ad regendam ecclesiæ disciplinam præfectus adsumitur*] Præfectum prætorio Ægypti intelligit. Sic & suprà præfectos prætorio non semel *præfectos* dixit.

3. *Quem nunc idem præcipuè, vel omnia ejus
scripta, damnaret*] Quòd Hieronymus Origenem ejúsque sectatores damnaverit; Theophili verò Episcopi Alexandrini contra hos opera laudaverit, adparet ex epistolis ejus LXX & LXXI. *Breviter scribimus,* inquit, *quòd totus mundus exul-
tet, & in tuis victoriis glorietur.*

nisi

5 nifi contentione creviffet.   Iftiusmodi ergo
turbatione cùm veni Alexandriam, fluctua-
bat. me quidem epifcopus illius civitatis
benignè admodum, & melius, quàm opina-
bar, excepit, & fecum tenere tentavit.   Sed
non fuit animus ibi confiftere, ubi recens
fraternæ cladis fervebat invidia. nam etfi
fortaffe videantur parere epifcopis debuiffe,
non ob hanc tamen cauffam multitudinem
tantam fub Chrifti confeffione viventem,
præfertim ab epifcopis oportuiffet adfligi.

1   Igitur inde digreffus, Bethleem oppidum CAP. VIII.
petii, quod ab Hierofolymis fex millibus
difparatur, ab Alexandriâ autem fedecim
2 manfionibus abeft.   Ecclefiam loci illius
Hieronymus presbyter regit: nam paro- S. Hiero-
chia eft Epifcopi, qui Hierofolymam tenet. nymi laus.

---

1. *Quod ab Hierofolymus fex millibus dispara-
tur*] MS. *fex millibus feparatur.*   Sed Dial. III
c. 6 itidem fcripfit, *Duobus à civitate erat millibus
difparatum.*

  Ab Alexandriâ fedecim manfionibus abeft] Man-
fio dicitur locus, ubi confecto itinere diurno per
noctem quiefcebant.   Plinius lib. XII c. 14 *A quo
octo manfionibus diftat regio eorum thurifera.* Iuftinus lib. XIII c. 8 *Continuatis manfionibus* dicit pro continuatis itineribus: quoniam itinera per
manfiones diftinguebantur.

  2. *Nam parochia eft epifcopi, qui Hierofolymam tenet*] *Parochia* corrupte dicit pro *parœcia.*
mihi

mihi jam pridem Hieronymus superiore illâ
peregrinatione compertus, facilè obtinuerat, ut nullum mihi expetendum rectiùs ar-
bitrarer. Vir enim, præter fidei meritum, 3
dotémque virtutum, non solùm Latinis atque Græcis, sed & Hebræis etiam ita litteris institutus est, ut se illi in omni scientiâ
nemo audeat comparare. Miror autem,
si non & vobis per multa, quæ scripsit, opera compertus est, cùm per totum orbem legatur. Nobis verò, Gallus inquit, nimiùm 4
nimiùmque compertus est. nam ante hoc
quinquennium, quemdam illius libellum legi, in quo tota nostrorum natio monachorum ab eo vehementissimè vexatur, & car-
pitur. Vnde interdum Belgicus noster 5
valdè irasci solet, quòd dixerit, nos usque
ad vomitum solere satiari. Ego autem illi

Et adparet hinc, ea vocis corruptio quam antiqua
sit. Est autem origine Græca vox, & Græcè scribi-
tur παροικία. Quâ voce dictæ initio sunt Ecclesiæ particulares hujus vel illius oppidi; & quidem
παρὰ τὸ παροικεῖν, quòd scil. hunc vel illum locum, ubi cives plerique adhuc gentiles erant, unà
cum his incolerent. Postea vox & aliter accepta
fuit, ut totam aliquam diœcesin significaret. Alibi
noster *diœcesin* vocat. Vt Dial. II c. 3 *Consequen-*
ti itidem tempore iter cum eo, dum diœcesis visi-
tat, agebamus.

viro

viro ignofco; atque ita fentio, de Orientalibus illum potiùs monachis, quàm de
Occidentalibus disputaffe.   Nam edacitas
6 in Græcis gula eft, in Gallis natura.   Tùm
ego: Scholaſticè, inquam, Galle defendis
gentem tuam : fed quæfo te, liber iſte
numquid hoc folum vitium damnat in monachis? Immò verò, inquit, nihil penitùs
omifit, quod non carperet, laceraret, exponeret : præcipuè avaritiam, nec minùs
vanitatem infectatus eft.   Multa de fuper-
biâ, non pauca de fuperftitione differuit:
verè fatebor, pinxiffe mihi videtur vitia
multorum.

1 Ceterùm de familiaritatibus virginum & C A P. IX.
monachorum, atque etiam clericorum,
quàm vera, quàm fortia difputavit! unde
à quibusdam, quos nominare nolo, dici-
2 tur non amari.   Nam ficut Belgicus nofter
irafcitur, edacitatis nimiæ nos notatos:
ita illi fremere dicuntur, cùm in illo opufculo fcriptum legunt: Cælibem fpernit
virgo germanum fratrem, quærit extra-
3 neum.   Ad hæc ego; Nimiùm, inquam,
Galle, progrederis : cave ne & te aliquis,
qui hæc fortaffis agnofcit, exaudiat, teque
unà cum Hieronymo incipiat non amare.

nam

nam quia ſcholaſticus es, non immeritò te
verſu Comici illius admonebo : Obſequium amicos, veritas odium parit. Tua
nobis potiùs, ut cœperas, Poſtumiane,
repetatur Orientalis oratio. Ego, inquit,
ut dicere inſtitueram, apud Hieronymum
ſex menſibus fui: cui jugis adversùm malos pugna, perpetuúmque certamen con-
civit odia perditorum. oderunt eum hæretici, quia eos impugnare non deſinit:
oderunt clerici, quia vitam eorum inſecta-
tur, & crimina. Sed planè eum boni
omnes admirantur, & diligunt: nam qui
eum hæreticum eſſe arbitrantur, inſaniunt.
Verè dixerim, catholica hominis ſcientia,
ſana doctrina eſt. Totus ſemper in lectione, totus in libris eſt: non die, non nocte requieſcit : aut legit aliquid ſemper,
aut ſcribit. quod niſi mihi fuiſſet fixum
animo, & promiſſum, Deo teſte, propo-

---

3. *Quia ſcholaſticus es*] id eſt, eruditus & bonorum Auctorum non expers, Sic & paullò antè:
Scholaſticè defendis gentem tuam. Hinc qui proximis ſuperioribus ſeculis unà cum Theologiâ
Philoſophiæ operam dederunt, Scholaſtici ſunt
adpellati.

5. *Planè eum boni omnes admirantur*] MS
Boni homines.

Et promiſſum, Deo teſte, propoſitam eremum
ſitam

ſitam eremum adire, vel exigui temporis
punctum à tanto viro discedere noluiſſem.

6 Huic ergo traditis atque commiſſis omnibus meis, omnique familiâ, quæ me contra voluntatem animi mei ſecuta tenebat
implicitum, exoneratus quodammodo gravi faſce penitùs, ac liber regreſſus Alexandriam, viſitatis ibi fratribus, ad ſuperiorem inde Thebaida, id eſt, ad Ægypti ex-
7 trema contendi. Ibi enim vaſtæ patentis
eremi ſolitudines plurimum ferebantur habere monachorum. Longum eſt, ſi omnia
cupiam referre, quæ vidi: tamen pauca
perſtringam è pluribus.

1 Haud longè ab eremo contiguâ Nilo, CAP. X.
multa ſunt monaſteria. habitant uno loco Multa mo-
plerumque centeni: quibus ſummum jus naſteria in
eſt, ſub abbatis imperio vivere, nihil arbi- Ægypto.
trio ſuo agere, per omnia ad nutum illius po-
teſtatémque pendere. ex his, ſi qui majorem virtutem mente conceperint, ut acturi

---

adire] MS. *Et promiſſum, Deo teſte, propoſitum
eremum adire.* Quod ſine dubio & melius. *Propoſitum* frequens vox eſt noſtro infra c. 12 *Depo-
ſito propoſiti rigore.* Item: *Fortiſſimi Bincula
propoſiti laxaBit.*

6. *Ad ſuperiorem inde Thebaida contendi*] MS.
totendi.

Cc ſoli-

solitariam vitam se ad eremum conferant,
non nisi permittente abbate discedunt.
hæc illorum prima virtus est, parere alieno
imperio. Transgressis ad eremum, abbatis illius ordinatione panis, vel quilibet cibus alius, ministratur. Casu per illos dies,
quibus illò adveneram, cuidam, qui nuper
ad eremum secesserat, neque ampliùs ab
hoc monasterio, quàm sex millibus tabernaculum sibi constituerat, panem abbas per
duos pueros miserat, quorum major habebat ætatis annos quindecim, minor duodennis erat. His ergo inde redeuntibus,
aspis miræ magnitudinis fit obviam, cujus
occursu nihil perterriti, ubi ante pedes eorum venit, quasi incantata carminibus,
cœrula colla deposuit, minor è pueris manu adprehensam, ac pallio involutam ferre
cœpit. deinde monasterium quasi victor
ingressus, in occursum fratrum, inspectanti-
bus cunctis, captivam bestiam, resoluto
pallio, non sine jactantiæ tumore deposuit.

Aspidem puer fert inlæsus.

2. *Minor duodennis erat*] Ita & MS. Dicitur
autem *duodennis* pro *duodecennis.* Ipsum *duodecennis* autem legitur Dial. III c. 2.

3. *Cœrula colla deposuit*] MS. *cœrulea colla
deposuit.* Si lectio altera præferenda sit, imitatus
est Virgilium, qui anguem vocat *adtollentem iras
& cœrula colla tumentem,* in lib. II Æn.

Sed

4 Sed cùm infantium fidem atque virtutem Cæditur
ceteri prædicarent, abbas ille altiori confilio, ab abbate.
ne infirma ætas infolefceret, virgis utrum-
que compefcuit, multùm objurgatos, cur ipfi,
quod per eos Dominus operatus fuerat, pro-
didiffent. opus illud non fuæ fidei, fed divinæ fuiffe virtutis: difcerent potiùs, Deo in
humilitate fervire, non in fignis & virtutibus gloriari : quia melior effet infirmitatis
confcientia, virtutum vanitate.

1 Hoc ubi ille monachus audivit, & peri- CAP. XI.
clitatos infantulos ferpentis occurfu, & ipfos
infuper multa verbera victo ferpente meruiffe, abbatem obfecrat, ne fibi poft hæc
panis ullus, aut cibus aliquis mitteretur.

2 Jamque octavus dies fuerat emenfus, quo fe

---

4. *Opus illud diuinæ fuiffe uirtutis.*] MS. *diui-*
næ effe uirtutis.

In fignis & uirtutibus gloriari] Quòd actiones
miraculofas *figna* vocat, id in Hebraifmis nume-
ravimus fuprà in Notis ad Hift. S. Conftructio autem
gloriari in fignis fatis Latina eft. Ita dicunt *re-*
prehendi in aliquâ re, plecti in aliquâ re, gratias
alicui agere in al. re. Vid. Ind. in Nep. ad voc. IN.

1. *Ipfos infuper multa uerbera meruiffe*] Mereri
rurfus pro *accipere*, pro more ejus ævi.

2. *Octavus dies fuerat emenfus*] Nihil novi eft
participia verborum deponentium quæ vocant,
paffivè ufurpari. Et extant ejus rei exempla pasfim in Auctoribus.

homo Christi intra periculum famis ipse
concluserat: arebant membra jejunio, sed
deficere mens cœlo intenta non poterat:
corpus inediâ fatiscebat, fides firma durabat. Cùm interim admonitus abbas ille 3
per spiritum, ut discipulum visitaret, piâ
sollicitudine cognoscere cupiens, quâ vitæ
substantiâ vir fidelis aleretur, qui ministrari
sibi panem ab homine noluisset, ad requiren-
dum eum ipse proficiscitur. Ille ubi eminus 4
senem venire conspexit, occurrit: agit gratias, ducit ad cellulam. cùm ingressi pariter
ambo, conspiciunt palmiciam sportam cali-
do pane congestam, foribus adfixam de poste
pendere. Ac primùm calidi panis odor sen- 5
titur: tactu verò ac si ante paullulùm focis
esset ereptus, ostenditur. Ægyptii tamen
panis forma non cernitur. Obstupefacti 6
ambo, munus cœleste cognoscunt. Cùm ille
hoc abbatis adventui præstitum fateretur, abbas verò illius fidei ac virtuti id potiùs adscri-
beret, ita ambo cœlestem panem cum multâ exsultatione fregerunt. Quod cùm senex 7
ad monasterium post regressum fratribus retulisset, tantus omnium incenderat ardor animos, ut certatim ad eremum&sacras solitudi-

---

3. *Quâ vitæ substantiâ aleretur*] *Substantia*
pro bonis, facultatibus, observatum itidem suprà.

nes

nes ire properarent: miseros se fatentes, qui
diutiùs in congregatione multorum, ubi humana esset patienda conversatio, resedissent.

1   In hoc monasterio duos ego senes vidi, CAP. XII.
qui jam per quadraginta annos ibi degere,
ita ut nunquam inde discesserint, ferebantur. quorum prætereunda mihi commemoratio non videtur: siquidem id de eorum virtutibus, & abbatis ipsius testimonio,
& omnium fratrum audierim sermone cele-
brari, quòd unum eorum sol nunquam vidisset epulantem, alterum vidisset iratum nun-
2 quam.   Ad hæc Gallus, intuens, O si vester
ille [nolo nomen edicere] nunc adesset, vellem admodum istud audiret exemplum:
quem in multorum sæpe personis nimium
experti sumus vehementer irasci: sed tamen, quia inimicis suis, quantum audio,

---

2. *O si vester ille nunc adesset.*] MS. *O si noster
ille n. ad.*

*Quem in multorum sæpe personis vehementer
irasci*] Sic Nepos *persona principis* pro *principe,*
& *summorum virorum persona* pro ipsis viris summis dixit in Præf. & in Epaminonda: ut adeo *persona* sit ferè παρέλκον. Quale quid cùm in stylo
Cl. Salmasii carperet Miltonus, imperitè fecit. Ceterùm *in multorum personis irasci* dicit noster
pro *multorum personis irasci.* Sanè paullò pòst
dicit, *illi irascitur.*

C c 3

nuper

nuper ignovit, si istud audiret, magis magis-
que proposito confirmaretur exemplo, præ-
claram esse virtutem, iracundiâ non moveri.   Nec verò inficiabor justas illi caussas 3
irarum fuisse: sed ubi durior pugna, ibi
gloriosior est corona. unde quemdam, si
agnoscis, censeo jure laudandum, quòd cùm
eum libertus deseruerit ingratus, miseratus
est potiùs, quàm insectatus abeuntem. Sed
neque illi irascitur, à quo videtur abductus.
Ego autem, nisi istud vincendæ iracundiæ, 4
Postumianus prodidisset exemplum, graviter irascerer discessione fugitivi: sed quia
irasci non licet, tota illorum commemoratio, quæ nos compungit, abolenda est. Te, 5
inquam, Postumiane, te potiùs audiamus.
Faciam, inquit, Galle, quod præcipis, quatenus tam studiosos audiendi esse vos video.
Sed mementote, quia non sine fœnore istum
apud vos depono sermonem, libens præ-
sto quod poscitis: dummodo paullò pòst,
quod popòscero, non negetis. Nos verò, 6

---

5. *Quatenus tam studiosos audiendi esse vos
video*] *Quatenus* pro *quia* scripsit pro more istius
ævi.

*Mementote, quia non sine fœnore istum apud
vos depono sermonem*] *Quia* pro *quòd*, ut sup.
cap. VII; itidem pro more istius ævi.

inquam,

inquam, nihil habemus, in quo tibi mutuum vel sine foenore restituere possimus.
sed tamen quidquid putaveris, imperato,
dummodo, ut cœperas, desideriis nostris
satisfacias. valde enim nos delectat tua ora-

7 tio. Nihil, inquit Postumianus, vestra studia fraudabo: & quia eremitæ unius incipi-
entis agnovistis virtutem, referam adhuc vobis pauca de plurimis.

1 Ergo ubi prima eremi ingressus sum, duo- CAP. XIII.
decim ferè à Nilo millibus, [habebam autem
unum è fratribus ducem, locorum peritum]
pervenimus ad quemdam senem monachum, sub radice montis habitantem. ibi,
quod in illis locis rarissimum est, puteus

2 erat. bovem unum habebat, cujus hic erat
totus labor, impulsâ rotali machinâ aquam
producere. nam ferè mille aut ampliùs pe- Hortus
dum, profundum putei ferebatur. hortus fertilis in
illic erat multis oleribus copiosus: id qui- loco steri-
lissimo.

---

1. *Ergo ubi prima eremi ingressus sum*] MS. *prima eremi loca.*

2. *Putei profundum*] *Profundum* substantivè;
quomodo & supra eum scripsisse meminimus. Ex
quo adparet, non à quibusvis formata fuisse sub-
stantiva; sed quandoque ipsa adjectiva pro sub-
stantivis usurpata fuisse. Vide & Lexicon Fabri à
Buchnero locupletatum, v. *Profundus:* ubi vox
profunditas ut minùs Latina rejicitur.

Cc 4

dem contra naturam eremi, ubi omnia arentia, exufta folis ardoribus, nullius unquam feminis vel exiguam radicem ferunt. Verùm hoc fancto illi labor cum pecore communis, & propria præftabat induftria. Frequens enim irrigatio aquarum tantam pinguedinem arenis dabat, ut mirum in modum virere atque fructificare horti illius olera videremus. Ex iis igitur unà cum Domino bos ille vivebat. nobis quoque ex eâ copiâ, cœnam fanctus dedit. Ibi vidi, quod vos Galli forte non creditis, ollam cum oleribus, quæ nobis in cœnam præparabat; fine igne feruere. Tanta vis folis eft, ut quibuslibet coquis etiam ad Gallorum pulmenta fufficiat Poft cœnam autem jam inclinante vefperâ, invitat nos ad arborem pal-

3

4

5

Olla in Ægypto fervet ardore folis.

---

3. *Hoc fancto illi labor cum pecore communis*]
MS. *cum pecude.* Ceterùm *Hoc illi labor communis* dicit pro *Hic illi labor communis.* Quale quid non ferret Scioppius: quippe qui in Scaligero talia reprehendit.

Mirum in modum fructificare horti illius olera]
Verbo *fructificare* & fuprà ufum meminimus. Eftque idem, quod *fructum ferre.* Non autem eft ævi Ciceroniani; fed fequioris.

5. *Invitat nos ad arborem palmam*] MS. *ad arborem palmæ.* Vtrumque fatis Latinum *arbor palma,* & *arbor palmæ.* Neque enim adpofitione tantùm, ut Grammatici vocant, fed & rectione utrun-

mam

mam, cujus interdum pomis uti folebat : quæ
6 ferè duobus millibus aberat.   Nam hæ
tantùm in eremo arbores, licet rarò, habentur tamen. quod utrum follers antiquitas
procuraverit, an foli natura gignat, ignoro:
nifi fi Deus præfcius habitandam quandoque à fanctis eremum, hæc fervis fuis pa-
7 raverit. Ex majore enim parte, qui intra
illa fecreta confiftunt, cùm alia ibi germina
nulla fuccedunt, iftarum arborum pomis
aluntur. Ergo ubi ad illam, ad quam nos
humanitas noftri hofpitis ducebat, arborem
pervenimus, leonem ibi offendimus: quo
vifo, ego & ille dux meus intremuimus.

Leo Ana-
choreta
conviva.

---

tur, cùm genus cum fpecie conjungunt. Pari modo
Poëtæ Horatius & Virgilius *herba lapathi, metallum auri.* Qualia & fuprà in noftro obfervare memini.

Cujus interdum pomis uti folebat] Ergo & palma habet poma. Sic & paullò pòft : *Iftarum arborum pomis aluntur.* Item : *Adtigua ramis humilioribus poma decerperet.* Quòd autem vocabulo *poma* tam generalem fignificationem tribuit;
id planè more antiquiorum fecit. Palmæ poma
deinde & *palmulas* vocat.

6. *Nifi fi Deus præfcius habitandam quandoque
à fanctis eremum, hæc fervis fuis paraverit*] MS.
Nifi quod Deus præfcius. Sed alterum magis placet. *Habitandam* fcil. *effe,* dicit pro more fuo pro
habitatum iri : & *quandoque* pro *aliquando.*

Cc 5   fan-

sanctus verò ille incunctanter accessit: nos,
licet trepidi, secuti sumus.　Fera paullulùm 8
[cerneres imperatam à Deo] modesta dis-
cessit, & constitit; dum ille adtigua ramis
humilioribus poma decerperet. cùmque
plenam palmulis manum obtulisset, adcurrit bestia, accepitque tam liberè quàm nullum animal domesticum: & cùm comedis-
set, abscessit. nos hæc intuentes, & adhuc
trementes, facilè potuimus expendere, quanta in illo fidei virtus, & quanta in nobis esset
infirmitas.

CAP. XIV.　　Alium æquè singularem virum vidimus, 1
parvo tugurio, in quo non nisi unus recipi
Lupa ad-　posset, habitantem. de hoc illud ferebatur,
stat cœ-　quòd lupa ei solita erat adstare cœnanti: nec
nanti ere-　facilè unquam bestia falleretur, quin illi ad
mitæ.　legitimam horam refectionis occurreret, &
tamdiu pro foribus exspectaret, donec ille
panem, qui cœnulæ superfuisset, offerret:
illam manum ejus lambere solitam: atque
ita quasi impleto officio, & præstità conso-
latione discedere. Sed fortè accidit, ut san- 2
ctus ille, dum fratrem, qui ad eum venerat

---

8. *Cerneris imperatam à Deo*] Pro *cerneres
imperatum ei esse à Deo.　Imperatus* pro eo, cui
imperatum est.　Cui simile in lib. I Hist. S. observare memini.

　　　　　　　　　　　　　　dedu-

deducit abeuntem, diutiùs abeſſet, & non
niſi ſub nocte remearet.   Interim beſtia ad
conſuetudinarium illud cœnæ tempus occurrit, vacuam cellulam, cùm familiarem
patronum abeſſe ſentiret, ingreſſa, curioſiùs
explorans, ubinam eſſet habitator : caſu contigua cum panibus quinque palmicia ſpor-
3 tella pendebāt.   Ex his unum præſumit, &
devorat : deinde perpetrato ſcelere diſce-
dit.   Regreſſus eremita, vidit ſportulam
diſſolutam, non conſtante panum nume-

---

2. *Beſtia ad conſuetudinarium illud cœnæ tem-*
pus occurrit] *Occurrere* ſine caſu tertio pro *Benire,*
accedere, comparere, illo ævo frequentatum fuit.
Concilium Carthag. V *Vt epiſcopi ad diem Conci-*
lii occurrant, id eſt, accedant, compareant.   Eſtque
hic vocabulo uſus tributus exemplo verbi Græci
ἀπαντᾷν.   Exemplum ejus & in epp. Plinii obſervare licet.   Quippe lib. VI ep. 34 habet ſic : *Vellem*
Africanæ, quas coemeras, ad præfinitum diem oc-
curriſſent.

  Palmicia ſportella] MS. *palmicea fiſcella.* Supra cap. XI *palmicia ſporta :* quomodo & MS. ibi
habet.   Secundùm analogiam dicendum fuerit
palmicea : quomodo & Buchnerum in Acceſſioni-
bus ad Lex. Fabri vocem ſcripſiſſe video.   Qui &
palmiceam exponit *ex palmarum foliis textam ;*
& locum Hieronymi ex vitâ Pauli Eremitæ citat
hunc : *Tunicam ejus ſibi BindicaBit, quam in ſpor-*
tarum modum de palmæ foliis ipſe ſibi contexuerat.

  3. *Non conſtante panum numero*] MS. *Non*

ro. damnum rei familiaris intelligit, ac prope limen panis abfumti fragmenta cogno-
fcit.   Sed non erat incerta fufpicio, quæ 4
Beſtia ſce- furtum perfona feciſſet.   Ergo cùm fequen-
leris ſui tibus diebus fecundùm confuetudinem be-
conſcia. ſtia non veniſſet, nimirum audacis facti con-
fcia, ad eum venire diſſimulans, cui feciſſet
injuriam, ægrè patiebatur eremita, fe alu-
mnæ folatio deſtitutum.   Poſtremò illius 5
oratione revocata, feptimum poſt diem adfuit, ut folebat antè, cœnanti.   Sed ut facilè cerneres verecundiam pœnitentis, non
aufa propiùs accedere, dejectis in terram profundo pudore luminibus, quod palàm licebat intelligi, quamdam veniam precabatur:
quam illius confufionem eremita miferatus,
jubet eam propiùs accedere, ac manu blan-
da caput triſte permulcet.   Dein pane du- 6
plicato ream fuam refecît. ita indulgentiam confecuta, officii confuetudinem depofito mœrore reparavit.   Intuemini, quæ-

---

conſtantem panum numerum : ut referatur ad verbum ſidit, quod præcedit.

4. *Ad eum ſenire diſſimulans*] *Diſſimulare* pro
negligere.   Sic lib. II Hiſt. S. c. 1 *Diſſimulatum regis imperium*.   Vide Notas ad eum locum.

5. *Quam illius confaſienem eremita miferatus*]
Confuſio pro pudore, pro more ejus ævi. Sic paullò pòſt : *Conſcio pudore confunditur*.

So, Chrifti etiam in hac parte virtutem, cui sapit omne, quod brutum est; cui mite est

7 omne, quod fævit. Lupa præstat officium, lupa furti crimen agnofcit, lupa confcio pudore confunditur: vocata adest, caput præbet: & habet fenfum indultæ fibi veniæ,

8 ficut pudorem geffit errati. Tua hæc virtus Chrifte, tua funt hæc Chrifte miracula. Etenim quæ in tuo nomine operantur fervi tui, tua funt: & in hoc ingemifcimus, quòd majestatem tuam feræ fentiunt, homines non verentur.

1 Ne cui autem hoc incredibile forte videatur, majora memorabo. Fides Chrifti adest, me nihil fingere, neque incertis auctoribus vulgata narrare: fed quæ mihi per fideles viros comperta funt, explicabo.

CAP. XV.

2 Habitant plerique in eremo fine ullis tabernaculis, quos Anachoretas vocant. vivunt herbarum radicibus: nullo unquam certo loco confiftunt, ne ab hominibus frequententur. quas nox coëgerit, fedes habent.

Anachoretarum domicilia & vivendi ratio.

---

2. *Ne ab hominibus frequententur*] MS. pro *frequententur* habet *fifitentur frequenter*. Quod videtur effe gloffema, & ex margine inrepfiffe in textum. Infra cap. XVII *Eum, qui ab hominibus frequentaretur, non poffe ab Angelis frequentari*. Et cap. XX *Mirum in modum frequentabatur à populis*.

Ad

Ad quemdam igitur hoc ritu atque hâc lege 3
viventem, duo ex Nitriâ monachi, licet longè diversâ regione, tamen quia olim ipsis in
monasterii conversatione carus & familiaris
fuisset, auditis ejus virtutibus, tetenderunt:
quem diu multúmque quæsitum, tandem
mense septimo repererunt extremo illo deserto, quod est Memphis contiguum, demo-
rantem: quas ille solitudines jam per annos
duodecim dicebatur habitare.   Qui licet
omnium hominum vitaret occursus, tamen
agnitos non refugit, séque carissimis per

Leæna A-   triduum non negavit.   Quarto die aliquan- 4
nachoretæ   túlùm progressus, cùm prosequeretur abeun-
supplicat   tes, leænam miræ magnitudinis ad se veni-
& visum   re conspiciunt. bestia, licet tribus repertis,
catulis suis non incerta quem peteret, Anachoretæ pe-
impetrat.   dibus advolvitur, & cùm fletu quodam & la-
            mentatione procumbens indicabat gementis
            pariter & rogantis adfectum. movit omnes,
            & præcipuè illum, qui se intellexerat expe-
            titum. præcedentem sequuntur. nam præ-
            iens, & subinde restans, subinde respectans,

---

3. *Deserto quod est Memphis contiguum*] Lib.
H Hist. S. c. 46 *Memphis ortus.*   Quod Gale-
sino suspectum fuit, & legendum visum. *Mem-*
phi ortus. Verùm si hic legendum sit *Memphis,*
possit & altero loco ita legi. Certè M.S. hoc loco
habet *Memphis.*

                                          faci-

facilè poterat intelligi, id eam velle, ut quò
5 illa ducebat, Anachoreta fequeretur. Quid
multis ? ad fpeluncam beftiæ pervenitur,
ubi illa adultos jam quinque catulos malè
feta nutriebat: qui, ut claufis luminibus ex
alvo matris exierant, cœcitate perpetuâ tenebantur. quos fingulos de rupe prolatos,
6 ante Anachoretæ pedes mater expofuit. Tùm
demum fanctus animadvertit, quid beftia
poftularet: invocatôque Dei nomine, con-
trectavit manu lumina claufa catulorum: ac
ftatim cœcitate depulsâ, apertis oculis beftiarum diu negata lux patuit.   Ita fratres illi,
Anachoreta quem defiderabant vifitato, cùm
admodùm fructuosâ laboris fui mercede re-
dierunt: qui in in teftimonium tantæ virtutis admiffi, fidem fancti, gloriam Chrifti,
7 quæ per ipfos effet teftificanda, vidiffent. Mira dicturus fum: Leænam poft dies quinque Leænæ
ad auctorem tanti beneficii revertiffe, eidém- gratitudo.
que inufitatæ feræ pellem pro munere detu-
liffe: quâ plerumque fanctus ille quafi ami-
culo circumtectus, non dedignatus eft munus per beftiam fumere, cujus alium potiùs
nterpretabatur auctorem.
1   Erat etiam alterius Anachoretæ in illis re- CAP. XVI.

---

5. *Quid multis ?*] *Quid multa ?* Infra cap. 2.
plenè dicit, *Quid multis morer ?*

gio.

gionibus nomen inlustre, qui in eâ parte deserti, quæ Syenis jungitur, habitabat. hic cùm primùm se ad eremum contulisset, & herbis herbarùmq; radicibus, quas prædulces interdum, & saporis eximii fert arena, victurus, ignarus germinis eligendi, noxia plerumque carpebat. nec erat facilè, vim radicum sapore discernere: quia omnia æquè dulcia: sed pleraque occultiore naturà virus lethale cohibebant. Cùm ergo edentem vis interna torqueret, & immensis doloribus vitalia universa quaterentur, ac frequens vomitus cruciatibus non ferendis ipsam animæ sedem stomacho jàm fatiscente dissolveret, omnia penitùs quæ essent edenda formidans, septimum in jejuniis diem spiritu deficiente ducebat.

---

1. *Quæ Syenis jungitur*] Quomodo numero plur. *Memphis* dixit, ita nunc *Syenis*. Ceterùm in singulari dicitur *Syene*. Lucanus lib. II *Vmbras nusquam flectente Syene*. Noster quia numero plurali *Syenis* dicit, non ampliùs mirandum, quòd paullò antè *Memphis* scripsit.

2. *Immensis doloribus vitalia universa quaterentur*] *Vitalia* substantivè dicuntur partes hominis interaneæ, quæ nisi salvæ sint, ipsa vita constare homini non potest: ut sunt pulmo, jecur, lien & præcipuè cor. Seneca lib. II de Ir. c. I *Nam & in corpore nostro ossa interiora & articuli firmamenta totius, & vitalia, minimè speciosa visu, priùs ordinantur.*

Tùm

3 Tùm ad eum fera, cui Ibicis est nomen, ac-   Fera docet,
cessit. huic propiùs adstanti, fasciculum her-   quibus herbarum, quem conlectum pridie adtingere   bis vescen-
non audebat, objecit.   Sed fera, quæ viru-   dum sit.
lenta erant, ore discutiens, quæ innoxia noverat, eligebat. ita vir sanctus ejus exemplo
quid edere ; quid respuere deberet ; edoctus , & periculum famis evasit, & herba-
4 rum venena vitavit.   Sed longum est, de
omnibus, qui eremum incolunt, comperta
nobis, vel audita memorare.   Annum integrum & septem ferè menses intra solitudines constitutus exegi, magis virtutis admira-
tor alienæ, quàm quòd ipse tàm arduum atque difficile potuerim tentare propositum:
Sæpiùs tamen cum sene illo ; qui puteum &
bovem habebat, habitavi.

1   Duo beati Antonii monasteria adii , quæ CAP. XVII.
hodiéque ab ejus discipulis incoluntur. Ad
eum etiam locum, in quo beatissimus Paullus primus eremita est diversatus ; accessi.
2 Rubrum mare vidi : jugum Sina montis ad-

---

4. *Annum integrum intrà solitudines constitu-*
tus] *intrà solitudines* pro *in solitudinibus,* pro
more istius ævi : ut supra *intrà Galliam, intrà Hi-*
spaniam pro *in Galliâ, in Hispâniâ.*

1. *Paullus primus eremita*] Cujus vitam descri-
psit Hieronymus : qui & disquirit, an primus eremita Paullus omnino fuerit.

Dd   scendi

scendi, cujus summum cacumen coelo pænè contiguum, nequaquam adiri potest. In- 3
ter hujus recessusAnachoreta esse aliquis ferebatur, quem diu multúmque quæsitum videre non potui, qui ferè jam ante quinquaginta annos à conversatione humanâ remotus, nullo vestis usu, setis corporis
sui tectus, nuditatem suam divino munere
vestiebat.   Hic quoties eum religiosi viri 4
adire voluerunt, cursu avia petens, con-
gressus vitabat humanos. vni tantummodo
ferebatur se ante quinquennium præbuisse,
qui credo potenti fide id obtinere prome-
ruit : cui inter multa conloquia percun-
ctanti, cur homines tantopere vitaret, respondisse perhibetur, Eum, qui ab homi- 5
nibus frequentaretur, non posse ab angelis frequentari.   Unde non immeritò receptâ opinione multorum fama vulgaverat,
sanctum illum ab angelis visitari. Ego au- 6
tem à Sina monte digressus, ad Nilum flumen egressus sum, cujus ripas frequentibus
monasteriis consertas utràque ex parte lu-

<hr>

6. *Cujus* [Nili] *ripas frequentibus monasteriis*
consertas utrâque ex parte lustrabi] Supra cap. X
Haud longè ab eremo contigua Nilo multa sunt
monasteria.

                                       stravi

stravi. Plerumque vidi, ut dudum dixeram, uno in loco habitare centenos : sed
& bina & terna millia in iisdem viculis
7 degere constabat. Nec sanè ibi minorem *Monacho-*
putetis diversantium in multitudine mona- *rum Orie-*
chorum esse virtutem, quàm eorum esse *talium ob-*
cognoscitis, qui se ab humanis coetibus re- *dientia.*
8 moverunt. Praecipua, ut jam dixeram,
ibi virtus, & prima, est obedientia : neque
aliter adveniens ad monasterium abbatis
suscipitur, quàm qui tentatus priùs fuerit,

Vt dudum dixeram] Supra nimirum cap. X
Habitabant uno loco plerumque centeni.

*Bina & terna millia in iisdem viculis degere con-
stabat*] MS. pro *degere* habet *agere :* quod á stylo
nostri nec alienum est. Subaudiendum autem
vitam, ut integrum sit *agere vitam.*

7. *Ibi diversantium monachorum*] *Diversari*
vetus quidem verbum est ; sed paullò aliter tamen à
nostro quàm ab antiquioribus usurpatum videtur.
Antiquiores dicebant, *diversari apud aliquem,* &
diversari in aliquâ domo. Quòd verò etiam dicant *diversari in provincia* aut *in urbe quadam,*
non nominata domo, in quâ quispiam diversetur,
non memini. At noster saepe sic loquitur. Vt
supra in hoc eodem cap. *Ad eum etiam locum,
in quo beatiss. Paullus primus eremita est diversatus, access.* Item lib. I Hist. S. c. 5 *Inde apud
Charras diversatus est* pro *Carris vixit, Carris egit.*
Nam *apud Carras* quoque pro *Carris* more istius
aevi scriptum est.

& probatus, nullum unquam recusaturus, quamlibet arduum ac difficile, indignúmque toleratu, abbatis imperium.

CAP. XVIII.

Duo vobis referam incredibilis obedien- 1 tiæ admodum magna miracula, licet suppe-tant plura recolenti : sed ad excitandam vir-tutum æmulationem, cui pauca non suffici-unt, multa non proderunt. Ergo cùm qui- 2 dam seculi actibus abdicatis, monasterium magnæ dispositionis ingressurus, cœpisset rogare : Abbas ei cœpit multa proponere, graves esse istius disciplinæ labores, sua vero dura imperia, quæ nullius facilè valeret im-plere patientia. aliud potiùs monasterium,

---

2. *Seculi actibus abdicatis*] i.e. negotiis mun-danis abd. Nam *seculum* pro mundo auctoribus ec-clesiasticis ejus ævi valdè frequentatum.

Monasterium magnæ dispositionis ingressurus] Ita planè & MS. Cl. Hornius, cùm in textu non aliter habeat, in Notis tamen scripsit, *Magna dispen-sationis* ; & locum prætereà addit Hieronymi, quo de dispensatoribus monasteriorum agitur. Nobis præferendum videtur *magnæ dispositionis* ; ut sensus sit, in isto monasterio, quomodo noster mox addit, esse *graves disciplinæ labo-res, & dura imperia Abbatis, quæ nullius faci-lè valeret implere patientia.* Dispositio pro im-perio, gubernatione, edicto, sæpe ponitur à scri-ptoribus ejus ævi. Vt in Notitia utriusque im-perii : *Sub dispositione Viri illustris præfecti præ-torio.*

ubi

ubi facilioribus legibus viveretur, expeteret:
non tentaret adgredi, quod implere non
3 poſſet. Ille verò nihil his terroribus permoveri, ſed magis ita omnem obedientiam pol-
liceri, ut, ſi eum Abbas in ignem ire præci-
peret, non recuſaret intrare. quam illius
profeſſionem ubi magiſter accepit, non cun-
4 ctatur probare profitentem. Caſu cliba-
nus propter ardebat, qui multo igne ſuccen-
ſus, coquendis panibus parabatur : exun-
dabat abruptis flamma fornacibus; & intra
camini illius concava totis habenis regnabat incendium. hoc igitur advenam illum Monachus
jubet magiſter intrare, nec diſtulit parere in mediis
præcepto: medias flammas nihil cunctatus flammis
ingreditur : quæ mox tam audaci fide vi- non ardet.
ctæ, velut illis quondam Hebræis pueris ceſ-
5 ſere venienti. Superata natura eſt, fugit
incendium ; & qui putabatur arſurus, velut frigido rore perfuſus ſe ipſe miratus eſt.
6 Sed quid mirum, ſi tuum, Chriſte, tironem
ignis ille non adtigit? ut nec abbatem pi-
geret dura mandaſſe, nec diſcipulum pœniteret imperio paruiſſe, qui eo die, quo ad-

---

3. *Quam illius profeſſionem ubi magiſter acce-*
pit, non cunctatur probare profitentem] MS. *Non*
cunctatus eſt. Magiſtrum vocat monaſterii illius
Abbatem.

Dd 3

vene-

venerat, dum tentaretur infirmus, perfectus inventus est: meritò felix, meritò
gloriosus, probatus obedientiâ, glorificatus
est passione.

CAP. XIX.   In eodem autem monasterio factum id, 1
quod dicturus sum, recenti memoriâ fere-
batur. Quidam itidem ad eumdem abbatem
recipiendus advenerat, cùm prima ei lex
obedientiæ poneretur, ac perpetem polliceretur ad omnia vel extrema patientiam:
casu abbas storacinam virgam jampridem 2
aridam manu gerobat, hanc solo fixit, atque illi advenæ id operis imponit, ut tamdiu virgulæ aquam inriguam ministraret,
donec, quòd contra omnem naturam erat,
lignum aridum in solo arente vivisceret.
Monachi   Subjectus advena duræ legis imperio, a- 3
miranda pa-   quam propriis humeris quotidie convehe-
tientia.   bat, quæ à Nilo flumine per duo fere mil-

---

1. *Cùm prima ei lex obedientiæ poneretur, ac
perpetem polliceretur ad omnia vel extrema patientiam*] Ita planè & MS. Verùm pro *ac* legendum
esse *ut*, quis non videt?

2. *Lignum aridum in solo arente bibisceret*]
Verbo *bibiscere* & suprà usus est, ni fallor. Eo
usus & Plinius lib. IX Hist. nat. c. 51 *Anguillæ adte-
runt se scopulis, ea strigmenta bibiscunt.* Scribi-
tur autem & *bibescere.* Lucretius lib. IV *Quod
cupido affixum cordi bibescit, ut ignis.*

lia

lia petebatur.   jámque emenſo anni ſpatio,
labór non ceſſabat operantis, & de fructu
operis ſpes eſſe non poterat :   tamen obedientiæ virtus in labore durabat.   Sequens
quoque annus vanum laborem jam adfecti
4 fratris eludit.   Tertio demum ſuccedentium temporum labente curriculo, cùm
neque nocte neque interdiu, aquarius ille
5 ceſſaret operator, virga floruit.   Ego ipſam   Virga arida
ex illâ virgulâ arbuſculam, quæ hodieque   floruit.
intra atrium monaſterii eſt ramis virenti-
bus, vidi: quæ quaſi in teſtimonium ma-
6 nens, quantum obedientia meruit, & quantum fides poſſit, oſtendit.   Sed me dies antè
deficiet, quàm diverſa miracula, quæ mihi de
virtutibus Sanctorum ſunt comperta, con-
1 ſummem.   CAP. XX.
   Duo vobis adhuc præclara memorabo.
quorum unum egregium exit adversùs in-
flationem miſeræ vanitatis exemplum: al-
2 terum adversùs falſam juſtitiam non medi-   Sanctus
ocre documentum.   Quidam ergo San-   quidam
ctus fugandorum de corporibus obſeſſis

---

   3. *Laborem jam adfecti fratris eludit*] *Adfectus*
pro debilitato, infirmo, ægrotante. Suetonius
Tib. lc. 21. *Ex itinere revocatus jam quidem adfe-*
ctum, ſed tamen ſpirantem adhuc Auguſtum repe-
rit. Addunt & adverbium, dicúntque *graviter*
adfectus.

                                       dæ

varia mira-
cula præ-
ſtat.

dæmonum incredibili præditus poteſtate, inaudita per ſingulos dies ſigna faciebat, non ſolùm enim præſens, neque verbo tantùm, ſed abſens quoque interdum cilicii ſui fimbriis, aut epiſtolis miſſis, corpora obſeſſa curabat. Hic ergo mirum in modum frequentabatur à populis ex toto ad eum orbe venientibus. Taceo de minoribus: Præfecti Comitésque, ac diverſarum Judices poteſtatum pro foribus illius ſæpe jacuerunt. Epiſcopi quoque ſanctiſſimi, ſacerdotali auctoritate depoſitâ, contingi ſe ab eo, atque benedici humiliter poſtulantes, ſanctificatos ſe ac divino munere inluſtratos, quoties manum illius veſtemque contigerant, non immeritò crediderunt.

Idem omni
potu abſti-
net.

Hic ferebatur omni potu in perpetuum penitùs abſtinere, ac pro cibo (tibi Sulpici in aurem loquar, ne Gallus hoc audiat) ſeptem tantùm caricis ſuſtentari. Interea ſancto viro, ut ex virtute honor,

---

2. *Cilicii ſui fimbriis aut epiſtolis misſis*] Similia de Martino notavit in vitâ ejus, cap. 18 & 19.

3. *Præfecti Comitésque*] *Comes* jam illo tempore nomen dignitatis fuit. Sic & in Vit. Mart. c. 20 *Comites duo ſummâ poteſtate præditi.*

4. *Septem tantùm caricis*] Hieronymus de Paullo eremita prodidit, quinque caricis per ſingulos dies ſuſtentatum fuiſſe; & de Hilarione, herba-

ita

ita ex honore vanitas cœpit obrepere. quod malum ille, ubi primum potuit in fe fentire graffari, diu multúmque difcutere conatus eft: fed repelli penitùs vel tacitâ confcientiâ vanitas, perfeverante virtute, non po-

6 tuit. Ubique nomen ejus dæmones fatebantur: excludere à fe confluentium populos non valebat. Virus interim latens ferpebat in pectore, & cujus nutu ex aliorum corporibus dæmones fugabantur, fe ipfum, occultis cogitationibus vanitatis purgare

7 non poterat. Totis igitur precibus converfus ad Dominum fertur oraffe, ut permiffâ in fe menfibus quinque diaboli poteftate, fimilis his fieret, quos ipfe curave-

8 rat. Quid multis morer? ille præpotens, ille qui fignis atque virtutibus toto Oriente vulgatus, ille ad cujus limina populi antè confluxerant, ad cujus fores fummæ iftius feculi fe proftraverant poteftates, conreptus à dæmone eft, tentus in vinculis, omnia illa, quæ energumeni folent ferre, perpeffus.

9 Quinto demùm menfe purgatus eft non tantùm dæmone, fed, quod illi erat utiliùs atque optatiùs, vanitate.

Dæmonum fugator à dæmone conripi optat, & conripitur.

---

rum fucco & paucis caricis poft triduum aut quatriduum deficientem animam fuftentaffe.

8. *Energumeni*] Sic vocabulo Græco dicebantur, qui à Diabolo conrepti & obfesfi erant.

Dd 5   Sed

CAP. XXI.   Sed mihi ista replicanti, nostra infelicitas, 1
nostra occurrit infirmitas.   Quis enim no-
strum est, quem si unus homunculus humilis salutaverit, aut fatuis atque adulantibus
verbis foemina una laudaverit, non continuo elatus sit superbiâ, non statim inflatus
sit vanitate? ut etiamsi non habeat conscientiam sanctitatis, tamen, quia vel stultorum
adulatione, aut fortassis errore sanctus esse
dicatur, sanctissimum se putabit.   Jam ve- 2
rò si ei munera crebra mittantur, Dei se
munificentiâ adferit honorari, cui dormienti atque resoluto necessaria conferantur.
Quòd si vel de modico ei aliqua virtutis signa succederent, angelum se putaret.   Ce- 3
terùm cùm neque virtute conspicuus sit, si
quis clericus fuerit effectus, dilatat continuo
fimbrias suas, gaudet salutationibus, inflatur
occursionibus: ipse etiam ubique discurrit.

Ecclesiasti- Et qui antè pedibus aut asello ire consueve- 4
corum su- rat, spumante equo superbus invehitur: par-
perbia & vâ priùs ac vili cellulâ contentus habitare,
luxus tem-
pore Severi. erigit celsa laquearia, construit multa con-

---

3. *Inflatur occursionibus*] *Occursio* hic pro accessu & visitatione ab aliis factâ. De ipso verbo *occurrere* dixi suprà in Notis ad cap. 14.

4. *Spumante equo superbus invehitur*] MS.
spumea equo.

cla-

clavia, fculpit oftia, pingit armaria, veftem
refpuit groffiorem, indumentum molle defiderat. atque hæc caris viduis ac familiaribus mandat tributa virginibus: illa ut bir-
rum rigentem, hæc ut fluentem texat lacer-
5 nam. Verùm hæc defcribenda mordaciùs,
beato viro Hieronymo relinquamus: ad
propofitum revertamur. Tu verò, inquit
Gallus meus, nefcio quid Hieronymo reli-
queris difputandum, ita breviter univerfa
noftrorum inftituta complexus es, ut pauca hæc tua verba, fi æquanimiter acceperint,
& patienter expenderint, multùm eis arbitrer profutura, ut non indigeant libris poft
6 hæc Hieronymi coërceri. · Sed tu illa potiùs

---

*Veftem refpuit grofiorem, indumentum molle
defiderat*] *Groffus* factum ex *craffus* jàm tùm ævo
Sulpicii ufurpatum fuit. Nec erat quod Cl. Voffius dubitaret, Auguftinum fcripfiffe, *Sed malui
grofiùs, quam fcrupulofiùs definire, & a groffe Dia-
lectice* ; contenderetque eum fcripfiffe *crasfius,
craffe.* Vide ejus lib. III de vit. ferm. c. 13 legitur
fic; *Ceteri tres fenfus corpulentiores & quodammodo grosfiores funt.* Indumentum *molle* memini & fuprà dicere noftrum. Et congruit id cum
Græco ἱμάτια μαλακά, quod Matth. XI,8 & Luc.
VII,25 legitur. Quid veftimenti autem illud fit ap-
paret ex eo, quòd S. Lucas eodem loco ἱματισμὸ
ἐνδόξαι καὶ τρυφὴν vocat.

evol-

evolue, quæ cœperas, & illud, quod adversùs falsam justitiam dicturum te esse promi-
seras, prode documentum. nam ut verè tibi fatear, nullo perniciosiùs malo intra Gallias laboramus. Ita faciam, Postumianus inquit, nec te diutiùs tenebo suspensum.

CAP. XXII.   Adolescens quidam ex Asiâ prædives 1
opibus, genere clarus, habens uxorem &
filium parvulum, cùm in Ægypto tribunus esset, & frequentibus adversùm Blembos expeditionibus quædam eremi contigisset, sanctorum etiam tabernacula com-
plura vidisset, à beato viro Johanne verbum salutis accepit. Nec moratus inuti- 2
lem militiam cum vano illo honore contemnere, eremum constanter ingressus brevi tempore in omni genere virtutum per-

---

6. *Adversùs falsam justitiam*] *Justitia* accipienda hic pro omni pietate; sed quæ tamen non vera, sed falsa, *sit*. De quâ vocabuli significatione, itemque cognati *justus*, supra initio Notarum in lib. I
Hist. S. egimus. *Falsæ justitiæ* & in cap. proximo
mentionem bis facit.

*Nullo perniciosiùs malo intra Gallias labora-
mus*] *intra Gallias* pro *in Galliis* pro more ejus ævi.

1. *Frequentibus adversùs Blembos expeditionibus*] *Blembos* alii *Blemmyos* vocant: sùntque
Æthiopes apud Syenen. Strabo lib. XVII ait esse
τὰς ὑπὲρ Συήνης Αἰθίοπας.

· fectus

fectus emicuit: potens jejuniis, humilitate_ conspicuus, fide firmus, facilè se antiquis monachis studio virtutis æquaverat : cùm interim subiit eum cogitatio , injecta per diabolum, quòd rectiùs esset, ut rediret ad patriam , filiúmque unicum ac domum totam cum uxore salvaret: quod utique esset acceptiùs Deo, quàm si solum se seculo eripere contentus salutem suorum non sine_

3 impietate negligeret. Istiusmodi ergo falsæ justitiæ colore superatus, post quadriennium· ferè cellulam suam atque propositum eremita deseruit. Sed ubi ad proximum monasterium, quod à multis fratribus habitabatur , accessit, caussam discessionis atque consilium quærentibus confitetur. Renitentibus cunctis, & præcipuè loci illius abbate renitente , malo animo

4 fixa sententia non potuit avelli. Igitur infelici se obstinatione proripiens, cum dolore omnium digressus à fratribus, vix è

Adolescens, qui vitam monasticam reliquerat, à dæmone corripitur.

***

2. *Solum se seculo eripere*] *Seculum* rursus pro mundo. De cujus significationis origine dictum est supra.

3. *Renitentibus cunctis, & præcipuè loci illius Abbate renitente*] MS. omittit vocem *renitente.* Et rectiùs sanè ea vox abesse & modò subaudiri, videtur.

conspectu abscesserat, impletus à dæmone,
cruentásque spumas ore provolvens , suis
dentibus se ipse lacerabat. deinde ad idem
monasterium fratrum humeris reportatus,
cùm coërceri in eo immundus spiritus non
valeret, necessitate cogente , ferreis nexibus adligatur, pedes cum manibus vinci-
untur. non immerita pœna fugitivo, ut
quem non cohibuerat fides, catenæ cohi-
berent.   Post biennium demum oratione 5
sanctorum ab immundo spiritu liberatus,
ad eremum, unde discesserat, mox regressus, & ipse conreptus, & aliis pòst futurus
exemplo, ne quem aut falsæ justitiæ umbra decipiat, aut incerta mobilitas inutili
levitate compellat semel cœpta deserere.
Hæc vos de virtutibus Domini , quas in
servis suis vel imitanda operatus est, vel
timenda, scire sufficiat.   Sed quia satisfeci 6
vestris auribus, immò etiam verbosior fui
fortasse, quàm debui, tu modò [ad me autem loquebatur] debitum fœnus exsolve, ut
te de Martino tuo, ut es solitus, plura refe-

Idem ere-
mum repe-
tit.

---

5. *Ne quem falsæ justitiæ umbra decipiat*] Paullò
antè, *Falsæ justitiæ colore superatus.*

Quas [virtutes] *in servis suis vel imitanda operatus est vel timenda*] Ita planè, & MS. Constructio autem est inusitatior.

rent

rentem, jam pridem in hoc defideriis meis
æftuantibus audiamus.

1 Quid? inquam, tibi de Martino meo C A P.
liber ille non fufficit, quem ipfe tu nofti XXIII.
me de illius vitâ atque virtutibus edidiffe?

2 Agnofco id quidem, Poftumianus inquit, Libri de vi-
neque unquam à dexterâ meâ liber ille dif- tâ B. Mar-
cedit. nam fi agnofcis, [aperit librum, tini laus &
qui fub vefte latebat] en ipfum. hic mihi, celebritas.
inquit, terræ ac mari comes, hic in peregrinatione totâ focius & confolator fuit.

3 Sed referam tibi planè, quò liber ifte penetraverit: & quàm nullus ferè in orbe terrarum locus fit, ubi non materia felicis hi-
4 ftoriæ pervulgata teneatur. Primus eum
Romanæ urbi, vir ftudiofiffimus tui, Paullinus invexit. deinde cùm totâ certatim urbe
raperetur, exfultantes librarios vidi: quòd

---

2. *Hic mihi terræ ac mari comes*] Ita rurfus &
MS. Sed legendum fortaffe, *terrâ ac mâri comes.*
Sanè cafum obliquum duarum vocum oportet eumdem effe. Is verò fecundus effe non poteft. Nemo enim comes terræ, aut maris, eft. Efto igitur
cafus fextus.

4. *Exfultantes librarios vidi*] Librarios vocat, qui libros venales exponunt. Cicero ita vocat
eos, qui libros exfcribunt aut defcribunt. Vt in
epift. quadam: *Peto à te, ut quàm celerrimè mihi
librarius mittatur, maximè quidem Græcus, qui
mihi exfcribat hypomnemata.* Altera fignificatio
nihil

nihil ab his quæstuosius haberetur : siquidem nihil illo promtius, nihil carius ven-
deretur.   Hic navigationis meæ cursus 5
longe ante progressus : cùm ad Africam
venissem, jam per totam Carthaginem legebatur. solus eum Cyrenensis ille presbyter non habebat: sed me largiente descri-
psit.   Nam quid ego de Alexandriâ loquar? 6
tibi pænè omnibus magis quàm tibi notus
est. hic Ægyptum, Nitriam, Thebaidam
ac totâ Memphitica regna transivit. hunc 7
ego in eremo à quodam sene legi vidi: cui
cùm me familiarem tuum esse dixissem, &
ab illo & à multis fratribus hæc mihi in-
juncta legatio est, ut, si unquam terras
istas te incolumi contigissem, ea te supple-
re compellerem ; quæ in illo tuo libro de

---

observatur & apud Gellium lib. V cap. 4 *Gramma-*
ticus quispiam, inquit, *de nobilioribus, ab emtore*
ad spectandos libros adhibitus, reperisse unum in
libro mendum dicebat.   Sed contrà librarius in
quodvis pignus vocabat, si in unâ uspiam litterâ
delictum esset.   Item Gellius ibidem & *librariam*
vocat, quam Cicero *tabernam librariam.*

   6. *Thebaidam*] Ita quoque MS. Estque id simile ei, quod in Hist. S. legitur *Ptolemaidam*: pro
quo legendum *Ptolemaidem* cum Drusio suspica-
bamur.   Supra cap. IX hujus Dial. legitur *Thebai-*
da.   Atque ita fortasse & hic legendum.

virtutibus beati viri professus es præterisse.
Age ergo, quia non illa à te audire desidero, quæ scripta sufficiunt, illa quæ tùm vel
propter legentium, ut credo, fastidium præ-
teristi, multis in una mecum à te poscentibus
explicentur.

1   Equidem Postumiane, inquam, cùm te C A P.
jamdudum de sanctorum virtutibus inten- X X I V.
tus audirem, tacitis ad Martinum meum
cogitationibus recurrebam, meritò perspi-
ciens omnia illa, quæ singuli diversa fecis-
2 sent, per unum istum facilè completa. Nam S. Martini
cùm excelsa retuleris [quod mihi dixisse excellentia.
liceat pace sanctorum] nihil à te penitùs
audivi, in quo Martinus esset inferior. Sed
sicut nullius unquam cum illius viri meritis profiteor conferendam esse virtutem:
ita & illud animadverti decet, iniquà illum cum eremitis, vel etiam anachoretis,
conditione conferri. illi enim ab omni im-
pedimento liberi, cœlo tantùm atque angelis testibus, plané admirabilia docentur
3 operari.   Iste in medio cœtu & conversatione populorum, inter clericos dissiden-
tes, inter episcopos sævientes, cùm ferè
quotidianis scandalis hinc atque inde pre-

-----

3. *Quotidianis scandalis hinc atque hinc preme-*

meretur, inexpugnabili tamen adversùs o-
mnia virtute fundatus stetit: & tanta operatus est, quanta ne illi quidem, quos antè
audivimus esse in eremo vel fuisse, fecerunt. Ac si illi paria fecissent, quis judex 4
tam esset injustus, ut non istum esse potiorem merito judicaret? Puta enim istum fuisse militem, qui pugnaverit in iniquo loco, & tamen victor evaserit: illos autem
æquè compone militibus, sed qui ex æquo
loco, aut etiam de superiore certaverint.
Quid ergo? etsi omnium una victoria est, 5
non potest esse par gloria. Et tamen cùm
præclara retuleris, à nemine retulisti mortuum suscitatum: quo uno utique te necesse est confiteri Martino neminem conferen-
dum.

CAP. XXV　　Nam si admirandum est, quòd illum 1
Ægyptium flamma non adtigit: hic quoque sæpiùs imperavit incendiis. Si re-
volvas, quòd Anachoretis feritas bestiarum

---

retur] Supra in Epist. II verbis Apostoli de Martino dixit: *Quò scandalizante non ustus est?*

4. *Qui pugnaverit in iniquo loco. Qui ex
æquo loco, aut etiam de superiore certaverint.*]
Hic vocabulorum æquus & iniquus significatio maximè propria adparet.

1. *Sæpiùs imperavit incendiis*] Exempla vide
cap. XIV Vitæ Martini, & in Epist. I.

victa

vidta fuccubuit: hic familiariter & rabiem beftiarum, & ferpentium venena compefcuit. Quodfi illum conferas, qui im-
mundis fpiritibus obfeffos verbi imperio,
ac etiam fimbriarum virtute curabat: ne in
hac quidem parte inferiorem fuiffe Martinum, multa documenta funt. Si etiam ad
illum recurras, qui fetis fuis pro vefte contectus, putabatur ab angelis vifitari: cum
ifto angeli quotidie loquebantur. Jam
vero adversùs vanitatem atque jactantiam
ita invictum fpiritum geffit, ut illa vitia
fortiùs nemo contemferit, cùm quidem
immundis fpiritibus adflatos abfens plerumque curaverit: nec folùm Comitibus,
aut Præfectis, fed ipfis etiam Regibus imperaret. minimum id quidem in illis vir-

---

2. *Qui immundis fpiritibus obfeffos verbi imperio, ac etiam fimbriarum virtute curabat*] MS.
ait etiam fimbriarum virtute. Ipfa hiftoria legitur fupra cap. XX hujus Dialogi.

*Ne in hac quidem parte inferiorem fuiffe Mar-
tinum*] Vide cap. XVIII & XIX Vitæ Martini.

3. *Qui fetis fuis pro vefte contectus*] Vide fup.
cap. XVII hujus Dialogi.

Cum ifto Angeli quotidie loquebantur] Vide cap.
XXI vitæ Martini.

4. *Ipfis etiam Regibus imperaret*] Exemplum
cap. XX vitæ ejusdem.

tutibus: sed credas velim, non solùm vani-
tati, sed caussis etiam atque occasionibus vanitatis, neminem fortiùs repugnasse. Parva 5
quidem, sed non prætereunda dicturus sum:
quia & ille laudandus est, qui summâ præditus potestate, tam religiosam ad reverentiam beati viri ostenderit voluntatem. Me- 6
mini Vincentium Præfectum, virum egregium, & quo nullus sit intra Gallias omni
virtutum genere præstantior, dum Turo-
nos præteriret, à Martino sæpiùs popo-
scisse, ut ei convivium in suo monasterio
daret, in quo quidem exemplum B. Am-
brosii episcopi præferebat: qui eo tempore Consules & Præfectos subinde pascere
ferebatur: sed virum altioris ingenii, ne
qua ex hoc vanitas atque inflatio obreperet,
noluisse. Ergo fatearis necesse est, in Mar- 7
tino omnium illorum, quos enumerasti, fuisse virtutes: Martini autem in illis omnibus
non fuisse.

C A P.
XXVI.

Quid tu, inquit Postumianus, ita me- 1
cum? quasi non eadem tecum sentiam sempérque senserim. Ego verò quoad vivam
semper, & sapiam, Ægypti monachos
prædicabo. laudabo anachoretas, mira-
bor eremitas: Martinum semper excipiam:
non illi ego quemquam audebo monachorum,

S. Martino
neminem
comparari
posse.

rum, certe non episcoporum quempiam,
2 comparare. Hoc Ægyptus fatetur, hoc
Syria, hoc Æthiops comperit, hoc Indus
audivit, hoc Parthus & Perſa noverunt:
nec ignorat Armenia : Boſporus excluſa
cognovit, & poſtremò ſi quis aut Fortu-
natas inſulas, aut glacialem frequentat
3 Oceanum. Quò miſerior eſt regio iſta
noſtra, quæ tantum virum, cùm in proximo habuerit, noſſe non meruit. Nec tamen huic crimini miſcebo populares; ſoli
illum clerici, ſoli neſciunt ſacerdotes. nec
immeritò. Noſſe illum invidi noluerunt:

---

2. *Boſporus excluſa cognoſit*] Scythas intelligit, qui ad Pontum Euxinum, nec procul à Bospo-
ro, ſedes habebant. Habuit ſanè Scythia ſuum ſibi
epiſcopum; ut ex Cod. Theodoſ. lib. XVI tit. 1
adparet. Ibi enim Epiſcopus Scythiæ Terennius
nominatur. Pro *Terennius* tamen legendum eſſe
Terentius, & à Sozomeno epiſcopum Tomorum
eum vocari, docuimus in Exercit. de ſedibus epiſcop.
primariis Eccl. veteris, ſect. LXXVI.

Glacialem frequentat Oceanum] Adludere
videtur ad illud Iuvenalis: *Vltra Sauromatas fugere hinc libet & glacialem Oceanum.*

3. *Nec tamen huic crimini miſcebo populares*]
Populares hic vocat, quos alibi vocabulo Græco *laicos* dixit; & à clericis eos diſtinguit. Qui uſus
vocabuli & novus eſt. Quippe *populare* antiquioribus dictum fuit, quod eſſet populi ac plebis; ut
quidem hic diſtinguitur à magiſtratu.

E e 3

quia

quia si virtutes illius nossent, sua vitia co-
gnovissent. Horreo dicere, quod nuper **4**
audivi, infelicem dixisse nescio quem, te
in illo libro tuo plura mentitum. Non est
hominis vox ista, sed diaboli: nec Martino in hac parte detrahitur, sed fidei Evangelii derogatur. Nam cùm Dominus ipse **5**
testatus sit istiusmodi opera, quæ Martinus implevit, ab omnibus fidelibus esse
facienda: qui Martinum non credit ista fecisse, non credit Christum ista dixisse. Sed **6**
infelices, degeneres, somnolenti, quæ ipsi
facere non possunt, facta ab illo erubescunt:
& malunt illius negare virtutes, quàm suam
inertiam confiteri. Verùm nobis ad alia **7**
properantibus, omnis istorum memoria
relinquatur: tu potiùs, ut jamdudum desidero, residua Martini opera contexe. At **8**
ego, inquam, arbitror rectiùs istud à Gallo
esse poscendum, quippe qui plura noverit

---

5. *Ab omnibus fidelibus facienda*] Scil. *esse:*
éstque id pro *ab omn. fid. factum iri.* Solemne
fuit isto ævo ita scribere: & multa ejus locutio-
nis exempla in superioribus libris observata sunt.
Nec aliter alii ejus ævi scriptores. Hieronymus
Vitâ Hilarionis: *Maximè quòd eum dixisse audie-*
rant, jam se ad Dominum migraturum, & de
corporis vinculis liberandum sc. *esse,* id est, libe-
ratum iri.

[neque

[neque enim ignorare potuit magiftri facta difcipulus] & qui non immerito iftam
vicem non folùm Martino, fed etiam nobis debeat ; ut, quia ego jam librum editum, ac tu hactenus Orientalium gefta me-
morafti, iftam demum neceffarii fermonis
hiftoriam Gallus evolvat : quia, ut dixi,
& nobis debet loquendi vicem, & Martino
fuo, credo, præftabit, ut non gravatè illius facta commemoret.

1   Ego planè, inquit Gallus, licet impar   **CAP.**
fim tanto oneri, tamen relatis fuperiùs à **XXVII.**
Poftumiano obedientiæ cogor exemplis,
ut munus iftud, quod imponitis, non recu-
2 fem.   Sed dum cogito, me hominem Gallum inter Aquitanos verba facturum, vereor ne offendat veftras nimiùm urbanas
aures fermo rufticior.   Audietis me tamen

---

2. *Audietis me tamen ut Gurdonicum hominem.*] Ita plane & MS. Et margini ejus reperio
hæc adjecta : *Gurdos, inquit Petrus Mofellanus,
pro ftolidis accipit vulgus. ab Hifpanis originem duxit, ut opinor. Sed & Catholiconti, gurdus, ineptus, ftultus, inutilis, importunus & præcipuè in
commeffationibus recipiendis.* Quæ quidem Petrus ille habuit ex Quinctiliano, cujus verba lib. I
c. 9 hæc funt : *Gurdos, quos ftolidos accipit vulgus,
ex Hifpaniâ duxiffe originem audivi.* In Gloffis
Ifidori quoque *gurdus exponitur lentus, inutilis.*

ut Gurdonicum hominem , nihil cum fuco aut cothurno loquentem. Nam fi mi- 3
hi tribuitis Martini me effe difcipulum , illud
etiam concedite, ut mihi liceat exemplo illius inanes fermonum phaleras & verborum
ornamenta contemnere. Tu verò., inquit 4
Poftumianus , vel Celticè, aut, fi mavis, Gallicè loquere, dummodo jam Martinum loquaris. Ego autem profiteor, quia, etiamfi
mutus effes , non defutura tibi verba , quibus Martinum facundo ore loquereris : ficut Zachariæ in Joannis nomine lingua
refoluta eft. Ceterùm cùm fis fcholafticus, 5
hoc ipfum quafi fcholafticus artificiosè fa-
cis, ut excufes imperitiam., quia exfuperas

& in Gloffario Vosfii membranaceo MS. *ineptus,*
inutilis. Vide plura de hac voce apud Vosfium
lib. 2 de vit. ferm. cap. 8.

  4. *Profiteor, quia non defutura tibi*] fubaudi
fint. Deinde *quia* eft pro *quòd,* pro more iftius
ævi.

  5. *Quia fcholafticus es*] Scholafticus pro erudi-
to, litterato, ut fupra.

  Vt excufes imperitiam , quia exfuperas elo-
quentiâ] MS. *Quia exuberas eloquentiâ.* Quod
& magis placet. Verbo *exuberare* & fupra ufus
cap. V hujus Dialogi. *Herba,* inquit, *quæ mentæ*
fimilis, exuberans foliis, faporem mellis præftabat.
Illud *exfuperas eloquentiâ* locum vix habet, quia
nullus cafus quartus ei eft additus.

eloquentiâ. fed neque monachum tam a-
ftutum, neque Gallum decet effe tam cal-

6 lidum.   Verùm adgredere potiùs, & quod
te manet explica. nimiùm enim dudum
alias res agentes confumimus tempus : &
jam folis occidui umbra prolixior monet,
non multum diei, vicinâ nocte, fupereffe.

7 Deinde cùm paullulùm omnes conticuiffe-
mus, Gallus ita cœpit : Cavendum mihî
inprimis effe arbitror, ne ea de Martini
virtutibus repetam, quæ in libro fuo Sul-

8 picius ifte memoravit.   Unde prima illius
inter militandum gefta prætereo : neque
ea adtingam, quæ laicus egit, ac monachus : nec verò audita ab aliis potiùs,
quàm quæ vidi ipfe, dicturus
fum.

DIALOGUS II.

De virtutibus B. Martini.

CAP. I.

Uo primo igitur tempore, re- 1
lictis scholis, beato me viro
junxi, paucos post dies eun-
tem ad ecclesiam sequeba-
mur. Interim ei seminudus
hibernis mensibus pauper occurrit, orans
sibi vestimentum dari. Tunc ille, acersi- 2
to archidiacono, jussit algentem sine dila-
tione vestiri. deinde secretarium ingressus,
cùm solus, ut erat illi consuetudo, resideret
[hanc enim sibi etiam in ecclesiâ solitudinem
permissâ clericis libertate præstabat] cùm
quidem in alio secretario presbyteri sede-
rent, vel salutationibus vacantes, vel audi-
endis negotiis occupati, Martinum verò usque in eam horam, quâ solemnia populi agi
consuetudo deposceret, sua solitudo cohibebat. Illud non præteribo, quòd in secreta- 3
rio sedens, nunquam cathedrâ usus est. nam
in ecclesiâ nemo unquam illum sedere conspexit: sicut quemdam nuper [testor Do-

---

2. *Quâ solemnia populi agi consuetudo deposce-*
ret] MS. *Quâ solemnia populo agi consf. dep.*

mi-

minum] non fine meo pudore vidi, fubli-
mi folio quafi regio tribunali, celfâ fede
4 refidentem.   Sedebat autem Martinus in
fellulâ rufticanâ, ut eft in ufibus fervulo-
rum, quas nos ruftici Galli tripetias, vos
fcholaftici, aut certè tu, qui de Græciâ vè-
nis, tripodas nuncupatis.   Hoc ergo fecretum beati viri pauper ille captatum, cùm
ei archidiaconus dare tunicam diftuliffet,
inrupit, diffimulatum fe à clerico querens,
5 algere deplorans.   Nec mora, fanctus pau- S. Martinus
pere non vidente, intra amphibalum fibi tunicâ fuâ
tunicam latenter eduxit, pauperémque con- pauperem
tectum difcedere jubet.   Dein paullò pòft veftit.
archidiaconus ingreffus, admonet, pro
confuetudine exfpectare in ecclefiâ populum, illum ad agenda folemnia debere

---

4. *Sedebat in fellulâ rufticanâ, ut eft in ufibus
ferbulorum, quas nos ruftici tripetias*] MS. *Ut
funt ifta in ufibus ferbulorum, quas* &c. Optimè.
Ita enim adparet, quò pronomen plur. numeri *quas*
fit referendum.

   *Hoc ergo fecretum beati biri pauper ille capta-
tum inrupit*] Quod anteà *fecretarium* dixit, nunc
fecretum vocat. Sic & Dial. I c. 1 *In fecretum noftrum, quod hæc remotior cellula præftat.*

   Diffimulatum fe à clerico querens] *Diffimulatum*, id eft, *neglectum.* Sic lib. I Hift. S. cap. 13
Nec diffimulare cruentum imperium licebat.

   5. *Illum ad agenda folemnia debere procedere*]
                                        pro-

procedere.   Cui ille respondens ait, pau- 6
perem prius [de se autem dicebat] oportere vestiri : se ad ecclesiam non posse procedere, nisi vestem pauper acciperet.   Dia- 7
conus verò nihil intelligens, quia extrinsecus indutum amphibalo, veste nudum interiùs non videbat, postremò pauperem
non comparere caussatur.   Mihi, inquit,
vestis, quæ præparata est, deferatur : pauper non deerit vestiendus.   Arctatus de- 8
mum clericus, necessitate compulsus, jamque felle commoto, à proximis tabernis
bigerrigam vestem, brevémque atque hi-

Ad ecclesiam puta.   Nam paullò pòst sequitur,
Se ad ecclesiam non posse procedere. Deinde *debere
procedere* dixit pro *processurum esse.*   Denique *solemnia agi* dixit paullò antè.   Aldina editio habet,
Ad agenda missarum solemnia.   Ex quo adparet,
in codice MS. quo Aldus usus fuit vocem *missarum*
fuisse additam.   Et notum sanè est, ista quæ designat solemnia jam tum illo ævo *missam* dictam
fuisse.   Capite proximo ista solemnia exprimit
phrasi *sacrificium Deo offerre.*

    7. *Extrinsecus indutum amphibalo*] Amphi-
balo vel amphibalum quid vestimenti fuerit, adparet ferè ex eo, quod extrinsecus eo indutum Martinum ait.   Dictum autem est ἀπὸ τȣ ἀμφιϐάλλειν
à circumjicienda.

    8. *Bigerrigam vestem, brevémque atque hispi-
dam*] MS. *Bigerrima.*   Quod propiùs accedit ad
illud, quod editio Aldi habet, *nigerrimam.* Sed re-
                                         spidam

ſpidam , quinque comparatam argenteis
rapit, atque ante Martini pedes iratus ex-
9 ponit. En,inquit,veſtem ; ſed pauper hic non
eſt. Ille nihil motus, jubet eum paullulùm
ſtare pro foribus, ſecretum utique procurans
dum ſibi veſtem nudus imponeret: totis viribus elaborans,ut poſſet occultum eſſe,quod
fecerat. Sed quando in ſanctis viris latent iſta,
quærentibus velint nolint cuncta produntur.

1 Cum hâc igitur oblaturus ſacrificium Deo
veſte procedit. Quo quidem die [mira dicturus ſum] cùm jam altarium, ſicut eſt ſolemne , benediceret, globum ignis de capite
illius vidimus emicare, ita ut in ſublime con-

C A P. II.
Globus
ignis in ca-
pite ejus
micat.

---

ctius tamen eſt *bigerriga.* Nàm & Fortunatus lib.
III ſic habet: *Induitur ſancta hirſuta bigerrica
palla.* Ita pro g poſteriore, littera ejusdem organi c ponitur. Vnde autem veſtis ita dicta ſit,
variæ ſunt ſententiæ. Juretus à Bigerronibus,
populo Aquitaniæ , ita dictam putat. Salmaſius
bigerram dictam vult quaſi *bicirram,* quod ab utrâque parte villoſa ſit. Vide Notas ejus ad Julium
Capitolinum.

 1. *Oblaturus ſacrificium Deo*] id eſt, Euchariſtiam conſecraturus. Vocabulis προσφέρειν, προσ-
φορὰ, *offerre, ſacrificium* , veteres ſubinde ſacram
Euchariſtiam deſignant. Cujus generis varia con-
gesſimus lib. III Diſſert. Sacr. pag. 12 & ſeqq.

 Ita ut in ſublime contendens] MS. *in ſubl. con-
ſcendens.*

ten-

tendens, longiùs collum crinémque. flamma
produceret. Hoc, licèt celeberrimo factum 3
die, in magnâ populi multitudine viderimus,
una tantùm de virginibus, & unus de presbyteris, tres tantùm videre de monachis:
ceteri cur non viderint, non poteſt noſtri
eſſe judicii. Per idem ferè tempus, cùm 3
Evantius, avunculus meus, vir licèt ſeculi
negotiis occupatus, tamen admodum Chri-
ſtianus, gravisſimâ ægritudine extremo mortis periculo cœpiſſet urgeri, Martinum evo-
cavit. nec cunctatus ille properavit: priùs
tamen quàm medium viæ ſpatium vir beatus evolveret, virtutem advenientis ſenſit
ægrotus : receptâque continuò ſanitate,
venientibus nobis obviam ipſe proceſſit:
Alterâ die redire cupientem, magnâ prece 4
detinuit: cùm interim unum è familiâ pue-

---

3. *Seculi negotiis occupatus*] *Seculi negotia* ſupra Dial. I cap. 18 *seculi actûs* dixit. Intelligit autem negotia mundana. Nam *seculum*, ut ſæpe,
ita & hic pro mundo poſitum eſt.

Gravisſimâ ægritudine cœpiſſet urgeri] Ægritudo pro morbo corporis. Antiquiores eo vocabulo adfectionem animi, & quidem mœrorem &
ſollicitudinem, deſignabant. Cicero III Tuſc. qq.
*Proprii, ut ægrotatio in corpore, ſic ægritudo in
animo nomen habet.* Iuſtinus lib. XXXVIII c. 1
Ex ægritudine conſectâ infirmitate.

puerum

puerum lethali ictu serpens perculit: quem jam exanimem vi veneni ipse Evantius suis humeris inlatum ante pedes sancti viri, nihil illi impossibile confisus, exposuit. jamque se malum serpentis per omnia mem
5 bra diffuderat. Cerneres omnibus venis inflatam cutem, & ad utris instar tensa vitalia. 'Martinus porrectâ manu, universa pueri membra pertractans, digitum propè ipsum vulnusculum, quo bestia virus infude
6 rat, fixit. Tum verò [mira dicturus sum] vidimus venenum ex omni parte revocatum, ad Martini digitos cucurrisse: deinde per illud ulceris foramen exiguum, ita virus stipasse cum sanguine, ut solet ex uberibus caprarum aut ovium, pastorum manu pressis,
7 longa linea copiosi lactis effluere. Puer surrexit incolumis. nos obstupefacti tantæ rei miraculo, id quod ipsa cogebat veritas, fatebamur, non esse sub cœlo, qui Martinum possit imitari.

Veneno mortuum revocat in vitam.

1 Consequenti itidem tempore iter cum eo, dum diœceses visitat, agebamus. nobis nescio quâ necessitate remorantibus, ali
2 quantulum ille processerat. Interim per

CAP. III.

---

1. *Iter cum eo agebamus*]. Ita & supra locutum memini non semel.

agge

aggerem publicum plena militantibus viris
fiscalis rheda veniebat. sed ubi Martinum
in veste hispidâ , nigro & pendulo pallio
circumtectum , contigua de latere jumenta
viderunt, paullulùm in partem alteram pavefacta hæserunt. Deinde funibus , impli- }
catis, protentos illos, quibus ut sæpe vi-
distis , misera illa animalia conglobantur,
ordines miscuerunt : dúmque ægrè expe-
diuntur, moram fecere properantibus. quâ
permoti injuriâ militantes, præcipitatis in
terram saltibus se dederunt. Dein Marti- 4
num flagris ac fustibus urgere coeperunt:
cùm quidem ille mutus & incredibili pati-
entiâ præbens terga cædentibus , majorem
insaniam infelicibus commoveret , magis
ex hoc furentes , quòd ille quasi non sen-
tiens verbera inlata contemneret. Nos il- 5
lico consecuti, foedè cruentum , atque uni-

**Martini ve-
stis.**

**B. Martinus
à militibus
cæditur.**

---

2. *Plena militantibus viris fiscalis rheda*] *Rheda fiscalis* est rheda publica, rheda principis Supra
lib. II hist. S. c. 41 *Repudiatis fiscalibus propriis
sumtibus vivere maluerunt.*

In partem alteram pavefacta veserunt] MS.
pavefacta cesserunt.

3. *Precipitatis in terram saltibus se dederunt*]
MS. *Precipitati in terram.*

versâ

versâ corporis parte laniatum, cùm exanimis in terram procubuiffet, invenimus:
ftatimque eum afello fuo impofuimus, ac
locum cædis illius exfecrántes, raptim abire properavimus. Interea. illi regreffi ad
rhedam fuam, furore fatiato, agi quò ire

6 cœperant, jumenta præcipiunt. Quæ cùm
omnia folo fixa, ac fi ænea figna, riguis-
fent, tollentibus altiùs vocem magiftris,
flagris hinc atque inde refonantibus, nihil
penitùs movebantur. Confurgunt deinde
omnes pariter in verbera. confumit Galli-

7 cas mularum pœna maftigias. Tota ra-
pitur filva de proximo: trabibus jumenta
tunduntur: fed nihil penitùs fævæ manus
agebant : uno atque eodem in loco fta-
bant fixa fimulacra. Quid agerent infelices homines, nefciebant. Nec jàm ultrà
diffimulare poterant, quin, quamlibet bru-
tis pectoribus, agnofcerent, divino numine

8 fe teneri. Tandem ergo in fe regreffi, cœperunt quærere, quis ille effet, quem in
eodem loco ante paullulùm cæcidiffent,

Jumenta ri-
gent nec
moveri pof-
funt.

---

5. *Cùm exanimis in terram procubuiffet*] MS.
in terram.

6. *Ac fi ænea figna*] i. e. æneæ ftatuæ. Cicero VI in Verr. *Ex fano Apollinis clam fuftulit
figna pulcherrima.* Sic & alibi pasfim.

F f   cùm

cùm percunctantes cognoscunt ex vianti-
bus, Martinum à se tam crudeliter verbe-
ratum.   Tunc verò adparere omnibus cauffa manifesta, nec ignorare jam poterant,
quin ob illius viri injuriam tenerentur. I- 9
gitur omnes rapidis nos passibus consequuun-
tur, conscio facti ac meriti pudore confusi,
flentes, & pulvere, quo se ipsi fœdave-
rant, caput atque ora conspersi, ante Martini se genua provolvunt, veniam precan-
tes, &, ut eos abire sineret, postulantes:
satis se vel solà conscientià dedisse pœna-

Militer ve-
veniam ro-
gant, & im-
petrant.

---

8. *Cognoscunt ex Biantibus*] Verbo *Biare* & alii
ejus ævi scriptores usi.   Prudentius II in Symm.
———— *Iter esse Biandi.*
Multifidum Bariùmque. ————
Sed & ex antiquioribus Lucilio, & Plauto idem ad-
fertur.   Et originem inde duxit nomen *Biator.*

*Ignorare non poterant, quin ob illius Biri injuri-
am tenerentur*] pro *ignorare non poterant se teneri.*   Ergo *Quin* non tantùm post *Non dubito* & similia ponitur; sed & post *Non ignoro*, vel
Ignorare non possum.   Boethius de Consol. phil.
pr. 10 ponit post *Negari nequit*, dicitque, *Quin exi-
stat summum bonum, negari nequit.*   Est autem
Quin in talibus idem quod *Quòd.*

9. *Conscio facti ac meriti pudore confusi*] MS.
Conscii facti.   Sed altera lectio congruit cum eo,
quod Dial. I cap. 14 legitur, *Lupa conscio pudore
confunditur.*   De verbo *Confundi* dixi supra non
semel.

rum:

rum: fatisque intellexisse, quàm eosdem ipsos vivos absorbere terra potuisset, vel ipsi potiùs amissis sensibus in immobilem saxorum naturam rigescere debuissent, sicut adfixa locis, quibus steterant, jumenta vidissent. orare se atque obsecrare, ut indulgeret sceleri veniam, & copiam præstaret ab-

1 oëundi. Senserat etiam, priusquam adcurrerent, vir beatus, illos teneri, nobisque id ante jam dixerat. veniam tamen clementer indulsit, eosdémque abire permisit, animabus restitutis.

1 Illud autem animadverti sæpe, Sulpici, Martinum tibi dicere solitum, nequaquam sibi in episcopatu eam virtutum gratiam suppetisse, quàm prius se habuisse meminisset quod si verum est, immo quia verum est, conjicere possumus, quanta fuerunt illa, quæ monachus operatus est, & quæ teste nullo solus exercuit, cùm tanta illum in episcopatu signa fecisse, sub ocu-

2 lis omnium viderimus. Multa quidem illius gesta prius innotuere mundo, neque potuere celari: sed innumerabilia esse dicuntur, quæ dum jactantiam vitat, occultavit, neque in hominum notitiam passus

CAP. IV.
Ante episcopatum Martinus majora miracula fecit, quàm in episcopatu.

---

1. *Quanta fuerunt illa, quæ monachus operatus est*] MS. *Quanta fuerint.*

                         est

est pervenire: quippe qui humanam substantiam supergressus, virtutis suæ conscientiâ mundi gloriam calcans, cœlo teste
frueretur.   Quod verum esse, vel ex his, 3
quæ comperta nobis sunt, nec latere potuerunt, possumus æstimare: siquidem ante episcopatum duos mortuos vitæ restitu-
erit, quod liber tuus plenius est locutus:
in episcopatu verò, quod prætermisisse te
miror, unum tantummodo suscitaverit. cujus rei ego testis sum, si tamen nihil de minùs idoneo teste dubitatis. id ipsum autem
vobis, qualiter gestum sit, explicabo.   Fue- 4
rat caussa nescio quæ, qnâ Carnotum oppidum petebamus. interea, dum vicum quemdam habitantium multitudine frequentissi-
mum præterimus, obviam nobis immanis
turba processit, quæ erat tota gentilium.
nam nemo in illo vico noverat Christum.
Verùm ad famam tanti viri campos omnes
latè patentes confluentium multitudo contexerat.   Sensit hic Martinus operandum, 5
& annunciante sibi spiritu totus infremuit:
nec mortale sonans verbum Dei gentilibus
prædicabat: sæpiùs ingemiscens, cur tanta
Dominum Salvatorem turba nesciret. In- 6
terea sicut nos incredibilis circumdederat
multitudo, mulier quædam, cujus filius

paullò

paullò antè defecerat , corpus exanimum beato viro protenfis manibus cœpit offerre, dicens: Scimus quia amicus Dei es , reftitue mihi filium meum, quia unicus eft mihi, junxit fe cetera multitudo , & matris pre- cibus adclamat. Tùm Martinus videns pro exfpectantium falute, ut poftea nobis ipfe dicebat, confequi fe poffe virtutem, defuncti corpus propriis manibus accepit: & cùm infpectantibus cunctis, genua flexiffet, ubi confummatâ oratione furrexit, vivificatum parvulum matri reftituit. Tum verò multitudo omnis in cœlum clamore fublato, Chriftum Dominum fateri: poftremo cuncti catervatim ad genua beati viri ruere cœperunt, fideliter poftulantes, ut eos faceret Chriftianos. nec cunctatus, in medio ut erat campo, cunctos impofitâ univerfis manu catechumenos fecit, cùm quidem ad

7

8

9

Filium mortuum vitæ & matri reftituit.

---

6. *Scimus, quia amicus Dei es*] pro *Quòd amicus Dei fis*, pro more ejus ævi: cujus generis alia fupra obfervavimus.

9. *Impofitâ univerfis manu catechumenos fecit*] Supra lib. de vit. Mart. cap. XIII *Nemo ferè ex immani illâ multitudine gentilium fuit, qui non impofitione manûs defideratâ Dominum Jefum crediderit.* De impofitione manûs , quæ fieret his, qui catechumeni & Chriftiani fieri vellent, frequens mentio in Canonibus Conciliorum : ut Can.

.nos converſus diceret, non inrationabiliter
in campo catechumenos fieri, ubi ſolerent
martyres conſecrari.

CAP. V.   Viciſti, inquit Poſtumianus, Galle, vi- 1
ciſti: non utique me, qui Martini ſum potiùs adſertor, & qui hæc omnia de illo
viro & ſcivi ſemper, & credidi: ſed eremitas omnes, anachoretásque viciſti.   Nemo enim illorum, ſicut Martinus hic veſter,
immo noſter, mortibus imperavit. meritó

XXXIX Conc. Elib. & VI Arelatenſis I.

Non inrationabiliter] i. e. non ſine ratione.
Pro *rationalis* dixerunt tum temporis *rationabilis*,
& ſimiliter pro *inrationalis*, *inrationabilis*. Imò
Quinctilianus jam ſuo tempore *animal inrationabi-*
le dixi pro *an. inrationale.* Pari ratione antiquiores quoque non tantùm *exitialis*, ſed & *exitiabilis*
dixerunt, ut ſupra monui.

9. *Vbi ſolerent martyres conſecrari*] i. e. ubi
martyrum oſſa ſepelirentur, ſupérque his altaria,
imò & templa & baſilicæ extruerentur.   Supra Vit.
Mart. c. 11 *Quem* [locum] *falſa hominum opinie*
velut conſepultis ibi martyribus ſacraverat.   Nam
altare ibi à ſuperioribus Epiſcopis conſtitutum ha-
bebatur.   Item lib. II Hiſt. S. c. 38 *In baſilicâ mar-*
tyrum extra oppidum ſità diverſatus eſt.   Quòd
autem in campo & in agris altaria martyribus extru-
cta fuerint, adparet etiam ex Can. XIV Concilii V
Carthaginienſis, quem ſupra ad cap. XI lib. de vit.
Mart. produximus.

2. *Meritò hunc iſte Sulpicius Apoſtolis compa-*

que

que hunc iste Sulpicius Apostolis comparat:
& prophetis : quem per omnia illis esse
consimilem , fidei virtus , ac virtutum o-
3 pera testantur. Sed perge quaeso, quamquam nihil magnificentius audire possimus,
perge tamen Galle , quod etiam nunc de
Martino superest sermonis evolvere.
nam etiam minima illius , & quotidiana,
animus festinat agnoscere : quia minima illius, aliorum maximis majora esse, nullā
4 dubium est. Ita faciam , Gallus inquit.
Verùm id, quod dicturus sum, ipse non vidi:
prius enim gesta res est, quàm me illi viro
jungerem. Sed factum celebre est , fidelium fratrum, qui interfuerant, sermone
5 vulgatum. Eodem ferè tempore, quo primùm episcopus datus est, fuit ei necessitas
adire comitatum. Valentinianus tùm ma-

---

rat] Factum hoc non semel. Vt lib. II. Hist. S.
cap. 50. lib. de vit. Mart. cap. 7 & alibi.

5. *Adire comitatum*] *Comitatus* pro aulâ Principis: quomodo & ceteri ejus aevi scriptores vocem
accipiunt. Ausonius epist. XVII. *Expertus es
fidem meam mentis atque dictorum, dum in comitatu degimus ambo, eſi dispares.* Sed & Tacitus
jam suo aevo vocem sic accepisse videtur. Lib. II
Hist. cap. 65 *Clubius comitatu Principis adjectus,
non ademtâ Hispaniâ, quam rexit absens.* Vide
Buchnerum ad Fabrum.

Ff 4   jussit

jor rerum potiebatur. is cùm Martinum ea
petere cognovisset, quæ præstare nolebat,
jussit eum palatii foribus arceri. etenim ad
animum illius immitem ac superbum uxor
accesserat Arriana . quæ totum illum à san-   6
cto viro, ne ei debitam reverentiam præstaret, averterat. Itaque Martinus, ubi semel atque iterum superbum principem frustra adire tentavit, recurrit ad nota præsidia :
cilicio obvolvitur, cinere conspergitur, cibo   7
potúque abstinet, orationes diebus noctibús-
que perpetuat.   Septimo verò die adstitit ei
angelus : jubet eum ad palatium ire secu-
rum, regias fores quamlibet clausas sponte   8
referandas , imperatoris spiritum superbum molliendum. Igitur istiusmodi præsentis angeli confirmatus adloquio, & fre-
tus auxilio, palatium petit. Patent limina,
nullus obsistit : postremò usque ad regem
nemine prohibente pervenit. Qui cùm ve-
nientem eminus videret, infrendens cur fuisset admissus, nequaquam adsurgere est dignatus adstanti, donec regiam sellam ignis   9
operiret, ipsúmque regem eà parte corporis,
quâ sedebat, adflaret incendium. Ita solio
suo superbus excutitur, & Martino invitus

Angelus ei
significat,
fores spon-
te refera-
tum iri.

---

7. *Regias fores sponte referandas*] pro *sponte*
referatum iri scribit pro solemni suo.

ad

adſurgit : multúmque complexus , quem
ſpernere ante decreverat, virtutem ſenſiſſe
divinam emendatior fatebatur : nec exſpe-
ctatis Martini precibus, priùs omnia præſti-
1 otit,quàm rogaretur. Conloquio illum atque
convivio frequenter adſcivit : poſtremò abe-
unti multa munera obtulit,quæ vir beatus, ut
ſemper pauperitatis ſuæ cuſtos,cuncta rejecit.

1 Et quia palatium ſemel ingreſſi ſumus,
licèt diverſis in palatio temporibus geſta
connectam. Nequaquam enim prætermittendum videtur, circa Martini admiratio-
2 nem,reginæ fidelis exemplum. Maximus
Imperator rempublicam gubernabat, vir o-
mni vitæ merito prædicandus, ſi ei vel diadema non legitimè,tumultuante milite,impoſi-
tum repudiare, vel armis civilibus abſtinere
licuiſſet. ſed magnum imperium nec ſine
periculo renui, nec ſine armis potuit teneri.
3 Hic Martinum ſæpiùs evocatum,receptúm-

CAP. VI.

---

1. *Reginæ fidelis exemplum*] *Fidelis* pro Chri-
ſtianâ & in Chriſtum credente. Quâ notione vocabulum Interpres Latinus S. Scripturæ prior
uſurpaverat, eodémque Græcorum πιςὸς expreſ-
ſerat.

2. *Maximus Imperator*] De hoc lib. II Hiſt.
S. c. 49 & ſequentibus ; itémque infra Dial. III c. 15
plura legere eſt.

Nec ſine armis potuit teneri] MS. *retineri*.

que intra palatium, venerabiliter honora-
bat. totus illi cum eo sermo de præsentibus,
de futuris, de fidelium gloriâ, de æternitate
sanctorum: cùm interim diebus ac noctibus
de ore Martini regina pendebat, Evangeli-
co illo non inferior exemplo, pedes sancti
fletu rigabat, crine tergebat. Martinus, quem 4
nulla unquam fœmina contigisset, istius
adsiduitatem, imò potiùs servitutem, non
poterat evadere. non illa opes regni,
non imperij dignitatem, non diadema,
non purpuram cogitabat: divelli à Martini
pedibus solo strata non poterat: postremò
à viro suo popofcit, deinde Martinum
uterque compellunt, ut ei remotis omnibus
miniftris, præberet sola convivium. nec
potuit vir beatus obftinatiùs reluctari. Com- 5
ponitur caftus reginæ manibus adparatus:
fellulam ipfa confternit, menfam admovet,
aquam manibus fubminiftrat: cibum, quem
ipfa coxerat, adponit. ipfa illo fedente,

Maximi
Imp. uxor,
Martino
prandenti
miniftrat.

---

3. *Totus illi cum eo sermo de præsentibus, de
futuris*] *Totus* pro *omnis* isto præcipuè ævo dixerunt. Obfervantur tamen & apud antiquiores,
præcipuè apud Poetas, ejus vocabuli ufus exempla. Vide Lexicon Fabri locupletatum a Buchnero.

5. *Componitur caftus reginæ manibus adparatus*] MS. *caftis reg. manibus.*

emi-

eminus fecundùm famulantium difciplinam
folo fixa confiftit immobilis, per omnia
miniftrantis modeftiam, & humilitatem ex-
hibens fervientis: mifcuit ipfa bibituro, &
6 ipfa porrexit. Finitâ cœnulâ, fragmenta panis abfumti, micásque collegit, fatis fideliter illàs reliquias imperialibus epulis an-
teponens. Beata mulier, tantæ pietatis
adfectu illi meritò comparanda, quæ venit à finibus terræ, audire Salomonem, fi-
7 quidem fimplicem fequamur hiftoriam. fed
fi fides reginarum eft conferenda [quod
mihi liceat feparatâ myfterii majeftate dixiffe] illa expetiit audire fapientem : ifta
non tantùm audiffe contentâ, fed & meruit
fervire fapienti.

1 Ad hæc Poftumianus : Jamdudum, in- CAP. VII.
quit, Galle, audiens te loquentem, vehementer admiror reginæ fidem. fed illud
ubi eft, quòd nulla unquam fœmina fere-
2 batur propiùs adftitiffe Martino? Ecce ifta

---

7. *Sed & meruit fervire fapienti*] *Mereor* cum
infinitivo pro more ejus ævi à noftro fæpe eft pofitum. Sic & fupra Dial. I cap. 26 *Quò miferi-
or eft regio ifta noftra, quæ tantum virum, cùm
in proximo habuerit, noffe non meruit.* Eftque
ferè pleonafmus: fiquidem *mereri* in talibus idem
eft quod confequi. Vide & Fabrum à Buchnèro
locupletatum.

regi-

regina non solùm adstitit, sed etiam ministravit.   Et vereor, ne isto aliquantulùm
se tueantur exemplo, qui libenter fœminis
inferuntur.   Tùm Gallus: Quid tu, inquit, 3
non vides, quod solent docere grammatici,
locum, tempus, personam? Propone enim
tibi ante oculos captum in palatio Imperatoris precibus ambiri, reginæ fide cogi,
temporis necessitate constringi, ut clausos
carcere liberaret, exiliis datos restitueret,
bona ademta redhiberet.   Hæc quanti
putes constare episcopo debuisse, ut pro
his omnibus non aliquantulùm de rigore
propositi relaxaret? Verumtamen quia oc- 4
casione hujus exempli malè usuros esse aliquos arbitraris, illi verò felices erunt, si à
disciplinà exemplo istius viri non recedant.
Videant enim, quia Martino semel tantùm
in vità suà, jam septuagenario, non vidua
libera, non virgo lasciviens, sed sub viro
vivens, ipso viro pariter supplicante, regina servivit & ministravit. hæc edenti adsti-

----

3. *Non vides, quod solent docere grammatici*]
MS. pro *docere* habet *dicere.*

4. *Videant quia Martino semel tantùm in vità
suà regina servivit*] *Quia* rursus pro *quòd* pro
more ejus ævi.   De cujus vocabuli usus origine dixi supra.

tit, non cum epulante difcubuit: nec aufa
eft participare convivio, fed deferebat obfequium.   Difce igitur difciplinam: ferviat
tibi matrona, non imperet: & ferviat, non
recumbat : ficut Martha illa miniftravit
Domino, nec tamen eft adfcita convivio:
immò prælata eft, miniftranti, quæ verbum potiùs audiebat.   Sed in Martino ifta
regina utrumque complevit: & miniftravit

6 ut Martha: & audivit ut Maria.   Quodfi
quis hoc uti voluerit exemplo, per omnia te-
neat exemplum: talis cauffa fit, talisque perfona, tale obfequium, tale convivium, & in
omni vitâ femel tantùm.

1   Præclarè, inquit Poftumianus, noftros CAP. VIII.
iftos, ut Martini non egrediantur exemplum, tua conftringit oratio: fed profiteor
tibi, quia hæc furdis auribus audientur.

2 Nam fi Martini fequeremur vias, nunquam
cauffas de ofculo diceremus, & univerfis
fcævæ opinionis opprobriis careremus.

Nec aufa eft participare conꞆiꞆio] Ita fanè &
fupra in lib. II Hift. S. cap. 1 & alibi, verbum
participare conftruxit: & videfis ad eum locum
notas. Ceterùm codex MS. habet *participare*
conꞆiꞆium; ut quidem antiquiores verbum illud
conftruunt.

1. *Profiteor tibi quia*] Rurfus *quia* pro *quòd*,
pro more ævi.

Verùm

Verùm ficut tu foles dicere, cùm edacitatis argueris, Galli fumus : ita nos in hac
parte nunquam vel Martini exemplo, vel
tuis difputationibus corrigendi fatemur.
Verumtamen hæc nobis jamdudum agen- 3
tibus, quid tu tam obftinate Sulpici taces?
Ego, inquam, non folummodò taceo, fed
olim de iftis tacere difpofui. Nam quia
quamdam viduam vagam, nitidulam, fum-
tuofam objurgaverim; lafciviùs victitan-
tem : itidémque virginem adolefcenti cuidam mihi caro indecentiùs adhærentem,
cùm quidem ipfam frequenter audiffem,
alios etiam, qui talia agerent, increpantem:
tanta mihi omnium fœminarum, cuncto-
rúmque monachorum odia concitavi, ut
adversùm me utræque legiones jurata bel-

---

2. *Verùm ficut tu foles dicere*] MS. pro *Serùm*
habet *ceterùm.*

*Nunquam Sel Martini exemplo, Sel tuis difpu-
tationibus corrigendi fatemur*] MS. *Nunquam nec
Martini exemplo, nec tuis difputationibus corrige-
mur.* Illud *corrigendi fatemur* effet ɼto *nos corri-
gendos effe fatemur*; & hoc porro pro *nos correctum iri fatemur.* Ceterùm & illud *nunquam Sel
Sel,* & illud *nunquam nec, nec,* ab antiquioribus
quoque eft ufurpatum, ut perinde fit, five hoc, five
illud ab Auctore ufurpatum credatur.

3. *Alios etiam, qui talia agerent, increpantem*]
MS. *Eos qui talia agerent.*

4 la fufceperint. Unde quæfo taceatis, ne
etiam hoc, quod vos lóquimini, ad meam
referatur invidiam : tota vobis iftorum mentio relinquatur : ad Martinum potiùs rever-
5 tamur.   Tu Galle, ut adgreffus es , cœptum opus explica.   Tùm ille: Jam quidem vobis, inquit, tanta narravi, ut fatis-
facere ftudiis veftris meus fermo debuerit.
fed quia, voluntati veftræ non obfecundare nefas mihi eft, quantum adhuc diei
6 fupereft, loquar.   Nam certè dum ftramen
illud, quod in lectos noftros paratur, adfpi-
cio, fubvenit in memoriam etiam de ftra-
mine, in quo Martinus jacuerat, factam
7 effe virtutem.   Res ita gefta eft.   Claudio-
machus vicus eft in confinio Biturigum atque Turonorum. ecclefia ibi eft celebris religione fanctorum, nec minùs gloriofa fa-

---

4. *Vnde quæfo taceatis*] *Vnde* pro *quare*. Florus lib. III c. 12 *Vnde enim populus Romanus agros
flagitaret, nifi per famem?*

Tota vobis iftorum mentio relinquatur] MS.
*Tota vobis iftorum aliarûmque rerum memoria
relinq*

5. *Sed quia voluntati veftræ non obfecundare
nefas mihi eft*] Pro *Nefas mihi eft* MS. habet *mihi
non licet :* quod fortaffe eft gloffema.

7. *Nec minùs gloriofa facrarum virginum multitudo*] MS. pro *multitudo* habet *multitudine*.

craearum virginum multitudo. præteriens ergo Martinus, in secretario ecclesiæ ha- 8 buit mansionem. Post discessum illius, cunctæ in secretarium illud virgines inruerunt, adlambunt singula loca, ubi aut sederat vir beatus, aut steterat: stramentum etiam, in quo quieverat, partiuntur. Una earum post 9 dies paucos partem straminis, quam sibi pro benedictione conlegerat, energumeno, quem spiritus erroris agitabat, de cervice suspendit. Nec mora, dicto citiùs, ejecto dæmone, persona purgata est.

Energumenus straminc, in quo Martinus cubuerat, curatur.

CAP. IX. Per idem ferè tempus Martino à Treveris 1 revertenti fit obviam vacca, quam dæmon agitabat: quæ relicto grege suo, in homines ferebatur, & jam multos noxiè petulca confoderat. verùm ubi nobis cœpit esse contigua, hi, qui eam eminus sequebantur, prædicere magnâ voce cœperunt, ut caveremus. Sed postquam ad nos torvis furi- 2 bunda luminibus propiùs accessit, Martinus elevatâ obviam manu, pecudem con-

---

8. *Stramentum etiam, in quo quieverat*] MS. pro *quieverat* habet *iacuerat.*

9. *Ejecto demone purgata est*] MS. *persona curata est.* & memini sanè verbo *curari* de obsesfis ac diabolo liberatis & supra usum.

2. *Elevatâ obviam manu pecudem consistere ju-*

sistere

fiftere jubet. quæ mox ad verbum illius
3 ftare cœpit immobilis. Cùm interea vi- Vacca à dæ-
mone vexa-
ta liberatur.
det Martinus, dorfo illius dæmonem fu-
perfedentem, quem increpans : Difcede,
inquit, funefte, de pecude, & innoxium
4 animal agitare defifte. Paruit nequam fpiritus, & receffit. Nec defuit fenfus in bu-
culâ, quin fe intelligeret liberatam : ante pedes fancti receptâ quiete profternitur : deinde jubente Martino, gregem fuum petit féque agmini cæterarum, ove placidior, immi-
5 fcuit. Hoc illud fuit tempus, quo inter medias flammas pofitus, non fenfit incendium,
quod mihi non arbitror effe referendum,
quia hoc pleniùs ifte Sulpitius, licèt in libro Sulpicii ad
fuo præteritum, in epiftolâ tamen poftea, Eufebium
quam ad Eufebium, tunc presbyterum, epiftola.
modò epifcopum fecit, expofuit : quam tu
Poftumiane, aut, credo, legifti : aut fi in-
cognita tibi eft, cùm libuerit, in promtu ex
illo armario habes : nos ab illo omiffa refe-
6 rimus. Quodam autem tempore, dum Ad imperi-
diœcefes circuiret, venantium agmen in- um B. Mar-
currimus. Canes leporem fequebantur. jam- tini canes.

---

bet] Sic vitæ Mart. c. 13 *Elevatâ obviam manu*
fignum falutis opponit.

  2. *Ad verbum illius ftare cœpit*] Mox, *Ad pri-*
mum fermonis imperium conftiterunt.

G g   que

leporem in-
fequi defi-
ftunt.

que multo fpatio victa beftiola cum undique
campis latè patentibus nullum eſſet effugium, mortem imminentem jam jámque capi-
enda crebris flexibus differebat. cujus periculum vir beatus piâ mente miferatus imperat canibus, ut defifterent fequi & finerent abire fugientem. qui continuò ad primum fermonis imperium conftiterunt. crederes vinctos, immo potius adfixos, in fuis hærere veftigiis. ita lepufculus, perfecutoribus adligatis, incolumis evafit.

CAP. X.
Martini a-
pophtheg-
mata quæ-
dam.

Operæ pretium autem eft, etiam familia- 1
ria illius verba fpiritali fale condita, memorare. Ovem recens tonfam fortè confpe- 2
xerat: Evangelicum, inquit, mandatum
ifta complevit: duas habuit tunicas, unam
earum largita eft non habenti: ita ergo &
vos facere debetis. Item cùm fubulcum 3
algentem, ac pænè nudum in pelliceâ vefte
vidiſſet, En, inquit, Adam ejectus de para-
difo, in vefte pelliceâ fues pafcit: fed nos illo vetere depofito, qui adhuc in ifto manet,
novum Adam potiùs induamus. Boves ex 4
parte prata depaverant, porci etiam nonnul-

---

1. *Verba fpiritali fale condita*] MS. *Verba fpi-
ritualiter fale condita.* Quod non placet. Ceterùm & *fpiritualis,* & *fpiritalis,* in ejus ævi fcriptoribus reperitur.

la

la suffoderant : pars cætera, quæ manebat in-
læsa, diversis floribus quasi picta vernabat.
Speciem, inquit, gerit pars illa conjugii,
quæ pecore depasta, etsi non penitùs gratiam amisit herbarum, nullam tamen florum
retinet dignitatem : illa verò, quam porci,
pecora immunda, foderunt, fornicationis
imaginem foedam prætendit : ceterùm illa
portio, quæ nullam sensit injuriam, gloriam
virginitatis ostendit, herbis fecunda luxu-
riat, foeni in ea fructus exuberat, & ultra o-
mnem speciem distincta floribus, quasi gemmis micantibus ornata radiat. beata species
& Deo digna : nihil enim virginitati est com-
5 parandum, Ita & illi, qui conjugia fornica- Virginitationi comparant, vehementer errant : & illi tem præstaqui conjugia virginitati æquanda æstimant, re conjugio.
6 miseri penitùs & stulti sunt.   Verùm hæc à

---

4. *Fornicationis imaginem fœdam prætendit*]
Fornicari eo ævo dicebant pro *stuprum committe*
re : & crebro illo vocabulo usus est Interpres vetus
Scripturæ S. Antiquiores *fornicare* dixerunt quidem pro *fornicem facere* : verùm altera illa significatio apud hos vix observatur.   Voce primitivâ
fornix tamen notione lupanaris usi etiam antiquiores, Horatius, Seneca, Juvenalis & alii.   Vide Voss.
lib. I de vit. Serm. c. XXIII.

Vltra omnem speciem distincta floribus] Species
pro pulcritudine, ut sæpe : & *ultra* pro *supra*.

sapientibus tenenda distinctio est, ut conjugium pertineat ad veniam, virginitas spectet ad gloriam : fornicatio deputetur ad pœnam, nisi satisfactione purgetur.

CAP. XI.　Miles quidam cingulum in ecclesiâ, monachum professus, abjecerat : cellulam sibi eminus in remoto, quasi eremita victurus, erexerat. interea astutus inimicus variis cogitationibus brutum pectus agitabat ; ut conjugem suam, quam Martinus in monasterio puellarum esse præceperat, voluntate mutatâ secum potiùs vellet habitare. Adiit ergo Martinum fortis eremita : quid haberet animi confitetur. ille verò vehementer abnuere, fœminam viro rursus, jam monacho, non marito, incongruâ ratione misceri. postremò cùm miles instaret, adfirmans nihil hoc proposito esse nociturum, se solo conjugis uti velle solatio : porro, ne rursus se in sua vitia revolverent, non esse metuendum : se esse militem Christi, illam quoque in eadem ejusdem militiæ sacramenta juras-

---

6. *Fornicatio deputetur ad pœnam*] Simili formâ dicunt *fidem deputari*, aut *reputari ad justitiam.*

2. *Cùm miles instaret*] MS. pro *instaret* habet *insisteret.*

se : pateretur episcopus sanctos, & sexum fi-
3 dei merito nescientes, pariter militare. Tum
Martinus [verba vobis ipsa dicturus sum]
dic mihi, inquit, si unquam in bello fuisti, si
in acie constitisti? At ille respondens, Fré-
quenter, inquit, in acie steti, & bello fre-
4 quenter interfui. Ad hæc Martinus: Dic
mihi ergo, numquid & in illâ acie, quæ ar-
mata in prœlio parabatur, aut cùm jam adversùs hostilem exercitum conlato cominùs
pode, districto ense pugnabat, ullam femi-
5 nam stare aut pugnare vidisti? Tunc demum miles confusus erubuit, gratias agens,
errori suo se non fuisse permissum : nec aspe-
râ increpatione verborum, sed verâ & ratio-
nabili secundùm personam militis compa-
6 ratione, conrectum. Martinus autem conversus ad nos, sicut eum frequens fratrum
turba vallaverat: Mulier, inquit, virorum
castra non adeat, acies militum separata

*Miles mo-
nachus fa-
ctus uxo-
rem repe-
tens à Mar-
tino deter-
retur.*

Sexum fidei merito nescientes] *Fidei merito*
pro *per fidem, fidei beneficia.* Sic & supra subinde
locutus est : & pari modo *benedictionis merito.*

3. *Si unquam in bella fuisti*] *Si* pro *an,* exemplo voculæ Græcæ εἰ. Vide & Notas in cap. II
Dial. I.

4. *Districto ense pugnabat*] MS. *pugnabat.*

5. *Miles confusus erubuit*] De istâ vocabuli *confusus* notione dictum supra non semel.

confiftat: procul femina in fuo degens tabernaculo fit remota. contemtibilem enim
reddit exercitum, fi virorum cohortibus turba feminea mifceatur. Miles in acie, miles 7
pugnet in campo: mulier fe intra murorum
munimenta contineat. habet & illa gloriam
fuam, fi pudicitiam viro abfente fervaverit:
cujus hæc prima virtus, & confummata victoria eft, non videri.

CAP. XII   Illud verò, Sulpici, meminiffe te credo, 1
quo adfectu nobis, cùm & coràm adeffes, illam virginem prædicaret, quæ ita fe penitùs ab omnium virorum oculis removiffet,
ut ne ipfum quidem ad fe Martinum, cùm
eam ille officii caufsâ vifitare vellet, admife-
rit. Nam cùm præter agellum illius præ- 2
teriret, in quo fe jam ante complures annos
pudica cohibebat, auditâ fide illius, atque
virtute, divertit, ut tam inluftris meriti puellam religiofo officio epifcopus honoraret.
Nos confequentes, gavifuram illam virgi- 3
nem putabamus: fiquidem hoc in teftimonium virtutis fuæ effe habituram, ad quam

---

6. *Contemtibilem reddit exercitum*] *Contemtibilis* pro *contemtus*, pro more ejus ævi, ut
fupra

*Si Virorum cohortibus turba feminea mifcea-
tur*] MS. pro *turba feminea* habet *femina*.

tanti

tanti nominis facerdos, depofito propofiti Virgo Mar-
4 rigore veniffet. 'Verùm illa fortiffimi vin- tinum fe vi-
.cula propofiti, ne Martini quidem contem- fitantem
platione laxavit. Ita vir beatus acceptâ per non admit-
raliam feminam excufatione laudabili, ab tit.
illius foribus,quæ videndam fe falutandám-
5 que non dederat, lætus abfceffit. O virginem gloriofam, quæ ne à Martino quidem
.paffa eft fe videri! o Martinum beatum, qui
illam répulfam non ad contumeliam fuam
duxit: fed magnificans illius çum exfultatio-
ne virtutem, inufitato in his dumtaxat regio-
6 nibus gaudebat exemplo! Ergo cùm haud
longè ab illâ villulâ nos manere nox imminens coëgiffet, xenium beato viro eadem
illa virgo transmifit: fecítque Martinus,
quod anteà non fecerat : nullius enim ille
unqûam xenium, nullius munus accepit. Ejusdem
nihil verò ex his, quæ virgo venerabilis mi- laus.

---

5. *Magnificans illiu virtutem*] *Magnificare* &
apud Plautum atque Terentium reperitur: fed nefcio an paullò diverfâ fignificatione. Illi quidem
pro *magnifacere* ufurpant. At nofter videtur pro
laudare pofuiffe. Quâ notione Interpretem facræ
Scripturæ veterem ufurpaffe notum eft.

6. *Nihil ex his, quæ virgo venerabilis miferat,*
refutabit] *Refutare* pro *repudiare, refpuere* ævo
Sulpicii ufurpatum fuit. Amm. Marcellinus lib.
XVII *Non refutamus hanc* [pacem puta] *nec re-*

ferat, refutavit, dicens, benedictionem illius
à facerdote minimè refpuendam, quæ effet
multis facerdotibus præferenda. Audiant, 7
quæfo, virgines iftud exemplum, ut fores
fuas, fi eas mali obfidere voluerint, etiam
bonis claudant: &, ne ad fe improbis fit liber acceffus, non vereantur excludere etiam
facerdotes. Totus hoc mundus audiat: vi- 8
deri fe à Martino virgo non paffa eft. non
utique illa quemcumque à fe repulit facerdotem: fed in ejus viri confpectum puella
non venit, quem videre falus videntium fuit.
Quis autem hoc alius præter Martinum fa- 9
cerdos, non ad fuam injuriam retuliffet?
quos adversùm fanctam virginem motûs,
quantásque iras mente concepiffet? hære-
ticam judicaffet, & anathematizandam effe
decreviffet. Quàm verò illi beatæ animæ 10

---

pellimus: adfit modo cum decore & honeftate. Vide & Lex. Fabri à Buchnero locupletatum.

Benedictionem illius minime refpuendam] *Bene-*
dictionem dicit pro *munus, donum.* Quâ voce Interpres Latinus Hebræum בְּרָכָה, & Græcum
εὐλογία, expresfit. Eftque vox Græca, & porro ipfa
quoque Latina, in Hebraismis numeranda. Et
memini in Commentario de Hebraismis N. T. eâ de
re agere.

8. *Non illa quemcunque à fe repulit facerdo-*
tem] MS. pro *quemcunque* habet *qualemcunque.*

illas

illas virgines prætulisset, quæ crebris occur-
sibus ubique se præbent obvias sacerdoti,
quæ convivia sumtuosa disponunt, quæ unà
pariter adcumbunt. Sed quò me ducit o-
ratio? paullulùm iste liberior sermo repri-
mendus est, ne in aliquorum forsitan incur-
rat offensam. Etenim infidelibus objurga-
tionis verba non proderunt, fidelibus autem
satisfaciat exemplum. verùm ego ita virtutem hujus virginis prædicabo, ut tamen nihil
illis, quæ ad Martinum videndum ex longin-
quis regionibus sæpe venerunt, arbitrer de-
rogandum: siquidem hoc beatum virum
frequenter adfectu etiam angeli frequenta-
rint.

CAP. XIII. Ceterùm id, quòd dicturus sum, Postumiane, hoc tibi [me autem intuebatur] teste
rectè perhibeo. Quodam die, ego & iste
Sulpicius pro foribus illius excubantes, jam
per aliquot horas cum silentio sedebamus,
ingenti horrore & tremore, ac si ante angeli
tabernaculum mandatas excubias duceremus,
cùm quidem clauso cellulæ suæ ostio,

----

10. *Quæ unà pariter adcumbunt*] MS. *dis-cumbunt.*

1. *Hoc tibi*] *me autem intuebatur*] *teste rectè perhibeo*] MS. *Hoc te* [*me autem intuebatur*] *teste rectè perhibeo.*

nos ibi esse nesciret.   Interim conloquen- 2
tium murmur audivimus, & mox horrore
quodam circumfundimur , ac obstupentes
nec ignorare potuimus , nescio quid fuisse
divinum.   Post duas ferè horas ad nos Mar- 3
tinus egreditur: ac tùm eum iste Sulpicius
[sicut apud eum nemo familiariùs loquebatur] cœpit orare, ut perquirentibus indicaret,quid illud divini fuisset horroris , quod
fatebamur nos ambo sensisse , vel cum quibus fuisset in cellulâ conlocutus: tenuem e-
nim nos licèt , & vix intellectum sermoci-
nantium sonum pro foribus audisse. tùm il- 4
le diu multúmque cunctatus, [sed nihil erat,
quod ei Sulpicius non extorqueret invito.
incredibiliora forte dicturus sum , sed Christo teste non mentior : nisi quisquam est
tam sacrilegus, ut Martinum æstimet fuisse

Sanctorum   mentitum.]   Dicam, inquit, vobis, sed vos 5
conspectu,   quæso nulli dicatis: Agnes, Thecla & Ma-
& conlo-   ria mecum fuerunt. referebat autem nobis
quio Marti- vultum atque habitum singularum.   Nec 6
nus fruitur. verò illo tantùm die, sed frequenter se ab eis
Dæmones   confessus est visitari: Petrum etiam & Paul-
increpat.   lum Apostolos videri à se sæpiùs,non negavit.
Jam verò dæmones , prout ad eum quisque

---

3. *Vt perquirentibus indicaret*] MS. *Vt pii*
quærentibus indicaret.

veniffet,

veniſſet, ſuis nominibus increpabat. Mercurium maximè patiebatur infeſtum: Jovem brutum atque hebetem eſſe dicebat.
7 Hæc plerisque in eodem etiam monaſterio
conſtitutis incredibilia videbantur : nedum
ego confidam omnes,qui hæc audient, cre-
dituros. nam niſi inæſtimabilem vitam atque virtutem Martinus egiſſet, nequaquam
apud nos tantâ gloriâ præditus haberetur.
quamquam minimè mirum, ſi in operibus
Martini infirmitas humana dubitaverit: cùm
multos hodiéque videamus, nec Evangeliis
quidem credidiſſe. A Martino autem ſæpe angelos viſos familiariter & ſenſimus.&
8 experti ſumus. Rem minimam dicturus
ſum, ſed tamen dicam. Apud Nemauſum
epiſcoporum ſynodus habebatur, ad quam
quidem ire noluerat : ſed quid geſtum eſſet, ſcire cupiebat. Caſu cùm eo iſte Sulpicius navigabat, ſed procul, ut ſemper,
à ceteris in remotâ navis parte reſidebat.
Ibi ei angelus, quid geſtum eſſet in ſynodo, Acta Syno-
9 nunciavit. Nos poſtea tempus habiti con- di didicit
cilii ſollicitè requirentes, ſatis compertum ab angelo.
habuimus, ipſum diem fuiſſe conventus,

---

8. *In remotâ naßis parte reſidebat*] MS. *in rem.
naßu parte ſolus reſidebat.*

9. *Ipſum diem fuiſſe conßentus*] MS. *Ipſum
&

& ea ibi ab epiſcopis fuiſſe decreta, quæ Martino angelus nunciarat.

CAP. XIV. Ceterùm cùm ab eo de fine ſeculi quæ- 1
reremus, ait nobis, Neronem & Antichri-
ſtum priùs eſſe venturos: Neronem in Occi-
dentali plagâ regibus ſubactis decem impe-
raturum, perſecutionem autem ab eo hactenus exercendam, ut idola gentium coli cogat. Ab Antichriſto verò Orientale impe- 2
rium eſſe capiendum: qui quidem ſedem &
caput regni Hieroſolymam eſſet habiturus:
ab illo urbem & templum eſſe reparandum.
Illius eam perſecutionem futuram eſſe, ut 3
Chriſtum Dominum cogat negari, ſe potiùs
Chriſtum eſſe confirmans: omnéſque ſecundum legem circumcidi jubeat. & ipſum denique Neronem ab Antichriſto eſſe perimen-
dum: atque ſub illius poteſtate univerſum

------

dtem fuiſſe concilii. Vt êâdem voce *concilii* iterum uſus ſit.

  1. *Ceterùm cùm ab eo de fine ſeculi quæreremus*]
Maxima pars hujus capitis, ut in pleriſque codicibus
MS. ita & in eo, quo uſi ſumus, deſideratur. Tantùm poſtrema ejus adparent, inde ab iſtis verbis,
Hæc cùm maximè Gallus. Ceterùm totum illud
caput deſcripſit ita Giſelinus ex codice Trudonen-
ſi. Et ſanè quæ in hoc capite de Nerone & Antichriſto leguntur, conſentanea ſunt his, quæ in lib. II
Hiſt. S. c. 29 perſcripſit Auctor.

                                                    orbem

orbem, cunctásque gentes effe redigendas:
donec adventu Chrifti impius opprimatur.
4 Non effe autem dubium, quin Antichriftus
malo fpiritu conceptus, effet etiam in annis
puerilibus conftitutus, ætate legitimâ fum-
turus imperium. Quòd autem hæc ab illo
audivimus, annus octavus eft. Vos autem
æftimate, quo in præcipitio confiftunt, quæ
5 futura funt. Hæc cùm maximè Gallus,
necdum explicatis, quæ ftatuerat referre, loqueretur, puer familiaris ingreffus eft, nuncians, Refrigerium presbyterum ftare pro
6 foribus. Dubitare cœpimus, utrum Gallum
adhuc effet melius audire; an exoptatiffi-
mo nobis viro, qui officii caufsâ ad nos ve-
7 niebat, occurrere. Tùm Gallus: Etiamfi
non ob adventum fanctiffimi facerdotis relinquenda nobis hæc effet oratio, nox ipfa
cogebat, hucusque protractum finire fermo-
8 nem. Verùm quia de Martini virtutibus nequaquam explicari univerfa potuerunt, hæc
vos hodie audiffe fufficiat, cras reliqua dice-
mus. Ita pariter acceptâ Galli fponfio-
ne, furreximus.

❁) o (❁

DIA-

DIALOGUS III.

Itidem de virtutibus B. Martini.

Lucefcit, o Galle, furgendum eſt. nam ut vides, & Poſtumianus inſtat, & hic presbyter, qui heſterno auditorio eſt admiſſus, exſpectat, ut, quæ de Martino noſtro in hodiernum diem explicanda diſtuleras, debitor ſponſionis exſolvas. Non ignarus quidem iſte omnium, quæcunque memoranda ſunt: ſed dulcis & grata cognitio eſt etiam nota relegenti: ſiquidem naturâ ita comparatum ſit, ut meliore quis conſcientiâ ſe noſſe gaudeat, quæ multorum teſtimoniis non eſſe incerta cognoſcat. Nam & hic à primâ adoleſcentiâ Martinum ſecutus, novit quidem omnia, ſed libenter cognita recognoſcit. fatebor enim tibi, Galle, Martini mihi ſæpiùs auditas eſſe virtutes: quippe qui de eo etiam litteris multa mandaverim: ſed per geſtorum admirationem ſemper mihi nova ſunt, quæ de illo licet audita ſæpiùs revolvuntur. proinde additum nobis Refrigerium auditorem eo impenſiùs gratulamur, quò promtiùs Poſtumianus iſte, qui hæc Orienti inferre feſtinat, quaſi

ſub

sub testibus consignatam abs te accepturus
est veritatem.   Hæc me loquente , Gallo
jam ad narrandum parato,innuit turba monachorum: Evagrius presbyter , Aper , Se-
bastianus, Agricola: & post paullulum ingreditur presbyter noster Etherius,cum Cal-
lipione diacono , & Amatore subdiacono.
Postremus Aurelius presbyter dulcissimus
meus, longiore viâ veniens, anhelus cucurrit.   Quid vos , inquam, tam subitò & tam
insperati, tam ex diversis regionibus, tam
manè concurritis? Nos, inquiunt, hesterno
cognovimus, Gallum istum per totum diem
Martini narrasse virtutes: & reliqua in hodiernum diem , quia nox oppresserat, dis-
tulisse.   propterea maturavimus frequens
auditorium facere, tantam materiam locuturo.   Interea nunciatur, multos secularium stare pro foribus, nec ingredi audentes, sed ut admitterentur orantes.   Tùm
Aper: Nequaquam istos, inquit, nobis ad-

---

4. *Longiore viâ veniens anhelus cucurrit*] MS.
anhelus accurrit.

5. *Tantam materiam locuturo*] MS. *De tantâ
materiâ locuturo.*

6. *multos secularium stare pro foribus*] *Seculares* nunc vocat Christianos quidem, sed laicos, &
negotia mundana tractantes.   De quâ vocis significatione supra actum non semel.

misce-

misceri convenit: quia ad audiendum cu-
riositate potiùs quàm religione . venerunt.
Confusus ego illorum vice, quos non ad- 7
mittendos esse censebat, ægrè tamen obti-
nui, ut Eucherium ex vicariis, & Celsum ad-
mitterent consularem: ceteri sunt repulsi.
Tùm Gallum mediâ in sede componimus: 8
qui cùm diu nobili suâ verecundiâ silentium
tenuisset, tandem ita exorsus est.

CAP. II.   Conveniftis, inquit, ad me audiendum, 1
& sancti & diserti, sed religiosas potiùs,
quàm doctas aures, uti arbitror, adtulistis,
audituri, me fide testis, non oratoris copiâ
locuturum. Quæ autem hesterno dicta sunt,
non revolvam: illa qui non audierunt, ex
scriptis recognoscent.   Nova Postumianus 2
exspectat, nunciaturus Orienti, ne se in com-
paratione Martini præferat Occidenti. ac
primùm gestit animus, quod Refrigerius in
aurem suggerit, explicari.   Res in Carno- 3
tenâ gesta est civitate.   Paterfamiliàs duo-
decennem ab utero mutam puellam Marti-

---

7. *Confusus ego illorum vice*] Id est, dolens illorum vicem.   De eâ vocabuli *confusus* significatione dictum itidem supra.

2. *Gestit animus, quod Refrigerius in aurem
suggerit explicari*] MS. *explicare.*

3. *Ab utero mutam*] Hebraismum hoc sapit.
Quem quidem ille ex versione Scripturæ sacræ hau-

no cœpit offerre, poscens, ut linguam liga-
4 tam meritis suis sanctus absolveret. Ille ce-
dens Episcopis, qui tùm forte latus illius
ambiebant, Valentiniano atque Victricio,
imparem se esse tantæ moli, sed illis quasi
5 sanctioribus nihil impossibile fatebatur. At
illi pias preces unà cum patre supplici voce
jungentes, orare Martinum, ut sperata præstaret. nec cunctatus ultra, [utrumque præclarum, & ostendendo humilitatem, nec
differendo pietatem] jubet circumstantis
populi multitudinem submoveri: episcopis
tantùm & puellæ patre adsistentibus, in ora-
6 tionem suo illo more prosternitur. dein
pusillum olei cum exorcismi præfatione benedicit, atque ita in os puellæ sanctificatum
liquorem, cùm & linguam illius digitis te-
7 neret, infudit.   Nec fefellit sanctum virtu-

Oleo in os injecto puellam mutam loquentem facit M.

---

sit.   Hebræi dicunt מבטן *ab utero*, cùm significare volunt tempus, quo quis in lucem primùm editus est.   Latini dicunt *à natiuitate, à primo ortu.*
Græci vero *ἐκ γενετῆς.*

Linguam ligatam absolueret] Compositum *ab-
soluere* pro simplici *soluere* frequentatum planè à
nostro.

6. *Pusillum olei benedicit*] Cap. proximo, *Misisse Martino oleum, quod ad diuersas morborum
causas benediceret.*   Olei benedicti, ejúsque virtutis, & supra exempla vidimus.

Hh   tis

tis eventus.   Patris nomen interrogat : mox
illa respondit. proclamat pater cum gaudio
pariter & lacrymis, Martini genua complexus, & hanc primam se filiæ audisse vocem
cunctis stupentibus fatebatur.   Ac ne cui-   8
quam id incredibile forte videatur, perhibe-
at vobis præsens Evagrius testimonium
veritatis.   nam res ipso præsente tùm gesta est.

CAP. III.   Parùm illud est , quod nuper Harpagio   1
presbytero referente cognovi. sed non
prætermittendum videtur.   Avitiani comi-   2
tis uxorem misisse Martino oleum , quod
ad diversas morborum caussas necessarium
[sicut est consuetudo] benediceret : ampullulam vitream istiusmodi fuisse , ut rotunda
in ventrem cresceret, ore producto , sed oris
B. Martini   exstantis concavum non repletum ; quia ita
benedictio-   moris sit vascula illa compleri, ut pars um-
ne oleum   bonibus obstruendis libera relinquatur. Te-   3
crescit.   stabatur presbyter, vidisse se oleum sub Martini benedictione crevisse, quoad exundante
copiâ supernè deflueret : eandémque , dum
ad matremfamiliâs vasculum referretur,
servasse virtutem.   Nam inter manûs pueri   4
portantis ita semper exundasse oleum , ut
omne illius vestimentum copiâ superfusi liquoris operiret : matronam itaque ad summum

,mum labrum plenum vasculum recepisse:
ut presbyter hodiéque fatetur, obdendi pes-
suli, quo claudi diligentiùs servanda con-
sueverunt, in vitro illo spatium non fuisse.
5 Mirum & illud, quod huic [me autem intue-
batur] memini contigisse.   Vas vitreum_ *Vas vitre-*
cum oleo, quod Martinus benedixerat, in *um in mar-*
feneftrâ paullulùm editiore depofuit: puer_ *mor deci-*
familiaris incautior linteum fuperpofitum, *dens non*
ampullam ibi effe ignarus, adtraxit. vas fu- *frangitur.*
per conftratum marmore pavimentum de-
cidit. cunctis metu exterritis, ne benedictio
deperiffet, ampulla perinde incolumis eft
reperta, ac fi fuper plumas molliffimas de-
6 cidiffet.   Quæ res non potiùs ad casum_,
quàm ad Martini eft referenda virtutem,
cujus benedictio perire non potuit.   Quid
illud, quod factum eft à quodam, cujus nomen, quia præfens eft, & prodi fe vetuit,
fupprimetur : cui quidem tempori hic et-
7 iam Saturninus interfuit.   Canis nobis im- *Canis ob-*
portunior oblatrabat.   In nomine, inquit, *mutefcit.*
Martini jubeo te obmutefcere. cani hæfit
latratus in gutture : linguam ut abfciffam pu-

---

4. *Vt presbyter hodiéque fatetur*] MS. *fateatur.*
5. *Ampulla perinde incolumis eft reperta*] MS.
ampullula: ut fupra in hoc ipfo cap. *Ampullulam*
vitream iftiusmodi fuiffe.

tares, obmutuit. ita parùm eſt, ipſum Martinum feciſſe virtutes.   Credite mihi, quia
etiam alii in nomine ejus multa fecerunt.

CAP. IV.   Avitiani quondam comitis noveratis bar- 1
baram nimis, & ultra omnes cruentam feri-
tatem. hic rapido ſpiritu ingreſſus Turonum
civitatem, ſequentibus eum miſerabili facie
ordinibus catenatis, diverſa perdendis pa-
rari jubet genera pœnarum, diſponens poſterâ die adtonitâ civitate ad opus tam triſte
procedere. Quod ubi Martino compertum 2
eſt, ſolus paullò ante mediam noctem ad
prætorium beſtiæ illius tendit.   Sed cùm
profundæ noctis ſilentio quieſcentibus cunctis, nullus foribus obſeratis pateret ingreſſus, ante limina cruentâ proſternitur. interea
Avitianus gravi ſomno ſepultus, angelo in-
gruente percellitur: Servus, inquit, Dei ad
tua limina jacet, & tu quieſcis? Quâ ille vo- 3
ce perceptâ, lecto ſuo turbatus excutitur:
convocatisque ſervis trepidus exclamat,

---

7. *Credite mihi, quia etiam alii in nomine ejus*
multa fecerunt] *Quia* rurſus pro *quòd*, pro more
ejus ævi.   Quod ſupra in ejus ævi Græciſmis nu-
meravimus.

1. *Diſponens poſterâ die ad opus tam triſte proce-*
dere] *Diſponere* pro mandare, edicere, ejus ævi
Scriptoribus uſitatum; itémque *diſpoſitio* pro imperio, edicto, Vide & Notas in cap. XVIII Dial. I.

Mar-

Martinum esse pro foribus. irent protinus, claustra reserarent, ne Dei servus pateretur

4 injuriam. Sed illi, ut est omnium natura servorum, vix prima limina egressi, inridentes dominum suum, quòd somno fuisset inlusus, negant quemquam esse pro foribus: ex suomet ingenio conjectantes, neminem nocte posse vigilare: nedum illi crederent, in illo noctis horrore jacere ante aliena limina sacerdotem: idque Avitiano facilè persuasum. Avitiarursum solvitur in soporem. sed mox vi majore concussus, exclamat Martinum stare pro foribus, sibi ideo nullam quietem animi cor-

5 porisque permitti. Tardantibus servis, ipse usque ad limina exteriora progreditur: ibi Martinum, ut senserat, deprehendit. Perculsus miser tantæ manifestatione virtutis:

6 Quid, inquit, mihi hoc, domine, fecisti? nihil loqui te necesse est; scio quid desideres, video quid requiras: discede quantocius, ne

Avitianum à scelere perpetrando revocat Martinus.

---

4. *In illo noctis horrore*] MS. *In illius noctis horrore.*

6. *Discede quantocius*] Vocem *quantocius* scribit Vossius in Gemmâ se reperisse pro *citò, quamprimùm*: atque ita significat, in antiquioribus non reperiri. Miratur quoque à multis non ineruditis ita frequentari. Vide cap. ult. lib. IV de Vit. Serm. At scire debuit, si non in antiquioribus Gemmâ, at saltem in Sulpicio nostro vocem reperiri.

me ob injuriam tuam coeleſtis ira conſumat:
ſatis ſolverim hucusque poenarum.   Crede,
quia non leviter apud me actum eſt, ut ipſe
procederem.   Poſt diſceſſum autem ſancti, 7
advocat officiales ſuos: jubet omnes cuſtodiâ
relaxari: & mox ipſe proficiſcitur. ita fugato
Avitiano, lætata eſt ſe civitas liberatam.

CAP. V.   Hæc cùm multis Avitiano referente, 1
comperta ſunt: tùm nuper Refrigerius Presbyter, quem coram videtis, ab Evagrio fi-
deli viro, ex tribunis, ſub invocatione divinæ
majeſtatis audivit, qui ſibi hóc ab ipſo Avitiano relatum eſſe jurabat.   Ceterùm no- 2
lo miremini, me hodie facere, quod heſterno non feci, ut ad ſingulas quasque virtutes
nomina teſtium perſonásque ſubnectam:
ad quas, ſi quis fuerit incredulus, quia adhuc
in corpore ſunt, recurrat.   Exigit id infide- 3
litas plurimorum, qui in aliquibus, quæ
heſterno memorata ſunt, nutare dicuntur.
Accipiant ergo teſtes adhuc incolumes atque
viventes, quibus, quiá de fide noſtrâ dubi-
tant, magis credant. Sed ſi adeo infideles

---

7. *Lætata eſt ſe ciſitas liberatam*] MS. *Lætata eſt ciſitas liberata.*

2. *Quia adhuc in corpore ſunt*] Vſus eſt phraſi
Apoſtoli. Sic & cap. VII *Quibus poſtea manſit in
corpore.*

funt, profiteor, quia nec illis funt credituri.

4 Miror autem quemquam, qui vel tenuem fenfum religionis habeat, tantum piaculi velle committere, ut putet quemquam de

5 Martino poffe mentiri. Faceffat à quoquam, qui fub Deo vivit, ifta fufpicio. neque enim Martinus hoc indiget, ut mendaciis adferatur: fed tamen totius fermonis fidem apud te, Chrifte, depromimus, nos nec alia dixiffe, nec alia dicturos, quàm quæ aut ipfi vidimus, aut quæ manifeftis auctoribus, vel plerumque ipfo referente, co-

6 gnovimus. Ceterùm etfi dialogi fpeciem, quo ad relevandum faftidium lectio variaretur, adfumfimus, nos piè præftare profitemur hiftoriæ veritatem. Hæc me extrinfecùs inferere, nonnullorum incredulitas,

7 non fine meo dolore, compulit. Sed redeat ad noftrum fermo confeffum: in quo cùm me tàm ftudiofe audiri videam, fateor, neceffe eft Aprum feciffe conftanter, qui repulit infideles: eos tantùm judicans audire debere, qui crederent.

1 Efferor, fiquidem creditis, fpiritu & CAP. VI.

---

3. *Profiteor quia nec illis funt credituri*] Rurfus *quia* pro *quòd.*

6. *Nos piè præftare profitemur hiftoriæ veritatem*] MS. pro *præftare* habet *præftruere.*

præ

præ dolore totus infanio, non credent Martini virtutibus Chriftiani, quas dæmones fatebantur ? Monafterium beati viri duobus à civitate erat millibus difparatum : fed fi quoties venturus ad ecclefiam, pedem extra cellulæ fuæ limen extulerat, videres per totam ecclefiam energumenos rugientes, & quafi adveniente judice agmina damnanda trepidare, ut adventum epifcopi clericis, qui venturum effe nefcirent, dæmoniorum gemitus indicaret. Vidi quemdam adpropiante Martino in aëre raptum, manibus extenfis in fublime fufpendi, ut nequaquam folum pedibus adtingeret. Si quando autem exorcizandorum dæmonum Martinus operam recepiffet, neminem manibus adtrectabat, neminem fermonibus increpabat, ficut plerumque per clericos rotatur turbo verborum ; fed admotis energumenis, ce-

Advenientem procul præfentiunt energumeni.

1

2

3

---

1. *Duabus à civitate erat millibus difparatum*] Sic fupra Dial. I c. 8 *Quod ab Hierofolymis fex millibus difparatur.*

2. *Adpropiante Martino*] *Adpropiare* ab antiquioribus vix ufurpatum videtur.

In aere raptum] MS. *in aera raptum.* Et rectè.

3. *Exorcizandorum dæmonum operam recepiffet*] *Exorcizare* ex Græco ἐξορκίζειν formatum ab ejus ævi hominibus : eoque ipfa diabolorum ex corporibus, quæ obfederant, exactio defignabatur.

teros

teros jubebat abscedere, ac foribus obsera-
tis in medio ecclesiæ cilicio circumtectus,
4 cinere resperfus, solo stratus orabat. Tùm *Modus ex-*
verò cerneres miseros diverso exitu perur- *orcizandi]*
geri, hos sublatis in sublime pedibus quasi *B. Martini.*
de nube pendere, nec tamen vestes defluere
super faciem, ne faceret verecundiam nudata
pars corporum. at in parte aliâ videres sine
interrogatione vexatos & sua crimina confitentes: nomina etiam nullo interrogante
prodebant. ille se Jovem, iste Mercurium
5 fatebatur. Postremò cunctos diaboli ministros cum ipso cerneres auctore cruciari.
ut jam in Martino illud fateamur impletum,
quod scriptum est: Quoniam sancti de angelis judicabunt.

1 Pagum quemdam in Senonico annis sin- *CAP. VII.*
gulis grando vastabat. compulsi extremis
malis incolæ à Martino auxilium popoſce-
runt, missâ per Auspicium, præfectorium
virum, satis fidâ legatione, cujus agros specialiter gravior, quàm cæterorum adsueverat
2 procella populari. Sed factâ ibi oratione, *Pagum Se-*
Martinus ita universam penitùs liberavit ab *nonensis*

Solo stratus orabat] MS. *Soloprostratus.*
1. *Prefectorium virum*] Cap. 19 Vit. Mart. *Arborius vir præfectorius.* Alibi eum vocat *ex præfecto*; nimirum cap. 10 hujus Dial.

dioecefis an-
nua grandi-
ne liberat.

ingruenti pefte regionem, ut per viginti annos, quibus poftea manfit in corpore, gran-
dinem in illis locis nemo pertulerit. Quod ʒ
ne fortuitum effe, & non potiùs Martino
præftitum pûtaretur, eo anno, quo ille defunctus eft, rurfus incubuit rediviva tempe-
ftas. adeo fenfit & mundus viri fidelis excef-
fum, ut cujus vitâ jure gaudebat, etiam ejusdem mortem lugeret. Ceterùm fi ad hæc 4
probanda, quæ diximus, teftes etiam infir-
mior auditor exegerit, non unum ego hominem, fed multa millia producam: & totam
in teftimonium virtutis expertæ Senonum
advocabo regionem. Et tamen tu Refrige- ʃ
ri presbyter, credo, meminifti, nuper nobis
fuper hoc cum Romulo Aufpicii illius filio,
honorato & religiofo viro, fuiffe fermonem:
qui hæc nobis tamquam incomperta referebat: & cùm futuris proventibus per affidua
damna trepidaret, ut ipfe vidifti, magno fecum mœrore lugebat, Martinum non in hæc
tempora refervatum.

CAP. VIII.

Avitianus
præfente
Martino
mitis.

Sed ut ad Avitianum recurram, qui cùm ı
in omnibus locis cunctisque urbibus ederet crudelitatis fuæ infanda monumenta, Tu-
ronis tantùm innocens erat. Et illa beftia,
quæ humano fanguine, & infelicium mortibus alebatur, mitem fe atque tranquillum

beato

2 beato viro præsente præstabat. Memini
quodam die ad eum venisse Martinum: qui
ubi secretarium ejus ingressus est, vidit post
tergum ipsius dæmonem miræ magnitudinis adsidentem. quem eminus, ut verbo, quia
necesse est, parùm Latino loquamur, exsufflans, Avitianus se exsufflari existimans, Quid
me, inquit, sanctè sic aspicis? Tum Marti-
3 nus: Non te, inquit, sed eum, qui cervici tuæ
teter incubuit. Ita recessit diabolus, &
reliquit familiare subsellium. satisque constat, ab illo die Avitianum mitiorem fuisse:
seu quòd intellexerit, egisse se semper adsi-
dentis sibi diaboli voluntatem: seu quòd im-

---

2. *Quem eminus exsufflans, Avitianus se exsufflari existimans, Quid me, inquit, sanctè sic aspicis?*] Sic & MS. Scriptum autem sic pro *Quem eminus exsufflante illo,* Martino puta. Et memini talia & supra observare. Vt cap. XV Dial. I *Præiens
& subinde restans, subinde respectans, facile poterat intelligi, id eam belle &c.* pro *præunte & subinde restante, subinde respectante illâ,* scil. bestia.
Quod ad verbum *exsufflare* attinet, est id auctoribus ejus ævi ecclesiasticis perusitatum. Meritò autem se excusat Auctor, quod verbo parùm Latino
utatur. *Sufflare* quidem vetus est: at *exsufflare*
sequiore ævo est formatum. Factum autem videtur, ut verbum quoque origine Latinum haberent, quod Græco ἐξορκίζειν, de quo paullò antè, responderet.

                                   mun-

mundus spiritus ab illius confessu per Martinum fugatus, privatus est potestate grassandi, cùm erubesceret minister auctorem, nec ministrum auctor urgeret. In vico autem Ambatiensi, id est, castello illo veteri, quod nunc frequens habitatur à fratribus, idolum noveratis grandi opere constructum. politissimis saxis moles turrita surrexerat, quæ in conum sublime procedens, superstitionem loci operis dignitate servabat. Hujus destructionem Marcello, ibidem consistenti presbytero, vir beatus sæpe mandaverat. Post aliquantum tempus regressus, increpat presbyterum, cur adhuc idoli structura consisteret. Ille causatus, vix militari manu & vi publicæ multitudinis, tantam molem posse subverti, nedum id facilè putaret per imbecilles clericos, aut infirmos monachos quivisse curari. Tùm Martinus recurrens ad nota subsidia, noctem totam in orationibus pervigilat. manè orta tempestas, ædem idoli usque ad fun-

Oratione
Martini de-
struitur
templum
idolorum.

---

4. *Quæ in conum sublime procedens*] MS. pro *conum* habet *thronum*, quomodo & alia MSS. Fortunatus item, ut Giselinus observavit, habet, *In sublime thronum procedens æde superbâ*

7. *Noctem totam in orationibus persigilat*] MS. *Nocte totâ in oratione persig.*

damentum provolvit.   Verùm hæc Marcello teste dicta sint.

1   Aliam ejus non dissimilem, in simili opere, virtutem Refrigerio adstipulante perhibeo.   Columnam immensæ molis, cui
idolum superstabat, parabat evertere: sed
nulla erat facultas, quâ id daretur effectui.
2 Tùm ad orationem suo more convertitur.
Visam, certum est, parilem quodammodo
columnam ruere de cœlo, quæ impacta
idolo totam illam inexpugnabilem molem
solvit in pulverem: parùm scilicet, si in-
visibiliter cœli virtutibus uteretur, nisi
ipsæ virtutes visibiliter servire Martino hu-
3 manis etiam oculis cernerentur.   Idem autem Refrigerius mihi testis est, mulierem
profluvio sanguinis laborantem, cùm Martini vestem, exemplo mulieris illius evangelicæ, contigisset, sub momento tempo-
4 ris fuisse sanatam.   Serpens flumen secabat,
& ripæ, in qua constiteramus, adnatabat:
In nomine, inquit, Domini jubeo te redire.   Mox se mala bestia ad verbum san-

CAP. IX.

Item co-
lumna, in
quo idolum
stetit.

Mulier sa-
natur tactu
vestis Mar-
tini.

---

1. *Quâ id daretur effectui*] Lib. II Hist. S. c.
41 *Si rem effectui tradidisset.*

4. *Serpens flumen secabat*] MS. *Serpens flumen
secans.*

Cti

Jubente
Martino re-
cedit fer-
pens.

cti retorfit, & in ulteriórem ripam nobis exfpectantibus transmeavit. quod cùm omnes
non fine miraculo cerneremus, altiùs inge-
mifcens ait: Serpentes me audiunt, & homines non audiunt.

CAP. X.

Pifcem Pafchæ diebus edere confuetus 1
paullò antè horam refectionis interrogat,
an haberetur in promtu.   Tùm Cato dia- 2
conus, ad quem monafterii adminiftratio
pertinebat, doctus ipfe pifcari, negat per
totum diem fibi ullam ceffiffe capturam;
fed neque alios pifcatores, qui vendere folebant, quidquam agere quiviffe.   Vade,
inquit, mitte linum tuum, captura prove-
niet.   Contigua, flumini, ut Sulpicius ifte 3
defcripfit, habebamus habitacula. procef-
fimus cuncti, utpote feriatis diebus, videre
pifcantem: omnium fpebus intentis, non
incaffum futura tentamina, quibus pifcis,
Martino auctore, Martini ufibus quærere-

Pifcatio mi-
raculofa.

tur.   Ad primum jactum reti permodico 4
immanem efocem diaconus extraxit, & ad

---

4. *In ulteriorem ripam nobis exfpectantibus
transmeafit*] MS. *Nobis infpectantibus.*

1. *Ante horam refectionis*] i. e. prandii aut cœnæ.   Atque ita fupra quoque locutum memini.
Locum quoque, ubi cibum capiebant, *refectorium*
vocabant.

monasterium lætus adcurrens: nimirum ut dixit poëta, nescio quis [utimur enim versu scholastico, quia inter scholasticos fabulamur] Captivúmque suem mirantibus intulit Argis. Verè Christi iste discipulus, gestarum à Salvatore virtutum, quas in exemplum sanctis suis edidit, æmulator, Christum quoque in se monstrabat operantem, qui sanctum suum usquequaque glorificans, diversarum munera gratiarum in unum hominem conferebat. Testatur Arborius ex præfecto, vidisse se Martini manum sacrificium offerentis, vestitam quodammodo nobilissimis gemmis, luce micare purpureâ, & ad motum dextræ conlisarum inter se fragorem audisse gemmarum.

Veniam ad illud, quod propter notam temporum semper occultavit: sed nos celare non potuit. in quo illud est miraculi, quòd facie ad faciem cum eo est angelus conlocutus. Maximus Imperator, aliàs sanè bonus, depravatus consiliis sacerdotum,

CAP. XI.
Cum Martino angelus locutus.

---

6. *Vidisse se Martini manum sacrificium offerentis*] *Sacrificium offerre* pro *euchariftiam confecrare;* ut supra c. II Dial. I Ad quem locum & Notas vide.

2. *Aliàs sanè bonus*] pro *alioqui bonus, cetera bonus.* Antiquioribus *aliàs* idem erat quod *alio tempore.*

post

post Priscilliani necem', Ithacium episcopum
Priscilliani adcusatorem , ceterósque illius
socios, quos nominari non est necesse, vi
regiâ tuebatur, ne quis ei crimini daret, o-
pera illius cujuscumquemodi hominem fuisse damnatum.   Interea Martinus multis 3
gravibúsque laborantium caussis ad comitatum ire compulsus, procellam ipsam totius
tempestatis incurrit. Congregati apud Tre-
veros Episcopi tenebantur, qui quotidie
communicantes Ithacio communem sibi
caussam fecerant. His ubi nunciatum est inopinantibus, adesse Martinum, totis animis
labefacti, mussitare & trepidare coeperunt.
Et jam pridie Imperator ex eorum sententiâ 4
decreverat , tribunos summâ potestate ar-
matos ad Hispanias mittere, qui hæreticos
inquirerent, deprehensis vitam & bona adimerent.   Nec dubium erat, quin sanctorum 5

---

3. *Communicantes Ithacio*] Antiquiores dixerunt *communicare aliquid cum aliquo*. Deinde
nec ea verbi *communicare* significatio illis nota fuit.
Sulpicii autem ævo *communicare alicui* dicebant
pro *recipere aliquem in communionem, inire cum
aliquo communionem*: quibus phrasibus in lib. II
Hist. S. utitur noster. Origo autem & occasio inde,
quòd Græci eandem rem exprimebant phrasi κοινω-
νῶν τινι. Operæ pretium est totum hoc & sequentia
capita cum postremis capitibus l. II Hist. S. conferre,

etiam

etiam maximam turbam tempeſtas iſta de-
populatura eſſet, parvo diſcrimine inter hominum genera. etenim tum ſolis oculis judi-
cabatur, cùm quis pallore potiùs, aut veſte,
5 quàm fide hæreticus æſtimaretur. Hæc
nequaquam placitura Martino, epiſcopi ſen-
tiebant: ſed malè conſciis illa vel moleſtiſſi-
ma erat cura, ne ſe ab eorum communione adveniens abſtineret, non defuturis, qui
tanti viri conſtantiam præmiſsâ auctoritate
7 ſequerentur. Ineunt cum Imperatore conſilium, ut miſſis obviam magiſterii officialibus; urbem illam propiùs vetaretur accedere, niſi ſe cum pace epiſcoporum ibi con-
ſiſtentium adfore fateretur. quos ille callidè
fruſtratus, profitetur, ſe cum pace Chriſti eſ-
8 ſe venturum. Poſtrēmò ingreſſus nocturno
tempore, adiit Eccleſiam tantùm orationis
gratiâ. poſtridie palatium petit. præter multas, quas evolvere longum eſt, has princi-
pales petitiones habebat: pro Nàrſete co-

---

7. *Magiſterii officialibus*] id eſt, officialibus, qui
magiſtro officiorum ſuberant. Ergo *magiſterium,*
nomen dignitatis & muneris, ponitur hic pro ipſo illo qui dignitatem & munus iſtud ſuſtinet, id eſt,
pro magiſtro officiorum. Ipſi illi officiales in Notitiâ imperii vocantur *Agentes in rebus.* Vide cap.
LXIV Commentarii Guid. Pancirolli in Notitiam
Imp. Orient.

                    mite,

mite, & Leucadio præside , quorum ambo Gratiani partium fuerant, pertinacioribus studiis, quæ non est temporis explicare, iram victoris emeriti.   Illa præcipua 9 cura, ne tribuni cum jure gladiorum ad Hispanias mitterentur. pia enim erat solicitudo Martino, ut non solùm Christianos, qui sub illâ erant occasione vexandi, sed ipsos etiam hæreticos liberaret.   Verùm 10 primo die, atque altero, suspendit hominem callidus imperator, sive ut rei pondus imponeret, sive quia nimis sibi implacabilis erat, seu quia, ut plerique tùm arbitrabantur, avaritia repugnabat: siquidem in bona eorum inhiaverat.   Fertur enim ille vir multis bonisque 11 actibus præditus, adversùs avaritiam parùm consuluisse: nisi fortasse regni necesitate, quippe exhausto superioribus principibus rei publicæ ærario, pæne semper in expeditione atque procinctu bellorum civilium constitutus, facilè excusabitur, quibuslibet occasionibus subsidia imperio paravisse.

CAP. XII   Interea episcopi, quorum communio- 1 nem Martinus non inibat, trepidi ad re-

---

1. *Quorum communionem Martinus non inibat*] Superiore capite, *Ab eorum communione abstineret.*   Alibi verò & aliis phrasibus, ut supra notavimus, eam rem expresfit: ut *non recipere in*

gem

gem concurrunt, prædamnatos se conquerentes, actum esse de suo omnium statu,
si Theognisti pertinaciam, qui eos solus
palàm latâ sententiâ condemnaverat, Martini armaret auctoritas. non oportuisse hominem recipi mœnibus : illum jam non
defensorem hæreticorum esse, sed vindicem : nihil actum morte Priscilliani, si Mar-
2 tinus exerceat illius ultionem.   Postremò
prostrati, cum fletu & lamentatione potestatem regiam implorant, ut utatur adversùs unum hominem vi suâ.   Nec multùm
aberat, quin cogeretur imperator Martinum
cum hæreticorum sorte miscere. sed ille
licet episcopis nimio favore esset obnoxius, non erat nescius, Martinum fide, sanctitate & virtute cunctis præstare mortalibus: aliâ longè viâ Sanctum vincere pa-
3 rat.   Ac primò secretò accersitum blandè
adpellat : hæreticos jure damnatos more
judiciorum publicorum, potiùs quàm in-

---

communionem, suspendere à communione.   In hoc
ipso capite dicit etiam se à communione alicujus se-
parare.

   Prædamnatos se conquerentes.] Verbo prædamnare Livius quoque, Valerius Max. & Suetonius usi sunt.   Est autem prædamnare priùs damnare quam res cognita atque expensa sit.

sectationibus sacerdotum: non esse caussam, quâ Ithacii, cæterorúmque partis ejus communionem putaret esse damnandam. Theogniftum odio potiùs, quàm caussâ feciffe discidium: eumdémque tamen folum esse, qui se à communione interim separarit: à reliquis nihil novatum. Quin etiam ante paucos dies habita Synodus, Ithacium pronunciaverat culpâ non teneri. Qui- **4** bus cùm Martinus parùm moveretur, rex irâ accenditur, ac se de conspectu ejus abripuit. & mox percuffores his, pro quibus Martinus rogaverat, diriguntur.

CAP. XIII. Quod ubi Martino compertum jam no- **1** ctis tempore eft, palatium inrupit. spondet, si parceretur, se communicaturum, dummodo ut & tribuni jam in excidium Ecclefiarum ad Hispanias missi retraherentur. Nec mora interceffit, Maximus in- **2** dulget omnia. poftridie Felicis episcopi ordinatio parabatur, fanctiffimi fane viri, & planè digni, qui meliore tempore facerdos fieret. Hujus diei communionem Marti-

Maximus Imp. Martino indulget.

----

1. *Spondet se communicaturum*] Scil. Ithacio, & qui cum hoc faciebant episcopis. De phrafi *communicare alicui* pro *communionem cum aliquo inire*, vel *communionem alicujus inire*, & *in communionem aliquem recipere*, dixi paullò antè.

nus iniit , fatiùs æftimans ad horam cedere, quàm his non confulere, quorum cervi-
3 cibus gladius imminebat. Verumtamen
fummâ vi epifcopis nitentibus , ut communionem illam fubfcriptione firmaret , ex-
torqueri non potuit. Poftero die fe inde
proripiens , cùm revertens in viâ mœftus
ingemifceret, fe vel ad horam noxiæ communioni fuiffe permixtum : haud longè à
vico, cui nomen eft Andethanna,quâ vaftas folitudines filvarum fecreta patiuntur,
prægreffis paullulùm comitibus , ille fub-
fedit cauffam doloris & facti accufante ac
defendente invicem cogitatione pervolvens.
4 Adftitit ei repentè angelus : Meritò,inquit, Angelus
Martine compungeris, fed aliter exire nequi- mœrentem
fti. repara virtutem, refume conftantiam,ne folatur.
jam non periculum gloriæ, fed falutis incur-
5 reris.   Itaque ab illo tempore fatis cavit cum

---

3. *Quâ vaftas folitudines filvarum fecreta patiuntur*] MS. *Quâ vaftâ folitudine filvarum fecreta petuntur;* fenfu non incommodo.

4. *Meritò, Martine, compungeris*] *Compungi*
adfectionem quamdam animi, & quidem mœrorem
& triftitiam fignificare hic videtur: idque imitatione veteris Interpretis Latini, qui non femel eo
vocabulo, itémque derivato inde *compunctio,* ufus
eft, & Græcum κατανύσσεσθαι eo reddidit. Vt Pf.
CIX,16. *Compunctum corde mortificare.*

illâ Ithacianæ partis communione miſceri. Ceterùm cùm quosdam ex energumenis tardiùs quàm ſolebat, & gratiâ minore curaret, ſubinde nobis cum lacrymis fatebatur, ſe propter communionis illius malum, cui ſe vel puncto temporis, neceſſitate, non ſpiritu, miſcuiſſet, detrimentum ſentire virtutis. Sedecim poſtea vixit annos, nullam Synodum adiit, ab omnibus epiſcoporum conventibus ſe removit.

Martinus detrimentum ſentit virtutis.

CAP. XIV.

Sed planè, ut experti ſumus, imminutam ad tempus gratiam multiplici mercede reparavit. Vidi præterea ad pſeudothyrum monaſterii ipſius adductum energu-

Energumenum curat.

---

1. *Ad pſeudothyrum monaſterii ipſius adductum energumenum*] Vocem *pſeudothyrum* Giſelinus ex conjecturâ reſtituit, cùm in codicibus manuſcriptis eſſet vel *pſeudophorum* vel *pſeudoforum*, vel *pſeudotiforum*. In MS. Electorali, quo ego uſus ſum, eſt *pſeudoforum*, ut in aliquo etiam eorum, quibus Giſelinus uſus eſt, ſcriptum fuit. Si genuinum eſſet *pſeudoforum*, eſſet vox hybrida, ex Græco ψευδο- ſcilicet & Latino *fores* compoſitum. Sed facilè adducor, ut credam, emendationem Giſelini recte factam eſſe; quòd videlicet *pſeudothyrum* reſcripſit. Significat autem hæc vox illud, quod Latini *poſticum*, id eſt, occultum oſtium in parte ædium averſâ, dicunt. Vide de hoc Buchnerum ad Fabrum, voce *poſticum*. Græcam vocem ψευδόθυρον jam ſuo tempore Cicero civitate

me-

menum, & priùs quàm ad limen adtingeret, fuiſſe curatum. Teſtantem quemdam
nuper audivi, cùm in Tyrrheno mari curſu
illo, quo Romam tenditur, navigaret, ſubitò turbinibus exortis , extremum vitæ
2 omnium fuiſſe diſcrimen. In quo cùm qui- Propter
dam Ægyptius negotiator necdum Chri- Martinum
ſtianus , magnâ voce clamaverit, Deus tempeſtas
Martini eripe nos: mox tempeſtatem fuiſſe ſedata.
ſedatam, ſéque optatum curſum cum ſum-
3 mâ placidi æquoris quiete tenuiſſe. Lycontius ex vicariis vir fidelis, cùm familiam illius lues extrema vexaret, & inau-
ditæ calamitatis exemplo per totam domum corpora ægra procumberent , Mar- Familiam
4 tini per litteras imploravit auxilium. Quo Lycontii
tempore vir beatus rem eſſe promiſit dif- lue quadam
ficilem impetrari. nam ſpiritu ſentiebat, liberat.
domum illam divino numine verberari:
tamen non priùs deſtitit ſeptem totos dies,
totidémque noctes orando & jejunando

***

Latinâ donavit. Nam in Orat. poſt red. ſic habet:
Non januâ receptis, ſeã pſeudothyro intromisſis ᴂo-
luptatibus.

3. *Lycontius ex ᴂicariis*] Sic ſupra çap. I hujus
Dial. *Eucherius ex ᴂicariis.* Et cap. X *Arborius ex*
præfeᶜto. Intelligitur autem tali locutione is, qui
vicarius aut præfectus fuiſſet. Tandem verò & caſu recto dicebant *Exquæſtor; exconſul.*

continuans, quàm id, quod exorandum receperat, impetraret.   Mox ad eum Lycon- 5
tius, divina expertus beneficia pervolavit,
nuncians simul & agens gratias, domum
suam omni periculo liberatam.   Centum
etiam argenti libras obtulit, quas vir beatus nec respuit nec recepit. Sed priùs quàm 6
pondus illud monasterii limen adtingeret,
redimendis id captivis continuò deputavit,
& cùm ei suggereretur à fratribus, ut a-
liquid ex eo in sumtum monasterii reser-
varet, [omnibus enim angustum esse victum, multis deesse vestitum :] Nos, inquit, Ecclesia & pascat & vestiat, dummodo nihil nostris usibus quæsisse videamur.
Succurrunt hoc loco illius viri magna mi- 7
racula, quæ faciliùs admirari possumus,
quàm referre.   Agnoscitis profectò quod
dico : multa sunt illius, quæ non queunt
explicari.   Veluti istud est, quod nescio an
ita, ut gestum est, à nobis possit exponi.
Quidam è fratribus [nomen non ignora- 8
tis : sed celanda persona est, ne sancto viro
verecundiam fecerimus] quidam ergo cùm
ad fornaculam illius carbonum copiam re-

---

6. *Redimendis id captivis deputavit*] *Deputare*
rursus pro *destinare, adsignare,* more ejus ævi.

perifperiſſet, & admotâ ſibi ſellulâ divaricatis pedibus ſuper ignem illum nudato inguine reſideret, continuo Martinus factam ſacro tegmini ſenſit injuriam, magnâ voce 9 proclamans: Quis, inquit, nudato inguine noſtrum inceſtat habitaculum? Hoc ubi ille frater audivit,& ex conſcientiâ,quòd increpabatur,agnovit: continuò ad nos cucurrit exanimis, pudorem ſuum non ſine Martini virtute confeſſus.

Monachi cujusdam inhoneſtum factum mànifeſtat.

1 Quodam itidem die, dum in areâ, quæ parva admodum tabernaculum illius ambiebat, in illo ſuo, quod noſtis omnes, ſedili ligneo reſediſſet, vidit duos dæmones in excelsâ illâ, quæ monaſterio ſupereminet, rupe conſiſtere, inde alacres ac lætos vocem iſtiusmodi adhortationis emittere: Heia te Brictio, Heia te Brictio. Credo cernebant miſerum eminus propinquantem, conſcii quantam illi rabiem ſpiritus 2 ſuſcitaſſent. Nec mora, Brictio furibundus inrupit, ibi plenus inſaniæ, evomuit in Martinum mille convicia. objurgatus enim pridie ab eo fuerat, cur, qui nihil umquam ante clericatum [quippe qui in monaſterio ab ipſo Martino nutritus] habuiſ-

CAP. XV.

Videt dæmones in rupe conſiſtere.

―――――――――――――――――

2. *Ibi plenus inſaniæ*] MS. *plenus inſaniâ.*

 ſet,

fet, equos aleret, mancipia compararet.
nam jam illo tempore arguebatur à multis, non folùm pueros barbaros, fed etiam puellas fcitis vultibus coëmiffe.　Qui-　3
bus rebus infeliciffimus infano felle commotus, &, ut credo, præcipuê dæmonum illorum agitatus inftinctu, Martinum ita adgreffus eft, ut vix manibus tem-
peraret: cùm quidem fanctus vultu placido,
mente tranquillâ infelicis amentiam per
mitia verba cohiberet. fed ita in eo ne-　4
quam fpiritus redundabat, ut ne fua quidem illi, quamvis vana admodum, mens
fubeffet, trementibus labiis', incertôque
vultu, decolor præ furore, rotabat verba
peccati, fe adferens fanctiorem: quippe qui
à primis annis in monafterio inter facras
ecclefiæ difciplinas ipfo Martino educante
creviffet: Martinum verò & à principio,
quod ipfe diffiteri non poffet, militiæ a-
ctibus forduiffe, & nunc per inanes fuperftitiones & phantasmata vifionum ridicula

----

2. *Arguebatur non folùm pueros barbáros, fed
etiam puellas fcitis 6ultibus coëmiffe*] MS. *Arguebatur, quòd non fol. pueros barb. fed etiam puella
fcitis 6ult.coëmiffet.*

4. *Militiæ actibus forduiffe*] *Actus* pro negotiis
& fupra pofuit.

pror-

5 prorſus inter deliramenta ſenuiſſe. Hæc cùm multa, atque alia etiam, quæ reticere melius eſt, acerbiora vomuiſſet, egreſſus tandem furore ſatiato, quaſi qui ſe penitùs vindicaſſet, rapidus eâ, quâ parte venerat, recurrebat: cùm interea, credo per Martini orationes, fugatis ab illius corde dæmonibus, reductus in pœnitentiam, mox revertitur, atque ad Martini ſe genua proſternit, veniam poſcens, fatetur errorem, nec ſine dæmone ſe fuiſſe tandem ſanior confitetur.

6 Non erat apud Martinum labor iſte diffici-lis, ut ignoſceret ſupplicanti. Tunc & ipſi, & nobis omnibus ſanctus expoſuit, qualiter illum à dæmonibus vidiſſet agitari: ſe conviciis non moveri, quæ magis illi, à quo 7 eſſent effuſa, nocuiſſent. Exinde cùm idem Brictio multis apud eum magnisque criminibus perſæpe permeretur, cogi non potuit, ut eum à presbyterio ſubmoveret, ne ſuam perſequi videretur injuriam: illud ſæpe commemorans, ſi Chriſtus Iudam paſſus eſt, cur ego non patiar Brictionem?

Martini patientia.

---

5. *Qui ſe penitùs ßindicaſſet*] Satis Latinè. Pari modo dicunt *ulciſci ſe*. Ovidius lib. II de rem. am.

Parce queri: melius ſic te ulciſcere tacendo,
   Dum deſideriis effluat illa tuis.

Ad

CAP. XVI.   Ad hæc Poftumianus: Audiat, inquit, 1
iftud exemplum nofter ifte de proximo,
qui cùm fit fapiens, immemor præfentium, immemor futurorum, fi fuerit offen-
fus, infanit, in fuâ fe non habens poteftate: fævit in clericos, graffatur in laicos;
totúmque terrarum orbem in fuam com-
movet ultionem: in quâ per triennium ju-
gitér dimicatione confiftens, nec tempore,
nec ratione fedatur.   Dolenda hominis & 2
miferanda conditio, etiamfi hac folâ infa-
nabilis mali pefte premeretur. Verùm
ifta ei patientiæ & tranquillitatis exempla
referre fæpiùs, Galle, debueras, ut fciret
irafci, & fciret ignofcere. qui fi iftum i- 3
pfum breviter infertum fermonem meum
in fe prolatum forte cognoverit, fciat non
magis ore inimici, quàm amici animo me

---

1. *In fuâ fe non habens poteftate*] Congruit cum
hoc, quod habet Cicero in lib. IV Tufc. Quæft. *Ira-*
tos propriè dicimus exiffe de poteftate, id eft, de
confilio, de ratione, de mente. *horum enim pote-*
ftas in totum animum effe debet. Cato quoque, ut eft
apud Gellium lib. VII c. 3, in oratione quadam dixerat, *in poteftatem fuam redire*; fed non de eo tamen
qui iratus, fed qui effufè lætatus fuit. Verba ejus
fuere: *Quò majore opere edico fuadeóque, uti hæc*
res aliquot dies proferatur, dum ex tanto gaudio
in poteftatem noftram redeamus.

locu-

locutum: quia si fieri posset, optarem, ut Martino potiùs episcopo, quàm Phalari
4 tyranno similis diceretur. Sed istum, cujus commemoratio parùm suavis est, transeamus, & ad Martinum nostrum, Galle, redeamus.

1 Tùm ego, cùm jam adesse vesperam CAP. XVII. occiduo solo sentirem, Dies, inquam, abiit, Postumiane: surgendum est. simul tam studiosis auditoribus cœna debetur. De Martino autem exspectare non debes, ut ulla sit meta referendi. latiùs ille diffunditur, quàm ut ullo valeat sermone con-
2 cludi. Ita interim de illo viro portabis. Orienti. Sed dum recurris, diversásque regiones, loca, portus, insulas urbesque præterlegis, Martini nomen & gloriam
3 sparge per populos: In primis memento

---

1. *Dies abiit*] Satis Latinè. Ita passim & alii. Terentius Adelph. IV, 3 *Hæc dum dubitas, menses abierunt decem.* Ovidius lib. III de P. el. 2.
    Mirus amor juĜenum: quamĜis abiere tot anni,
        In Scythiâ magnum nunc quoque nomen habent.
Vtuntur & simplici *ire.* Plautus Pseud. I, 3 *It dies: ego mihi cesso.*
    2. *Ita interim de illo Ĝiro portabis Orienti*] MS. pro *ita* habet *ista.*

                              non

non præterire Campaniam, & si maximè curfus in devio fit, non tamen tibi tantí fint vel magnarum morarum ulla dispendia, quin illic adeas inluftrem virum, ac toto laudatum orbe, Paullinum: illi, quæfo te, primum fermonis noftri, quem vel hefterno confecimus, vel hodie diximus, volumen evolve. Illi omnia referes, illi 4 cuncta recitabis, ut mox per illum facra viri laudes Roma cognofcat: ficut primum illum noftrum libellum non per Italiam tantùm, fed per totam etiam diffudit Illyricum. Ille Martini non invidus gloriarum, fanctarúmque in Chrifto virtutum piiffimus æftimator, non abnuet præfulem noftrum cum fuo Felice componere. inde, fi forte ad Africam transfretabis, referes audita Carthagini: licet jampridem, ut ipfe dixifti, virum noverit, tamen nunc præcipuè de eo plura cognofcat, ne folum ibi Cyprianum martyrem fuum, quamvis fancto illius fanguine confecrata, miretur. Jam fi ad lævam Achajæ finum 6

Paullini laus.

---

4. *Vt mox per illum facra viri laudes Roma cognofcat*] MS *facras viri laudes.*

6. *Iam fi ad levam Achaje finum intraveris*] MS. *Inde fi ad levam.* Sinum Achajæ intelligit Corinthiacum.

paul-

paullulùm devexus intraveris, fciat Corin-
thus, fciant Athenæ, non fapientiorem
in Academiâ Platonem, nec Socratem in
carcere fortiorem. felicem quidem Græciam, quæ meruit audire Apoftolum præ-
dicantem: fed nequaquam à Chrifto Gallias derelictas, quibus donaverit habere
7 Martinum. Cùm verò ad Ægyptum usque perveneris, quamquam illa fuorum
fanctorum numero & virtutibus fit fuperba,
tamen non dedignetur audire: quia illi,
vel univerfæ Afiæ, in folo Martino Europa
non cefferit.

1 Ceterùm cùm Hierofolymam inde pe- CAP.
titurus, ventis curfuum vela commiferis, XVIII

Quibus donaverit habere Martinum] Conftructio talis, qualis illa Virgilii lib. V Æn. *Loricam
donat habere viro.* Et lib. I *Ille fuo moriens dat
habere Nepoti.*

7. *Quamquam illa fuorum fanctorum numero
& virtutibus fit fuperba*] MS. fic, *Quamq. illa fuorum fanctorum numerofitate & virtutibus fuperet.*

*Non dedignetur audire, quia illi Europa non
cefferit*] *Quia* rurfus pro *quòd,* pro more iftius ævi.
Neque diftinctio major hic facienda fuerit inter *audire* & *quia.*

1. *Ventis curfuum vela commiferis*] MS. pro
curfuum habet *rurfum,* Et fanè illud *curfuum* non
adeo adcommodatum eft huic loco. Non ignoro
quidem, curfum de itinere maritimo fæpe dici:

nego-

negotium tibi noftri doloris injungo, ut fi umquam inluftris illius Ptolemaidis litus accefferis, folicitus inquiras, ubi fit confepultus nofter ille Pomponius: nec faftidias vifitare offa peregrina. Multas illic lacrymas, 2 tam ex adfectu tuo, quàm ex noftris funde vifceribus. ac, licet inani munere, folum ipfum flore purpureo, & fuave redolentibus fparge graminibus. dices tamen illi, fed non afperè, non acerbè, compatientis adloquio, non exprobantis elogio. Quod fi vel te quon- 3 dam, vel me femper audire voluiffet, & Martinum magis quàm illum, quem nominare nolo, fuiffet imitatus, nunquam à me tam crudeliter difparatus, ignoti pulveris regione tegeretur, naufragi forte prædonis

---

Sed illud *curfuum bela* tamen non fatis concinnum videtur.

2. *Compatientis adloquio*] *Compati* non eft verbum ævi Ciceroniani, fed fequioris; & formatum quidem imitatione Græcorum, qui verbo compofito συμπάσχειν utuntur. Voffius lib. IV de vit. ferm. cap. 4 citat ex Evagrio de vitâ S. Antonii, Petro Blefenfi, Cæfario de miraculis. Sed potuiffet & ex paullò antiquioribus, Sulpicio noftro, Ambrofio, & horum æqualibus citare.

3. *Nunquam à me tam crudeliter difparatus*] Verbo *difparare* & fupra bis ufus eft, cùm de locorum diftantiis ageret. Vt Dial. I c. 8 *Quod oppidum ab Hierofolymis fex millibus difparatur.*

paf-

paſſus in medio mari mortem, & vix in
4 extremo nactus litore ſepulturam.   Videant hoc opus ſuum , quicunque ex illius
abſceſſu mihi nocere voluerunt : videant
gloriam ſuam , & vel nunc adversùm me
5 graſſari deſinant vindicati.   Hæc cùm maximè flebili voce gemeremus, omnium lacrymis per noſtra lamenta commotis, cùm
magnâ quidem Martini admiratione , ſed
non minore ex noſtris fletibus dolore, dis-
ceſſum eſt.

---

4. *Vel nunc adversùm me graſſari deſinant vindicati*] *Vindicatus* dicitur is , qui ſe vindicavit.
quo vocabulo & ſupra alicubi uſum memini. *Adversùs aliquem graſſari* videtur hic deſignare con-
vitia, contumelias aliásque injurias, quibus adfectus
Sulpicius à quibusdam fuit.   Propriè *graſſari* la-
tronum eſt.   Vnde & Plinius dicit *Graſſationes
nocturnæ; &* Suetonius *graſſatores* cum ſicariis
conjungit.

TEMPORUM RATIO HISTO-
RIÆ SACRÆ SVLPICII SEVERI
ET RELIQUIS EJUS OPUSCULIS
ADCOMMODATA.

Anno mundi	
2242	AB orbe condito usque ad eluvionem & Noe ex arcâ egreſſum ſunt anni 2242
3312	1. Ab eo tempore, ad Abrahami ortum anni ſunt 1070
3387	2. Idem admonitus à Deo relictâ patriâ venit in terram Chananæorum ætatis anno 75
3817	3. Ab eâ Abrahami migratione, in illud tempus, quo Hebræi ex Ægypto ſunt egresſi, anni 430
3884	4. Ab eo Hebræorum egreſſu, ad Joſuæ mortem, anni 67
4303	5 A Joſuæ morte ad mortem Samſonis anni 419
4465	6 A Samſone ad quartum Salomonis annum, quo templi prima fundamenta jacta ſunt, anni 102
4829	7 A quarto Salomonis anno ad captivitatem Babylonicam ſub Iechonia Rege cœptam, anni 424
5089	8 A primo ejus captivitatis die, ad reſtaurationem templi perfectam & Hieroſolymorum, anni 260
5487 ſive 5437	9 Ab eadem templi reſtitutione ad Chriſti crucem duobus Geminis coſſ. anni * 398 vel potiùs 348
5869 ſeu potiùs 5819	10 Ab iisdem coſſ. ad Stiliconem conſulem anni 380

Ex hac tabellâ cuivis intelligere eſt, quàm verè Severus initio Sacræ hiſtoriæ dixerit, Mundum ſuâ ætate ſex pænè annorum millibus fuiſſe conditum. quàm
verò parùm confentiant, qui rationem temporum inve-
ſtigatam ediderunt, mox oſtendam, ſi priùs ſingulorum
capitum rationem paucis reddidero.

Primum igitur auctoris eſt. Secundum nos ex ſacrâ Bibliorum hiſtoriâ accerſivimus, quòd reliqua ei
ita videantur inniti, ut aliòquin nullo modo con-
ſtent. Inter ſecundum & tertium aliud medium Sulpicius inferit paginâ 18, eo tamen omiſſo, idem reliquias annorum ſummas ab Abrahamo in terram Chananæam commigrante, orditur. quare & nos ſatis habuimus idem caſtigare, non etiam in hunc indicem
advocare.

Tertium ſummæ caput cum duobus ſequentibus
ipſi auctori ſeſe debent: optiméque ea inter ſe convenire, indicio ſunt numeri minores iisdem ſubſer-
vientes.

Sexti verò ut ab auctore ſubductum eſt, ea demum
eſt ratio, ut Heli annis 20, Samuelis & Saulis 38, Davidis ac Salomonis 44, id eſt, annis 102 : utraque proximè
ſuperior ſumma adjiciatur, ſic enim efficientur 588.

In ſeptimo conligendo auctoris verba ſecuti ſumus,
nullâ habitâ ratione, diſſentaneane ea ſint aliorum
ſcriptis, an minùs. neque enim hoc agimus. Omnium itaque regum Iudæ anni ad unam ſummam re-
vocati, redeunt ad 424, & menſes 6 quorum menſium
eâ re non fecimus mentionem, quòd in proximo idem
ſequenti capite aliquot deſiderentur.

Octavi capitis Severus eſt auctor: neque numeri,
quibus Babylonicam ſervitutem, & Perſarum regna
deſcribit, eidem disconveniunt. ſoli enim tres menſes deſiderantur, ut ex ſeptem menſibus Magorum, qui
Cambyſem trucidarunt, & duobus Xerxis ſecundi, in-

teger

teger annius redeat. Minimè verò hoc loco prætereundum, à Severo pag. 182. aliam longè fupputandi
viam monftrari, quâ & propiùs multò itur, & minor
eft erratio. Scribit enim Darii, qui Hyftafpis filius
fuit, regnantis annum 32, eumdem effe, qui ab Vrbe
condita eft 260. A quo deinde anno, fi, inquit, inveftigatio Romanorum confulum non fallit, anni reliqui funt ad Stiliconem confulem 888; cui fummæ
fi annos 70 captivitatis Babylonicæ, 31 Darii, 9 Cam-
byfis, 7 menfes Magorum, & 32 Darii fecundi adiece-
ris, [funt autem 102 & medius] fumma nafcetur annorum à die captivitatis Babylonicæ ad confulem
Stiliconem, 990. Illud fcitum, quòd quibus Severus
maximè vifus eft diffidere, iidem minimè omnium fe-
fellerint, confules dico Rom. quorum faftos ceteris
omnibus chronographis certiores effe, folus hic locus
fidem faciet. quot enim annos tùm Severus à T. Ge-
ganio Macerino & P. Minutio Augurino coff. ad Stiliconem conf. numerabat: totidem fere etiam hodie
recenfent omnes, qui eosdem faftos magno ftudio &
fumtibus reftituere atque inluftrare enifi funt, nominatim Hubertus Golzius nofter, omnium longè princeps, qui duobus dumtaxat annis Severum noftrum
fuperat numerans anno 890, cujus varietatis, quia item
pag. 235. 236 occurrit, alio loco & tempore rationem, volente Deo, fum redditurus.

Reliqua duo numerorum capita Auctori fua fuit:
atque ut e variis auctoribus concinnata, ita quoque
à faftis confularibus multum evariant. annis enim 50
eos excedunt. qui exceffus quoniam immodicus eft, &
fevero Sulpicii calculo indignus, propè abeft, ut levi
mutatione illum aufim corrigere, & ad annorum numerum cum fuperiori æqualem reducere. quod facilè
fiet, fi pag. 191 pro cccxcviii reftituamus cccxliii. tùm

enim

enim in utriusque summæ reductione neque plures
erunt neque pauciores an.   990

Nunc ex sacro Adparatu Bibliorum Regiorum, libro
cui nomen Daniel, sive de sæculis à Bened. Aria
Montano inditum est, Seculorum ordinem & summam rationem ab initio mundi usque ad Evangelium
publicatum deductam adferam.

Ab initio mundi ad Diluvium anni   1656
A diluvio ad Abraham natum   292
Ab Abrahamo ad ortum Isaac   100
Peregrinationis seminis Abrahæ   460
Ab exitu ex Ægypto usque ad templum ædificatum 480
Templi duratio fuit annorum   410
Capt. vitatis Babylonicæ anni   70
Præfectorum deinde & Sacerdotum   374
Regni Machabæorum   100
Herodum usque ad Hierosolym. excidium   107

Summa 3989

Auctor ille, qui breviora Chronica Hebræis conscri-
psit, hanc sequitur rationem.

A mundi initio ad Babylonicam captivitatem, eo-
dem annos ponit, quos modò nempe   3338
Exilii Babylonici   70
Regni Medorum   52
Regni Græcorum   175
Machabæorum   103
Herodum   103

Summa 3841

Vulgaris Hebræorum numeratio est hujusmodi.
A mundi initio ad egressum ex Ægypto   2448
Ab egressu ex Ægypto usque ad templi ædificatio-
nem   480
Ad templi vastationem   410

Kk 3   Trans-

Transmigrationis Babylonicæ   76
A restitutione Iudæorum ex Babylone ad Titum us-
    que   420
                    Summa 3828

Hæc e Bibliis Regiis, cùm à nobis nihil possemus
sumsimus.   Lubet etiam quartam ex Gilb. Genebrar-
di Theologi Chronolog. excerpere, & quia se quàm
minimùm à verbis & sensu scripturæ discessisse adfir-
mat, eamdem huic centoni adsuere. partitur ille suam
temporum descriptionem in sex ætates; quarum hæ
sunt formulæ.
Ab orbe condito usque ad eluvionem sunt anni   1656
                                                dies 6
Ab eluvione ad ortum Abrahami anni   293 dies 10
Ab Abrahami ortu, ad egressionem Israëlitarum ex
    Ægypto anni   726
Ab egressu Israëlitarum ad usque jacta templi funda-
    menta, anni   480
A fundamentis templi ad captivitatem Babylonicam,
    anni   419 menses 6
A Babylonicâ captivitate ad Christum anni   553
        Summa, anni 4121, menses 6, dies 14.

Qui scire volet, quibus modis hæc membratim de-
monstret, ipsum adeat: nos enim hîc tantùm conci-
sa excerpimus, quâ ipsâ ratione jam quamplurimas eás-
que diversissimas eorundem seculorum descriptiones
adjiciemus.
A mundo conditio ad Christum natum supputans
    annos
Rabbi Nahsson in lib. de cyclo Paschatis   3740
Rabbini recentiores   3760 mens. 4
Talmudici   3784
Biblia Regia   3919
                                                  Hic-

Hieron in Quæſtionib. Hebraicis   3941
Ioan. Carion in chron.   3944
Beda cap. 22 de ratione temp.   3952
Ioan. Picus Mirandulanus   3958
Philo Judæus   3660
Vrſpergenſis, Funccius, Gerardus Mercator, & plerique
    Germani   3962
Rabbi Moſes Gerundenſis   4058. menſ. 5
Gilb. Genebrardus   4121
Joſephus   4192, menſ. 6
Odiaton ſive Eduicon Aſtrologus   4320
Casſiodorus   4697
Metheodorus   5000
Epiphanius contra Manichæos   5029
Paullus Oroſius   5049
Euſebius   5190
Iſidorus 5 etymolog.   5210
Albumaſar & alii Aſtronomi   5228
Auguſtinus   5321
Sulpicius Severus   5414
Theophilus Antiochenus   5476
Suidas   5600
Philaſtrius de Hæreſibus   5801
Alphonſus Rex   5984
Onuphrius Panvinius in chron. Eccleſiaſtico   6309

    Hujus tam variæ & portentoſæ diverſitatis ratio-
nes quoque variæ ſunt. una eáque præcipua, ſeptuaginta Interpretum exemplaria, ſive interpretatio prava & corrupta, ut pro me locuples teſtis erit clariſſ.
vir Andreas Mazius, in ſuis ad Joſuæ hiſtoriam do-
ctiſſ. diſertisſimisque Adnotationibus. falſi enim ſunt,
ut hoc dicis cauſsâ adjiciam, cap. 5 Geneſ. quo loco
ducentos pro centum ſemper habent. Hieronymus
in Quæſtionibus Hebraïcis. Sic in recenſendis Sem,
qui filius Noë fuit, poſteris Cainan cuidam, quem

 He-

Hebræi ignorant, Græci 130 annos adſcribunt: &
in reliquis ad Abrahami ortum numerandis, ſupèrat
Epiphanius Hebræos annis 748, Nicephorus 790; quæ
varietas cui non videri posſit monſtri ſimilis? Altera,
quod quidam Veterum annos Hebræorum ſuppu-
tarunt quaſi lunares. Euſebius lib. 8 de demonſtr.
Hieronym. in 9 cap. Danielis: Auguſt. epiſt. 78
&c. Tertia, quòd Iudæi odio Chriſtianorum plus
ſatis indulſerint, ut in Danielis hebdomad. liquet,
quas ad everſionem templi ultimam & ad Agrippam
Herodianorum poſtremum extrahere violentè atque
extendere conati ſunt. Quarta, ipſa ſcripturæ loca
ſatis obſcura, & niſi quis probè multôque uſu inſtru-
ctus ad eam accesſerit, in interpretationum varieta-
tem prona ac lubrica. ut cap. 12 Exodi, quo dicuntur Jacobæi in Ægypto manſiſſe annis 430; quem
locum, ut plurimos alios, aliter atque aliter multi
accipiunt. Quintam adferre posſim chronica à diverſis olim Judæis, ſive exteris modò negligentius,
modò cum præjudicio conſcripta; item alias multas,
uti ſynecdochas ſæpe confinia duorum Regnorum
confundentes, hyſterologias, mutationes termini regnorum, varietates nominum; ut cùm plures ſunt
cognomines aut unus plura habet nomina; denique,
quod primò dicendum erat, librorum menda, quæ
in notis, quibus temporis quantitas deſignatur, facil-
limè fiunt, & nusquam non ſunt obvia. Hæc inquam omnia, posſim adferre, ſed malo eadem à Gilb.
Genebrardo, aliiſque hæc ex profeſſo copioſè expli-
cantibus peti. Simul ea, quæ in hoc genere reliqua ſunt, jamdudum me vocant.

-❦) o (❦-

VITA

VITA B. MARTINI,
ET QVÆ EODEM TEMPORE
GESTA SUNT, ONUPHRII FA-
STIS SIVE CHRONICO ECCLESIÆ
ADCOMMODATA.

Ann. Urb.	Ann. Chr.	
1087	335	Hoc anno Conſtant. Imp. 21 moritur S. Silveſter Papa Rom. Naſcitur eodem fere tempore B. Martinus Sabariæ, patre militum tribuno.
1088	336	S. Marco Papæ poſt menſes 8 dies 22 mortuo ſuccedit S. Julius, Pontifex 36.
1089	337	Morienti Conſtantino ſuccedunt filii Conſtantinus Iunior, Conſtantius, & Conſtans.
1090	338	
1091	339	
1092	340	Conſtantinus Jun. Imp. occiditur.
1093	341	Synodus Arrianorum contra Athanaſium Antiochena.
1094	342	
1095	343	Moritur S. Paullus Thebæus primus eremita.
1096	344	B. Martinus fit catechumenus.
1097	345	Altera Synodus Antiochena.
1098	346	
1099	347	Synodus magna Sardicenſis pro Athanaſio. Sacr. hiſt. pag. 255.
1100	348	Naſcitur Aur. Prudentius Clemens.
1101	349	B. Mart. anno ætatis 15 militari ſacramento implicatur.

Kk 5

Con-

	Ann. Chr.	
1102	350	Constans Imp. occiditur. Magnentius imperium accipit. Synodus Syrmiensis.
1103	351	
1104	352	B. Martinus baptizatur, anno ætatis 18. In Vitâ c. 3.
1105	353	S. Julio Pontif. morienti succedit Liberius, Pont. 37. Magnentius ac Decentius tyranni in Galliis à Constantino superantur.
1106	354	Synodus Mediolanensis contra Athanaf. Eusebius Vercell. cum aliis abit exsulatum. Hist. Sacræ pag. 262.
1107	355	Fl. Arbetione & Mavortio Lolliano coss. Iulianus occiso Gallo Cæsar adpellatur, & in Gallias mittitur. S. Liberius Rom. Pont. pellitur in exilium.
1108	356	B. Martinus à Juliano Imp. prope Vangionas impetrat missionem, inde aliquot mensibus B. Hilario convivit, qui hoc ipso anno abit in exilium.
1109	357	Revocatur ab exilio Liberius.
1110	358	
1111	359	Eusebio & Hypatio coss. Arimini in Occidente, & Seleuciæ in Oriente coactæ Synodi sub mensem Octob. Hist. Sacr. pag. 267 & seqq.
1112	360	B. Hilarius Constantinopoli à Constantio tribus libellis audientiam poscit. Sac. hist. p. 277. Ibi jubetur Pictavos redire.
1113	361	Hilario plerasque ecclesias Ariminensi concilio corruptas obeunti, Ro-

Ann. Vrb.	Ann. Chr.	
		riæ occurrere B. Martinus meditatur, ac deinde eumdem sequitur.
1114	362	Moritur Constantius, cui Iulianus succedit. Monasterium sibi Pictavis B. Martinus ædificat.
1115	363	Occiso in Persicâ expeditione Iuliano succedit Iovianus.
1116	364	Moritur Iovianus, succedunt Valentinianus & Valens: hic in Oriente, ille in Occidente.
1117	365	
1118	366	Liberio Papæ sufficitur S. Damasus Pont. 38 Moritur B. Hilarius in patriâ, anno reditus sui sexto. S. hist. p. 278.
1119	367	Gratianus Valent. filius creatur Augustus.
1120	368	Frequentes in Galliâ Synodi contra Arrianos.
1121	369	Ambrosius Mediolanensis episc.
1122	370	Hoc ferè tempore B. Mart. in episcopum Turonensem electus fuit, & Imp. Valentinianus solio suo divinitùs excussus eumdem ejúsque preces cogitur admittere. Dial. 2. c. 5.
1123	371	
1124	372	
1125	373	Synodus Valentina in Galliâ.
1126	374	
1127	375	Decedit Valentinianus, fit Valentin. Junior Augustus.
1128	376	
1129	377	Vlphilas Gothorum episcopus litteras Gothicas invenit.

Valens

Ann. Vrb.	Ann. Chr.	
1130	378	Valens Imperat. occiditur.
1131	379	D. Ausonio & Hermogeniano Olybrio coss. creatur Cæsar & Augustus Theodos.
1132	380	
1133	381	Gratiani rescriptum contra Priscillianum & ceteros hæreticos. S. hist. p. 282.
1134	382	
1135	383	Gratianus occiditur. Maximus Occidentis Imperium occupat.
1136	384	Moritur Damasus. Subrogatur Siricius Pont. 39.
1137	385	Maximus Treveros victor ingreditur. Synodo Burdigalensi condemnatur Instantius. Priscillianus ad Principem provocat.
1138	386	B. Martinus Treveris excipitur regio convivio à Maximo Imp. Fl. Evodio consule præsente, item à Regina elicit sponsionem ab Imp. ut sanguine reorum abstineat, eo tamen ad suos reverso, instante Ithacio & aliis episc. Priscillianus & reliqui supplicio adficiuntur. Hist. S. p. 289 &c. & in Vit. c. 20 Dial. 2 c. 6.
1139	387	Ithacii caussa à Synodo episcoporum & Imp. Maximo adprobatur, non autem à B. Martino. Dial. 2. c. 11 & seqq.
1140	388	Victoriam Theodosii & Valentiniani Junioris de Maximo Onuphrius in hunc annum refert. Hub. Golzius in

in-

Ann. *Vrb.*	*Ann.* *Chr.*	
		in sequentem, Promoto & Timasio coss. Certè in Vitâ Martini, cap. 23 ait Severus primo anno conversum esse in fugam Valentinianum : altero verò sequente Maximum intra Aquileiæ muros interfectum.
1141	389	Promoto & Timasio coss. Ithacius & Nardacius ecclesiæ communione privantur. Prosper in Chron.
1142	390	
1143	391	
1144	392	Valentiniano Juniore occiso occupat Occidentis imperium Eugenius.
1145	393	Honorius Augustus adpell.
1146	394	Eugenius occiditur. Honorius imperat in Occid.
1147	395	Moritur Theodosius.
1148	396	
1149	397	Fl. Cæsarius & Pontius Atticus coss. Hoc anno mortuum vult B. Mart. Gregor. Turonensis, de quo pòst.
1150	398	
1151	399	
1152	400	Fl. Stilico V. C. Fl. Aurelianus coss. Ad hunc annum perducit historiam Sacram Severus, nullâ in eâ de B. Martini morte factâ mentione. idémque de discordiis à Prisciliani morte excitatis in fine ejusdem hist. S. sic scribit : Quod jam per quindecim annos fœdis dissensionibus agitatum, &c. quæ verba proximo demum anno, qui à Prisfcil-

Ann. Vrb.	Ann. Chr.	
		scilliani morte est decimus quintus, locum habent suum.
1153	401	
1154	402	Theodos. Junior Augustus adp.
1155	403	
1156	404	Hic annus à Treverensi episcoporum conventu, sive à 4 anno Maximi

Imp. est decimus septimus. Verba autem Sulpicii Dial. 3 c. 13 hæc sunt: Sedecim postea vixit annos: nullam Synodum adiit: ab omnibus episcoporum conventibus se removit, &c. quæ verba cum illis Gregorii Turonensis lib. 1 histor. sub finem comparabit qui volet, nam judicium non est meum.

Arcadii & Honorii secundo imperii anno S. Martinus Turonorum episcopus plenus virtutibus & sanctitate, præbens infirmis multa beneficia, octogesimo & primo ætatis suæ anno, Episcopatus autem XXVI apud Condatensem diœcesis suæ vicum, excedens è seculo, feliciter migravit ad Christum. transiit autem mediâ nocte, quæ Dominica habebatur, Attico Cæsarióque consulibus, à passione Domini anno CCCCXII.

FINIS TOMI PRIMI.

SULPICII SEVERI

OPERUM

TOMUS ALTER,

QUO CONTINENTUR

EPISTOLAE VII

CUM

EJUS OPERIBUS ANTEA

CONJUNCTIM NUMQUAM

EDITAE.

RECENSUIT ET NOTULIS ILLUSTRAVIT

JOANNES CLERICUS.

STEPHANUS BALUZIUS
IN PRÆFATIONE
TOMI I MISCELLANEORUM.

EPISTOLAS *duas* SULPICII SEVERI *Presbyteri, ad* CLAUDIAM SOROREM *suam, nobis humanissimè suppeditavit clarissimi patris non degener filius* ISAACUS CLAUDIUS; *qui eas, cùm in Angliâ esset, acceperat à clarissimo item Viro* JOANNE BATTELEIO *Socio Collegii S. Trinitatis Cantabrigienfis. Is verò invenerat in vetustissimo Cod. MS. ejusdem collegii, in quo subjecta sunt testimonio* GENNADII, *de vitâ operibúsque ejusdem* SULPICII. *Nam illic* GENNADIUS *mentionem facere videtur istarum Epistolarum.* Epistolas, *inquit,* ad amorem Dei & contemtum mundi exhortatorias scripsit Sorori suæ multas, quæ & notæ sunt. *Puto autem primam, quæ est de ultimo judicio, le-*

                    ctam

ctam fuisse RURICIO *Episcopo Lemovi-*
censi, cùm apud illum nonnulla reperiam,
qua ex illa SULPICII SEVERI *Epistola*
videntur fuisse descripta. Nam in p. 329
hac habentur: Persæpe ad vos venire volui,
sed usquam adhuc impeditus sum, obsistente eo, qui consuevit obsistere. *Ruricius*
verò Lib. II Ep. 8 ita scribit: Crebriùs vo-
luimus ad sincerissimam pietatem vestram
scripta dirigere, sed prohibiti sumus usque
nunc, prohibente nimirum illo, qui bonæ
voluntati consuevit semper obsistere. *Paullò*
pòst legitur in Epistola SEVERI: Domini
operiar voluntatem, speróque quòd meis
votis & orationibus tuis de nostrâ nos fructum faciat capere perseverantiâ. *Ruricius*
Lib. I Ep. 16. ut possimus in unum positi
fructum de nostrâ invicem capere præsentiâ.
Item lib. II Ep. 63. Deprecor ut communi
Domino supplicetis, ut citiùs nos faciat fructum de nostrâ capere præsentiâ. *Tum*
haud ita multò pòst, subdit SEVERUS *in*
p. 330. unum tamen moneo, ne transcursa
repetas, ne contemta desideres, ne manum a-
ratro inferens retrorsum conversa respicias,
quo utique in te redeunte vitio, ordinem
suum necesse est sulcus amittat. *Et* Ruricius *Lib. I Ep. 18* Sed neque stivam tenens,
contra

contra Domini sententiam retro respicias, ut directum lineæ sulcus amittat. *Solebat enim* RURICIUS *sese meliorum auctorum lectione oblectare, & eorum verba sua facere, ut multis exemplis ostendi posset.*

D. LUCAS DACHERIUS
IN PRÆFATIONE
TOMI V SPICILEGII.

AN SEVERO SULPICIO *adscribendæ sint quæ primâ fronte in Miscellaneis occurrunt Epistola, non planè convincere videtur inscriptio in Cod. MS. reperta:* SEVERI EPISTOLAE. *Verùm styli decor & sententiarum gravitas si adtendantur, conferanturque cum aliis* SULPICII *jam editis Epistolis, certò ipsum, ut reor, auctorem persuadebunt. Has* SEVERI *Epistolas V. C.* BIGOTIO *debeo.*

SULPICII SEVERI
EPISTOLA I.
AD CLAUDIAM SOROREM,

DE ULTIMO JUDICIO.

CAP. I.

LECTIS epiſtolis tuis, multo modo permotum affectum lacrimis [1] tenere non potui. Nam & gaudio flebam, quòd te ſecundùm Domini Dei noſtri præcepta vivere, & ſermone ipſo litterarum tuarum poteram agnoſcere, & [2] pro deſiderio tui non poteram non dolere; quòd per ſummam [3] à te injuriam alienabar, ſi litteras non miſiſſes. Tali ergo ſorore non fruerer? Teſtor autem [4] ſalutem tuam, perſæpe ad vos venire

---

1. *Tenere non potui*] Non potui cohibere intra animum adfectum, qui jam in lacrimas proruperat.

2. *Pro deſiderio tui*] Cùm te videre deſiderarem, nec tamen advolare ad te poſſem.

3. *A te injuriam*] Conjungendum eſt *à te* cum *alienabar*; nimirum, *alienabar à te, per ſummam injuriam*; hoc eſt, immeritò à te alienior fiebam. Fortaſſe *Severus* voculas *à te* poſtpoſuerat voci *injuriam*. Vix enim ferunt aures ejusmodi metatheſin.

4. *Teſtor ſalutem tuam*] Ut olim Ethnici per

volui

volui, sed usque adhuc impeditus sum,[5] obsistente eo, qui consuevit obsistere. Nam & festinabam desiderio meo in tuo adspectu satisfacere, & opus Domini nostri inter nos obiter videbamur acturi; cùm alter alterum consolando, calcatâ à nobis mole seculi,[6] viveremus. Sed jam veniendi diem, tempúsque non statuo; quia, quotiescumque statui, implere non potui. Domini operior voluntatem, speróque quòd meis votis & orationibus tuis de nostrâ nos fructum capere faciat perseverantiâ.

Ceterùm quod ad me, in omnibus episto-CAP. II. lis, quas ad te miseram, vitæ ac fidei tuæ [1] præcepta desiderans, jam per adsiduitatem scriptorum meorum verba consumsi, nihil no-

---

Cæsarum salutem, & per *caput aliorum* jurabant: ita & Christiani, sed meliore sensu, *per salutem* æternam aliorum jurarunt. Quibus verbis se tam verùm dicere, quàm cordi erat sibi, ex præceptis Evangelicis, aliorum salus, significabant.

5. *Obsistente eo &c.*] Cacodæmone, cui, iis temporibus, nimis multa tribuebant: ut nunc nimis pauca nonnulli tribuere solent.

6. *Viveremus*] Conjecerìm *sideremus;* hoc est, *cùm alter alterum consolando sideremus.* Ita suadent antecedentia. Alludit, ut videtur, ad Rom. I, 11. 12.

1. *Præcepta desiderans*] Cupiens tibi præcepta dare. *Sulpicius,* ut docet Gennadius, *Epistolas ad*

vum tibi refcribere modò poffum, qúod antè non fcripferim. Et fanè, propitio Deo,
non indiges admoneri, quæ 2 fidem inter principia confummans, devotam in Chrifto ex-
hibes caritatem. Unum tamen moneo, ne
transcurfa repetas, ne contemta defideres,
ne 3 manum aratro inferens retrorfum con-
verfa refpicias; quo utique, in te redeunte
vitio, 4 ordinem fuum neceffe eft fulcus amittat, nec fanè mercedem fuam cultor accipiat. Alioqui nec partem confequitur, fi
ex parte ceffaverit. Nam ficut à peccato,
ad juftitiam fugiendum eft; ita & qui juftitiam fuerit ingreffus, ne peccato pateat præ-
cavendum; fcriptum eft enim jufto, in qua
die 5 exerraverit, juftitiam non profuturam.

Ezech.
XVIII,
24. 26.

---

amorem Dei & contemtum mundi exhortatarias
fcripfit forori fuæ multas.

2. *Fidem inter principia confummans*] Mona-
fticæ vitæ initio perfectam fidem oftendens, & in
tirocinio confummatam virtutem præ fe ferens.

3. *Manum aratro inferens*] Allufio ad Luc.
IX, 62 Sed quâ obfcuriùs res exprimitur, quàm fuperioribus verbis.

4. *Ordinem fuum &c.*] Hoc eft, fulcus rectus
effe definat, nec alterum proximo & parallelo ductu
comitetur. Vide *Hefiodum*, in Operibus & Diebus p. 443.

5. *Exerraverit*] Refpicit ad locum Ezechielis in
margine notatum. *Exerraverit* perinde eft ac

In

In hoc igitur confiftendum a in hoc CAP. III.
laborandum, ne qui peccata evafimus, præmia parata perdamus. ¹ Stat enim adversùs nos paratus inimicus, ut nudatum fidei
umbone mox feriat. Non abjiciendus eft
itaque clypeus, ne ² latus pateat. Non re-
mittendus eft gladius, ne hoftis incipiat
non timere. Porrò cùm armatum viderit,
abibit.

Nec ignoramus durum effe ac difficile CAP. IV.
adversùs carnem & feculum quotidie dimicare. Sed fi æternitatem cogites, fi cœlorum regna confideres; quæ utique nobis
Dominus, licet peccatoribus ¹ præftare digna-
bitur; ² quæ tandem condigna paffio eft, quâ

ἀποςρίψῃ, everfus fuerit, quibus verbis utuntur
LXX & Vulgatus Interpretes.

1. *Stat*] Veluti in acie, paratus ad manum conferendam, ut fequentia oftendunt.

2. *Latus pateat*] Quia clypeus latus potisfi-
mùm finiftrum tegebat, dextrum enim tutabatur
gladius, qui dextrâ geritur.

1. *Præftare*] Promiffa dare, fi modò exitialium
peccatorum habitus exuerimus.

2. *Quæ tandem condigna &c.*] Hinc liquet *meritum*, rigidiori fenfu, pro eo quod ex rei internâ
dignitate, ut fic loquar, debetur, vocem fumas, nullum effe poffe; quamquam *mereri* in fequentibus
dicimus id quod Deus nobis, ex formulâ fœderis
gratiæ, benignè præftat.

Ll 5

tanta

mereamur? Luctamen autem, in hoc mundo, parvi temporis est. Nam etsi [3] mors non succedat, [4] senecta succedet. Labuntur anni, fluunt tempora, &, ut spero, Dominus Iesus tamquam desideratos sibi celeriter vocabit.

CAP. V. O quàm felix ille noster excessus, cùm [1] à labe peccati melioris vitæ converfatione purgatos fede suâ nos Chriftus excipiet!

---

3. *Mors*] Præmatura, aut violenta.

4. *Senecta succedet*] Quæ à motibus juvenilium affectuum nos liberat, & propter viciniam portûs conftantiores facit.

1. *A labe peccati, melioris vitæ converfatione purgatos &c.*] Obiter notanda hæc funt, quæ nos perfpicuè docent nullam aliam *purgationem* agnoviffe *Severum;* præter eam, quâ in hac vita à vitiis mutatione morum purgamur, & quam fi conftanter teneamus, *fede Chrifti,* vitâ exactâ, excipimur, fine ullo purgatorii ignis metu. His demum temporibus, opinio, de purgatorio igne poft vitam tolerando, fubire incipiebat hominum animos, non quafi fidei Chriftianæ certum & neceffarium caput, fed duntaxat, ut credibilis fententia; ficut liquet ex *Auguftino,* qui ita de eâ loquitur Libro de octo Dulcitii Quæftionibus, n. 13. Ed. Benedict. Tomi VI p. 128. *Tale aliquid, etiàm poft hanc vitam, fieri incredibile non eft, & utrum ita fit quæri poteft; & aut inveniri, aut latère, nonnullos fideles, per ignem quemdam purgatorium, quantò magis, minùsve bona pereuntia dilexerunt, tantò tardius, citiùsve falvari.* Vide eodem Tomo de Fide &

Occur-

Occurrent Martyres & Prophetæ? [2] tangentur Apoftoli, gaudebunt Angeli, lætabuntur Archangeli; victúsque Satanas cruento licet ore, pallebit; quippe qui etiam [3] noftra, quæ fibi in nobis præparaverat, peccata perdiderit. Videbit gloriam conceffam per veniam, [4] merita honorata per gloriam. Nos triumphabimus, hofte fuperato, ubi nunc mundi iftius fapientes ridebuntur, ubi avarus, ubi adulter, ubi impius, ubi ebriofus, ubi maledicus recognofcentur. Quid miferi, pro fuâ defenfione, dicturi funt? Nefcivimus te, Domine; te in mundo effe non vidimus. Prophetas non mififti, legem fæculo non dedifti. Patriarchas non vidimus, fanctorum non legimus exempla. Chriftus tuus in terra non fuit, Petrus tacuit, Paulus noluit prædicare, Evangelifta non docuit, Marty-

---

Operibus n. 29 col. 182 & Lib. de Fide, Spe & Caritate n. 118 p. 222 ubi allata verba repetuntur. Non negandum tamen *Auguftinum* aliquando adfeverantiùs loqui, ut in Enarratione Pfalmi XXXV n. 3. fed quod incertum erat, id, fine ullâ revelatione, certum deinde factum eft, ob caufas fatis notas.

2. *Tangentur*] Nempe, lætitiâ, quâ propter falutem noftram afficiuntur.

3. *Noftra peccata &c.*] Quia iis effecturum fe fperarat, ut fecum damnaremur.

4. *Merita honorata*] Etiam eorum qui veniam confequuti fuerint.

res non fuerunt, quorum exempla sequeremur. Futurum judicium tuum nemo
prædixit, vestire pauperem nemo mandavit,
5 prohibere libidinem nemo præcepit, repu-
gnari avaritiæ nemo persuasit. Inscientiâ
lapsi sumus, 6 quæ fecimus nescientes.

CAP. VI. His è contrario, ex illo sanctorum choro,
vel primus justus Noë proclamabit: Ego,
Domine & superventurum, propter peccata, diluvium prædicavi; & post diluvium,
exemplum de me præbui bonis, ut malis
pereuntibus non perirent, ut illi recognoscerent & quæ esset innocentibus salus, & quæ
poena peccantibus.

CAP. VII. Post hunc, Abraham fidelis obsistet: Ego,
inquit, Domine, fidem, quâ humanum in te
crederet genus, 1 mediâ ferè mundi illius æta-

---

5. *Prohibere*] Hîc pro *cohibere* sumitur, si modò sana hæc sit lectio.

6. *Quæ fecimus*] Fortasse, *quia fecimus*, nisi sit
majus aliquod mendum.

1. *Mediâ ferè mundi illius ætate*] Quia cùm
multi Veterum putarent huic mundo finem fore,
post sex annorum millia, Abrahamus vixerat trecentis annis post tertiam chiliadem exactam, adeó-
que *mediâ* ferè *mundi* ætate. De eâ opinione, vide quæ notarunt Interpretes ad Epist. *Barnabæ*
cap. XV in editione nostrâ.

te,

te, [2] fundavi. Ego pater gentium, cujus exempla sequerentur, electus sum. Ego Isaac, adhuc parvulum, non dubitavi, Domine, offerre tibi pro victimâ: ut isti recognoscerent nihil non Domino præstari debere, cùm me ipsum ne filio quidem unico intelligerent pepercisse. Ego terram meam & cognationem meam, te jubente, deserui, ut istis quoque esset exemplum nequitias mundi & seculi peccata deserere. Ego, Domine, te licèt [3] corpore, sub imagine primus agnovi, nec dubitavi credere quem videbam, licèt in aliâ mihi substantiâ videreris; ac isti intelligerent non secundùm carnem, sed secundùm spiritum judicare.

Huic Moises beatus [1] obsecundabit: Ego legem, Domine, istis omnibus, te jubente, tradidi, ut quos [2] libera fides non tenebat, lex CAP. VIII.

---

2. *Fundabi*] Primus exemplum fidei præbui.

3. *Corpore, sub imagine*] Malim, *corporeâ sub imagine*. Respicit ad historiam quæ habetur Gen. XVIII. ubi ex tribus, qui conspecti sunt Abrahamo, unus Filius Dei fuisse creditur à multis; quos tamen rectè confutavit *Augustinus*, ut ad eum locum ostendimus.

1. *Obsecundabit*] Hoc est, secundas partes sustinebit.

2. *Libera fides*] Quia nullâ divinâ lege, additis præmiis ac poenis, sancita fuerat.

saltem

saltem dicta cohiberet.   Ego dixi : *non
adulterabis*, ut licentiam fornicationis in-
hiberem. Ego dixi : *diliges proximum tuum*,
ut caritas abundaret :   Ego dixi : *Domino
soli servies*, ne isti idolis immolarent, vel
templa esse paterentur.   Ego ne falsa testimonia dicerentur edixi, ut istis adversùs
omne mendacium præcluderem ora. _ Ego
facta, dictáque à mundi exordio, operante
in me spiritu tuæ virtutis exposui, ut istis
[3] cognitio præteritorum doctrinam tribueret
futurorum.   Ego te venturum, Domine Jesu, prædicavi, [4] ut istis non opinatum esset

Ex. XX, 14
Lev. XIX,
18.
Deut. VI, 13.

---

3. *Cognitio præteritorum &c.*] Similis cogitatio
animo *Sulpicii* obverſabatur, quam ita expreſſit
Hiſtor. Lib. II c. III, 8 ubi memoratis Danielis vaticiniis, cùm de aliis rebus, tum etiam de regno æter-
no Meſſiæ ; *de quo uno*, inquit, *quorumdam fides
in ambiguo eſt, non credendum de futuris, cùm de
præteritis conßincantur.*   Quæ verba in mendo
cubant, ſúntque, ut mihi quidem, re accuratiùs pen-
ſitatâ, videtur, ſic emendanda : *num credendum,*
vel *an credendum.*   Perſtringit *Seßerus* incredulos, qui, cùm *cognitio præteritorum* debuiſſet iis *tribuere doctrinam futurorum* ; hoc eſt, qui, cùm ex
impletione priorum vaticiniorum, intelligere de-
buiſſent poſteriora etiam impletum iri, dubitabant
tamen *an credendum* eſſet *de futuris* ; immeritò
ſanè, quia præterita futuris fidem facere debuerant.

4. *Ut iſtis non opinatum*] Hæc ſenſu carent.
Legendum cenſeam : *ut ne iſtis non opinatum &c.*

agno-

agnoscere , quem venturum antè prædi-
xeram.

Post hunc adstabit [1] dignus Domini sui
David semine: Ego te, Domine, per omnia
nunciavi, ego nomini tuo tantùm servien-
dum esse clamavi.   Ego dixi: *beatus vir*
qui timet Dominum : Ego dixi: *Exsulta-*
bunt sancti in gloria ; ego dixi: *desideri-*
um peccatorum peribit ; ut isti te agnosce-
rent & peccare desinerent.   Ego cùm re-
giâ præditus essem potestate, [2] cilicio superjecto, pulvere subjecto, depositis insignibus
magnificentiæ meæ, procubui vestimentis ;
ut illis mansuetudinis, atque humilitatis da-
retur exemplum : Ego [3] inimicis meis, qui
interficere me cupierunt, peperci, ut miseri-
cordiam meam isti probarent imitandam.

CAP. IX.

Pſ. CXI, 1.
CXLIX, 5.
CXI, 10.

Post hunc Esaias, dignus Dei spiritu, non CAP. X.

hac sententiâ : `ut ne isti negarent se posse agno-
scere Dominum, qui *non opinatus,* seu præter exspe-
ctationem, veniret ; vel, ut ne adventus non opinatus Domini difficilem eum agnitu faceret. Vix dubito quin ita scripserit *Seßerus,* hic certè est ejus
sensus.

1. *Dignus Domini sui semine*] `Hoc est, dignus
qui in *semine* suo, seu posteris suis, numeraret Dominum suum.

2. *Cilicio superjecto*] Vide 2 Sam. XII, 15 &
1 Paral. XXI, 16.

3. *Inimicis meis*] Sauli 1 Sam. XXVI, 5.

tace-

tacebit: Ego, Domine, te per os meum loquente, præmonui :. *Væ his qui jungunt
domum ad domum* ; ut modum cupiditatis
imponerem.　Ego iram tuam peccantibus
veniſſe teſtatus ſum, ut iſtos à malefactis ſuis,
ſi non ſpes præmiorum, ſaltem ſuppliciorum
formido cohiberet.

CAP. XI.　　Poſt hos aliósque complures, qui doctrinæ nobis officia præſtiterunt, ipſe Dei filius
hæc loquetur : Ego certè, excelsâ ſede ſubli-
mis, ¹cœlum palmâ, terram pugillo continens,
² intra, extráque diffuſus, 3 cunctorum quæ
gignuntur interior, atque omnibus quæ mo-
ventur exterior,　4 inæſtimabilis naturæ, poteſtate infinitus, inviſibilis adſpectu, incom-
prehenſibilis adtactu, ut inter vos, ad do-
mandam duritiam cordis veſtri & perfidiam
doctrinis ſalutaribus molliendam, veſtrûm
minimus exſiſterem, 5 naſci carne dignatus

---

1. *Cœlum palmâ &c.*] Reſpicit ad Iſaiæ C. XL.
12 *Quis menſus eſt pugillo aquas & cælos palmo
ponderavit?*

2. *Intra extráque diffuſus*] Immenſitatis & omni-
præſentiæ divinæ elegans deſcriptio.

3. *Cunctorum interior &c.*] Intra & extra omnia.

4. *Inæſtimabilis naturæ*] Cujus præſtantia æſti-
mari, hoc eſt, quanta ſit, plenè intelligi à nobis non
poteſt.

5. *Naſci carne*] Aut *in carne.*

ſum,

ſùm, depoſitâque Dei gloriâ, ⁶habitum formæ ſervilis adſumſi; ut communicatâ vobiscum infirmitate corporeâ, ⁷rurſum in conſortium gloriæ meæ, per obedientiam præcepti ſalutis, adhiberem. Ægris infirmisque omnibus ſanitatem, auditum ſurdis, viſum cæcis, vocem mutis, claudis pedum officia reſtitui, ut vos ſignis cœleſtibus ⁸permoverem; quò faciliùs in me atque in his quæ prædicaveram crederetis. Ego vobis cœlorum regna promiſi. Ego etiam, ut impunitatis haberetis exemplum, latronem, qui me ſub mortis ſuæ tempore fatebatur, in paradiſo conlocavi; ut illius fidem, ⁹qui remitti ſibi meruerat peccata, ſequeremini. Atque ut exemplo meo pro vobis & ipſi pati poſſitis, pro vobis ego paſſus ſum; ne dubitaret homo pro ſe pati, quod ¹⁰Deus pro homine pertuliſſet. Ego me, poſt reſurrectio-

---

6. *Habitum formæ ſervilis &c.*] Ex Phil. II, 7.

7. *Rurſum*] Non eſt hîc iterum, ſed viciſſim, aut retro, quomodo & πάλιν apud Græcos ſumitur. Vide *Nonium*, in *rurſus*.

8. *Permoverem*]. Malè ediderat *Baluzius*, *promoverem*. Vide initium Epiſtolæ.

9. *Illius fidem, qui*] Fortè rectius eſſet, *illius fidem, quâ*. Sed cùm ſit idem ſenſus, nihil muto.

10. *Deus*] Is qui Deus erat, & cujus tamen natura divina paſſa non eſt. Fateor me loquutionibus ejus-

nem, ne fides veſtra confunderetur, oſtendi.
Ego [11] in Petro Judæos monui, ego in Paulo
gentibus prædicàvi; nec pœnitet. Eſt fructus bonorum. Opus meum boni intellexe-
runt, perfecerunt fideles, juſti impleverunt,
conſummaverunt miſericordes; & [12] magna
pars Martyrum, magna ſanctorum eſt. In
eodem certè & iſti corpore, in eodem fuerunt
mundo. Cur nullum in vobis bonum opus,
gens vipereæ ſtirpis, invenio? Pœnitentiam
malorum veſtrorum nec ſub ultimâ die veſtri
finis egiſtis. Quid autem adtinet, quod me
labiis adoratis, ſi factis & operibus denegatis?
Ubi nunc veſtræ divitiæ, ubi honores, ubi potentia, ubi veſtræ ſunt voluptates? Nullam
novam in vos mando ſententiam. Habetis
judicium, quod antè prædixi.

CAP. XII. Tunc illud miſeris Evangeliſta recitabit:
Ite in tenebras exteriores, ubi erit fletus &
Matth. *ſtridor dentium.* O miſeri, quos iſta non
XXV, 30. permovent! Videbunt ſuam pœnam & alio-
rum gloriam. Utantur ſeculo, dum æter-
nitate illa, quæ ſanctis præparata eſt, non

---

modi, à ſcriptura alienis, quæ & Eutychianis, &
Theopaſchitis errandi occaſionem olim præbuerunt,
libentiùs abſtinere. Quid enim opus eſt nos loqui
obſcurè, cùm poſſimus perſpicuè?

11. *In Petro*] Per Petrum, ſpiritu meo actum.
12. *Magna pars*] Magnus numerus.

fru-

fruantur. Adfluant divitiis, auro incubent, dum ibi egentes, ibi inopes deprehendantur. Sint in seculo divites, dum in æternitate sint pauperes; de quibus scriptum est: *divites indiguerunt & esurierunt.* Consequenter autem de bonis Scriptura subjecit: *inquirentes autem Dominum non deficient omni bono.*

Ps. LXXXIII, 11.

Itaque, Soror, licèt nos isti irrideant, licèt nos stultos, infelicésque commemorent, feliciùs gaudeamus opprobriis, quibus nobis gloria illis poena cumulatur. Nec rideamus illorum stultitiam, sed potiùs infelicitatem doleamus; quia inter illos magna pars nostrorum est, quos si lucrifacere possimus, augetur in nobis gloria. Sed [1]agant se, ut volunt, [2]sint nobis tamquam Gentiles & Publicani; nos verò salvos incolumésque tueamur. Si illi nunc nobis dolentibus gaudent, nos postea [3]in illorum dolore gaudebimus. Vale Soror carissima, & in Christo dilectissima.

CAP. XIII.

---

1. *Agant se*] Gerant se; hoc est, vivant.

2. *Sint nobis tamquam Gentiles & c.*] Non pluris faciamus eorum probra, quàm si ab Ethnicis essent profecta; hoc est, ea spernamus.

3. *In illorum dolore*] Illis dolentibus.

EPI-

EPISTOLA II.

AD EAMDEM.

DE VIRGINITATE.

CAP. I.

QUANTAM in cœleſtibus beatitudinem virginitas ſancta poſſideat, [1] præter ſcripturarum teſtimonia, Eccleſiæ etiam conſuetudine edocemur, [2] quâ dicimus peculiare illi ſubſiſtere meritum, cujus eſt ſpecialis conſecratio. Nam cùm univerſa turba credentium, [3] paria dona gratiæ percipiat, & iisdem omnes ſacramentorum benedictionibus glorientur; iſtæ proprium aliquid præ ceteris habent, dum de illo ſancto & immaculato Eccleſiæ grege, quaſi ſanctiores, purioréſque hoſtiæ, pro voluntatis ſuæ meritis, [4] à Sancto Spi-

---

1. *Præter ſcripturarum teſtimonia*] Quæ poſtea proferet §. 3 nec ea ſatis rectè intellecta.

2. *Quâ dicimus*] Fortaſſe *diſcimus.*

3. *Paria dona gratiæ*] Intelligit Sacramenta, quorum credentes omnes æquè participes ſunt.

4. *A ſancto ſpiritu eliguntur*] Qúia ſpiritu ſancto adflatæ credebantur, quæ virginitatem vovebant. Quod ſine cauſsâ ſtatuebatur, cùm vóverent quod ſibi votum placere nusquam revelarat Deus, & quod

ritu

ritu eliguntur & per [5] fummum facerdotem Dei offeruntur altario.

Digna reverâ Domino hoftia, tam pre-CAP. II.
tiofi animalis oblatio, & nulli magis quàm

---

fæpe præftare non poterant, ut oftendebat eventus.

5. *Per fummum facerdotem*] Per Epifcopum
Deo, ad altare, confecrantur, & velantur.   Ut fol-
lemniùs ea vota conciperentur, omnibúsque inno-
tefcerent, die fefto infigniore, ut pafchali, aut natali
Chrifti, in Ecclefiam fe conferebant virgines velan-
dæ, atque Epifcopo, coram altari, fiftebant. *Ambrofius* Lib. III de Virgin. ad Marcellinam c. I, i *Tempus eft*, inquit, *Soror fanٌa, ea quæ mecum conferre foles, beatæ memoriæ Liberii præcepta refolve-
re ; ut quo vir fanٌior, eò fermo accedat gra-
tior.   Namque is, cùm Salvatoris natali ad Apoftolum Petrum virginitatis profeffionem, veftis
quoque mutatione fignares (quo enim meliùs die,
quàm quo virgo pofteritatem adquiffis ?) adftan-
tibus etiam puellis Dei compluribus quæ certarent
invicem de tua focietate* : bonas, *inquit,* filia
nuptias defiderafti &c.   Auٌor verò libri de la-
pfu Virginis Confecratæ, cap. V §. 19. *Non es
memorata*, inquit, *diei fanٌæ Dominicæ re-
furreٌionis, in quo divino altari te obtulifti velan-
dam ? &c.* De eo verò, à quo hæc facra obeunda fuerunt, difertus eft Canon. VI. Carthaginienfis Conciliٌ
fub Aurelio. Ἐν ταῖς προλαβούσαις συνόδοις μεμνή-
μεθα ταῦτα ὁρισθέντα ὥστε χρήσιμα, ἢ καταλλα-
γὴν μετανοούντων, ἢ κορῶν καὶ ναῶν καθιέρωσιν ὑπὸ
πρεσβυτέρων μὴ γίνεσθαι, ἐὰν δέ τις ἀναφανῇ ταῦτα
πράττων, τί δεῖ περὶ τούτου ὁρίσαι; Αὐρήλιος ἐπί-
σκοπος εἶπε, τὸ ὑμέτερον ἀξίωμα ἔχει τὸ αὐτοῦ

Mm 3   fuæ

suæ imaginis hostia, placitura. De hujusmodi enim Apostolum [1] præcipuè dixisse
Rom. XII, 1. reor: *obsecro autem vos, fratres, per misericordiam Dei, ut exhibeatis corpora vestra, hostiam vivam, sanctam, Deo placentem.* Possidet ergo virginitas & quod alii
habent & quod alii non habent, dum & communem & [2] peculiarem obtinet gratiam, &
proprio, ut ita dixerim consecrationis privi

χθὲν περὶ τῦ ἀδελφῦ καὶ συλλειτυργῦ ἡμῶν Φορτυνάτυ, τί πρὸς ταῦτα λέγετε; ἀπὸ πάντων τῶν
ἐπισκόπων ἐλέχθη χρίσματος ποίησιν, καὶ κορῶν
καθιέρωσιν ὑπὸ πρεσβυτέρων μὴ γίνεσθαι: *in prioribus synodis hæc fuisse constituta meminimus, ut
chrisma, vel pænitentium reconciliatio, vel puellarum & templorum consecratio à Presbyteris non
fiat. Si quis autem hoc facere compertus fuerit,
quid de eo statuere oportet? Aurelius Episcopus
dixit: dignitas vestra audivit, quod à fratre &
nostro in sacris comministro Fortunato prolatum
est, quid ad ea dicitis? Ab omnibus Episcopis dictum est: chrismatis confectio & puellarum consecratio à presbyteris ne fiat.* Hunc ipsum usum
obtinuisse in Galliâ liquet ex *Sulpicio*.

1. *Præcipuè dixisse reor*] Imò ne de iis quidem
cogitavit, adloquitur enim omnes Romanos, nec minima illic virginitatis mentio. Omnes Christiani
membra nostra hostiam Deo offerimus, quando iis
utimur prout jussit; nemini autem necessitatem
servandæ virginitatis imposuit.

2. *Peculiarem obtinet gratiam*] Ubi verò Deus
se peculiarem gratiam conlaturum promisit in eos,

legio gaudet.   Nam & ³ Chriſti ſponſas
virgines dicere eccleſiaſtica nobis permittit
auctoritas, dum ſponſarum modo eas Domino conſecrat ⁴ velut oſtenſas, vel maximè
habituras ſpiritale connubium, quæ ſubter-
fugerint carnale conſortium.   Et dignè
Deo, per matrimonii comparationem, ſpi-

---

qui virginitatem voverent? Nullum profectò ex-
ſtat promiſſum, neque re ipsâ à Deo dari quod non
promiſit compertum nobis eſt; cùm virginitati ſtu-
dentes (ut ponamus eos caſtè vivere, quod ſemper
non fit) vitiis & adfectibus humanæ naturæ minùs
non ſint obnoxii, quàm alii mortales qui uxores,
aut viros habent.

3. *Chriſti ſponſas*] Nempe, Chriſto nubere di-
cebantur, quæ Religionis cauſsâ virginitatem vovebant.   Nihil frequentius in Veterum ſcriptis. At
Apoſtoli totam Eccleſiam Chriſtianam *ſponſam
Chriſti* vocant.   Vid. Epheſ. V, 25. Sed Monachi &
Moniales ad ſe, quaſi ſingulari jure rapiebant quod
omnibus commune erat, nec in eo conſiſtebant,
ſed metaphoram putidiùs urgentes Monachi *ſocrus
Dei* vocabant Monialium matres, ipſasque Moniales *Dominas ſuas.   Hieronymus* in Epiſtolâ ad
Euſtochium de cuſtodiâ virginitatis: *Hæc id circo
Domina mi Euſtochium, ſcribo.* DOMINAM *quippe vocare debeo ſponſam Domini mei.*   Ad matrem verò converſus: *Indignaris,* inquit, *quod noluit militis eſſe uxor, ſed Regis? grande tibi bene-
ficium præſtitit.* SOCRUS *Dei eſſe cœpiſti.*

4. *Velut oſtenſas*] In Eccleſiâ, nempe, ante altare
oblatas, quaſi illic primùm ſponſo oſtenderentur.

Mm 4   rita-

ritaliter copulantur, quæ ejus dilectionis caussâ humana connubia spreverunt.   In his
1 Cor. IV,17. quàm maximè illud completur Apostoli:
qui autem adhæret Deo, unus est spiritus.

CAP. III.   Grande est & immortale, pænè ultra naturam corpoream, superare luxuriam, &
concupiscentiæ [1] spasmeam adolescentiæ fa-
cibus accensam animi virtute restinguere,

---

1. *Spasmeam adolescentiæ*] Si hæc recta est lectio, *spasmea* vox est à Monachis ficta ἀπὸ τῦ
σπασμῦ τῶν αἰδοίων, nam τέτανΘ & σπασμός interdum idem sunt, ut docent Medici. Itaque si
legeremus *spasmum adolescentiæ,* nihil esset quod
analogiæ repugnaret; sed, ut dixi, fortasse est vox
à Monachis ficta. Quæsiverim autem ab ejusmodi
hominibus, si σπασμοὶ vincant, sine labore, cur tantopere continentiam jactent, quæ naturâ frigidis facilis est? Si verò summopere iis laborandum, ut hîc
dicit *Sulpicius,* cur inutilem laborem suscipiant, in
coërcendâ naturâ, quæ, ita Deo volente, eò spectat
ut humanum genus propagetur, cur non ducant
uxorem? Multò certè satius esset uxorem ducere,
quàm in perpetuâ tentatione, concertationéque,
sine ullo cujusquam fructu, vivere. Sed multi
speciem sanctitatis ex illà re captabant, unde maxima
nascebantur eis emolumenta, quæ alioqui consequuti non essent. Multi etiam declamationibus,
qualis est Sulpiciana, transversi acti invitâ naturâ eò
tendebant, quò impellebantur. Tametsi simpli-
citer errantibus facilè ignoscendum. error tamen
dissimulari non debet.

                                        & spi-

& fpiritali conatu vim [2] genuinæ oblectationis excludere, viveréque [3] contra humani generis legem, defpicere [4] folatia conjugii, dulcedinem contemnere liberorum, [5] quæcumque effe præfentis vitæ commoda

---

2. *Genuinæ*] Hoc eft, nativæ. Sic *Apulejus* fub finem Lib. III Metam. *Inter ipfas turbelas Græcorum, genuino fermone, nomen Auguftum Cæfaris invocare tentavi;* hoc eft, fermone quem à naturâ acceperam.

3. *Contra humani generis legem*] Quod propterea vitio adfine eft, cùm virtus fit convenienter naturæ humanæ vivere. Naturam autem intelligo, qualem recta ratio probat, non malâ confuetudine depravatam, atque adfectibus mancipatam.

4. *Solatia conjugii &c.*] At hæc Afcetæ refugiebant, non quafi dulcia, fed quafi cum maximis moleftiis conjuncta, quas vitâ cœlibe vitabant. Nec negandum vitam conjugatorum magnis ac gravibus incommodis effe obnoxiam; fed fi, per illa incommoda, fanctè ac religiosè vixerimus, non minus erit præmium, quàm fi, ut iis careremus, cœlibem vitam amplexi effemus. Nec video quid cœlibes poffint hic conjugatis opponere, nifi *fpasmea*, ut cum *Sulpicio* loquar, fit gravius incommodum quàm omnes moleftiæ vitæ conjugatorum; quod an dicturi fint cœlibes nefcio. Si enim tantum effet, *præftaret nubere, quàm uri.* Sed poftea videbimus quid cauffentur cœlibes.

5. *Quæcumque &c.*] Quò res fpectaret ex eventu liquidum factum eft, cùm ingentes opes fibi comparaffent Monachi, quibus etiamnum eos frui videmus.

Mm 5

poffint,

poſſint, pro nihilo ſpe futurorum beatitudinis computare. Magna hæc, ut dixi, & admirabilis virtus eſt, non immeritò, pro magnitudine laboris ſui, [6] ingenti præmio deſtinatur. [7] *Dabo*, inquit ſpadonibus Deus,
& in domo meâ & in muro meo locum no-
minatum meliorem filiis & filiabus ; nomen

Iſ. IV, 4. 5.

---

6. *Ingenti præmio deſtinatur*] Hic fortè locus
occaſionem præbuit objiciendi *Sulpicio* Pelagia-
nismi, de quo *Gennadius* in teſtimonio quod fron-
ti prioris Tomi eſt præfixum. Contendebant enim
Prædeſtinatiani homines ſingulos ſine ullà præviſione operum deſtinatos eſſe aut felicitati, aut exitio ; contra Pelagiani & Semi-Pelagiani Deum, ex
præviſione vitæ, homines alterutri deſtinaſſe ſta-
tuebant. Poſſit huic poſteriori opinioni favere videri *Sulpicius* hoc loco, quamvis à Prædeſtinatianis
poſſit etiam facilè excuſari. Vide infra §. VI.

7. *Dabo eis &c*] Securè admodum citabant
Scripturam Veteres, nec multùm curabant num ad
rem, quæ agebatur, faceret, necne ; ſi modò verba
ab eâ non abludere viderentur. Agit *Severus* de
iis qui virginitatem vovent, cùm integri atque incolumes ſint ; Iſaias verò de iis, qui ſunt verè Spa-
dones, quales multi erant, apud Orientales, qui ejusmodi hominibus ad cuſtodiendas uxores utebantur.
Vetitum quidem erat Hebræis virilitatem cuiquam
demere, ſed in bellis, quæ ſæpe cum finitimis populis gerebant, ſine dubio pueri Hebræi, in excurſio-
nibus capti, ab hoſtibus id infortunii aliquando
patiebantur ; qui interdum poſtliminiò in patriam
reduces ſeſe Eunuchos factos eò magis dolebant,

ater-

æternum dabo illis, & non deficiet. [7] De
quibus fpadonibus Dominus in Evangelio Matth. XIX.
repetit dicens: *Sunt enim fpadones, qui fe* 12.
ipfos caftraverunt, propter regnum coelo-
rum. Magnus eft quidem pudicitiæ labor,
fed majus præmium. Temporalis cuftodia.
Sed remuneratio æterna. De his enim &
beatus Apoftolus Joannes loquitur, [8] quòd

---

quòd inter divina promiffa non ultimum effet fo-
boles poft fe relinquenda. Eos igitur folatur Propheta, dicitque Deus, ejus ore, fe iis daturum in domo fuâ & *locum* & *nomen* melius fobole, quâ nomen
ad pofteros transmitti folet. Nihil hîc de Eunu-
chis, animi dumtaxat propofito, factis. Locum legentibus res liquida erit.

· 7. *De quibus fpadonibus*] Sunt alii fine dubio,
de quibus loquitur Chriftus; nempe, qui negotio-
rum Evangelicorum caufsâ, aut non ducunt uxorem,
aut ductâ non utuntur, propter itinera Evangelii
nunciandi caufsâ facienda, aliáque ejusmodi. Tales
fuere Joannes Baptifta, & aliquot Apoftoli. Obfer-
vandum hîc primùm de viris agi, non de mulieribus, ideóque hæc ad mulieres trahi nifi conjicien-
do, non poffe; deinde non quosvis, qui temerè cœlibatum amplectuntur, & poftea cupiditate matrimonii uruntur, nec propter vota ei audent fatisfa-
cere, fed eos quibus à Deo datum eft eâ cupiditate
carere; poftremùm votorum nullorum fieri mentionem, quia pro varietate temporum, expedit effe
fine uxore, aut ufu uxoris; iterúmque uxorem
habere, eáque uti fatius eft.

8. *Sequantur agnum*] Hîc fermo non eft de vir-

fequan-

Apoc. XIV, fequantur agnum quocumque ierit. Quod
4 ita intelligendum puto, nullum eis locum in
 cœlefti aulâ claudendum, & cunéta divina-
CAP. IV. rum eis manfionû habitacula referanda funt.

 Sed ut inluftriùs virginitatis meritum cla-
reat, & quàm Deo dignum fit manifeftiùs
intelligi poffit, illud cogitatur quòd Dominus & Salvator nofter Deus, cùm propter
humani generis falutem, hominem digna-
retur adfumere, non alium quàm virgina-
lem uterum elegerit, [1] ut hujusmodi plurimum fibi placere monftraret, & ut pudicitiæ bonum utrique fexui intimaret. Virginem matrem habuit, virgo manfurus. In
fe viris, fed in matre feminis præbuit virginitatis exemplum. Quo demonftratur in
utroque fexu beatam integritatem divinitatis habere & plenitudinem metuiffe, dum tantùm in matre fuit quidquid habebat in filio.

CAP. V. Sed quid ego fatis ago excellens ac fublime pudicitiæ meritum revelare & gloriofæ
bonum virginitatis oftendere, cùm de hac

---

ginibus propriè diétis, fed de iis qui Idololatriam
vitarunt, ut reétè ad eum locum *H. Grotius*, quem
vide.

1. *Ut hujusmodi &c.*] Imò verò ut fingulari prot-
fus ratione Chriftus nafceretur, & ab omnibus aliis
hominibus à natalibus difcriminaretur.

re ple-

re plerosque perorasse non nesciam & ejus
beatitudinem manifestissimis rationibus
comprobasse, & nulli sapienti in dubium venire posse [1] eam rem majoris esse meriti, quæ
sit amplioris laboris? Quisquis enim pudicitiam aut nullius præmii, aut parvi existimat, certum est illum aut ignorare, aut non
voluntarie ferre laborem. Inde illi semper
castitati derogant, qui eam aut non habent,
aut habere coguntur inviti.

Nunc itaque, quàm paucis licet, tam la- C A P. VI.
borem, quàm meritum integritatis ostendimus; ne res quæ grandi virtute constat,
[1] ingenti præmio destinata carere fructu suo
possit, diligentiùs excubandum est. Quantum enim quæcumque species pretiosior
fuerit, tanto majore sollicitudine custoditur.
Et quàm multæ sunt, quæ bono proprio carent, nisi aliarum rerum juventur auxilio?
ut mellis species, nisi cerarum custodiâ &

---

1. *Eam rem majoris esse meriti*] Si modò pro-
sit, nam si rem difficillimam adgrediar, quæ sit inutilis, nullius erit meriti. Exempli caussâ, si vove-
am me numquam comesturum panem, aut ullas
fruges, aut simile quid; quamquam erit difficile,
votúmque adcuratè servabo; nullum ejusmodi inanis voti erit meritum, quia nihil ad virtutem per-
tinebit.

1. *Ingenti præmio destinata*] Vide ad III, 6.

favo-

favorum cellulis confervetur, &, ut verius
dixerim, nutriatur, naturalem gratiam per-
dit, & fubfistere per fe ipfum non potest;
ficut & vini fpecies, quod fi non boni odoris
vas fit, & reparatis crebris picibus foveatur,
genuinam vini fuavitatem amittit.   Adten-
tius providendum est, ne forte & virginitati
aliqua fint necessaria, fine quibus nequaquam fructum adferre fufficiat; & tantus
nihil proderit labor, dum vane prodesse creditur, quod absque viribus necessariis pos-
fidetur.   Nifi fallor enim, ob coelestis regni
præmium, pudicitiæ fervatur integritas, quod
fine vitæ æternæ merito neminem consequi
posse certum est.   Æterna verò vita non-
nifi per omnem divinorum præceptorum
custodiam promereri potest, fcripturâ dicente: *Si vis in vitam æternam pervenire, fer-
va mandata.*   Vitam ergo non habet, nifi
qui cuncta mandata Legis fervaverit; & qui
vitam non habuerit coelestis regni non potest effe possessor, in quo non mortui, fed vivi
quique regnabunt.   [2] Nihil ergo virginitas

Matth. XIX,
17.

---

  2. *Nihil ergo Virginitas*] Rectè hæc omnia, contra eos, qui folo coelibatu tumidi alias calcant virtutes, fine quibus coelibatus est inutilis, quafi ava-
ri, fuperbi, ambitiofi, immifericordes, maledici, con-
tentiofi, gulæ, aliisque vitiis dediti, minùs fpe ve-

fola

ſola proficiet, quæ cœleſtis regni gloriam ſperat, niſi & aliud habuerit, cui perpetua vita promittitur, per quàm cœleſtis regni præmium poſſidetur.   Ante omnia ergo pudicitiam integritatémque ſervantibus & ejus remunerationem à Dei æquitate ſperantibus mandatorum cuſtodia & præceptá ne glorioſæ caſtitatis & continentiæ labor in irritum deducatur.

Supra mandatum, vel præceptum eſſe virginitatem ſapiens ex lege nullus ignorat, Apoſtolo dicente: *de virginibus autem præceptum Domini non habeo, conſilium autem do.*   Cùm ergo obtinendæ virginitatis, conſilium dat, non præceptum ſtatuit; [1]ſupra mandatum & præceptum eam eſſe pro-

CAP. VII.

1 Cor. VII, 25.

---

niæ excluderentur, niſi mutentur, quàm ſcortatores, aut adulteri.

1. *Supra mandatum*] Non *ſupra*, ſed *præter*, nam eâ de re nihil præcepit Chriſtus.   Nubere per ſe nec bonum, nec malum eſt.   Eadem eſt ratio cœlibatûs, qui, pro ſtatu hominum, circumſtantiiſque, in quibus verſantur, utilis eſt, aut noxius. Noxius eſt, cùm cœlibes propterea ſentiunt ſe periclitari, ne minùs caſtè vivant, eúmque ægrè ferunt; utilis, cùm cœlibes nullâ nuptiarum cupiditate tenentur, otióque ſuo meliùs utuntur, quàm ſi patresfamilias eſſent.   Quod nemo ſcire poteſt de aliis, ſed unumquemque de ſe judicare opòrtet. Itaque *cælibem eſſe,* aut *in conjugio biſere,* res ſunt non

feſſus

feſſus eſt. Quicumque ergo virginitatem ſervant, majus quàm præceptum eſt faciunt. Tunc enim proderit ámpliùs feciſſe, quàm juſtum eſt, ſi, quod juſtum eſt, feceris. Nam quomodo plus feciſſe gloriaberis, ſi minus aliquid non feceris? Cupiens divinum implere conſilium, ante omnia ſerva mandatum. Volens virginitatis præmium conſequi, amplectere meritum vitæ, ut tua caſtitas remunerari poſſit. Nam ut vitam præſtat obſervatio mandatorum; ita eorum è contrario generat prævaricatio mortem, & qui per prævaricationem in morte fuerit, virginitatis coronam ſperare non poterit, neque pudicitiæ præmium exſpectare conſtitutus in pœnâ.

CAP. VIII. Tres enim ſpecies ſunt, per quas regni cœleſtis poſſeſſio introitur. Prima eſt pudicitia, ſecunda mundi contemtus, tertia verò juſtitia; quæ ut connexæ plurimum ſe poſſidentibus præſtant: ita diviſæ prodeſſe difficilè poſſunt, dum unaquæque earum non propter ſe tantùm, ſed propter alia efflagita-

---

præcepti, ſed *conſilii;* quia unicuique permiſſa eſt poteſtas dijudicandi utri vitæ generi aptior ſit, pro temperatione corporis, aliisque circumſtantiis, quæ ipſi, quàm ulli alii, ſunt notiores. Hoc unum præceptum eſt, ut ea ſequamur, quæ optima eſſe putamus.

tur.

tur. In primis ergo quæritur pudicitia, ut
facilius subsequatur mundi contemtus; quia
ab illis mundus contemni levius poteft, qui
matrimonii nexibus non tenentur; mundi
verò contemtus expofcitur, ut juftitia confervetur, quam difficilè implere poffunt, [1] qui
fecularium bonorum cupiditatibus & voluptatum mundanarum negotiis implicantur.
Quisquis ergo pudicitiæ poffidet primam
fpeciem, & fecundam, quæ eft mundi contemtus, non obtinet; pænè fine caufsâ poffidet primam, quando fecundam non habet,

---

1. *Qui fecularium bonorum &c.*] Verum eft
coelibes non usque adeò indigere opibus, ac qui liberos habent, familiámque alunt. At hîc quærendum non quid fieri debeat, neque enim homines
ejusmodi funt, ut quod facere debent præftent; fed
quid nos certa & conftans experientia doceat, &
quidem nunc à multis fæculis veluti de manu in
manum ad nos devoluta. Docet autem coelibes
non minùs opum cupidos effe, & voluptatibus ad-
dictos, quàm conjuges; ne dicam illos pinguiori
òtio gaudentes, fructibúsque certis vitam commo-
diffimè fuftentantes, voluptatum, aliarúmque adfe-
ctuum infidiis magis fæpe effe obnoxios. Teftor
hanc in rem eos, qui Hiftoriam Ecclefiafticam lege-
runt, & vident nunc quid agatur inter coelibes, qui
fibi Reipublicæ Chriftianæ adminiftrationem datam
effe contendunt: dicant an minùs vitiorum inve-
niant in coelibibus, quàm in iis, qui conjuges habuerunt.

Nn   pro-

propter quam quæsita est.   Si primam &
secundam habeat, cui tertia, quæ est, justitia,
desit, frustra laborat, quando superiores duæ
[2] propter tertiam præcipue requiruntur.
Quid enim prodest propter mundi contemtum, pudicitiam habere & propter quod
eam habeas non habere? Vel cùi rei mundum contemnas, si justitiam, propter quam
& pudicitiam mundi contemtum habere te
convenit, non custodias? quia ut prima species propter secundam est: ita prima & secunda propter tertiam, quæ si non fuerit,
nec prima, nec secunda proficiet.

CAP. IX.   Dicas forsitan: doce me ergo quid sit justitia, ut eam, si cognoverim, faciliùs implere sufficiam.   Dicam tibi breviter, ut valeo,
& verborum utar simplicitate communium;
quia caussa, de qua agimus, talis est, quæ di-
sertioribus facundiæ sermonibus nequaquam

---

2. *Propter tertiam &c.*] Id omnium præstan-
tissimum propter quod alia expetuntur, ipsum verò
propter se quæritur. Itaque cùm cœlibatus quæ-
ratur, ex sententia *Sulpicii*, propter virtutem, non
virtus propter cœlibatum, sequitur hanc esse longè
præstantiorem, ac proinde majora præmia promissa
non esse minùs præstanti; quod si verum est, ut est
sine dubio, inanes esse necesse est varias nostri ra-
tiocinationes. Ceteroquin hæc & quæ proximè
sequuntur optima sunt.

de-

debeat obscurari sed simplicioris eloquentiæ
narrationibus pandi.   Omnibus enim in
commune necessaria, communi debet caussa
sermone monstrari.

Justitia ergo non aliud est,quàm non pec- CAP. X.
care; non peccare autem, legis præcepta servare.   Præceptorum verò observatio duplici genere custoditur, ut nihil eorum, quæ
prohibentur, facias & cuncta, quæ jubentur,
implere contendas.   Hoc est quod dicit:
Recede à malo & fac bonum: Nolo enim Pfalm.
in hoc putes constare justitiam,   ut ma-XXXIII,15.
lum non facias;   cùm & bonum non
facere malum sit & in utroque legis prævaricatio contineatur, quoniam qui dixit: *Re-*
cede à malo, ipse dixit: *& fac bonum.* Si
à malo recesseris & non feceris bonum,
transgressor es legis, quæ non tantùm in
malorum actuum abominatione, sed & in
bonorum operum perfectione completur.
Neque enim tibi hoc solum præcipitur, ut
vestitum suis non spolies indumentis, sed ut
spoliatos operias tuis; neque ut habenti panem non auferas suum, sed ut non habenti
tuum libenter impartias; neque ut solùm
pauperem suo non pellas hospitio, sed & pul-
sum & non habentem recipias tuo. Præceptum enim est nobis flere cum flentibus.

Nn 2   Quo-

Quomodo cum illis flemus, si in nullo eorum
necessitatibus participamur, nec aliquid eis
in his, propter quas lacrimantur, caussis præ-
beamus auxilium? Neque enim fletuum
nostrorum Deus infructuosum quærit hu-
morem; sed quia lacrimæ doloris indicium
sunt, vult te ita alterius angustias sentire, ut
tuas. Et quomodo tibi, in tali tribulatione
si esses, subveniri cuperes, ita alteri ipse sub-
venias, propter illud: *quæcumque vultis
ut faciant vobis homines bona: ita & vos
facite illis.* Nam cum flente flere, si nihil,
cùm possis flenti conferre, conferas; sub-
sannationis, non pietatis indicium est. Denique Salvator noster, cum Mariâ & Marthâ,
Lazari sororibus flevit, & immensæ misericordiæ adfectum lacrimarum contestatione
monstravit; & veræ pietatis indicia mox
opera subsequuta sunt, cùm suscitatus Laza-
rus, cujus caussâ lacrimæ funduntur, sororibus vivus redditur. Et hoc fuit piè flere,
conflentibus occasionem fletûs auferre. Sed
quis potens? inquies. Sed nec tibi aliquid
impossibile imperatur. [1] Implevit omnia,
qui quod potuit fecit.

*Matth.
VII, 12.*

___

1. *Implebit omnia, qui quod potuit fecit*] Nihil
verius, nihil æquius hac sententiâ. Sed vereor ut
Prædestinatiani, sicut vocabantur, hinc quoque adri-

Sed,

Sed, ut dicere cœperamus, non sufficere C A P. XI.
Chriſtiano à malis ſe abſtinere, niſi etiam
bonorum operum officia perfecerit, illo vel
maximè teſtimonio comprobatur, quo com-
minatur Dominus æterni ignis reos fore,
qui quamvis mali nihil geſſerint, ſi non fe-
cerint omne quod boñum eſt, dicens: *Tunc* Matth.
dicit Rex bis, qui ad ſiniſtram ſunt: diſce- XXV, 41.
dite à me maledicti in ignem æternum,
quem præparavit pater meus Diabolo &
Angelis ejus. Eſurivi enim & non dediſtis
mibi manducare, & reliqua.   Non dixit:
diſcedite à me maledicti, quia bomicidium,
quia adulterium, aut quia furta feciſtis;
ſed quia bona non fecerunt, condemnantur.
Hi æternis gehennæ ſuppliciis addicuntur,
nec quia quæ prohibita fuerunt admiſiſſent,
ſed quia quæ præcepta fuerant implere no-

---

puerint occaſionem Pelagianiſmi noſtrum adcu-
ſandi; quia, ex ipſorum ſententiâ, Deus impoſſibilia imperat, qui credere, ſanctè vivere, & perſevera-
re in fide & bonis operibus, ad mortem uſque eos
vult, quibus, ex illâ ſententiâ, impoſſibile eſt, quia
Deus neceſſariam ad hoc gratiam omnibus non ſup-
peditat.   Novi *Auguſtinum* dicere, in libro de naturâ & gratiâ, contra Pelagium, cap. XLIII *non igi-*
tur Deus impoſſibilia jubet, ſed jubendo admonet
& facere quod poſſis & petere quod non poſſis; ſed
non poteſt petere reprobus perſeverantiam, ita ut
eam impetret.

luerunt. Unde advertendum eft, quam
fpem habere poffint qui adhuc aliquid eorum faciunt, quæ prohibentur; cùm etiam
illi rei fint, qui non fecerunt quæ jubentur.

CAP. XII.
Jac. II, 10.
Nolo enim tibi in hoc blandiaris, fi aliqua
non feceris, cùm fcriptum fit: *qui univer-
fam legem fervaverit, offenderit autem in
uno, factus eft omnium reus.* Adam enim
femel peccavit, & mortuus eft; & tu vivere
poffe exiftimes illud femel committens quod
alium, dum femel perpetraffet, occidit? An
grande illum commififfe crimen putas, unde meritò ac juftè damnatus eft? Videamus
ergo quid fecerit. Contra mandatum, de
fructu arboris edit. Quid ergo? Propter
arboris fructum, Deus hominem morte mul-
ctavit? Non propter arboris fructum, fed
propter mandati contemtum. Ergo non
agitur de qualitate peccati, fed de transgres-
fione mandati; & qui dixit Adæ ut de arboris fructu non ederet, ipfe tibi præcepit ut
non maledicas, non mentiaris, non detra-
has, nec detrahentes aufcultes, ut non omnino jures, ut non concupifcas, non invideas,
non fis tepidus, non fis avarus, ut nulli malum pro malo reddas, ut pro calumnianti-
bus & perfecutoribus tuis ores, ut percuti-
enti maxillam, alteram præbeas, ut in judicio

cio feculari non litiges, ut fi quis tua auferre voluerit, [1] gratanter remittas, ut nec iracundiæ, nec zeli, nec livoris malum intra pectus admittas, ut crimen [2] avaritiæ fugias,
ut omnis jactantiæ ac fuperbiæ malum ca-
veas, & humilis ac mitis Chrifti exemplo
vivas, malorum confortia in tantum devi-
tans, ut [3] cum fornicatoribus, aut avaris, aut
maledicentibus, aut invidis, aut detrectato-
ribus, aut ebriofis, aut rapacibus cibum non
capias.   Quem fi in aliquo contemferis, fi
pepercit Adæ, parcet & tibi.   Imò illi magis parcendum fuerat, qui adhuc novellus
erat, & nullius ante peccantis, & propter peccatum fuum morientis, trahebatur exemplo.
Tibi verò poft tanta documenta, poft Legem, poft Prophetas, poft Evangelia, poft
Apoftolos, fi delinquere volueris, quomodo
indulgeri poffit ignoro.

---

1. *Gratanter*] Hoc eft, libenter, ita ut gratum tibi
oftendas.   Gallicè, *de bon gré*.

2. *Avaritiæ*] Conjicit *Baluzius* in margine *Aci-
diæ*, quia jam avaritiæ in fuperioribus meminit *Sulpicius*: Ἀκηδία eft *pigritia*, aut *anxietas*.

3. *Cum fornicatoribus*] Cum ejusmodi peccatoribus, qui admonitiones omnes rident, & delicta
fua defendunt; dum enim fpes eft eos poffe ad fa-
niorem animum revocari, familiari confortio, non
debent vitari.

CAP. XIII.   An tibi de virginitatis prærogativâ plaudes? Memento Adam & Evam virgines deliquiffe, nec integritatem corporis profuiffe peccantibus. Virgo, quæ peccat, Evæ, non Mariæ, comparanda eft.

CAP. XIV.   Non negamus, in præfenti tempore, remedium pœnitentiæ, fed hortamur magis præmium fperare debere,quàm veniam.Turpe eft enim delicti indulgentiam poftulare, quæ palmam virginitatis exfpectant, & inlicitum aliquid incurrere, quæ fe etiam caftraverunt.   Licitum quippe eft matrimonii inire confortium, & ut laudandæ funt, quæ propter Chrifti amorem & cœleftis regni gloriam copulam contemferunt nuptiarum: ita damnandæ non funt, quæ propter incontinentiæ voluptatem nondum Deo devotæ, remedio Apoftolico [1] abutuntur.

---

1. *Abutuntur*] Id eft, utuntur, etiam apud optimos fcriptores; hîc enim nullus eft abufus, fed ufus à Deo inftitutus, & ad quem tendit natura. Sic *Cicero* Lib. IX Ep. 6. *Quæ igitur ftudia, magnorum hominum fententiâ, vacationem habent etiam publici muneris, iis, concedente Republicâ, cur non abutamur?* Ad quem locum vide P. *Manutium.* Sed laudare non poffum aut *Sulpicium,* aut alios, qui paffim ita loquuntur, quafi matrimonium folius concubitûs caufsâ quæreretur; cùm potiffimus ejus fcopus fit propagatio humani generis &

Ergo,

Ergo, ut diximus, quæ connubia licita, ut inlicita, spernunt, ejusmodi autem si jurent, si maledicant, si detrahant, si cupidas in alienis, si detrahentes probantur audire, si malum pro malo reddant, si avaritiæ in propriis incurrant crimen, si zeli, si livoris venena possideant, si contra legalia & Apostolica instituta indecens aliquid aut loquuntur, aut cogitant, si in carne placendi studio comtæ & ornatæ procedant, & alia, quæ fieri solent inlicitè faciant, quid proderit eis sprevisse quod licuit, & exercere quod non licet. Si vis prodesse tibi, quòd licita contemsisti, vide ne quid eorum, quæ non licent, facias. Stultum est enim timuisse quod minus est, & non timere quod majus est, aut ab iis non vitari quæ prohibentur, quæ subterfugerint, quæ conceduntur.

Dicit enim Apostolus: [1] *Innupta cogitat quæ Dei sunt, quomodo placeat Deo, ut sit sanctta corpore & spiritu. Quæ Dei sunt,* inquit, *cogitat; non quæ seculi, non quæ*

CAP. XV.
CAP. XVI.
1 Cor. VII,
34.

---

vitæ mutuum auxilium, ac pleraque omnia matrimonia ideò fiant.

1. *Innupta cogitat &c.*] Hoc est, cogitare potest, si velit, sique nullâ nubendi cupiditate teneatur; nam alioqui satis docet experientia innuptis plerumque inesse vitia eadem, quæ nuptis, & quæ sese produnt, quotiescumque licet.

Nn 5

ho-

hominum, fed quæ funt Dei cogitat.   Quæ
Phil. IV, 8. funt ergo Domini? Dicit Apoftolus: *quæcumque fancta, quæcumque amabilia, quæcumque bonæ famæ, fi qua virtus, fi quæ
laus difciplinæ*, ifta funt Domini, quæ fanctè
verè apoftolicæ virgines die noctúque me-
ditantur & cogitant.   Dei eft etiam regnum
cœlorum, Domini eft refurrectio mortuorum, Domini eft immortalis incorruptio,
Domini eft [2] fplendor, folis quæ fanctis pro-
mittuntur, Domini funt plures fanctorum
in cœleftibus manfiones, Domini eft fructus
trigefimus & fexagefimus & centefimus.
Hæc cogitant, & quibus poffint operibus
promereri quæ Domini funt cogitant. Domini eft etiam lex Novi & Veteris Teftamen-
ti, in quibus ejus eloquia fancta refulgent;
quæ fi virgines fine intermiffione meditan-
tur, quæ Domini funt cogitant,& impletur in
Eccl.XXVI, eis propheticum illud: *fundamenta æterna
24.   fuper terram folidata, & mandata Domini
in corde mulieris fancta.*

CAP.XVII.   Sequitur: *quomodo placeat Deo;* Deo,
inquam, non hominibus; *ut fit fancta corpore, fit & fpiritu.*   Non dixit: *ut fit fancta membro, aut corpore tantùm, fed, ut fit*

---

2. *Splendor*] Adludit ad Matth. XIII, 45.

fancta

sanƐta corpore & spiritu. Membrum enim una corporis pars eſt, corpus verò omnium eſt compago membrorum. Cùm ergò dicit, *ut ſit ſanƐta corpore,* omnibus membris jam ſanƐtificari debere teſtatur; quia non proderit ſanƐtificatio ceterorum membrorum, ſi inveniatur, vel in uno, corruptio. Non erit *ſanƐta corpore,* quod ex omnibus conſtat membris, quæ vel unius fuerit coinquinatione polluta. Sed ut quod dico manifeſtius & lucidius fiat, quæcumque ſit omnium membrorum purgata ſanƐtificatione & linguâ tantummodò peccet, aut blasphemet, aut teſtimonium falſam dicat, numquid liberabunt omnia membra unum, an propter unum judicabuntur & cetera? Ergo ſine aliorum membrorum ſanƐtificatione, pudicitia non proderit, cùm in uno ſit vitium. Quanto magis, ſi diverſorum flagitio peccatorum omnia corrumpentur, unius nihil proderit integritas.

Unde te quæſo, virgo, ne ſolà tibi pudicitiâ blandiaris, neque in unius membri integritate confidas; ſed, ſecundùm Apoſtolum, ſoli Deo conſerva corporis ſanƐtitatem. Munda ab omnibus inquinamentis caput, quia crimen eſt illud, poſt chrismatis ſanƐtificationem, aut croci, aut alterius

CAP. XVIII.

terius pigmenti fuco, vel pulvere fordidari,
aut auro, aut gemmis, vel cujuscumque crea-
turæ terrenæ fpecie. Grandis quippe eft
divinitati contumelia mundani & fecularis
ornamenti prælatio. Munda frontem, ut
humana, non divina opera erubefcat & illam confufionem recipiat, quæ non peccatum, fed Dei gratiam parit, fcripturâ
Eccl. IV, 25. divinâ dicente : *eft confufio adducens
peccatum, eft confufio adducens gratiam
Dei.* Munda collum ut non [1] aurea teftula capillis portet & fufpenfa monilia, fed
potiùs illa ornamenta circumferat, de qui-
Prov. III, 3. bus fcriptura dicit: *mifericordia & fides
non deficient à te.* Sufpende autem illas
in collo tuo. Munda oculos, dum eos ab
omni concupifcentiâ retrahis, & ab intuitu
pauperum numquam avertis, & ab omnibus
[1] fucis liberos ad ea quæ Dei funt factis cu-
ftodis. Munda linguam à mendacio, quia
os quod mentitur occidit animam, à detractione, à juramento, ab adulatione, à perjurio. Nolo præpofterum ordinem putes,
quòd priùs à juramento, quàm à perjurio

1. *Aurea teftula*] Ornamenta colli, de quibus
alibi quidquam me legere non memini.

1. *Fucis*] Superciliæ, nempe, fuco inungebant.
Vide 2 Reg. IX, 30. & quæ ad eum locum Interpretes.

linguam dixi debere mundari; quia tunc perjurium facilius fugies, si in toto non jures. Impleatur illa sententia: *cohibe linguam tuam à malo, & labia tua ne loquantur dolum*, & memor esto dicentis Apostoli: *benedicite & nolite maledicere.* Sed & illud crebrius recordare: *videte ne quis malum pro malo reddat alicui, neque maledictum pro maledicto, sed è contrario benedicentes, quia in hoc vocati estis, ut benedictionem hereditatis possideatis;* & illud: *si quis autem verbo non offendit fratrem, hic perfectus est.* Nefas est enim, ut labia illa quibus Dominum confiteris, rogas, benedicis & laudas, alicujus polluantur sorde peccati. Nescio quâ conscientiâ eâ linguâ quis Dominum rogat, quâ aut mentitur, aut maledicit, aut detrahit. Labia sancta exaudit Dominus, & ipsis adnuit citò precibus, quas lingua immaculata nunciat. Munda aures, ut nonnisi sermonibus sanctis & veris auditum præbeant, ut numquam obscæna, aut turpia, seculariáque verba suscipiant, aut aliquem de altero audiant derogantem, propter illud quod scriptum est: *sepi aures tuas spinis & noli audire linguam nequam libenter;* ut cum eo habere partem possis, de

quo

Ps. XXXIII, 14.

Rom. XII, 14.

1 Pet. III, 9.

Jac. III, 2.

Ecclesiastic. XXVIII, 24

quo dicitur [2] quoniam auditu & vifu juftus
erat; hoc eft, nec oculis, nec auribus delin-
quebat. Munda manus, ne porrectæ ad
accipiendum fint, ad dandum collectæ, nec
ad feriendum paratæ, fed ad omnia mifericordiæ & pietatis opera fatis promtæ. Munda pedes, ne latam & fpatiofam viam per-
gant, quæ ducit ad fplendida feculi & pre-
tiofa convivia; fed ad arduum magis & an-
guftum gradiantur iter, quod tendit ad cœ-
Prov.IV,26. lum, quia fcriptum eft: *iter rectum facite
pedibus veftris.* Agnofce tibi à Deo artifi-
ce, non ad vitia, fed ad virtutes, membra
formata; & cùm univerfos artus munda-
veris ab omni forde peccati, & toto fueris
fanctificata corpore, tunc tibi caftitatem in-
telligas profuturam, & cum fiduciâ palmam
virginitatis exfpecta.

CAP. XIX. Quid fit fanctum effe corpore, breviter
quidem, fed plenè expofuiffe me arbitror.
Nunc quod fequitur, *& fpiritu*, noffe debemus; hoc eft, ut quod opere nefas eft fieri,
cogitatione concipere. Illa enim eft fancta
tam corpore, quàm fpiritu, quæ nec carne,
nec mente delinquit, fciens etiam cordis
effe fpeculatorem Deum, & idcirco fatis agit,

---

2. *Quoniam auditu*] Locus 2 Petri II, 8.

ut o-

ut omni modo etiam animum cum corpore
mundum habeat à peccato, fciens fcriptum
effe: *omni cuftodiâ cuftodi cor tuum;* & : Prov. IV,23.
ita enim diligit Dominus, fanƐta corda, Ib. XVII, 3.
accepti funt ei immaculati; & alibi : *beati* XI, 20.
mundo corde, quoniam ipfi Deum videbunt. Matth. V, 8.
Quod de illis dici arbitror, quos confcientia in nullâ redarguit culpâ peccati, de qui-
bus & Joannem in Epiftolâ dixiffe reor : *Si* 1 Ep. III, 21.
cor noftrum non reprehenditur, fiduciam
habemus ad Deum, & quæcumque petieri-
mus, accipiamus ab eo. Nolo exiftimes
te peccati crimen effugiffe, fi voluntatem
non fequatur effectus, cùm fcriptum fit:
quicumque viderit mulierem ad concupi- Matth.V,28.
fcendum, jam mœchatus eft eam, in corde
fuo. Ne dicas: cogitavi quidem & non
feci; quoniam etiam concupifcere nefas eft,
quod fieri crimen eft. Unde & beatus Pe-
trus præcipit dicens: *animas veftras cafti-* 1 Pet. I, 22.
ficate; qui fi nullam animæ conftupratio-
nem noffet, nec caftificari eam defideraffet.

Sed & illum, quo continetur, *hi funt qui* CAP. XX.
fe cum mulieribus non coinquinaverunt, Ap. XIV,4.
virgines enim permanferunt, hi fequuntur
Agnum quocumque ierit, adtentiùs confi-
derare debemus & animadvertere, fi folius
integritatis & pudicitiæ merito iftius divino

comi-

comitatui copulentur & per omnia cœlorum tabernacula difcurrant, an & alia fint,
quibus adjuncta virginitas tantæ beatitudinis gloriam confequatur. Sed unde hoc
fcire poterimus? De fequentibus, nifi fallor, in quibus fcriptum eft: *hi emti funt ex
omnibus primitiæ Deo & Agno, & in ore
ipforum non inventum eft mendacium, fine
maculâ funt ante thronum Dei.*

CAP. XXI.   Vides ergo quòd non, in uno virgines
tantùm membro, dominicis referantur in-
hærere veftigiis; fed illi qui præter virginitatem ab omni contagione peccati imma-
culatam gefferint vitam.   Idcirco vel maximè virgo nuptias fpernat, ut, dum fecurior
eft, faciliùs, quod etiam à nubentibus quæritur, ab omni fe delicto cuftodiat & univerfa legis mandata perficiat.   Nam fi non
nubas, & ea nihilominùs facias, à quibus &
nuptæ effe jubentur immunes, non nupfiffe
quid prodent?

CAP. XXII.   Et quamquam nulli Chriftianorum peccare liceat & omnes, quicumque fpiritalis
lavacri fanctificatione purgantur, immacu-
latam decurrere conveniat vitam, ut Ecclefiæ, quæ fine maculâ, fine rugâ, fine aliquo
vitio hujusmodi effe defcribitur, poffint vifceribus intimari; multò magis hoc virginem

nem implere necesse est, quam nec mariti,
nec filiorum, nec alterius necessitatis caussa
prohibet, quominùs divinam scripturam
perficiat; nec si qua peccet, poterit excusatione defendi.

O virgo, serva propositum tibi magno CAP. XXIII
præmio destinatum. Præclara est, apud Dominum, virginitatis & [1] pudicitiæ virtus, si
non aliis peccatorum & macularum lapsibus
infirmetur. Agnosce statum tuum, agnosce locum, agnosce propositum. Christi
[2] sponsa diceris. Vide ne quid indignum
eo, cui desponsata videris, admittas. Citò
scribet repudium, si in te vel unum viderit
adulterium. Quæcumque ergo humanorum sponsaliorum pignoribus [3] obarratur,

---

1. *Pudicitiæ*] Notum est à Latinè loquentibus
non virgines tantùm, sed & matronas *castas* & *pudicas* dici, & quidem meritò; sed adrogantia monachalis effecit ut mutaretur sermo & *pudici* ac *casti*
soli cœlibes dicerentur; unde sequeretur conjuges,
quamvis castigatæ vitæ & mutuam fidem sanctè servantes, *impudicitiæ* adcusandos. Quod perinde est,
ac si quis qui vini abstinentiam vovisset, ac sibi
propterea placeret, se *sobrium* solum diceret, &
ebrietatis omnes alios insimularet.

2. *Christi sponsa*] Vide ad §. II, 3.

3. *Obarratur*] Hoc est, quæ pignora, seu arrham matrimonii accepit, munera, nempe quædam
à proco, quæ & *arrhæ nuptiales* à Jurisconsultis di-

 statim

ſtatim à domeſticis, à familiaribus, ab amicis
ſponſi ſollicitè ac diligenter requirit & ſer-
vulis quales juvenis habeat mores, interrogat quid potiſſimùm diligat, quid accipiat,
quo uſu vivat, quà ſe conſuetudine regat,
quibus utatur dapibus, in quibus maximè
rebus delectetur & gaudeat; quæ cùm didicerit, ita ſe moventibus temperat, ut ſponſi moribus ſuum obſequium, ſua jucunditas,
ſua dilectio, ſua diligentia, ſua vita concor-
det.   Et tu quoque Chriſtum ſponſum habes.   A domeſticis & familiaribus ejus
ſponſi tui mores interroga, & ſtrennè ac
ſollerter inquire quibus præcipuè delectetur,
qualem in te compoſitionem veſtium diligat. Dicat tibi ejus familiariſſimus Petrus,
qui nec nuptis quidem corporalem, ſed ſpi-
ritalem permittit ornatum, ſicut in Epiſtolà
ſcripſit : *Mulieres ſimiliter ſubjecta viris*
ſuis, ut ſi qui non credunt verbo, per mu-
lierum converſationem ſine verbo lucrifi-
ant, conſiderantes in timore caſtam con-
verſationem veſtram; quarum ſit non ex-
trinſecus capillatura, aut circumdatio au-
ri, aut indumenti veſtimentorum cultus,
ſed abſconſus cordis homo, in incorruptibi-

---

cuntur. Vide Cod. Theodoſianum Lib. III Tit. 5.
& Juſtinianeum Lib. V Tit. 3.

                                        litate

litate quieti & modesti spiritûs, qui est in conspectu Dei locuples. Dicat & alius Apostolus, beatus Paulus, qui ad Timotheum scribens Episcopum, eamdem fidelium feminarum disciplinam testatur: *Mulieres similiter in habitu ornato, cum verecundiâ, & sobrietate se ornantes, non tortis crinibus, aut auro, aut margaritis, aut veste pretiosâ, sed, quod decet mulieres, promittentes castitatem, per bonam conversationem.* 1 Tim. II, 9.

Sed forsitan dicas: cur hæc Apostoli virginibus non jusserunt? Quia non necessarium judicabant, ne talis virginibus commonitio potiùs injuria, quàm emendatio videretur. Sed nec eas umquam tantæ temeritatis fore credidissent, ut nec nuptis quidem concessa carnalia ornamenta & terrena præsumerent. Reverâ ornare se & componere virgo debet; námque quomodo sponso suo placere poterit, nisi composita & ornata processerit? Ornetur plane, sed interioribus ornamentis; & spiritualiter, non corporaliter, componatur; quia Dominus non corporis, sed animæ decorem in illa desiderat. Ergo & tu, quæcumque animam tuam à Deo diligi & habitari concupiscis, omni eam diligentiâ comple, spiritualibus indumentis exorna. CAP. XXIV.

Nihil

Nihil in eâ indecorum, nihil foedum adpareat. Resplendeat auro justitiæ, & gemmis refulgeat sanctitatis, & pretiosissimâ margaritâ pudicitiæ coruscet, & pietatis tunicâ vestiatur, secundùm quod scriptum est: *Induite ergo sicut electi Dei, sancti & dilecti, viscera misericordiæ, bonitatemʒ humilita-* &c. Non decorem alterius pigmenti quærat, sed innocentiæ, simplicitatisque candorem habeat, roseum verecundiæ colorem, & pudorem ruboris pudorisque possideat. Cœlestis abutatur nitro doctrinæ, & [1] lomentis spiritalibus emundetur. Nulla in eo malitiæ, nulla doli macula relinquatur;

Col. III, 12.

---

1. *Lomentis*] Ita reponimus pro eo, quod *Baluzius* edidit, *lamentis.* Continuat enim Auctor in his verbis metaphoram, quam superioribus verbis adhibuerat, ubi, postquam de pigmento & nitro locutus est, quibus facies tingebant fœminæ, necesse est etiam sequatur *lomentum.* Erat autem *lomentum* apud Romanos farinæ fabaceæ genus, quâ mulieres cutem pariter & genas tingere atque erugare solebant. Mentionem ejus facit *Martialis* lib. III epigr. 42.

Lomento rugas uteri quòd condere tentas,
  Polla: tibi ventrem, non mihi labra linis.
Idem libro XIV epigr. 60 quod inscribitur LOMEN-TUM:

Gratum munus erit, scisso nec inutile ventri,
  Si clarâ Stephani balnea luce petes.
Meminit etiam *Plinius* Hist. Natur. lib. XVIII cap.
                                    & ne-

& nequando malè redoleat odore peccati, unguento fuavissimæ fapientiæ & fcientiæ perfundatur. Hujusmodi Deus quærit ornatum, & animam taliter compofitam concupifcit.

Memento te filiam Dei dici, fecundùm illud : *Audi, filia, & vide.* Sed & tui ipfa quotiescumque Deum patrem nominas, Dei te filiam effe teftaris. Ergo fi filia Dei es, vide ne quid eorum facias, quæ Deo patri incongrua funt; fed age omnia, quafi filia Dei. Cognofce quomodo hujusce feculi nobilium filiæ gerant, quibus adfuefcant moribus, quibúsve fe difciplinis inftituant. Tanta in quibusdam verecundia eft, tanta gravitas, tanta modeftia, ut, ceterorum hominum ritum, intuitu humanæ ingenuitatis, excedant & nequaquam honeftis parentibus fuis per lapfum fuum notam inu-

CAP. XXV.
Pf. XLIV, 11.

---

11 Fabam autem in facierum pigmentis olim etiam adhibitam teftatur *Martialis* lib. VI epigr. 93.

1. *Nequaquam honeftis*] Si nihil hîc fit corruptum, quod fufpicor, hoc vult *Sulpicius*, puellas quasdam, quæ cœlibatùm voverunt, tam fanctè vivere ut parentibus minimè caftis & fæpe labentibus, notam inurant, dum oftendunt parentum hanc effe non naturæ, culpam, quam vitare potuerant, cùm ab eorum filiabus, quæ funt ejusdem naturæ participes fit vitata.

rant, alteram fibi quodammodo inter homines confuetudinis facientes naturam.   Et tu
originem tuam refpice, genus intuere, gloriam nobilitatis adverte.   Agnofce te non
hominis tantùm effe, fed Dei filiam & divinæ nativitatis nobilitate decoratam.   Ita te
exhibe, ut cœleftis nativitas pateat & ut in-
genuitas divina clarefcat.   Sit in te nova gravitas, honeftas admirabilis, ftupenda verecundia, mira patientia, virginalis inceffus, &
vitæ pudicitiæ habitus, fermo femper mo-
deftus & fuo tempore proferendus, ut quif-
quis te viderit, admiretur & dicat: quæ hæc
nova, inter homines, gravitatis patientia eft,
quæ pudoris verecundia, quæ honeftatis modeftia, quæ maturitas? Non eft ifta humanâ inftitutione difciplina mortalis.   Cœle-
fte mihi aliquid, in terreno corpore refulget.
Puto quòd habitet in quibusdam hominibus
Deus.   Et cùm te filiam Chrifti effe cogno-
rerit, majori ftupore tenebitur, & cogitet
qualis ille fit dominus, cujus talis eft ancilla.

C A P.
XXVI.
    Si vis ergo partem habere cum Chrifto,
Chrifti tibi exemplo vivendum eft, qui ab
omni malitiâ & nequitiâ ita fuit extraneus,
ut nec inimicis quidem vicem redderet, quin
potiùs & pro ipfis rogabat.   Nolo enim ut
eas animas Chriftianas exiftimes effe, quæ
                            aut

aut fratres, aut forores non dico oderunt, sed
quæ proximos toto corde, conscientiæ, coram Dei testimonio non diligunt, cùm Christianis Christi similitudine inimicos etiam
amare necesse sit. Si sanctorum cupis habere consortium, à malitiæ & nequitiæ cogi-
tatu pectus emunda. Nemo te circum-
veniat, nemo fallaci sermone seducat. Nonnisi sanctos & justos & simplices & innocen-
tes & puros coelestis aula suscipit. Nullum,
apud Deum, locum habet malitia. Ab omni
nequitià & dolo mundum esse necesse est,
qui cupit regnare cum Christo. Nihil tam
contrarium, nihil exsecrabile Deo, quàm
aliquem odisse, alterum velle vel lædere; nihil tam probabile, quàm omnes amare.
Quod Propheta prospiciens testatur, dicens:
qui diligitis Dominum odite malum. PſXCVI,10

Vide ne aliquam humanam gloriam dili- CAP.
gas, ne & illa portio inter eos computetur, XXVII.
quibus dictum est: *quomodo vos potestis* Joan. V, 44.
credere, gloriam ad invicem quærentes ? Iſa.XXVI,15
& de quibus per Prophetam dicitur: [1] *Auge*

---

1. *Auge eis mala*] Petita hæc sunt ex antiquâ
versione Latinâ, ut cetera omnia; sed hîc multum
abit & à Vulgatâ & à recentioribus, quippe ex Græcâ
LXX Int. expressa.

is mala, auge mala gloriosis terra, & &
confundantur à glorificatione nostrâ & ab
opprobrio, in conspectu Domini. Nolo enim
illas respicias, quæ seculi, non Domini, sunt
virgines, quæ propositi sui & confessionis
immemores gaudent in deliciis, in opibus
delectantur, & corporeæ nobilitatis in origine gloriantur.   Quæ si pro certo Dei filias
se esse crederent, numquam, post divinos
natales, nobilitatem admirarentur in patre
quolibet honorato, si patrem Deum se habere sentirent.

CAP.
XXVIII. Quid tibi, ô stulta, blandiris & compla-
ces? Duos homines in exordio fecit Deus,
ex quibus totius humani generis silva den-
sescit.   Mundanam nobilitatem non naturæ æquitas præstat, sed cupiditatis ambitio;
& nulla inter eos discretio potest esse, quos
nativitas secunda generavit; per quam tam
dives, quàm pauper, tam liber, quàm servus,
nobilis, quàm ignobilis, Dei efficitur filius
& terrena nobilitas splendore cœlestis gloriæ adumbratur.   Nusquam omnino jam
comparet, dum qui retro in secularibus honoribus impares fuerant, cœlesti divinæ glo-

---

2. *Et confundantur*] Hæc non sequuntur in
Codicibus Græcis, quos habemus, nec unde petita
sint scio.

riæ nobilitate vestiuntur æqualiter. Nullus ibi jam ignobilitatis locus est, nec degener quisquam est, quem divinæ nativitatis sublimitas ornat, nisi apud illos, qui non putant humanis cœlestia præponenda. Aut si putant, quàm vanum est ut sese illis in minoribus præferant, quos sibi in majoribus pares sentiant, quasi infra se positos in terrâ existiment, quos sibi in cœlestibus æquales crediderunt. Tu autem quæcumque Christi, non seculi, virgo es, omnem præsentis vitæ gloriam fuge, ut omnem quæ in futuro promittitur consequaris.

Contentionum verba & animositatis causfas evita, discordiarum quoque & litium occasiones subterfuge. Nam si, juxta Apostoli doctrinam, servum Domini litigare non oportet, quantò magis ancillam, cujus quo verecundior est, animus debet esse modestior. Linguam à maliloquio cohibe & ori tuo frenos legis impone; & tunc si fortè loquaris, quando tacere peccatum, cave ne quod in reprehensionem veniat dicas. Lapis emissus est sermo prolatus; quamobrem diu, antequàm proferatur, cogitandus est. Beata quippe talia sunt, quæ numquam, quod revocare velint, emittunt. Pudicæ mentis sermo debet esse pudicus, qui ædifi-

CAP.
XXIX.

cet

cet semper magis, quàm aliquando deſtruat audientes.   Sequendum quod præcipit Apoſtolus, dicens: *omnis sermo, malus de ore veſtro non procedat, sed si quis bonus ad ædificationem fidei, ut det gratiam audientibus.*   Pretioſa Deo lingua eſt, quæ nonniſi in divinis rebus novit verba conſtruere, & ſanctum os, unde cœleſtia ſemper eloquia proferuntur.   Abſentium obtrectatores, quaſi malignos, ſcripturæ auctoritate deterre; quia etiam hoc inter perfecti virtutes hominis Propheta commemorat, ſi ante conſpectum juſti malignus ad nihilum deducatur, qui contra proximum non probanda protulerit.   Non licet tibi alterius vituperationem patienter audire, qui nec ab aliis optas recipi tuam.   Injuſtum quippe eſt quidquid contra Chriſti Evangelium venit, ſi alteri, quod tibi ab alio fieri moleſtum eſt patiaris inferri.   Linguam tuam ſemper de bonis loqui adſueſce, & auditum tuum magis ad bonorum laudem, quàm ad malorum vituperationem commoda.

C A P.   Vide ut omnia quæcumque bene facias,
XXX.   propter Deum facias, ſciens ejus rei tantam
te à Domino recepturum eſſe mercedem,

quàm

quàm ejus timoris, & dilectionis caussâ, perfeceris. Sancta magis esse quàm videri stude, quia nihil æstimari quod non sit, & duplicis peccati reatus est non habere quod creditur, & quod non habeas simulari. In jejuniis, magis, quàm in epulis, delectare, illius viduæ memor, quæ non decedebat de templo, jejuniis & orationibus Deo serviens, die ac nocte. Et si vidua quidem Judæa talis fuit, qualem nunc esse virginem convenit Christi? Divinæ magis dilectionis convivium dilige & Christi talibus te satiari dapibus concupisce. Illos potiùs require cibos, quibus anima, magis, quàm corpus, reficiatur. Carnis & vini species, quasi coloris fomenta, & libidinis incitamenta fuge. Et tunc si forte vino exiguo uteris, cùm stomachi dolore nimio corporis compellat infirmitas, iracundiam vince, animositatem cohibe & quidquid illud est, quod post factum pœnitentiam ingerit.

Proximi criminis abominationem declina, satis quietam, satis tranquillam convenit esse mentem, ab omni conturbatione furoris alienam, quæ Dei habitaculum esse desiderat, qui per Prophetam testatur & dicit: *Super*

C A P.
XXXI.

Isa. LXV.

1. *Et dilectionis*] Addidi *&*, quod videbatur necessarium.

quem

quem requiescam alium, nisi super humi-
lem & quietum ,& trementem sermones
meos? Omnium operum & cogitationum
tuarum speculatorem Deum crede, & cave
ne quid, quod divinis oculis indignum sit,
aut opereris, aut cogites. Cùm orationem
celebrare desideras, talem te exhibe, quasi
sis cum Deo loquutura. Cùm Psalmum
dicis, cujus verba loquaris agnosce & in
compunctione magis animæ, quàm in tin-
nulæ vocis dulcedine delectare. Lacrimas
enim ¹ psallentis Deus magis, quàm vocis
gratiam, comprobat. Et Propheta dicit:

Psal II, 11. *servite Domino in timore, & exsultate ei*
cum tremore. Ubi timor & tremor est, ibi
non vocis elatio est, sed animus flebilis & la-
crimosa dilectio.

CAP.
XXXII
Jerem.
XLVIII,
10. Omnibus actibus tuis diligentiam exhibe, quia scriptum est: *maledictus, qui facit*
opera Domini negligenter. Crescat in te
cum annis gratia, crescat cum ætate justitia;
& fides eò perfectior videatur, quò senior;
quia Dominus Jesus, qui nobis vivendi reliquit exemplum, proficiebat, non *ætate* tan-

---

1. *Psallentis*] Erat tantùm littera P. in Codice,
sed superiora & sequentia manifestò ostendunt scribendum esse *Psallentis*, nec ulla alia vox in hunc locum quadrat.

tùm

tùm corporeâ; sed *sapientiâ & gratiâ*, Luc. II, 52.
spirituali, *coram Deo & hominibus*. Omne
tempus, in quo te non meliorem senseris, hoc
æstima perdidisse. Conceptum virginitatis
propositum, ad finem usque conserva: quia
non inchoasse tantùm, sed perfecisse virtutis
est, sicut in Evangelio Dominus ait: *qui au-* Matth.X,22.
tem perseveraverit usque in finem, hic sal-
vus erit. Cave ergo ne cui occasionem vel
concupiscendi tribuas, quoniam sponsus tuus
zelans est. Criminosior est Christi adulte-
ra, quàm mariti. Esto igitur omnibus forma vivendi, esto exemplum. Præcede &
in actu, quos in [1] sanctitatis sanctificatione
præcurris. Virginem te in omnibus exhibe.
Nihil corruptionis objiciatur capiti tuo. Cujus corpus integrum est, sit inviolabilis conversatio; & quoniam, ut in exordio Epistolæ præfati sumus, te Dei sacrificium factum,
quod utique sanctitatem suam etiam aliis
impertit, ut quisquis ex eis dignè sumserit,
sanctificationis & ipse sit particeps: ita ergo

---

1. *Sanctitatis*] Præstaret *Sanctimonialis*, hoc est,
virginis consecratæ, *sanctificatione*. Vox *sancti-*
monialis frequentissima est apud *Augustinum*, aliósque ejusdem ætatis scriptores. Fortè scriptum fuit
sanctis, superimpositâ lineolâ, quæ significaret com-
pendiariam esse scriptionem, pro *sanctimonialis*, &
quæ tamen postea librarii incuriâ sit neglecta.

& per

& per te, quasi per divinam hostiam, sancti-
ficentur & ceteræ; cum quibus te ita in
omnibus exhibeas, ut quisquis vitam tuam,
aut auditu, aut visu contigerit, sanctificationis vim sentiat & tantùm sibi intelligat gratiæ ex tuâ conversatione transfundi, ut dum
te imitari concupiscet, Dei sacrificio & ipse
sit dignus.

EPISTPLA III.

AD S. PAULINUM EPISCOPUM
DE
COQVO, QUEM AD EUM
MITTIT.

CAP. I POSTQVAM omnes coquos tuos
coquinæ tuæ renunciasse cognovi,
credo quia dedignarentur officium
vilibus præbere ¹ pulmentariis; pue-
rulum tibi misimus ex nostrâ offi-

---

1. *Pulmentariis*] Jocosa hæc est Epistola, cui nimis seriò respondet *Paulinus* Ep. XXIII in Editione Parisinâ anni MDCLXXXV *Pulmentaria* dicuntur omnes cibi, qui primùm cum pulte, deinde
cum pane adponebantur. *Vario* de L. L. Lib. IV.
*Pulmentum, quòd idem cum pulte essent; inde
pulmentarium dictum.* Vide *Plinium* Lib. XVIII.
c. 8 ad eum *Joan. Harduinum.*

cina

cinâ, doctum satis [2]pallentem coquere fabam
& [3]ignobiles betas aceto & jure condire, vi-
lémque pultem esurientium faucibus inferre
Monachorum; [4]piperis nescium, laseris
ignarum, familiarem cymini & adprimè callidum herbis suave redolentibus clamosum
~~urgere mortarium.~~

Unum habet vitium, quòd hortorum CAP. II.
omnium non est civilis inimicus.   Ita, si admissus fuerit, proxima quæque metet gladio,
nec exsaturabitur umquam, cæde malvarum.
In præbendis autem sibi lignis, calumniosus
sibi non erit, obvia quæque comburet, metet,
nec dubitabit inferre tectis manus, & anti-
quos asseres laribus amovere.

Hunc igitur, cum his moribus atque vir- CAP. III.
tutibus, donatum tibi, non servum, sed pro
servo filium cupimus, quia non erubescis mi-

---

2. *Pallentes fabas*] Ex *Martialis* Lib. V Ep. 79.
Et pallens faba cum rubente lardo.

3. *Ignobiles betas*] Respicit fortè & ad *Martialem* Lib. XIII Ep. 13 ubi vocantur *fatuæ fabro-
rum prandia betæ.*

4. *Piperis nescium, laseris ignarum*] Piper
quod ex Indiâ, per camelos, & laser quod ex Cyre-
naicâ advehebantur nimis tunc temporis cara erant,
quàm ut in pauperiorum Monachorum culinis in-
venirentur; aut gulæ incitamenta fugientes eorum
loco cyminum, herbásque alias hortorum suorum
saporis vehementioris adhibebant.

nimo-

nimorum efse pater.   Ego tibi, pro hoc, fervire voluifsem;   fed fi voluntas facti portio
èft, tu modò facito ut inter prandia coenás-
que felices, mei memineris;   quia rectius
eft veftrum efse mancipium, quàm dominam ceterorum.   Ora pro me.

EPISTOLA IV.

AD EUMDEM, UT VIDETUR.

DE
SAPIENTIA ET MANSUETUDINE
PAULINI, IN ADHORTATIONIBUS.

CAP. I. SANCTÆ Religionis fidus interpres
univerfa componit, ut peccatis ulteriùs locus efse non pofsit; nam quid
aliud tantâ morum fanctitate pro-
mittis, nifi ut vitam beatam, fubmo-
tis erroribus, agitemus? In quo laudem maximam tuis video convenire virtutibus, quòd
imperitam mentem piis hortationibus im-
mutaris & ad optimam traxeris rationem.

CAP. II.   Ceterùm non ita mirabile videretur, fi
eruditos animos, infusâ fapientiâ confirmas-
fes; eft enim prudentibus viris cum devo-
tione cognatio, nec eft citò conveniens [1] crudelitati rufticitas.   Sic illi qui figuras ani-

---

1. *Crudelitati*] Severitati, ut fequentia docent.

man-

mantium de lapidibus ducunt, difficilioris operis negotium gerunt, si durissima saxa ferramentis incutiunt, illi verè qui mollioris materiæ tentamenta susceperint, manus suas juvari sentiunt, [2] facilitate fingendi, consentaneúmque putatur, ut arduus labor opificis honore maximo censeatur. Ita tibi, [3] Domne, prædicatio singularis est exhibenda, quòd impolitos, agrestésque sensus culpæ caligine liberatos, & humana sentire feceris & divina cognoscere.

Non minùs ille [1] Xenocrates in laude est, Philosophorum longè doctissimus, qui severis exhortationibus fecit ut luxuria vinceretur; nam cùm Polemo quidam, vino languidus, ex antelucano convivio publicè vagaretur, illúdque temporis esset, quo ad Gymnasium Xenocratis confluerent auditores, ingressus & ipse est, & in numero studiosorum, eo habitu, quo de coenâ prodierat,

CAP. III.

---

2. *Fingendi*] *Martialis* Lib. VIII Ep. 24.
Qui fingit sacros auro, vel marmore vultus,
  Nam facit ille Deos, qui colit ille facit.

3. *Domne*] Pro *Domine*. Est inferioris ævi, ut omnes sciunt.

1. *Xenocrates*] Historiam vide apud *Diogenem* Laërtium Lib. IV in vitâ Polemonis, & *Valer. Maximum* Lib. VI C. IX. Ext. Exemp. I ubi tamen elegantiùs, quàm hîc, non narratur.

impudenter adfedit; nam caput ejus florens
corona contexerat; neque eft veritus fe
omnibus videri diffimilem, qui reverâ caput,
quod eft domicilium fanitatis, ufu longe
potionis inverterat.   Tunc graviter immur-
murantibus ceteris, quòd in multitudinem
litteratorum intempeftivus auditor inrepfe-
rat; ne minimùm quidem Magifter ille
commotus eft, fed potiùs de difciplinâ morum, legibúsque modeftiæ inftituit difputa-
re, tantúmque valuit docentis auctoritas, ut
petulatfis illius animum ad amorem pudoris impelleret.   Et primùm quidem Polemo coronam capite conturbatus expofuit
difpulúmque profeffus eft; ad extremum,
ita fe ad officium gravitatis inflexit, féque
totum formavit ad verecundiam, ut prioris
vitæ confuetudinem emendatio gloriofa
correxiffet.

CAP. IV.   Hoc ipfum nos in tuis præceptionibus ad-
miramur, quòd nullis minis, nullis omnino
terroribus ad cultum Dei væfanos animos
convertifti, ut confufa mens illud crederet
effe rectiffimum, cum omnibus bene, beaté-
que vivere, quàm cum paucis injufta fentire.

EPI-

EPISTOLA V.
AD IGNOTUM,

Quem orat Severus ut paullò mitiùs
se erga fratrem suum gerat.

LICET [1] Dominus & germanus CAP. I.
meus de veſtrâ petierit honeſtate,
ut tutum velitis eſſe tutiſſimum,
tamen mihi fas fuit litteris com-
mendare, ut conduplicatâ peti-
tione tutior habeatur. Huic enim nocue-
rit puerilis culpa & error ætatis incertæ, ut
annorum ſuorum initia macularet; ſed qui
necdum ſciret quid bonis moribus deberetur,
propè ſine culpâ peccavit. Nam ſe ubi ad
bonam mentem conſiderationémque convertit, intellexit vitam ſcenicam cônſilio meliore damnandam. Huic autem plena non
poſſet evenire purgatio, niſi Divinitatis acces-
ſu delicta dilueret, ſiquidem Catholicæ Religionis remedio commutatus, uſum ſibi loci
turpioris, negavit, ſéque ab oculis populari-
bus vindicavit. *Domini, ut ſuprà.*

---

1. *Dominus & germanus &c.*] Dubito an hæc
Epiſtola ſit *Severi* noſtri, cujus ſtylus mihi melior
videtur. De quo tamen, aut ad quem ſcripta ſit ne
ſuſpicione quidem adſequor.

CAP. II. Quomodo itaque & divinæ leges & publicæ fidele corpus & sanctificatos animos non permittunt inhoneſtas exhibere delicias & vulgares edere voluptates; maximè cùm caſtæ devotionis quodammodo videatur injuria, ſi quis ſacro baptismate renovatus in veterem lasciviam revocetur; oportet laudabilitatem tuam bonis favere propoſitis, ut qui, beneficio Dei, pium munus indeptus eſt, in foveam theatralem cadere non cogatur. Veſtrûm tamen omnium judicium non recuſat, ſi alias injungatis congruas, pro neceſſitate communis patriæ, functiones.

EPISTOLA VI.
AD SALVIUM.

Conqueritur ruſticos exagitari, juráque & poſſeſſiones aliorum uſurpari.

CAP. I. FORENSIS [1] elatio fori debet exercitatione fervere; convenit enim lacertis induſtriæ quotidie depugnantis motus habere terribiles; at cùm ſonora facun-

---

1. *Elatio fori &c.*] Magis abit hæc Epiſtola à ſtylo Seßeri, quàm ſuperior. Agnoſcas, eloquentiam effictam non ad Veterum inſtar, ſed ad mores

dia

dia receptui cecinit & in otiosa nemora atque
amœna diversoria remigravit, fremitus inertes oportet abjiciat & definat inefficacia minitari. Scimus etenim palmigeros bijuges,
ubi è circo recesserint, quietissimè stabulari.
Illos non jugis formido, non ambiguæ palmæ sollicitant : sed demum pacatis adfixi
præsepibus timere jura nesciunt hortatorem,
seditiosæ contentionis dulcia ducentes obli-
via. Sed &,stipendiis consummatis, tropæa
suspendere juvat militem gloriosum & patienter gerere senectutem.

An tibi igitur cordi sit terrificare miseros CAP. II.
aratores, non planè intelligo & ruricolas
meos cur velis exhibitionis urgere formidine
non agnosco; quasi verò illos nesciam consolari & à pavore retrahere & docere non
tantum esse timoris, quantum ipse præten-
dis. Fateor, dum nos campus exciperet me
sæpe eloquentiâ tuâ fuisse conterritum; sed
frequenter, ut poteram, recidiva vulnera re-
ponebam. Tecum sanè condidici quo jure

& sermonem V seculi ; contra quàm facere solet *Se-*
Gerus, qui antiquiores ubique imitatur, iisque simi-
lior est, quàm æqualibus. Præterea est hominis, qui
olim caussarum patronus fuerat,& prædia habebat in
Africâ, quæ *Sebero* Presbytero Aquitano, & qui vitam in Galliâ traduxit, non conveniunt.

Pp 3

coloni

coloni, quóve ordine repetantur; cui competat actio, cui non competat exitus actionis.

CAP. III.   Volusianenses ais se velle reducere, ac frequenter iratus ingeminas te rusticos ex meâ
turriculâ retracturum, & is qui, ut ego spero
atque desidero, mihi antiquâ necessitudine
sit copulatus, confecturum te homines meos
conventione neglectâ temerè minitaris. Quæ-
ro de insigni prudentiâ tuâ, utrum jus aliud
habeant advocati, aliúd ex togatis, an aliud
æquum Romæ est, aliud [1] Mataritæ.

CAP. IV.   Interim nescio Volusium fundi umquam
fuisse Dominum; si quidem Dionysius fertur ejus possessionis jura servasse, neque he-
redes illius defecisse, qui, dum viveret, [1] rei
navalis in plurimos venenales aculeos inten-
debat.

CAP. V.   Fuit, eâ tempestate, Porphyrius quidam,

---

1. *Mataritæ*] In conlatione Carthaginiensi I diei
c. CXXXIII mentio sit *Cultasii Episcopi plebis Ma-*
taritane, ubi vide notas *Dupinii.*

1. *Rei navalis aculeos*] Infra §. 5. *navicularia*
jurgia. De Naviculariis, eorúmque privilegiis le-
gendi Tituli V & VI Lib. XIII. Codicis Theodosia-
ni. Rem hîc tractari non patitur nostrum institu-
tum, nec nostrâ interest scire quæ fuerit lis, de quâ
hic *Severus,* qui non videtur fuisse noster ille Aqui-
tanus, sed nescio quis Afer. An ejusdem sit sequens
Epistola, an aliûs juxta scio cum ignorissimis.

                                        Lib-

Zibberino fatus, neque enim rectè Zibberini
filius nominatus. Idem generis quæftionem
militiâ convelabat & ut nubem à fronte re-
pelleret, officiosâ gratiâ & lætis obfequiis fun-
gebatur.   Multùm mecum fuit & domi &
in foro; cùm me & apud patrem defenfore,
& apud judicem patrono fæpiùs uteretur. Aliquando etiam Dionyfium comprimebam,
quòd Porphyrio non deberet, viginti jugerûm caufsâ, navicularia jurgia commovere.

En cauffa eft, cur infignis prudentia tua CAP. VI.
meis minitetur actoribus, ut, cùm dominus
loci non fis, paffim colonorum meorum facias mentionem & fi te Porphyrii denuncias
fucceflorem, viginti jugerûm noris angu-
ftias ne ab uno quidem cultore poffe tractari; aut fi te memorem, cuftodémque pro-
priæ dignitatis piget heredem nominare Porphyrii; certum, manifeftúmque & illum
poffe proponere, qui proponendi habeat fa-
cultatem, ut adversùm eos experiatur, qui
nihil ex eadem terrâ poffideant.   Ceterùm
fi diligenter infpicias, mihi potiffimùm defer-
ri poteft intentio repetendi.

Quare, Domine prædicabilis frater, qui CAP. VII.
efcas oportet, & mecum redeas in gratiam,
& ad privatum venire digneris conloquium.
Definas, quæfo, inertes & trepidos contur-

Pp 4   bare,

bare, & jactantiam tuam procul exerceas, &
exiſtimes me lætari tuâ ſuperbiâ, non offendi; nec duri enim, nec ineruditi ſumus. Saltem te mitem faciat Maximinus.

EPISTOLA VII.
AD IGNOTUM,

A quo officium litterarnm deſideratur.

CAP. I.   ALIA animorum quìdem fides & religio manet; ſed hæc declaranda eſt
indicio litterarum, ut caritatìs augmentum ſalutatione ſuccreſcat. Sicut
enim fertilis ager fructus copioſos adtollere
non poteſt, ſi cultura ceſſaverit, & terrarum
bonitas perit, deſidiâ quieſcentis: ſic amorem gratiámque animi puto poſſe torpeſce-
re, niſi qui abſentes ſunt epiſtolari præſen-
tiâ viſitentur. DEO gratias.
Amen.

INDEX

INDEX PRIOR

SISTENS RES, DE QVIBVS IN HOC LIBELLO AGITUR.

Pp 5 aram

pur-

INDEX POSTERIOR
LATINITATIS.

pro-

si-

SOLI DEO GLORIA!

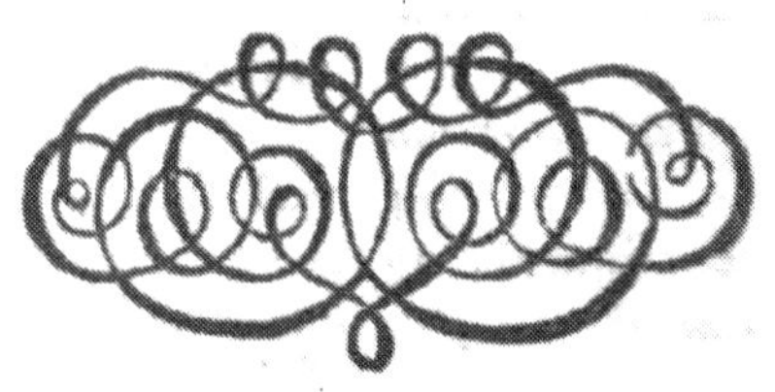

www.ingramcontent.com/pod-product-compliance
Lightning Source LLC
LaVergne TN
LVHW061341190726
843642LV00009B/2957